Au chant des marées

Tome 1

De Québec à l'Île Verte

FRANCE LORRAIN

Au chant des marées

Tome 1

De Québec à l'Île Verte

Guy Saint-Jean
ÉDITEUR

Guy Saint-Jean Éditeur
4490, rue Garand
Laval (Québec) Canàda H7L 5Z6
450 663-1777
info@saint-jeanediteur.com
saint-jeanediteur.com

. . . .

Données de catalogage avant publication disponibles à Bibliothèque et Archives nationales du Québec et à Bibliothèque et Archives Canada

. . . .

Nous reconnaissons l'aide financière du gouvernement du Canada par l'entremise du Fonds du livre du Canada (FLC) ainsi que celle de la SODEC pour nos activités d'édition. Nous remercions le Conseil des arts du Canada de l'aide accordée à notre programme de publication.

Gouvernement du Québec – Programme de crédit d'impôt pour l'édition de livres – Gestion SODEC

Édition : Isabelle Longpré
Révision : Isabelle Pauzé
Correction d'épreuves : Johanne Hamel
Conception graphique de la page couverture et mise en pages : Christiane Séguin
Illustration de la page couverture : Talisman Illustration design – Alain Fréchette

Dépôt légal – Bibliothèque et Archives nationales du Québec, Bibliothèque et Archives Canada, 2017

ISBN : 978-2-89758-314-9
ISBN EPUB : 978-2-89758- 315-6
ISBN PDF : 978-2-89758- 316-3

Imprimé et relié au Canada
2e impression, octobre 2017

 Guy Saint-Jean Éditeur est membre de
l'Association nationale des éditeurs de livres (ANEL).

Pour les insulaires de l'Île Verte…

L'Île Verte et la municipalité du même nom (L'Isle-Verte) sur le continent sont des endroits véridiques. Toutefois, je tiens à préciser que certains éléments, lieux et sites du roman ne sont pas comme je les ai décrits.

Aucun des personnages ou des événements qui font partie de cette histoire n'ont réellement existé. Tous sans exception sont le fruit de mon imagination! Vous ne rencontrerez donc pas Adrien, Roseline, Marjolaine et compagnie si vous allez faire un tour sur cette île magnifique.

Par contre, vous aurez le privilège d'assister à des levers et des couchers de soleil fabuleux; vous pourrez sillonner l'unique chemin de l'île à pied ou à bicyclette en laissant le vent fouetter votre visage. Vous serez charmés par la beauté du phare, du Bout d'en-Bas et du Bout d'en-Haut ainsi que par la gentillesse et l'amabilité des habitants de l'Île Verte.

Cette histoire se veut le plus plausible possible. Mais si certains faits sont erronés, sachez que ce sera uniquement dû aux libertés que j'aurai prises! Bonne lecture!

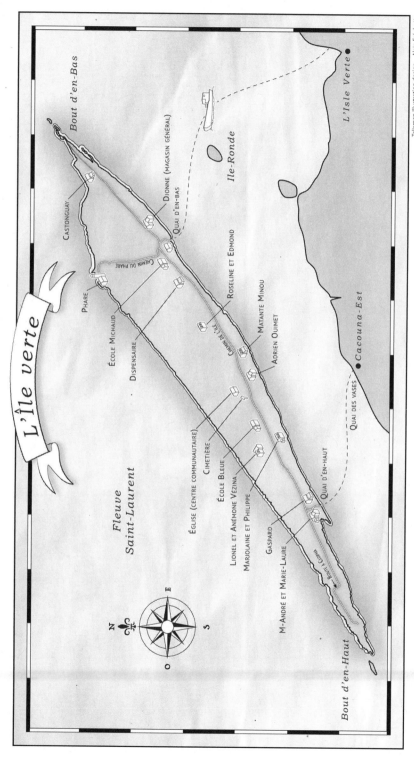

L'Île verte

Bout d'en-Bas

Fleuve
Saint-Laurent

Castonguay

Phare

École Michaud

Dispensaire

Dionne (magasin général)

Quai d'en-Bas

Chemin du Phare

Roseline et Edmond

Matante Minou

Adrien Ouimet

Chemin de l'Île

Église (centre communautaire)

Cimetière

École Bleue

Lionel et Anémone Vézina

Marjolaine et Philippe

Gaspard

M.-André et Marie-Laure

Route du Quai

Quai d'en-Haut

Quai des vases

Ile-Ronde

L'Isle-Verte

Cacouna-Est

Bout d'en-Haut

N E S O

1980… Dans le Bas-Saint-Laurent se trouve un joyau encore méconnu: l'Île Verte. Située face à l'embouchure du Saguenay, cette terre solitaire servait autrefois de plaque tournante pour le commerce entre les tribus amérindiennes. Les seigneurs s'y sont succédé et, aujourd'hui, on retrouve encore des descendants des familles issues de cette belle époque: les Fraser, les Dionne, les Caron… Voilà autant de patronymes que l'on recense sur cette île majestueuse, où la vie n'est pas toujours facile, malgré la beauté des lieux.

Marjolaine Lalonde sautillait sur place, les mains sur les épaules de son mari, Philippe Caron. Euphorique, la jeune femme parlait d'une voix fébrile, incapable de contenir son excitation. Ses grands yeux bruns brillaient d'une joie trop longtemps contenue.

— Imagine tout ce qu'on va pouvoir faire maintenant ! On va réaliser notre rêve bien plus vite que prévu ! Avoir une maison juste à nous !

Le couple n'en revenait tout simplement pas de la chance qui lui tombait du ciel. Alors que les deux jeunes gens vivaient modestement dans la vieille ville de Québec, voilà que la missive d'un dénommé Grégoire Lafleur allait changer leur destinée.

Rivière-du-Loup
12 janvier 1980
Monsieur Philippe Caron,
À la suite du décès de monsieur Jasmin Caron – je joins copie de l'acte de décès – je vous informe que vous êtes l'unique héritier nommé par cet homme. Je vous convie donc à mon bureau afin de vous informer des détails du legs confié par votre oncle paternel. Je reste à votre disposition pour tous

renseignements complémentaires que vous souhaiteriez obtenir et vous remercie de bien vouloir accuser réception de la présente.

Dans l'attente, je vous prie d'agréer, monsieur Philippe Caron, l'assurance de mes sentiments distingués...

À son arrivée au bureau du notaire Lafleur en compagnie de Marjolaine, Philippe s'était vu remettre par l'homme âgé la lettre testamentaire rédigée en bonne et due forme par son parrain, qu'il n'avait pas revu depuis plus de douze ans. Surpris par la nouvelle, Philippe s'était assis pour découvrir le contenu du message, sa femme penchée au-dessus de son épaule.

À qui de droit

Ceci est mon testament,

Je, soussigné, Jasmin Caron, né le 8 avril 1922, dans la paroisse de Notre-Dame-des-Sept-Douleurs (Île Verte), demeurant à ce jour au 16, chemin de l'Île, déclare léguer la maison dans laquelle je suis né, soit celle-là même précitée, à Monsieur Philippe Caron, domicilié à Québec, né le 12 juin 1950 à Notre-Dame-des-Sept-Douleurs.

Le reste de mon patrimoine, c'est-à-dire meubles et terre, sera aussi remis à ce seul héritier selon les règles légales en vigueur. Une somme de 18 000 $ s'ajoutera à ce legs...

Philippe avait frotté sa chevelure noire bouclée, avant de se pencher sur le bureau de frêne du notaire, qui affichait un air ennuyé.

— Je comprends pas... Ça veut dire que...

— Que vous héritez de tout ce que cet homme avait en sa possession au moment de sa mort.

Les yeux verts de Philippe s'étaient posés sur son épouse souriante, puis étaient revenus fixer le notaire. Il repensait à cet oncle maussade qu'il n'avait plus revu depuis des années. Après la mort de son père à la suite d'une crise cardiaque foudroyante, par une nuit glaciale de décembre 1965, le jeune homme avait espacé ses visites sur l'Île Verte, pour finalement y mettre fin, une douzaine d'années plus tôt.

— C'est impossible, voyons! Je l'ai pas revu depuis l'âge de dix-huit ans. Je me rappelle à peine ce qu'il avait l'air! La dernière fois que j'ai mis le pied sur l'Île Verte, ma tante était encore vivante!

Philippe ferma les yeux quelques instants pour faire naître une image dans sa tête. Mais à part un homme à l'air bourru, rien ne lui venait. Il s'avança sur sa chaise et reconnut, d'un ton hésitant:

— Puis... il devrait laisser tout ça à mon oncle ou à mon cousin qui vivent sur l'île, non? Me semble que ce serait bien plus logique!

— Peut-être plus logique, mais ça a l'air que lui – l'homme de loi insista sur le mot – ne vous a pas oublié. Comme il n'a pas eu d'enfants, il vous lègue tout, confirma fermement le notaire, sur un ton où Philippe sentait poindre un reproche.

Il allait s'excuser, formuler des regrets, lorsque Marjolaine saisit la lettre, que son mari tenait encore avant de s'exclamer:

— Bon, ça veut dire quoi, au juste? Est-ce qu'on doit payer quelque chose? Parce que je vous le dis tout de suite, on a pas d'argent!

— Non, vous n'avez rien à débourser, tout a été prévu par monsieur Caron.

Le visage étroit de la jeune femme montrait son excitation. Eux qui habitaient dans le haut d'un duplex mal isolé, voilà qu'on leur offrait une maison sur un plateau d'argent. N'était-ce pas là l'occasion d'avoir enfin un nid bien à eux ? Connaissant le caractère sage et posé de son amoureux, elle prit les commandes de la discussion. Marjolaine était responsable depuis si longtemps qu'elle n'hésita pas à saisir l'occasion d'améliorer leur sort. Elle reprit place sur la chaise aux côtés de Philippe, puis proposa :

— Et si on ouvrait une auberge comme on en a parlé tant de fois, mon amour ? On te donne une maison au milieu du fleuve en héritage et toi, tu hésites ?

— Mais… notre voyage ? Ton père ? On le laisse tomber ?

— Notre voyage en Europe peut bien attendre ! On investira nos économies dans notre nouvelle maison. Puis mon père…

Les yeux à moitié fermés pour réfléchir à cette délicate question, Marjolaine laissa passer quelques secondes. Son père, Paul Lalonde, avait pris sa retraite trois ans auparavant et, depuis, vivait dans l'appartement situé sous le leur. Dire qu'il dépendait beaucoup du jeune couple n'était pas un euphémisme : il avait besoin de sa fille et de son gendre pour les repas, pour ses déplacements, pour la compagnie, et plus. L'homme de soixante-dix ans ne pouvait assurément pas vivre seul à Québec. De toute manière, les souvenirs qui se rattachaient à cette ville seraient toujours trop lourds à porter pour lui ; aussi bien faire une coupure bien nette ! Le changement d'air ne pouvait que lui être profitable. Marjolaine fit taire la petite voix dans sa tête qui lui murmurait qu'elle voulait ainsi empêcher des retrouvailles entre son père et Sophie, sa sœur aînée, exilée dans l'Ouest canadien depuis l'affreuse journée du 10 juillet 1975. En s'établissant sur l'Île Verte, Marjolaine avait l'impression que cette distance nuirait à d'éventuels rapprochements. Elle posa donc sa main sur la nuque de son chéri avant de murmurer, son front appuyé contre le sien :

— On amène papa avec nous autres!

— Avec nous autres?

— Il y a un petit chalet sur la terre de ton oncle. On l'aménagera pour lui et la question est réglée. Je suis sûre que l'air du fleuve lui fera du bien. De toute manière, c'est pas comme s'il était très occupé! Il passe ses journées à regarder la télévision. Hier, il m'a raconté de long en large la vie de Laura Ingalls dans *La petite maison dans la prairie*! Alors, laisse-moi te dire qu'on passera pas à côté de cette chance-là. On amène Paul avec nous, c'est tout!

Comme toujours, les obstacles qui entravaient les projets de Marjolaine étaient balayés du revers de la main. Si, au départ, elle avait été une enfant assez réservée, les circonstances de la vie en avaient fait une femme décidée et empressée. Les décisions, elle les prenait en ne pensant qu'à eux trois: son père, son mari et elle. Et en effet, peu de temps après cette visite chez le notaire, les détails de la succession avaient été réglés, les appartements sous-loués et leurs démissions donnés! Enfin terminées les longues heures travaillées au restaurant!

Paul Lalonde n'avait pas hésité à embarquer dans cette nouvelle aventure. Depuis la fin de sa vie professionnelle, il regrettait souvent le manque d'action dans son existence de retraité. Après avoir mené une carrière de détective privé, il aspirait à moins de monotonie pour ses vieux jours. Quatre mois plus tard, les nouveaux propriétaires arrivaient sur l'Île Verte avec leurs maigres avoirs et des rêves plein la tête.

CHAPITRE 1

Île Verte, mai 1980

En scrutant le fleuve Saint-Laurent par la fenêtre, Marie-Laure Marchand évitait le regard insistant de son mari, Marc-André Caron. Ce dernier s'approcha derrière elle et voulut l'enlacer avec tendresse. Mais la grande femme châtaine ne se sentait pas très affectueuse. Sans se retourner, elle fit connaître le fond de sa pensée :

— Tu m'avais promis, marmonna-t-elle entre ses lèvres.

— Je le sais, Marie, mais j'ai pas tellement le choix. C'est ça ou je traverse de l'autre bord pour me trouver de l'ouvrage. Si tu préfères que je parte tout l'été…

La femme secoua vivement sa tête de gauche à droite, faisant valser sa longue tresse entre ses omoplates.

— Tu le sais que je veux plus que tu partes pendant des mois. Avec Marion et Éloi, ça allait, mais depuis qu'on a le petit…

Il y avait beaucoup de non-dits entre les époux. Un malaise s'installa dans la grande cuisine. Les fenêtres entrouvertes laissaient pénétrer une douce brise saline. Les cris de joie de leurs deux aînés, qui couraient dans le champ près de la grange, ne réussirent pas à détendre l'atmosphère. Marie-Laure s'avança vers la porte de la maison jaune, avec l'idée de sortir quelques minutes pour fumer une cigarette et se calmer un peu. Ses yeux las se posèrent sur la face généralement enjouée de Marc-André. Elle hésita sur le seuil. Savait-il à quel point l'anxiété la minait? Depuis quelques mois, chaque jour passé auprès de leur fils Jules était un combat. Mais le bon vivant préférait croire que son plus jeune enfant n'avait qu'un simple retard de langage. La colère contenue dans la voix de sa femme peina Marc-André.

— Fais ce que tu veux! lui lança-t-elle. De toute façon, d'une manière ou d'une autre, je vais encore me retrouver toute seule une bonne partie de l'été, si j'ai bien compris. Je vais prendre l'air!

Avant que son costaud mari ne puisse réagir, la porte claqua sur ses gonds. Le blond aux boucles frisées soupira avec désolation. Il ferait tout pour rendre sa femme heureuse. Lorsqu'il n'avait encore que ses deux aînés, le couple avait prévu avoir toute une ribambelle d'enfants. À l'époque, Marie-Laure était rieuse, maternelle, et ne pouvait passer une soirée sans relater avec entrain les bons coups de Marion et d'Éloi. Puis, ils avaient eu Jules, avec ses silences, ses absences… La trentenaire avait changé et ne parlait plus d'avoir un autre bébé. Leur petit dernier avait beau avoir déjà quatre ans, il ne balbutiait que quelques mots, souvent incompréhensibles. «De toute manière, songeait Marc-André, la plupart du temps, il veut rien savoir de nous.» Le garçonnet vivait dans un monde à part, dans une espèce de bulle que peu de gens arrivaient à percer.

— C'est toujours bien pas de ma faute! marmonna le pauvre homme. Il faut que je fasse rentrer de l'argent pour l'hiver si on veut avoir de quoi manger! Elle pense peut-être qu'on va vivre avec le petit chèque d'allocation familiale qu'on reçoit chaque mois!

Marc-André s'appuya contre le comptoir de bois de la cuisine en regardant au loin le chaland de Conrad Dionne qui ramenait sur le continent des touristes venus passer la journée sur l'Île Verte. C'était sûrement le dernier transport de la journée, car la marée baissait. La discussion houleuse entre lui et son épouse concernait un nouveau travail qu'on lui avait proposé. Le matin même, l'homme avait accepté de s'occuper des déchargements de la marchandise au quai. Marc-André n'avait pas terminé ses études et, avec une deuxième secondaire, c'était difficile de trouver un emploi payant, surtout dans ce coin de pays. Auparavant, il partait sur le continent en mai et ne revenait qu'en septembre pour rejoindre sa famille. Mais tôt ce printemps, après une nouvelle crise de Jules, Marie-Laure avait été claire :

— Pas question que tu partes tout l'été. Moi, je sais plus quoi faire avec lui! Je l'ai toujours bien pas fait toute seule, cet enfant-là! Il a besoin de son père.

— Mais Marie, on va vivre avec quoi?

— On va s'arranger, tu te trouveras des *jobines*!

Alors l'homme, toujours amoureux fou de sa grande épouse, après plus de quinze ans, avait vu les autres insulaires quitter pour les chantiers avec un pincement d'inquiétude au fond du cœur. Comment ferait-il vivre sa famille s'il ne trouvait pas d'emploi sur la petite île? Il avait parlé de sa préoccupation aux membres de son entourage, en espérant que son père, Gaspard, qui était aussi le maire de l'Île Verte, puisse l'aider grâce à ses relations. Marc-André avait donc été bien heureux de la proposition de Conrad Dionne de s'occuper des chalands au quai. Il pourrait ainsi rester près de la maison, tout en touchant un revenu fixe. Mais Marie-Laure ne l'avait pas vu du même œil!

— Tu vas être parti toute la journée, puis toute la soirée! Tu m'avais dit que tu t'occuperais de la pêche de Lionel, cet été, puis qu'on serait corrects! Mais si tu rajoutes une autre *job*, tu sais bien que je vais devoir m'arranger seule!

— Sais-tu quoi, Marie-Laure? J'aimerais ça être plus que correct cet hiver. Me semble que tu devrais être contente! Puis avec les marées, ça va me laisser de longs temps libres pour revenir t'aider ici. Je suis toujours bien pas pour rester assis à regarder Jules jouer dans le gazon, *maudit*!

Ils en étaient là dans leur discussion lorsque sa femme avait choisi la fuite, de nouveau. Même s'ils avaient eu Marion à tout juste dix-huit ans et Éloi deux ans plus tard, ils n'avaient jamais regretté ce choix. Depuis un an, toutefois, la mère de famille n'était plus celle qu'il avait mariée. À la naissance de leur fils cadet, le bonheur régnait pourtant dans la maison jaune. Mais les différences devenaient frappantes entre le gamin roux et les autres enfants de l'île, ce qui donnait encore plus envie à sa mère de le protéger des moqueries et des commentaires sans filtre des autres insulaires. Marc-André monta se préparer en vitesse pour aller rejoindre les hommes au Quai d'en-Bas. Le vieux Lionel leur avait demandé un coup de main pour sa pêche. Le père de famille fit taire sa culpabilité, sachant fort bien qu'il n'aurait pas à assister au coucher infernal de son plus jeune fils, qui hurlait de rage presque tous les soirs, malgré les menaces proférées ou les récompenses promises. Il entendit la porte de la maison claquée, signifiant le retour de Marie-Laure à l'intérieur. Il redescendit dans la cuisine, baisa le dessus de la tête châtaine avant de mettre sa casquette rouge.

— Demain, je vais m'occuper de le coucher, promit-il à Marie-Laure, avant de quitter la maison pour filer au quai.

Sa femme ne prit même pas la peine de répondre, alors que Marion et Éloi couraient en riant derrière le vieux camion gris de leur père qui grimpait le chemin du Quai d'en-Haut. Leurs hurlements de joie résonnèrent jusqu'aux oreilles de Marie-Laure, qui esquissa un sourire furtif avant de soupirer pour ramasser le morceau de banane écrasé près de son pied. Il lui fallait maintenant trouver où Jules s'était caché pour jouer avec ses amis imaginaires.

⟿

Lorsque Marc-André passa en vitesse devant la petite école bleue du Bout d'en-Haut, il envoya la main au jeune Justin Castonguay, qui semblait écouter patiemment les consignes de la sœur enseignante. La femme devait lui proposer une corvée quelconque et le pauvre voulait s'assurer de bien la comprendre.

— Mon gars, ricana Marc-André, tu as pas fini de travailler pour des *peanuts*! La *pisseuse* va te siphonner tant que tu mettras pas ton pied à terre!

Sur ce territoire isolé du continent, les enfants de la première à la sixième année fréquentaient tous la même – l'unique! – classe. L'enseignante actuelle, sœur Claudette, avait la main ferme et le visage sévère. Peu d'élèves se permettaient de déroger aux règles imposées par la vieille religieuse. Plus loin à l'est, il y avait aussi l'école Michaud*[1], nommée en l'honneur de celui qui avait offert le terrain pour la construire. C'est là que les enfants poursuivaient leurs études secondaires avant de traverser sur le continent pour les terminer. Arrivé devant l'église, Marc-André accéléra encore la cadence; il avait déjà dix minutes de retard. Il n'avait pas assisté à la réunion du conseil, la veille, et il avait hâte de connaître les dernières nouvelles. En tournant sur la rue du Quai d'en-Bas, il constata que plusieurs insulaires s'étaient déplacés pour aider le doyen de l'île.

---

1   Tous les passages suivis d'un astérisque renvoient à une note de l'auteure à la fin du roman.

— Même Adrien est là! pensa-t-il en observant un vieil homme aux longs cheveux blancs marcher sur le chemin de terre battue.

Pourtant, l'homme âgé de soixante-quinze ans éprouvait une douleur constante dans une jambe et se déplaçait avec une canne. De loin, Marc-André constata qu'une discussion houleuse semblait avoir lieu entre lui et quelques membres du conseil. Des éclats de voix parvenaient jusqu'à lui. Il descendit de son vieux *pick-up* et s'avança rapidement vers son père, le maire Gaspard Caron. Autour de lui se trouvaient Hermine Lajoie, Lionel Vézina et Roseline Lamothe. Tous avaient la mine basse. Pour détendre l'ambiance, le blond déclara en riant:

— Voyons donc, dites-moi pas que quelqu'un est mort!

— Marc-André!

Le nouvel arrivant déglutit en entendant le ton sévère d'Hermine, plantée devant son père. Il posa son regard inquiet sur Gaspard, qui hocha imperceptiblement la tête de gauche à droite. Ouf! Marc-André souffla avant de prendre place dans le cercle d'insulaires.

— Bon alors pourquoi vous avez cette face-là?

— Tu sais bien… la jetée! répondit aussitôt son père, en tentant d'emprunter un ton neutre.

— Oh, pas encore!

Marc-André soupira, découragé. Depuis des années, les insulaires ne s'entendaient pas sur ce projet de jetée. Chaque fois que quelqu'un tentait d'aborder le sujet, la discussion tournait au vinaigre. La voix calme et sévère d'Adrien Ouimet fit grimacer Marc-André. Il connaissait trop bien la position du vieux sur cette question épineuse.

— Je veux pas! affirma l'homme en fixant de ses yeux pâles les autres personnes à ses côtés. Jusqu'à ma mort, je refuserai. Vous me connaissez, je céderai pas!

Le ton était sérieux et contenait même une pointe de frustration. Les Verdoyants qui étaient au quai jetèrent un regard embêté à l'homme âgé, dont la barbe blanche touchait le haut de sa poitrine. Son chandail vert, plus très propre, flottait sur son corps maigre. Son visage tanné par le grand air affichait sa résistance. Une veine palpitait sur sa tempe droite, ce qui inquiéta un peu le maire. Après tout, l'homme n'était plus si jeune, un tel émoi n'était sûrement pas recommandé pour lui. Tous le respectaient, mais commençaient à trouver que le vieux s'entêtait un peu trop. Malgré son bon vouloir et ses paroles rassurantes, Gaspard savait bien que l'autre ignorerait ses appels au consensus. Embarrassé, le maire jeta un regard vers son fils Marc-André.

— Ce serait quand même assez pratique, une jetée… tenta la timide Hermine Lajoie sans grand espoir. Si on l'avait eue, il y a quelques années, quand il a fallu reconstruire l'église…

La femme cessa de parler, envahie par l'émotion qui l'étreignait au souvenir de cette nuit affreuse. Dans la soirée du 31 janvier 1974, la foudre avait frappé le clocher de l'édifice religieux*. Les habitants avaient assisté, impuissants, à la destruction du lieu de culte, l'île n'hébergeant aucun service d'incendie. Les insulaires s'étaient hâtés d'arroser le presbytère voisin, pour éviter la propagation du feu. Adrien Ouimet, qui habitait de l'autre côté du chemin de terre, avait vu les flammes chauffer son hangar. La construction de la nouvelle église avait débuté l'été suivant, dans l'effervescence des festivités entourant le centenaire de la paroisse de Notre-Dame-des-Sept-Douleurs.

Le dissident répliqua sévèrement en tournant ses yeux bleus vers la femme toute menue :

— On l'a rebâtie quand même, notre église, Hermine, cherche pas à m'influencer. Puis il posa sa main rêche sur celle de la femme pour atténuer un tant soit peu la sécheresse de ses propos.

Ces deux amis d'enfance étaient voisins depuis toujours. Adrien Ouimet ne se laissait dicter sa pensée par personne, pas même par cette petite femme qu'il respectait pourtant profondément. Le maire fit une moue déçue, car il savait que lorsque l'homme âgé n'était pas d'accord avec une idée, celle-ci avait bien peu de chances d'être acceptée par la majorité au conseil. L'opinion des aînés comptait beaucoup sur l'Île Verte.

— Reste que si on avait pas eu à transporter tous les matériaux par bateau, la tâche aurait été plus simple ! précisa Gaspard Caron de sa voix posée. Personne peut dire le contraire !

Les hochements de tête lui donnèrent raison. Seul l'homme aux cheveux blancs gardait son air buté. Que ce soit au conseil, au magasin général ou au quai, la mésentente concernant le projet de jetée régnait. Perdue au milieu du fleuve, l'Île Verte s'exposait aux arrivants dans toute sa splendeur. C'était un territoire encore protégé, nourri par le fleuve Saint-Laurent, qui l'entourait de ses eaux glaciales, hiver comme été.

— On est bien corrects de même, réitéra Adrien Ouimet. Si on donne notre accord pour faire construire un pont…

— Une jetée… interjeta le maire.

— Un pont, une jetée, veux-tu bien me dire c'est quoi la *bonyenne* de différence ? coupa le vieux. C'est juste une façon pour que les curieux de la ville viennent nous envahir, hiver comme été. Il faut protéger notre terre contre ces envahisseurs !

Gaspard Caron se tourna vers le continent, de l'autre côté du chenal, pour cacher son exaspération. L'homme de soixante-deux ans, à la grande silhouette corpulente, en avait assez de discuter de ce projet qui ne menait à rien. Pont, jetée, traversier... la simple évocation du sujet échauffait les esprits. Son crâne chauve brillait comme une boule de billard. Las, Gaspard se dirigea vers le chaland de Lionel Vézina, qui n'avait pas dit un mot, avant de marmonner :

— Je pense qu'on est mieux de changer de sujet de conversation. On est pas ici pour recommencer à parler de ça.

— En effet ! répondit aussitôt Hermine, malheureuse dans la dispute. La femme sourit gentiment à son vieux voisin, qui garda son air grave.

Adrien, Marc-André et Gaspard avancèrent donc près du bateau du doyen de l'île, qui avait laissé sa femme à la maison et voulait se dépêcher de déployer ses filets. Il faut dire que la pauvre Anémone Vézina n'avait plus toute sa tête et que l'homme préférait l'avoir toujours à ses côtés. Mais ce soir, il était rassuré, l'ayant installée au salon devant son émission de télévision préférée, *Les Arpents verts*. L'histoire de ce riche avocat new-yorkais faisant un retour à la terre avec son épouse Lisa, une jolie écervelée qui s'adaptait difficilement à son nouveau mode de vie rural, fascinait sa femme, qui connaissait les paroles de la chanson du générique par cœur. Elle ne bougerait pas durant au moins une heure. Lionel pointa les bacs en plastique rouge alignés sur le quai.

— Bon, on peut commencer ? Parce que je veux pas laisser Anémone seule trop longtemps.

Les hommes et les femmes s'avancèrent vers le fleuve, mais Gaspard stoppa le mouvement en déclarant :

— Si ça te dérange pas, Lionel, avant, j'aurais quelque chose à vous annoncer. Ça sera pas long.

En prononçant ces paroles, le divorcé grimaça en pensant à l'accueil que recevrait sa nouvelle. Assurément, les insulaires ne verraient pas tous d'un bon œil l'arrivée imminente de son neveu, Philippe Caron, sur leur île. Cette terre boisée représentait un lieu paisible pour les visiteurs d'un jour. Pour ceux qui l'habitaient en permanence, la vie y était souvent difficile, puisque l'endroit était coupé du continent plusieurs semaines par année en période hivernale. Mais cette terre était la leur. Même si la plus grande résistance venait toujours d'Adrien Ouimet, il n'en demeurait pas moins que plusieurs insulaires n'aimaient pas voir des étrangers s'établir sur l'île. Depuis une dizaine d'années, quelques citadins avaient acheté des maisons pour venir y passer leurs étés, ce qui déplaisait à plusieurs. Deux courants s'affrontaient : ceux qui espéraient des investissements, des projets, afin d'assurer la survie de l'île, et les autres, qui désiraient limiter l'arrivée massive de touristes et les conséquences sur la quantité de déchets générés, la circulation sur l'unique chemin, le manque d'intimité*... Bref, Gaspard avait préféré attendre la présence de son fils pour annoncer cette arrivée prochaine.

— En tout cas, si c'est pour un pont ou...

— Arrête de radoter, Adrien, coupa amicalement Roseline Lamothe. Gaspard a dit qu'on en parlait plus. Le dossier est réglé !

Un marmonnement incompréhensible répondit à la femme courtaude de presque quarante ans. Tous ses sens à l'affût, la femme posa ses yeux bleus sur le maire chauve. Elle devinait dans le ton de l'homme un malaise qui l'intriguait. Roseline Lamothe était l'image parfaite d'une poigne de fer dans un gant de velours. Depuis plusieurs années, elle élevait seule ses cinq enfants sept mois par année, pendant que son homme voguait sur le fleuve, entre Rivière-du-Loup et la Gaspésie. Elle était au courant de tous les potins, de toutes les chicanes et de toutes les nouvelles amourettes de ses concitoyens. Sur l'île, personne n'était à l'abri de ses interventions et de ses commentaires. Les bras croisés sur sa poitrine maigre, Adrien Ouimet gardait quand même son air inquiet. Son amour viscéral pour son île l'empêchait parfois de réfléchir objectivement.

— Ici, on est bien quand il y a juste nous autres! avait-il coutume de dire.

— Il faut toujours bien qu'on vive de quelque chose, lui répondaient alors les insulaires qui espéraient une ouverture sur le continent.

Adrien ne rétorquait rien, sachant fort bien que sans sa pension de vétéran, lui aussi aurait de la difficulté à joindre les deux bouts. Gaspard soupira en lisant la curiosité sur le visage de ces gens qui s'étaient regroupés autour de lui.

— *Pssst!* Marc-André, le sais-tu, toi, ce que ton père veut nous dire? chuchota Roseline d'un ton excité. La blonde au visage rond comme une lune avait l'œil brillant d'anticipation.

Marc-André fit mine de ne pas entendre la question. Alors, la femme se renfrogna en faisant la moue. Le fils du maire attendait avec impatience ce cousin qu'il n'avait pas vu depuis longtemps. Il posa son regard sur le groupe en souriant légèrement lorsque son regard se posa sur Lionel Vézina. Le doyen de l'île avait les yeux à moitié fermés et les bras croisés sur sa veste à carreaux. Homme réservé, il ne se prononçait guère sur les sujets controversés. Hésitant à poursuivre, Gaspard se racla la gorge et son fils de trente ans, si semblable, lui jeta un regard l'encourageant à faire son annonce. Les mains jointes devant son gros ventre, le maire déclara calmement:

— Bon, alors vous savez tous que mon frère Jasmin est mort un peu avant les fêtes. Les affaires ont pas mal traîné depuis ce temps-là, mais sa succession est enfin réglée.

— Dis-nous pas que tu vas te retrouver avec une autre terre, hein, mon Gaspard? demanda Adrien Ouimet d'un ton qu'il voulait indifférent. Lui-même avait hérité de la maison paternelle quarante ans auparavant et n'avait jamais réussi à mettre la main sur rien d'autre. Pourtant, s'il avait pu avoir une terre au nord, il aurait sûrement réussi à la cultiver, lui, pas comme tous ces incompétents qui accusaient le sol de ne pas être productif. Gaspard jeta un regard sérieux au bonhomme. Évidemment qu'il aurait aimé obtenir la maison de son frère, mais ce dernier en avait décidé autrement. Le maire continua de sa voix puissante :

— Ce qu'on ignorait jusqu'à la semaine passée, c'est que sa maison a été léguée à mon neveu, Philippe Caron.

— Pardon?

— Hein?

— Oh bien *bonyenne* ! s'insurgea Adrien Ouimet en se déplaçant difficilement vers le maire, la mine offusquée.

Gaspard inspira en se retenant de prendre le vieux par les épaules pour le secouer légèrement afin qu'il le laisse finir son exposé. Parfois, il hésitait à se présenter pour un troisième mandat à la mairie. Les différends l'épuisaient, lui qui avait toujours été un homme pacifique. Le vent éternel qui soufflait sur l'île sifflait un chant larmoyant. Rares étaient les moments où l'air était calme. Depuis deux semaines, une chaleur inhabituelle plombait l'île et rendait les aînés malcommodes. Et des aînés, sur l'Île Verte, il y en avait de plus en plus, les jeunes quittant pour le continent aussitôt l'école terminée. Le vieux Ouimet cogna sa canne sur le quai de terre* pour protester. Il en souleva le bout de manière menaçante, mais il connaissait assez Gaspard pour savoir que la confrontation désirée ne serait pas à son avantage. Il n'avait qu'à voir l'air décidé du maire et ses yeux mi-clos.

— Je vous en informe par respect, ajouta Gaspard avant que l'autre n'ouvre la bouche, mais sachez que personne a un mot à dire sur le testament de mon frère.

— Bien quand même, rétorqua Lionel Vézina, à présent très alerte. Il aurait pu laisser ça à ton gars, ou à ta fille au pire! Ton neveu? On le connaît pas, ce jeune-là! Tu sais, les étrangers, ici...

L'homme, qui approchait les quatre-vingt-cinq ans, possédait encore une force brute que plusieurs lui enviaient. Un cou large comme un taureau, des mains puissantes, un torse noué de muscles affinés par des années de dur labeur. Même sa chevelure blanche comme la neige ne s'était pas dégarnie avec les décennies. Figurant parmi les derniers pêcheurs à la fascine de l'île, il se levait aux aurores, du mois d'avril au mois de novembre, pour prendre soin de son gagne-pain. Marc-André se tourna vers lui en hochant la tête de haut en bas avant d'argumenter:

— Vous le connaissez tout de même un peu, mon cousin. Il est né ici!

Le jeune homme releva son large torse pour soutenir son père.

— Puis il est revenu tous les étés jusqu'à la mort de son père, continua-t-il d'une voix plus assurée.

Quelques hochements de tête compréhensifs lui répondirent. Les deux femmes du groupe, Hermine et Roseline, étaient bien prêtes à accueillir du nouveau monde sur l'île. La première, parce qu'elle craignait que le nombre décroissant d'insulaires ne justifie bientôt une fermeture hivernale de leur île. Si le gouvernement ne garantissait plus les déplacements en hélicoptère avant la formation du pont de glace, personne ne pourrait rester ici pendant la saison froide. Pour Hermine Lajoie, l'idée d'avoir un jour à quitter son île représentait une perspective qu'elle ne voulait pas envisager. Quant à Roseline Lamothe, elle considérait que l'installation de nouveaux venus de la grande ville signifiait des amis de plus à fréquenter, elle qui n'était jamais à court de conversation. Adrien Ouimet renifla sans délicatesse avant de demander :

— Mais toi, mon Marc-André, tu aurais pas aimé ça mettre la main sur la maison rouge ?

Les regards de tous se tournèrent vers le gros blond, qui rougit un peu. Les vaguelettes qui clapotaient sur le quai emplirent le silence. Son père et lui avaient en effet espéré qu'à sa mort, son oncle laisserait son héritage entre les mains de sa famille verdoyante. Mais bon vivant, le costaud s'était vite consolé en se disant qu'au moins, l'arrivée d'un jeune couple mettrait un peu de vie sur cette terre isolée. Si, en plus, quelques enfants pouvaient suivre…

— Viens pas me dire que tu es pas déçu, Gaspard, *bonyenne* ! rajouta Adrien en bourrant sa pipe avant de la glisser dans sa bouche. Ton frère a fait ça juste pour vous faire chi…

— Adrien ! rétorqua Hermine en fronçant son fin minois.

— …vous faire… choquer ! grogna l'homme pour satisfaire sa vieille voisine.

L'homme, qui était né sur l'île et ne l'avait jamais quittée depuis son retour de la guerre, n'aimait pas les étrangers, ceux qui venaient profiter de la nature sauvage et des voliers d'outardes, au printemps et à l'automne. Il n'aimait pas voir les touristes arriver avec leurs grosses caméras pour tenter de capturer en photo une baleine, un rorqual ou un loup marin qui flottait sur le côté nord de l'île, en face de l'embouchure du Saguenay. Si, par malheur, l'un d'eux s'arrêtait pour photographier le cimetière en face de chez lui, ou pire encore sa jolie maison grise, l'insulaire leur faisait la leçon sans vergogne jusqu'à ce que les touristes déguerpissent sans demander leur reste. Adrien Ouimet reprochait d'ailleurs à Conrad Dionne, qui possédait déjà le magasin général, de se remplir les poches en traversant des visiteurs pour la journée.

— N'importe quoi pour faire de l'argent! avait-il l'habitude de maugréer en voyant passer le marchand qui trimbalait « ces gens de la ville » dans son gros camion blanc. Il avait tenté plus d'une fois de faire voter un décret au conseil afin d'interdire les traversées payantes.

Mais la femme du marchand, Victoire Dionne, qui était elle aussi conseillère, avait toujours des arguments en béton pour convaincre les autres membres de l'importance de faire connaître l'Île Verte au reste de la province. Pour le moment, Adrien attendait impatiemment la réponse du chauve en siphonnant avidement sa pipe noire. Le maire haussa ses épais sourcils broussailleux, des sourcils d'une blondeur presque blanche, comme sa chevelure l'avait été jadis. Il claqua ses grosses mains larges sur ses cuisses et répondit en soulevant ses larges épaules:

— Déçu? Oui je suis déçu. Mais je vais pas m'enrager, Adrien. Ça me donnerait quoi? Mon frère avait toujours bien le droit de faire ce qu'il voulait de sa terre puis de ses biens. Il adressait plus la parole à personne sur l'île depuis si longtemps que je suis même étonné qu'il ait pas légué tout ça à une œuvre de charité.

— Je trouve ça quand même triste que ça reste pas dans la famille, murmura Hermine Lajoie, qui avait les yeux brillants de larmes. La petite maison verte de la femme servait de refuge aux chats errants de l'île. Depuis toujours, les enfants avaient donné le surnom de « matante Minou » à la vieille fille, ce qui la faisait sourire. Marc-André soupira avant de poser la main sur l'épaule de la cousine de son père. Il tapota doucement la chemise fleurie de la petite femme de soixante-dix ans avant de lui sourire. Les liens de sang étaient sacrés ici et la trahison de Jasmin Caron, d'autant plus difficile à digérer.

— Justement, matante Minou, ça reste dans la famille! Je suis certain que c'est du bon monde! clama Marc-André en priant silencieusement pour que ses paroles se révèlent véridiques. Après tout, Philippe n'avait pas mis les pieds sur son île de naissance depuis si longtemps.

— Peut-être qu'ils vont vendre la maison? avança Roseline Lamothe. Dans ce cas-là, tu pourrais peut-être l'acheter?

Gaspard et son fils se lancèrent un regard entendu qui n'échappa à personne. Entre deux bouffées de pipe, le vieux Ouimet sortit de son mutisme et demanda froidement:

— Ok, dis-nous donc toute la vérité au lieu de traîner.

Le maire frotta son menton rugueux et posa son regard bleu sur tous ses concitoyens, un à la fois.

— En fait, non seulement il vendra pas la maison, mais sa femme, son beau-père et lui vont venir s'établir sur l'île. Marc-André doit aller les chercher au Quai des vases, la semaine prochaine.

~

L'annonce du maire fit rapidement le tour de l'Île Verte. Lorsqu'ils quittèrent le Quai d'en-Bas, une heure et demie plus tard, tous s'éloignèrent pour retourner chez eux faire part de la nouvelle à leur famille. Roseline Lamothe sentait l'excitation la gagner au fur et à mesure qu'elle s'approchait de sa grosse maison blanche. Même si sa fille aînée était couchée, elle avait presque envie de la réveiller pour partager son agitation. Parce que sinon, avec qui pourrait-elle bien jaser ? Adrien et matante Minou non plus n'avaient personne qui les attendait et ils restèrent quelques minutes encore sur le quai, malgré la fraîcheur de la nuit qui tombait lentement.

— J'aurais bien dû lui parler, à Jasmin, avant qu'il parte, *maudit* ! Je lui aurais mis du plomb dans la tête à celui-là ! grogna le vieux en grimpant sur son trois-roues.

— Il voulait rien savoir de personne, répliqua son amie. L'été passé, j'ai voulu aller lui porter un peu de sauce à spaghetti, puis il m'a jamais ouvert la porte.

Hermine Lajoie avait un visage étroit au menton pointu qui tremblait souvent d'émotion. Adrien et elle se connaissaient depuis l'enfance et c'était la seule qui réussissait à amadouer cet homme solitaire. Elle en avait fait autant avec Jasmin Caron, jusqu'au jour où l'homme avait mis fin à toutes les relations qui lui restaient sur l'île pour s'isoler dans sa maison. Elle posa sa main délicate sur le bras de son vieil ami avant de souffler :

— Laissons faire le temps. C'est quand même un petit gars de l'île qui a hérité. Ça doit être un homme bon.

Le regard noir que lui lança l'autre la fit grimacer un peu. Adrien laissa ses yeux errer sur les eaux grises qui se devinaient sous la pleine lune. Une mer sauvage qui ne pardonnait guère, mais qu'il aimait avec toutes les fibres de son corps. Il en faudrait plus pour le convaincre que la venue d'un trio de la ville était positif pour l'avenir de leur île. Ces gens-là n'avaient pas les mêmes valeurs qu'eux. Hermine le salua de sa voix douce avant de serrer sa veste blanche sur son corps délicat.

— Tu veux embarquer, Hermine ?

— Juste pour monter la côte. Tu sais bien que j'haïs ça, ces machines-là ! J'ai laissé mon bicycle en haut. J'aime mieux pédaler.

— Comme tu veux. Grimpe !

La petite femme s'installa à l'arrière de son ami, d'une façon agile pour son âge avancé. Le moteur gronda, puis le véhicule tout-terrain gravit la côte abrupte, laissant le fleuve endormi derrière lui. Les maisons des deux amis se situaient à une dizaine de minutes en voiture du quai et il y avait longtemps qu'Adrien ne parcourait plus le trajet en pédalant ou en marchant. Ayant été blessé à une jambe lors de la Deuxième Guerre mondiale, il ne pouvait avancer que de quelques pas avant de sentir la douleur dans son genou reconstruit. Hermine Lajoie le salua gaiement avant de se mettre à pédaler sur le chemin de l'Île, le seul qui traversait l'endroit d'un bout à l'autre. Cette route narrait la trame historique et sociale de l'Île Verte. En bordure de ce chemin se trouvaient les maisons colorées, les granges ancestrales, les fumoirs et les salines, le cimetière, les croix de chemin... Sur certaines terres, on remarquait aussi des chalands à fond plat, des vestiges des anciennes fascines et quelques vieux outils agricoles délaissés*. Il était déjà vingt et une heure et le ciel était constellé d'étoiles brillantes. Hermine se plaisait à les observer en s'arrêtant toutes les cinq minutes. Concentrée, elle n'entendit pas le camion gris de Marc-André s'arrêter derrière elle.

— Tu veux un *lift*, matante Minou ? Je peux mettre ton bicycle en arrière, offrit-il en passant sa tête frisée par la fenêtre entrouverte.

— Non, non, mon Marc-André, tu es fin, mais ça me fait du bien de rouler un peu. Rester active, c'est bon pour mon dos. Mais tu arrives d'où ? demanda-t-elle en fronçant les sourcils.

Marc-André sourit avant de préciser :

— Je suis allé chercher quelque chose au phare pour les *pisseuses*. Excuse-moi, matante, pour les sœurs !

La femme grisonnante approuva le deuxième choix de mot du père de famille. Elle avait autrefois songé à se faire religieuse et avait toujours détesté l'utilisation du mot *pisseuse* pour désigner les sœurs. Mais elle savait bien que sur l'île, plusieurs enfants – et leurs parents – désignaient ainsi les servantes de Dieu qui faisaient la classe à l'école.

— Bon, bien j'y vais alors. À bientôt !

— À bientôt, Marc-André !

Le conducteur démarra doucement pour éviter d'empoussiérer la cousine de son père. Au volant, Marc-André se disait que, dans le fond, la nouvelle annoncée n'avait pas été si mal accueillie. Son père et lui s'étaient attendus à plus de protestations de la part de Lionel Vézina. Mais l'homme était préoccupé par la santé déclinante de son épouse et préférait garder son énergie pour ses longues journées éprouvantes.

— Tout le monde est prêt à leur donner une chance, indiqua-t-il à sa femme Marie-Laure quelques minutes plus tard, lorsqu'il fut revenu à la maison. Adrien est pas content, mais il s'est contenté de dire qu'il les surveillerait de proche !

Comme c'était souvent le cas depuis quelques mois, leurs disputes restaient en suspens et ils faisaient tous les deux semblant d'avoir oublié la situation. Admettre leur mésentente voudrait dire s'éterniser sur la cause réelle du problème : leur fils Jules. Pour l'instant, ni l'un ni l'autre ne voulait en parler. Le couple d'insulaires s'était rencontré à l'école Michaud, avant de commencer à se fréquenter au début du secondaire. Mariés depuis bientôt dix ans, ils avaient trois enfants : Marion, l'aînée, avait douze ans ; Éloi, le second, en avait dix ; quant au cadet, Jules, il aurait cinq ans en septembre. Assise devant leur gros poêle blanc dans lequel une bûche finissait de brûler, Marie-Laure écoutait le compte rendu de la soirée au quai en bayant aux corneilles.

Elle avait tout fait pour veiller jusqu'au retour de son mari, malgré l'appel de l'oreiller, dès que ses trois jeunes avaient été endormis. Pour une rare fois, Jules s'était écroulé sans rouspéter et la mère en avait profité pour se reposer devant le téléviseur.

— Moi, j'ai hâte de revoir mon cousin, lui confia son mari en rajoutant une bûche dans le poêle, malgré la chaleur ambiante dans la petite cuisine. Il me semble que ça va faire du bien, du nouveau monde sur l'île. Des fois, je viens tanné de toujours jaser avec les mêmes personnes. Pas toi?

Son épouse sourit faiblement. Avec les journées qu'elle vivait, elle n'aurait guère le temps de socialiser, pensait-elle depuis l'annonce de Gaspard, la veille au soir. Elle se releva péniblement et se dirigea vers l'escalier. Son mari insista:

— Toi, as-tu hâte de les voir? C'est vrai que tu as pas connu Philippe, vu qu'il allait à l'école du Milieu*…

Le blond jeta un coup d'œil rempli d'espoir vers sa douce, qui portait une jaquette fleurie jaune pâle. Ses seins lourds lui semblaient fort appétissants, malgré la fatigue qu'elle affichait ostensiblement. Marie-Laure repoussa ses mèches châtaines de son visage las. Elle était grande, presque autant que son mari, et ses trois grossesses avaient laissé des traces sur son corps autrefois gracieux. Mais cela n'empêchait pas Marc-André d'en être fou amoureux.

— Oui, oui, j'ai hâte de revoir ton cousin Philippe. Bon, je monte.

— J'arrive bientôt, répondit son mari d'un ton suggestif.

— Je suis vraiment fatiguée. Jules a pas arrêté aujourd'hui.

Marc-André soupira en voyant les jambes de Marie-Laure disparaître dans l'escalier de bois. Il prit la place de sa femme sur le vieux fauteuil en cuir brun et pensa aux dernières paroles de son épouse, en regrettant de ne pas s'être informé sur les frasques de son petit dernier.

— Me semble que c'est pas normal qu'il parle pas plus que ça… avait-il osé dire le mois précédent, alors qu'il essayait de comprendre ce que son enfant voulait.

Mais la colère dans les yeux de Marie-Laure l'avait aussitôt arrêté.

— C'est juste un peu plus long avec lui, c'est tout, avait-elle répliqué sèchement avant de donner un morceau de pain à Jules, pain qu'il avait jeté par terre, comme la plupart des aliments qu'il ne voulait pas manger.

Parfois d'une tranquillité presque inquiétante, le gamin avait à d'autres moments des accès de colère terribles, qui apeuraient même son frère et sa sœur, pourtant habitués. La plupart du temps, Marie-Laure le gardait donc près d'elle et ne sortait guère de leur environnement. De toute manière, avec les poules et les vaches qui demandaient beaucoup de soins, elle n'avait pas le temps de se mêler aux autres femmes de l'île, qui n'attendaient que le départ de leurs plus vieux pour l'école afin de se retrouver et jaser un peu.

Marc-André se promit donc de reparler à Marie-Laure le lendemain pour obtenir des détails sur sa journée difficile. En attendant, il monta le son du téléviseur en mettant une croix sur une possible partie de jambes en l'air. Il devrait se contenter des nouvelles au canal 10.

⤵

Dans la maison d'en face, de l'autre côté de la route du Quai d'en-Haut, Gaspard Caron bourrait sa pipe. Sa première de la soirée, lui qui se faisait un point d'honneur de ne pas fumer pendant la journée.

— Ça s'est mieux passé que je pensais, se dit-il à voix haute. Depuis son divorce, il avait pris cette habitude pour combler le silence et le vide de sa grande maison. À part pour Adrien, continua-t-il. Mais c'est pas une surprise, ça! Je sais pas ce qu'il a contre le reste de la population québécoise, mais à l'écouter, on devrait clôturer notre île comme le village gaulois d'Astérix! On pourrait même s'armer pour combattre les Romains, «par Toutatis»!

L'homme sourit devant l'image avant de continuer en murmurant:

— Reste que ç'aurait été pas mal plus le *fun* de le savoir que mon frère avait l'intention de donner sa maison et sa terre à notre neveu. Je lui aurais fait une proposition, moi!

Outre sa maison grise aux volets rouges, Gaspard Caron possédait deux terres au nord sur lesquelles il ne pouvait cependant rien construire. Tout autour de l'Île Verte, les crans – ces ensembles de rochers rougeâtres qui se défaisaient en galets – offraient une vue incomparable, mais ce paysage escarpé ne favorisait guère l'érection de bâtiments. Et, quoi qu'en pense Adrien Ouimet, la culture de ce sol était quasi impossible. Le gros maire continua à marmonner, ses pieds quittant momentanément le plancher de bois chaque fois que sa chaise berçante basculait vers l'arrière. Parfois, la solitude lui pesait, même s'il n'avait jamais regretté son divorce d'avec la mère de ses enfants. Il n'y avait pas de rancœur entre les anciens époux, tout simplement des rêves qui différaient. Les deux enfants du couple, Marc-André et Liliane, avaient quatorze et treize ans au moment de la séparation. Gaspard voulait rester vivre sur la terre familiale de l'Île Verte, alors que son ex-femme souhaitait retourner dans la grande ville où ils s'étaient connus, des décennies plus tôt. La décision s'était prise sans dispute, même si Marc-André avait catégoriquement rejeté l'idée de suivre sa mère et sa sœur. Il commençait son histoire d'amour avec Marie-Laure et ne désirait surtout pas vivre ailleurs. Il avait cette île dans le sang! Gaspard n'avait jamais refait sa vie, préférant prendre soin de son fils et de ses terres, tout en accueillant sa fille chez lui plusieurs fois par année jusqu'à son mariage, l'année dernière. Depuis l'automne, Liliane n'avait pas mis les pieds sur l'île, embarrassée par une grossesse difficile qui nuisait à ses déplacements. Il aurait bien aimé lui faire cadeau de la maison rouge de son frère pour la naissance de son premier enfant.

— De toute manière, je radote pour rien, se convainquit le vieux maire. C'est fait! Il reste juste à espérer que ce monde-là vienne pas faire le trouble ici parce que je serais mal pris en *batince,* vu que c'est mon neveu.

Gaspard releva sa lourde silhouette pour s'approcher de la fenêtre, en se disant qu'il faudrait bien qu'il enlève ses châssis doubles bientôt, puisque la chaleur s'installait pour de bon. Mais sur l'île, rien n'était moins sûr que le climat. Le soleil éclatant du matin pouvait laisser place à une averse, en l'espace de quelques minutes. Même l'hiver, rien n'était certain, comme les insulaires l'avaient constaté lors de la catastrophe de 1974 qui avait mené à la destruction de l'église. Un orage en plein mois de janvier! Du jamais vu avant cette soirée dramatique.

— Bon, assez radoté, le vieux...

Gaspard vit la lumière du salon s'éteindre chez son fils et il décida d'en faire autant, avant de monter à l'étage. Dans quelques jours, ils seraient fixés sur le genre de monde qui avait hérité de la maison rouge.

CHAPITRE 2

Arrivée attendue

En regardant sa femme avancer dangereusement sur la plate-forme de bois du quai, Philippe Caron poussa un léger soupir en jetant un coup d'œil à son beau-père. Pas gêné du tout, ce dernier était en grande discussion avec un insulaire qui devait aussi traverser à l'île avec son cousin. Son pantalon à carreaux et son t-shirt rayé ne permettaient guère à Paul Lalonde d'être pris au sérieux quand venait le temps de parler mode. Sa fille l'avait d'ailleurs sermonné gentiment avant de sortir de la voiture :

— Papa, tu mettras pas ton chapeau rouge avec ce *kit*-là j'espère ?

— Hum… non ? Pourquoi ?

L'homme avait lancé un regard déçu à son couvre-chef de coton mou avant de le jeter sur le siège de sa vieille Impala, qu'il laisserait au quai. Ses courts cheveux châtains bouclés resteraient donc à la vue de tous ! Quant à Marjolaine, elle n'envisageait pas une minute d'arriver sur l'île sans ses vêtements dernier cri. Quand Philippe avait tenté de l'en dissuader, elle l'avait vertement rabroué, l'index pointé devant son corps délicat :

— Écoute bien, mon cher mari, c'est pas parce qu'on s'en va vivre sur une île que je vais me mettre à m'habiller comme une habitante ! Non monsieur ! J'ai ma dignité, moi !

La jeune femme de vingt-six ans avait donc insisté pour porter sa robe en jeans préférée, celle qui flattait agréablement ses hanches étroites, en plus d'une courte veste noire aux larges épaulettes. Elle trouvait que cette tenue lui donnait l'air d'une vraie femme, malgré ses cinq pieds. Lorsqu'elle se levait sur la pointe des orteils pour embrasser son grand mari, elle se fâchait toujours un peu quand il se moquait d'elle avec affection. Ses souliers de cuir verni noir étaient pourvus de hauts talons pointus, qui s'enfonceraient dans les cailloux aussitôt qu'elle serait débarquée de l'autre bord du fleuve. Depuis leur arrivée au Quai des vases, le trio tentait d'apercevoir l'Île Verte de l'autre côté du chenal, mais le temps couvert nuisait à la visibilité.

— Je pense que je vois le bateau! cria tout à coup Marjolaine, qui s'avança en balançant bien haut son bras de gauche à droite.

Philippe sourit avant de dire:

— Je suis pas mal certain que mon cousin connaît le chemin, ma perle!

— *Pfff…* je le salue, c'est tout!

Tout énervée, Marjolaine sautillait sur place, la main en visière au-dessus des sourcils.

— Une vraie tortue, ce bateau-là, marmonna-t-elle en regardant autour d'elle pour être sûre que personne ne l'entendait.

Lorsque le chaland à fond plat s'approcha enfin du continent, il ne fallut que quelques secondes à Marjolaine pour agripper son gros sac à dos rempli à craquer. L'excitation se lisait sur le visage étroit de la jeune femme. Depuis quelques années, les événements pénibles s'étaient succédé dans la vie de son père et dans la sienne. Les occasions avaient été rares de se réjouir autant. Le décès de sa mère Emma, la mort de son frère Stéphane, la fuite de sa sœur Sophie… La femme refusait toutefois d'y penser dans un moment aussi précieux. Elle ne laisserait pas l'aînée de sa famille gâcher son bonheur. Pourtant, elle lisait bien sur le visage de Paul qu'il pensait aux disparus. Son regard bleu délavé errait sur les eaux foncées et il glissa une main tremblante dans ses boucles. Marjolaine se passa la remarque que son père avait blanchi depuis quelques années. Une autre conséquence de la désertion de sa sœur, sûrement ! Se pressant vers lui, elle lui agrippa le bras en disant avec assurance :

— Dépêche, papa ! Philippe, grouille ! Mon doux que vous êtes lents !

— Attends un peu, Marjolaine, répondit calmement son mari. On sait même pas si c'est le bateau de mon cousin Marc-André !

Marjolaine haussa ses épaules, comme pour souligner une évidence.

— Bien oui, c'est sûr que c'est lui ! Il nous a dit une heure, puis il est une heure et dix. Il est même en retard !

Le large bateau de bois gris prit plusieurs minutes afin de se stabiliser, sous les regards attentifs des passagers en attente. Avec son gros bagage sur le dos, Marjolaine peinait à rester stable sur le quai de ciment. Elle plissait les yeux pour tenter d'apercevoir le conducteur.

— C'est donc bien long, son affaire ! se plaignit-elle.

— Patience, Marjolaine ! sermonna gentiment son père.

Il jeta un triste regard à son auto brune, qu'il avait l'impression d'abandonner.

— Comment ça, pas d'auto ? avait-il demandé lorsque son gendre lui avait expliqué que, sur l'île, les déplacements s'effectuaient surtout en trois-roues ou en tracteur, et que les automobiles restaient sur le continent. On les ramenait à l'hiver, sur le pont de glace.

— Parce que les bateaux sont pas équipés pour les traverser. Peut-être un peu plus tard…

De plus, les avait avertis Philippe, il n'y a pas de policiers, de pompiers ou de médecin sur l'Île Verte. Pas de station-service ni de caisse populaire. Il n'y avait rien de tout ça sur son lieu de naissance. Il voulait être certain que sa femme et son beau-père prennent une décision éclairée avant de se lancer dans cette aventure. Pour Paul, le peu d'amis qu'il lui restait se contenterait d'un appel de temps en temps et d'une visite annuelle. Mais Marjolaine ne semblait pas réaliser que ses virées de magasinage et ses soirées de potinage avec sa meilleure amie Isabelle ne se reproduiraient pas de sitôt. Depuis toujours, cette relation avait permis à la jeune femme de passer à travers ses épreuves. Quand Isabelle avait appris leur décision, elle avait beaucoup pleuré :

— Tu t'en vas à l'autre bout du monde! avait murmuré la grande rousse en baisant la chevelure de son nouveau-né collé sur sa poitrine.

— Je te jure de revenir te voir, ma *chum*. Mais… on peut pas passer à côté de cette chance-là, tu comprends? J'ai besoin d'un rêve dans ma vie. Je suis fatiguée et j'ai même pas trente ans…

Isabelle avait acquiescé, ses yeux verts remplis de tristesse. Le départ de Marjolaine pour l'Île Verte sonnait la fin d'une époque. Philippe avait donc tenté de prévenir sa femme et son beau-père des contraintes inhérentes à la vie sur cette terre isolée, puisque les choses s'étaient faites si rapidement qu'ils n'avaient vu que des photographies de l'endroit où ils allaient s'établir.

— Oubliez pas que l'hiver, on sort pas de l'île comme on veut, les avait-il aussi avisés.

Mais pour le père et la fille, cette occasion d'un nouveau départ était trop belle pour la laisser filer. La principale crainte de Paul, depuis quelques jours, était de ne pas avoir de moyen de locomotion sur l'île. Il se savait de plus en plus dépendant du jeune couple et craignait que la perte de son automobile signifie encore moins d'autonomie. Un peu déçu, malgré le réconfort de son gendre, il gardait les yeux fixés sur le bateau qui amarrait pour tenter d'estimer la largeur de l'embarcation qui les mènerait à bon port. Il s'approcha du grand barbu, les bras bien écartés, pour évaluer la distance disponible de chaque côté de sa voiture, si elle était embarquée sur le chaland.

— Me semble que ça pourrait se faire... commença-t-il.

Philippe le regarda sévèrement en secouant la tête.

— Impossible, Paul. Regardez, on est pas tout seuls à traverser!

Piteux, son beau-père grogna que les autres pourraient attendre un autre bateau. Puis, il alla chercher son sac et son chapeau, qu'il fourra dans la poche de son pantalon. Avec une certaine tristesse, il verrouilla les quatre portes de l'Impala en laissant glisser une main usée sur le capot luisant.

— Franchement, papa, on dirait que tu laisses ta blonde au quai! se moqua Marjolaine.

Paul ne répondit pas. Son regard peiné se posa sur Marc-André Caron, qui émergeait enfin de la petite cabine de pilotage située à l'arrière du chaland, pour nouer sa grosse corde au quai. Le fleuve Saint-Laurent n'était navigable que quelques heures par jour, lorsque la marée était assez haute. Comme ce milieu naturel nécessitait un bateau à fond plat, la plupart des insulaires s'étaient équipés d'une de ces embarcations qui avaient un faible tirant d'eau*. Certains, comme Victoire et Conrad Dionne, offraient des transports aux touristes de passage en échange de quelques dollars. De cette manière, ils rentabilisaient l'achat de leur embarcation. Le sourire aux lèvres, le robuste blond se redressa enfin pour se presser près du trio. Le plaisir se lisait sur son bon visage rougi par le vent frais.

— Bon, me voilà toujours bien arrivé! claironna-t-il d'une voix rieuse.

Amusé, Philippe s'engagea sur le quai en tendant la main à son cousin germain qu'il n'avait pas revu depuis longtemps. Le contraste était frappant entre les deux: un grand noir barbu et un gros blond costaud! Mais le même bonheur se lisait sur leurs traits.

— Salut, Marc-André!

— Salut, Philippe!

— *Maudit* que je suis content de te voir!

— Bien tu as pas dû t'ennuyer tant que ça, tu as pas mis les pieds ici depuis un méchant bout de temps! reprocha son cousin avec un clin d'œil amusé vers Marjolaine et Paul, toujours en retrait près de son automobile.

Philippe rougit un peu. Enfouissant les deux mains dans les poches de son jeans, il hocha la tête de gauche à droite sans trop savoir quoi répondre. C'est Marjolaine qui le fit à sa place, en s'avançant vers le chaland:

— Bien en tout cas, on est là maintenant, c'est ça qui compte, non? Je m'appelle Marjolaine Lalonde*. Je suis sa femme! Puis lui, c'est mon père, Paul Lalonde. Il va vivre avec nous autres.

— Oh attention, pas AVEC vous autres. Dans le chalet sur votre terre. Parce qu'il y a bien un chalet, hein? demanda le vieil homme un peu inquiet.

— Oui, oui, papa, c'est ça que je veux dire.

Marc-André les observa durant quelques secondes, puis plongea son regard dans le décolleté de la belle, avant de rougir à son tour. Il n'était pas habitué à de tels vêtements sur l'île. Les femmes n'enfilaient que des habits pratiques pour aller faire la traite, ou grimper sur les tracteurs ou les trois-roues. Parfois, elles portaient tellement de pelures qu'il était difficile de les identifier ! Les belles petites robes ou les minijupes, il n'y avait que dans le temps des fêtes qu'elles sortaient de la garde-robe.

— Tu es tout seul ? demanda Philippe en espérant voir son oncle arriver derrière son cousin.

— Oui. Papa avait une réunion spéciale pour le phare. Tu sais qu'il est maire, non ? s'informa l'autre avec fierté.

— Oui, oui. J'ai juste hâte de le revoir.

— Lui aussi. Inquiète-toi pas, il viendra vous saluer un peu plus tard dans la journée.

— On pourrait peut-être jaser en chemin ? proposa Marjolaine, qui peinait à se tenir debout sous le poids de son sac.

Marc-André déglutit en posant ses yeux clairs sur la jolie brune. Elle n'avait pas lésiné sur le maquillage, ourlant ses grands yeux noisette d'un trait de khôl qui lui donnait encore plus l'air d'une jeune Audrey Hepburn, l'actrice sur laquelle elle avait copié sa courte coupe de cheveux. Marc-André reporta son attention sur ce cousin qu'il ne pensait plus revoir, en pointant son chaland.

— Certain ! Grimpez à bord, puis je vous amène à la maison de l'oncle Jasmin. Je vous dis que votre arrivée fait jaser sur l'île ! continua-t-il un peu plus tard, une fois sur le fleuve. Tout le monde veut savoir pourquoi du monde de la grande ville a décidé de venir s'installer ici au lieu de mettre la maison en vente ! Vous savez que la vie est difficile ici, hein ? Moi, à votre place…

Il laissa sa phrase en suspens, surpris par une bourrasque plus puissante que les autres. Délaissant le bavardage, il se concentra sur les eaux foncées qui s'agitaient devant lui. Paul, Marjolaine et Philippe en profitèrent pour observer leur nouvelle terre d'accueil, vers laquelle ils voguaient : une longue pointe verdoyante sur laquelle des maisons colorées avaient été érigées, éparpillées sur la côte. Rouge, vert, bleu, blanc, gris, orange. Toutes les couleurs des façades éclataient sous le soleil de l'après-midi qui se montrait enfin.

— C'est beau! admira Paul, la main au-dessus de ses yeux.

Comme souvent, un petit pincement l'atteignit au cœur en songeant à sa femme adorée partie trop vite. Elle qui aimait tant la mer. Le vieil homme se tourna vers sa fille et son gendre, tendrement enlacés, et il sourit paisiblement. Il ferait tout pour rendre sa cadette heureuse, puisqu'il n'avait pas réussi avec son aînée. Le regard vague, son esprit quitta l'endroit pour tenter d'imaginer sa fougueuse Sophie. Était-elle heureuse loin d'eux? Regrettait-elle sa décision de les avoir abandonnés pour fuir la province cinq ans plus tôt? Il releva son col de manteau, surpris par la fraîcheur de l'air sur l'eau.

Marc-André acquiesça au commentaire de Paul, un air satisfait sur son visage rond, hâlé par la mer. Jamais il ne quitterait cette terre. Malgré les embûches, l'ennui parfois, il y serait enterré auprès de ses ancêtres. Après une trentaine de minutes de navigation, le chaland arriva au Quai d'en-Haut. Avant même d'accoster, Marc-André ne fut guère surpris d'apercevoir quelques résidents sur la route abrupte. Il tourna la tête vers ses passagers:

— Vous avez un comité d'accueil, se moqua-t-il en pointant le lacet de terre qui montait sur l'île.

— Comment ça? demanda Philippe, les yeux fixés sur le groupe qui se trouvait plus loin dans le chemin.

— La dernière fois qu'on a vu un nouvel habitant s'installer sur l'île, c'était le père Fruget, un Français, qui a immigré ici en 1955. Ça fait que votre arrivée est toute une nouvelle!

Philippe déglutit avec difficulté. Il espérait tellement que les appréhensions de sa sœur et de sa mère à propos de son établissement sur l'île s'avèrent non fondées. Le presque trentenaire observait Marjolaine, sa jeune et pimpante épouse, se débattre pour avancer dignement sur le quai. Mêlée dans les courroies de son sac, préoccupée qu'elle était de ne pas trébucher maladroitement, elle n'avait pas remarqué les regards des gens qui s'attardaient sur leur groupe. Le barbu se dépêcha à la suite de son beau-père, qui l'avait rejoint, et entreprit de gravir la côte.

— Allez m'attendre à la maison jaune, continua Marc-André, c'est chez nous. J'amarre le chaland, puis je m'en viens pour vous reconduire à votre nouvelle demeure. Ma femme doit être là, avec les *flos*.

Paul plissa son regard pâle en fixant au loin une maisonnette aux allures de citron, coiffée d'un toit de bardeaux blancs. Elle se situait à environ sept cents pieds du quai, mais le vieux était assez en forme malgré une arthrite naissante pour s'y rendre sans ambages. Depuis quelques années, il prenait une marche tous les matins, hiver comme été, beau temps, mauvais temps! Philippe mit ses bras autour de sa femme et de son beau-père, et lança avec fierté :

— Sentez-moi ça, cet air-là! Il y a rien de plus pur, je vous le jure!

— Ça sent un peu la bouse de vache, tu trouves pas? ricana Marjolaine pour se moquer de la poésie de son époux.

Le nez levé vers le ciel, le citadin élancé soupira d'aise en laissant pénétrer l'air salin du fleuve Saint-Laurent dans ses narines. Il en avait les larmes aux yeux de ce bonheur si grand que son oncle décédé lui permettait de vivre. Il savait que l'adaptation ne serait pas toujours facile, mais au moins, ils étaient ensemble, sa Marjolaine et lui. Paul aussi. Mais l'homme n'était pas dérangeant et s'entendait bien avec son gendre. Après la mort de son père, Philippe avait vécu une période de grande tristesse et la rencontre avec celle qui allait devenir sa femme avait mis un baume sur cette plaie. Les deux avaient au fond du cœur cette même désolation de s'être retrouvés orphelins d'un parent trop tôt. Le jeune homme s'était vite rendu compte du «bonus» qui venait avec sa Marjolaine en rencontrant son père. Depuis, l'aîné avait pris une grande importance pour lui. Parfois, après son travail au restaurant, Philippe arrêtait jouer une partie de *cribble* à l'appartement du bas, partie qui s'accompagnait d'un bon scotch irlandais, la boisson préférée du père de sa femme.

— Ça fait si longtemps que je suis pas revenu, songea Philippe avec émotion.

Né sur l'Île Verte, il y avait passé les dix premières années de sa vie. Au début, après leur départ pour Québec, l'enfant avait accompagné ses parents lors de leur séjour annuel sur la terre de ses ancêtres. Puis, après la mort de son père, le jeune homme avait cessé de s'y rendre et voilà qu'il y possédait une maison dans laquelle il projetait de vivre.

— C'est la maison jaune à l'autre bout? questionna Marjolaine, toujours chargée comme une mule, une question à laquelle son mari répondit par l'affirmative.

Philippe poussa sur le dos de sa femme pour l'aider un peu. Il se moqua gentiment d'elle en lui précisant que c'était à peine à cinq minutes de marche. En voyant les regards non équivoques des insulaires, Philippe se dit qu'il aurait dû mieux voir à la tenue de sa belle! Il l'avait quand même prévenue que ses talons hauts n'étaient peut-être pas appropriés pour se déplacer sur les routes de terre.

— Bonjour!

— Bonjour.

Marjolaine, qui aurait bien pris une pause pour jaser, eut envie de déposer son sac sur le sol, mais Philippe la poussa de nouveau. Parmi ceux qui les observaient sans discrétion, les conseillers Roseline Lamothe et Lionel Vézina ne se gênèrent pas pour dire tout haut ce qu'ils pensaient :

— Veux-tu bien me dire où est-ce qu'elle s'en va, arrangée de même? questionna la courtaude Lamothe en tirant sur son grand chandail difforme qui ne laissait guère de doutes sur l'énormité de sa poitrine. Ses quatre grossesses en cinq ans avaient laissé des traces.

— Le monde de la ville, qu'est-ce que tu veux!

Lionel Vézina se tenait fermement sur ses jambes. Il avait les yeux plissés derrière ses lunettes. Pour lui, c'était une question d'honneur que d'être présent à l'arrivée de ces nouveaux venus. Il avait beau être irrité de la décision de Jasmin Caron, ce n'était toujours bien pas la faute de ces gens-là. Sa voisine, quant à elle, était tout simplement la curiosité incarnée! Rien ne lui échappait. Son mari Edmond parti pour la belle saison, Roseline avait bien l'intention de surveiller les faits et gestes de ces arrivants. Même si les autres paroissiens se moquaient d'elle, ils n'ignoraient pas que pour connaître les nouvelles de l'île, personne n'était mieux placé que la mère Lamothe!

— Elle a mis des talons hauts, la jeune! énonça-t-elle de sa voix claire, penchée vers l'avant pour mieux voir. Elle a des talons hauts! répéta-t-elle à quelques reprises en secouant la tête d'étonnement, avant que Lionel ne lui intime de se taire.

Il s'avança et tendit la main à Paul, puisque le respect de l'âge, ça comptait. Les nouveaux venus n'eurent donc pas le choix de s'arrêter.

— Je me présente. Lionel Vézina. Doyen de l'île, messieurs, dame.

— Heu... enchanté. Paul Lalonde. Je suis le...

— Mon beau-père, clama Philippe en étirant le bras. Je sais pas si vous vous souvenez de moi, monsieur Vézina?

— Pas trop, non.

Le ton était sec, mais sans plus. La femme blonde à ses côtés tentait de se lever du trois-roues sur lequel était posé son gros derrière. Elle réussit finalement en parlant d'une voix forte:

— Moi, c'est Roseline Lamothe. On était dans la même classe, nous deux, mon Philippe.

— Ah... oui?

— Oui, regarde-moi bien. Ça a l'air que j'ai pas trop changé!

Philippe tentait de conserver un air digne tout en cherchant derrière ce visage rond sous une chevelure blondasse le souvenir d'une petite fille avec qui il aurait joué.

— Oui, oui, reprit la femme à bout de souffle, maintenant qu'elle avait réussi à se mettre debout. Toi tu commençais ta maternelle, puis moi je débutais ma sixième... pour la troisième fois.

Marjolaine essayait de ne pas rire devant la face embêtée de son mari. Elle voyait presque l'effort qu'il faisait pour tenter de retrouver le visage enfantin dans sa mémoire. À bout de ressources, il secoua la tête à regret.

— Désolé, j'ai oublié.

— Ah bon! En tout cas, c'est pas grave, on va se voir souvent. Mes enfants voudront sûrement jouer avec les vôtres.

— On en a pas! claironna Marjolaine en recommençant à grimper la côte la menant chez Marc-André. Elle avait soif et faim. Puis vraiment très hâte de voir son nouveau logis.

— Mais on pourra se voir quand même, répliqua Philippe pour tempérer le ton sec de sa femme.

— Bon, on vous laisse, les citadins! On voulait juste vous saluer et vous souhaiter la bienvenue sur notre île.

Le trio entendit bien le mot « NOTRE » dans le commentaire du doyen de l'île, qui replaça sur sa tête son petit casque rond de laine, qu'il portait hiver comme été. Son visage fripé par le temps contrastait avec celui, très rond et lisse, de sa voisine.

— Seigneur, j'espère qu'on regrettera pas notre décision ! pensa Philippe en saluant les deux insulaires d'un signe de la main. Il en avait la gorge serrée.

Paul salua à son tour de la main, avant de reprendre sa valise de cuir brun.

— C'est la valise de mon voyage de noces, avait-il fanfaronné quand il l'avait sortie du fond de sa garde-robe. Ta mère en avait une pareille quand on est partis pour Niagara Falls. Dans ce temps-là, en tout cas, on se mariait pour le meilleur et pour le pire.

— Puis maintenant, avait rigolé Marjolaine, juste pour le pire ?

— Maintenant, les jeunes *s'accotent* sans se marier. Bien à part vous autres, parce que je t'ai bien élevée !

Le reste de leurs possessions les avaient suivis dans le camion de déménagement jusqu'à leur destination. Gaspard et Marc-André iraient chercher les malles avec quelques insulaires à la prochaine marée. C'était ainsi sur l'île. Une vie à la merci des cycles lunaires !

— *Ouch !* Voyons *tabar... nouche !*

En entendant le cri de Marjolaine, Philippe sortit de la lune et s'avança à ses côtés. Sa femme était penchée sur sa chaussure de cuir noir. Avec une de ses moues caractéristiques, elle présenta son soulier aux deux hommes.

— J'ai brisé mon talon, Philippe ! Papa !
— Pauvre chaton !
— Bien oui, toi !
— Bien là, dites quelque chose d'autre !

Son mari sourit affectueusement devant le visage plissé de sa jeune femme. Ils s'étaient rencontrés quatre ans auparavant dans un bar du centre-ville de Québec, avaient emménagé ensemble au cours du mois qui avait suivi et s'étaient promis de s'aimer pour la vie devant famille et amis deux ans plus tôt. Pas une fois Philippe n'avait regretté ce choix pour le moins inusité, lui qui aurait pourtant préféré ne pas se marier. Mais cette femme délicate l'avait envoûté. Mariage en blanc elle voulait, mariage en blanc elle aurait! À cette occasion, Philippe avait compris l'animosité qu'entretenait Marjolaine envers sa sœur Sophie. Lorsqu'il avait osé mentionner son nom comme invitée, la réponse avait claqué sèchement:

— Jamais de la vie! Elle a pas d'affaire là!

Le barbu se pencha vers le soulier de sa femme et promit:

— Je t'en achèterai une autre paire quand on retraversera, ma perle.

— Oh... tu es fin. Mais non. Pas nécessaire. Je pense qu'ici...

Marjolaine cessa de parler et s'affala sur une grosse roche au bord du chemin. Tournant sa tête brune, elle plissa le front en constatant les regards encore vissés sur elle. Marc-André, Lionel Vézina, Roseline Lamothe et ses deux garçons arrivés en bicyclette affichaient une moue dubitative devant l'allure de la citadine.

Une vraie fille de la ville, pensaient-ils tous.

Un peu gênée, la femme enleva sa seconde chaussure en pivotant sa cheville avec un plaisir manifeste. Dans le fond, elle détestait grimper sur ces échasses, mais désirait tant ressembler à ces chanteuses à la mode, comme celles du groupe ABBA, qui se déhanchaient gracieusement. Pourtant, force lui était d'admettre qu'elle n'aurait jamais la légèreté de leur démarche.

— On est presque rendus, Marjolaine. Veux-tu que je porte ton sac ? demanda Marc-André arrivé aux côtés des marcheurs, en l'empoignant sans attendre la réponse. L'homme était habitué aux travaux manuels, alors que la menue jeune femme tenait à peine sur ses jambes lorsqu'elle portait son énorme bagage.

— Hum... Ok.

Pieds nus sur le sol, la brunette soupira en regardant autour d'elle. Sur cette terre aride de huit milles au milieu du fleuve, les maisons étaient construites au sud, face à Cacouna et L'Isle-Verte, de l'autre côté du chenal. Glissant ses doigts écartés dans son toupet pour le faire tenir en hauteur, Marjolaine se remit en marche. La maison jaune n'était plus qu'à quelques pieds, lorsqu'une fillette blonde d'une douzaine d'années en sortit en courant.

— Papa ! hurla-t-elle, Jules a encore renversé sa collation par terre. Par exprès !

Marc-André se pencha vers l'enfant aux longs cheveux emmêlés et aux grands yeux bleus.

— Marion, je te présente mon cousin Philippe, monsieur Lalonde et Marjolaine. Ils s'en viennent vivre sur l'île dans la maison de l'oncle Jasmin. Tu t'en souviens, je t'en ai parlé hier soir ?

— Hum... oui. Bonjour. Ils sont où, vos enfants ?

Avant que sa femme ne puisse répondre, Philippe sourit en disant :

— On en a pas.

Marion plissa son petit nez tout rousselé et se détourna. Aucun intérêt ! Marjolaine passa sa langue sur sa canine chipée et se retint pour dire tout haut ce qu'elle pensait : « C'est quoi, cette maladie ? Il faut avoir des enfants pour vivre ici ? »

Marc-André se dirigea vers la porte blanche de la maison, restée grande ouverte, et cria :

— Marie-Laure ? Marie ? Ils sont arrivés !

La femme de Marc-André apparut sur le balcon de la maison, où elle déposa un panier de linge mouillé qu'elle s'apprêtait à aller étendre. Puis Marie-Laure glissa ses pieds dans une paire de grosses bottes brunes en caoutchouc avant de descendre rejoindre le petit groupe. Marjolaine tentait de ne pas montrer sa déception face à l'accoutrement de la femme qui s'avançait vers eux. Elle qui adorait parler de la dernière mode en serait pour ses frais. Elle réalisa tout à coup qu'elle s'ennuierait beaucoup de son Isabelle !

— Bonjour, je suis Marie-Laure Marchand.

— Marjolaine Lalonde.

— Philippe. Puis l'homme qui écornifle par la fenêtre de ton sous-sol, c'est mon beau-père Paul.

En entendant son nom, l'homme se releva, un brin gêné. Mais habitué qu'il était d'épier et de découvrir des indices, il lui était difficile de perdre cette manie, même plusieurs années après sa retraite. Marjolaine leva les sourcils en balançant la tête de gauche à droite. Franchement, son père, parfois !

— Je voulais juste voir si vous aviez un vrai sous-sol !

Marc-André, qui ne s'en faisait pas avec grand-chose, secoua ses boucles blondes. Il avait lancé son vieux manteau sur la galerie, avant de baisser les bretelles de sa salopette de jeans. Le haut de celle-ci pendait à sa taille et Marjolaine ne put s'empêcher de comparer les silhouettes de son époux et de son cousin. Ouf ! pensa-t-elle avec amour, elle avait gagné au change !

— Ici, nos maisons ont des caves, pas des sous-sols ! On peut vous la montrer si vous voulez, mais à part des patates et des cochonneries inutiles, il y a rien !

Paul fit un geste pour indiquer de laisser faire. Marie-Laure pointa la façade jaune avant d'offrir :

— Vous voulez venir prendre un café ? Je peux en faire...

— Sais-tu, Marie-Laure, tu es bien gentille, mais on a vraiment hâte de voir la maison. Notre maison !

Philippe lui sourit sans s'apercevoir du soulagement éprouvé par la châtaine, qui n'avait pas eu le temps de ramasser le bol de raisins lancé par terre par Jules dans un autre accès de colère. À côté de Marjolaine, elle avait l'air d'une géante, la dépassant d'au moins huit pouces. Elle resserra sa couette sur sa nuque et dit :

— Bon, bien d'abord, je vais retourner en dedans. Si vous avez besoin de quoi que ce soit, vous avez juste à me téléphoner. Hum... il vous faudra aller chez vos voisins, par contre, parce que ton oncle Jasmin avait pas le téléphone. Puis, pour la nourriture, je pense que Victoire et Conrad ont pas ouvert le magasin général encore aujourd'hui.

— Ah ?

Marjolaine fit la moue en pensant au peu d'aliments contenus dans leur petite glacière.

— Le magasin va être ouvert demain ?

Marie-Laure jeta un regard interrogatif à Marc-André, qui confirma :

— En principe, ils ouvrent le matin.

— À quelle heure ?

Le couple d'insulaires retint un sourire moqueur. Les citadins devraient apprendre à vivre à l'heure de l'île.

— À l'heure qu'ils veulent !

CHAPITRE 3

Découverte d'un joyau

Assise dans sa chaise berçante proche de son magnifique poêle à bois Findlay, Roseline Lamothe porta son Coke à sa bouche. Elle peignait les cheveux de son aînée Hélène, qui grimaçait sous la douleur. Le téléphone coincé à l'oreille, la mère de famille ne tenait pas compte des mimiques de sa fille.

— Je te le dis, Gilberte, tout un numéro, la citadine ! Elle est habillée comme une vedette de télévision. Je sais pas où elle pensait aller, mais ça a pas été long que ses souliers ont brisé sur le chemin du quai ! Son mari, par contre, il a plus d'allure. Ça paraît qu'il a déjà vécu ici. Pas mal *cute* à part ça, mais un peu maigrichon à mon goût ! La Marjolaine, elle, doit mesurer trois pieds, puis elle est pas plus grosse que ma fille ! exagéra Roseline sans voir la moue d'Hélène.

— …

— Marc-André est parti les reconduire à leur nouvelle maison. Reste à l'affût, tu vas peut-être les voir passer devant chez vous. Il voulait leur faire visiter l'île avant de les laisser chez Jasmin… Essaye d'y voir l'allure, ça vaut la peine ! Ils vont faire le saut quand ils vont constater dans quel état le vieux leur a laissé la cabane ! C'est loin d'être un château, pauvre princesse !

Hélène poussa un grognement et sa mère déposa la brosse pendant quelques secondes à ses côtés pour se concentrer sur sa conversation. Son amie Gilberte n'aimait guère se mêler au reste des insulaires, mais vibrait aux comptes rendus colorés de Roseline. Dès que le trio de citadins était arrivé à la maison jaune de Marc-André et Marie-Laure, Roseline avait grimpé sur son trois-roues pour se dépêcher de retourner chez elle, suivie de ses garçons sur leur bicyclette. La mère Lamothe était toujours la première à aviser les voisins des nouveautés qui survenaient sur l'île. Quand ses enfants étaient à l'école, elle pouvait passer des heures à parler au téléphone avec des insulaires, du Bout d'en-Bas au Bout d'en-Haut! Tout ça, en gardant sa maison propre comme un sou neuf et le congélateur rempli de pâtés et de tartes pour nourrir sa famille.

— On aurait dit qu'elle s'en allait faire une parade de mode, la jeune! Quoi? Si elle est belle...

Roseline grimaça puisqu'elle ne pouvait nier l'évidence. Hélène écoutait la réponse avec intérêt, elle qui avait tellement hâte de voir les nouveaux habitants de la maison rouge. Depuis que sa mère l'avait avisée de leur arrivée, la fillette au teint mat n'avait pas cessé de se faire des scénarios impliquant ce monde de la grande ville. Sa meilleure amie Marion et elle avaient passé des heures à en parler.

— Je pense qu'elle doit ressembler à Olivia Newton-Jones. Blonde. Je suis sûre. Puis une vraie blonde là, pas comme ma mère! avait dit Hélène en souhaitant de tout son cœur que Marjolaine Lalonde soit la copie parfaite de son actrice préférée. Puis peut-être même que son mari aura un petit air de Danny Zuko dans *Grease*, pourquoi pas?

— Moi, avait répondu Marion, plus terre à terre, j'espère juste qu'ils vont avoir des enfants de notre âge.

— Tu penses ?

— Je sais pas, avait répliqué l'autre avec dépit. Mon grand-père leur a posé plein de questions au téléphone, mais il a oublié de leur demander s'ils en avaient ! Me semble que ça aurait dû être la première chose à faire !

Hélène sourit donc de contentement en entendant la réponse de sa mère. Elle le savait bien que la nouvelle venue serait à son goût !

— Oui, elle est belle. Comme une actrice de cinéma, je dirais. Mais faudrait pas qu'elle prenne des airs de vedette, parce que je m'en vais la remettre à sa place, moi ! rétorqua Roseline.

La femme donna une taloche sur l'épaule de sa fillette de onze ans qui tentait de s'éloigner en douce pour se soutirer à la douleur du démêlage hebdomadaire. Mais peine perdue, Roseline la rapprocha de ses grosses cuisses. Elle prit l'élastique de son poignet avant de lui faire une queue de cheval sur le dessus de la tête.

— Maman, j'aimerais ça mettre juste une passe comme Marion pour aller à l'école demain ! se plaignit Hélène.

— Laisse faire ! grogna Roseline, une *bobby pin* dépassant de ses lèvres. J'ai pas envie de devoir te démêler ça tous les soirs. Puis en plus, tu vas avoir l'air d'une souillon, les grandes couettes dans la face. Déjà que le monde te prend pour une Indienne !

Hélène retint son mécontentement, sachant fort bien que c'était peine perdue. Le dimanche soir, sa mère passait ses cinq enfants au peigne fin. Hélène, ses sœurs de sept et huit ans et ses frères de dix ans. Pour la mère de famille, l'allure qu'avaient ses petits était importante. Elle avait beau étirer les sauces et les soupes avec de l'eau quand venait la fin du mois, Roseline Lamothe avait toujours bien sa fierté !

— Va chercher tes sœurs, demanda-t-elle à son aînée avant de saluer son interlocutrice qui voulait aller s'installer sur sa galerie pour voir passer le camion gris avec les citadins à son bord.

Hélène, elle, avait surtout hâte au lendemain pour rejoindre son amie Marion à l'école. Cette dernière avait déjà vu la madame de la ville, la chanceuse! Plus tard, couchée sur son lit, l'enfant rêvait du jour où elle pourrait elle aussi aller faire un tour dans la ville de Québec ou même à Montréal.

«Ma mère a dit qu'elle est belle comme une vedette de *TV*! pensa la fillette en fixant le plafond de bois de la chambre qu'elle partageait avec ses sœurs. J'ai tellement envie de parler à Marion!»

Pourtant, à deux milles de là, son amie Marion était loin d'être préoccupée par les nouveaux arrivants. Après qu'ils furent montés dans le camion de son père, elle avait dû aider sa mère et ramasser le dégât de Jules pour la troisième fois de la journée. Le regard fâché, elle avait fixé le véhicule qui s'éloignait par la large fenêtre au-dessus de leur évier de cuisine. Pour tenter d'alléger l'atmosphère, elle avait pris une grande inspiration avant de jeter les raisins écrasés dans la poubelle sous l'évier. Puis elle avait collé sa tête sur l'épaule ronde de sa mère.

— Papa va leur dire que la maison est pas belle? lui avait-elle demandé. Parce que moi, je pense qu'ils vont *pogner* leur nœud, quand ils vont voir toutes les cochonneries que le vieux Jasmin avait ramassées! Matante Minou dit qu'elle a jamais vu…

— …c'est pas de nos affaires ça, Marion! l'avait coupée Marie-Laure en la repoussant sans délicatesse. Son regard s'était alors posé sur son fils cadet, couché sous la table de la cuisine. Elle hésita, avant de l'y laisser. Son mari s'en occuperait, c'était à son tour de s'obstiner avec l'enfant!

— Je disais ça de même! répondit Marion, offusquée par le ton de sa mère.

— Bien moi, j'ai pas envie que tu commences à faire comme Roseline Lamothe, puis à te mêler des affaires de tout le monde sur l'île! On a une commère ici et c'est bien assez, crois-moi!

La mère et la fille, si semblables, se fixèrent du même regard têtu avant que l'enfant ne baisse la tête. Demain, après l'école, elle irait en bicyclette jusqu'à la maison rouge pour voir si le cousin de son père avait besoin d'un coup de main. Elle en avait parlé à son père, la veille au soir, et il lui avait donné son accord. Depuis le temps qu'Hélène et elle avaient envie de voir à l'intérieur de la maison du vieux Jasmin! C'était le moment!

~

Pendant que les placoteuses se délectaient de leur arrivée sur l'île, Philippe cherchait dans le ton de son cousin Marc-André l'animosité qu'il craignait que leur venue ne suscite. Si son parrain avait toujours été considéré comme une personne spéciale, le fait qu'il décide de léguer ses avoirs à un «étranger» n'était sûrement pas perçu d'un bon œil.

— Mets-toi à leur place, avait dit sa mère. Tu es pas allé le voir depuis douze ans, puis il te laisse sa maison, sa terre et ses économies. Encore heureux que ton oncle Gaspard et ton cousin Marc-André soient pas en beau *calvaire*. J'en connais qui doivent rager sur l'île!

Alors Philippe, qui détestait les confrontations, appréhendait la situation. Pourtant, Marc-André se mit à converser avec lui d'un ton amical, sans mentionner le fait que son cousin venait lui voler son dû. Cordés comme des sardines sur la banquette du camion, les nouveaux arrivants observaient la route en fermant les yeux d'anticipation chaque fois qu'un trou ou une crevasse faisait rebondir le vieux *bazou*. Inconscient de l'impatience des gens de la ville, le blond avait choisi de leur faire visiter une partie de l'île avant de les laisser à leur nouvelle demeure. Marjolaine avait retenu un petit geste de dépit, elle qui n'en pouvait plus d'attendre. Mais en voyant la vue que leur permettait d'avoir cette promenade improvisée, la brunette se détendit avant de sourire à son époux.

— Alors c'est décidé? Vous venez vous établir ici? s'informa encore Marc-André avec un brin d'incrédulité dans la voix.

— Bien oui!

— Je veux dire… vraiment, là?

Marjolaine jeta un regard vers l'homme en se demandant si les gens de l'île étaient «durs de comprenure».

«Pas le goût de toujours répéter deux fois les mêmes affaires, moi!», pensa-t-elle.

Son père Paul, à ses côtés, était perdu dans ses pensées. Il regrettait qu'Emma n'ait pas la chance de voir la beauté sauvage de l'Île Verte. Sa femme aurait aimé ce décor enchanteur. Il soupira doucement avant de demander au conducteur:

— Tu penses que ça peut prendre combien de temps avant que ton père nous apporte nos malles? Moi j'ai juste gardé Gaston pour être certain que personne me le vole, mais j'aimerais ça avoir une idée pour le reste.

— Gaston?

— Son coffre à outils, répondit mécaniquement Marjolaine alors que Philippe riait sous cape.

— Hein?

— Cherche pas à comprendre, mon cousin.

Paul avait pris l'habitude, depuis quelques années, de baptiser les objets chers à son cœur. Cette lubie faisait sourire et l'homme appréciait les bonnes blagues. Alors en plus de Gaston, il y avait Léo son rasoir électrique, Dorothée sa radio portative et plein d'autres encore. Au début, sa fille avait bien tenté de le dissuader de persister dans cette habitude, mais l'entêtement de son père l'avait convaincue d'arrêter d'essayer. Avec ses outils à peu près inutilisés depuis des décennies, à sa retraite, Paul s'était mis en tête de réparer tout ce qui clochait dans leurs appartements.

— Je suis pas plus bête qu'un autre, je vois pas pourquoi je pourrais pas arranger un cadre ou une marche d'escalier.

— Parce que… tu es pas capable de cogner un clou sans faire un trou dans le mur peut-être ? s'était moquée sa fille.

Mais son père s'était entêté et avait *rabouté, patché, magané* jusqu'à ce que Marjolaine lui interdise de faire des travaux chez elle sans l'approbation préalable de Philippe. Si l'homme avait de grands talents d'observation et de déduction, la situation était très différente lorsqu'il avait un outil entre les mains. Comme s'il perdait sa capacité d'analyse au moment de clouer, de scier ou de visser !

— Sérieusement, papa, je t'adore, mais tu as vraiment pas de don pour les réparations.

Paul avait boudé sa fille durant quelques jours avant de s'attaquer à la porte de son hangar sur son balcon arrière. Il en était là lorsque la décision de venir s'installer sur l'île avait freiné ses projets. Heureusement ! Pourtant convaincu d'être un bon menuisier, l'homme traînait son coffre à outils comme s'il s'était agi d'un trésor. C'est qu'il aimait frapper du marteau, le cher vieux ! Marc-André sourit franchement en laissant apparaître une profonde fossette dans sa joue gauche. Il haussa ses larges épaules en lançant joyeusement :

— Ok, va pour Gaston ! C'est parfait, ici, sur l'île, il y a toujours un besoin quelque part !

Paul lança un regard victorieux à sa fille et à son gendre.

— Pour vos malles, continua Marc-André, inquiétez-vous pas. Papa avait juste une dent à arracher, puis il partait les chercher à la prochaine marée.

— Une dent ?

— Il est un peu le dentiste de l'île.

— Mais c'est pas le maire, ton père ?

— Aussi, répondit Marc-André, souriant, en donnant un coup de poing affectueux à Philippe.

Gaspard Caron avait travaillé durant quelques années comme dentiste dans la région de Québec après ses années d'études à l'Université Laval. C'est d'ailleurs là qu'il avait rencontré la mère de ses enfants. Marjolaine mit la main sur sa mâchoire.

— Mais c'est un vrai dentiste ou… ?

— Oui, oui. Il utilise juste des pinces à métal pour faire la *job* !

Marc-André et Philippe éclatèrent de rire pendant que la femme se demandait quelle était la part de vérité dans cette histoire. Le camion roulait lentement sur l'unique route en terre qui traversait la petite île d'un bout à l'autre. Marc-André annonçait le nom de chaque habitant devant les maisons qu'ils dépassaient. Avec une fierté bien sentie, l'insulaire entreprit de décrire leur nouvel environnement sur un ton rempli d'orgueil. Philippe le laissait parler avec nostalgie, trop heureux de revisiter les lieux de son enfance.

— Il y a des maisons juste du côté sud de l'île, pointa l'insulaire. De l'autre bord, au nord, c'est trop rocheux. La maison verte et jaune là, c'est chez les Vézina. Les plus vieux de la paroisse. Lionel, vous l'avez vu, il était au quai quand vous êtes arrivés. Sa femme Anémone commence à perdre la tête, ça fait qu'il avait dû la laisser dans sa chaise berçante chez eux! Sinon, elle le suit comme un chien de poche! Tiens, voilà Justin Castonguay...

Il ralentit pour laisser passer un trois-roues qui roulait à grande vitesse. Marc-André secoua la tête en murmurant:

— C'est le plus jeune de la plus grosse famille de l'île! Sa maison est au Bout d'en-Bas. Puis Justin, c'est pas le plus allumé de la *gang*... si vous voyez ce que je veux dire!

Le blond éclata d'un rire puissant en pesant sur l'accélérateur. Il secoua sa tête frisée en pointant une grosse bâtisse beige.

— Là, c'est notre nouvelle église. Elle a été construite il y a un peu plus de cinq ans. Mais on s'en sert pour toutes sortes d'affaires! Des fêtes, des élections, des rencontres municipales... En face, la maison grise avec l'énorme jardin, c'est chez Adrien Ouimet.

Marjolaine sortit sa tête par la fenêtre pour tenter d'apercevoir le potager. Mais ils avaient déjà dépassé l'endroit, constata la femme avec dépit. Jardiner était assurément dans ses projets futurs! Devant une énorme roulotte blanche bien aménagée se trouvait une *Bobcat* verte beaucoup plus récente que les autres véhicules croisés depuis leur arrivée. Paul se surprit à penser à sa pauvre guimbarde laissée de l'autre côté du fleuve. Il allait s'informer de la manière de la récupérer, mais décida pour ce faire d'attendre d'être seul avec Marc-André qui poursuivait sa narration.

— Ça, c'est le dispensaire et l'auto de l'infirmière. Elle en prend soin comme de la prunelle de ses yeux! C'est une bonne femme qui a pas la langue dans sa poche, mais au moins, elle connaît son affaire! De toute manière, elle achève... D'ici un an, elle parle de retourner vivre à Québec pour se rapprocher de ses enfants. Ce qui fait qu'il va falloir qu'une autre infirmière ait le goût de venir s'installer ici...

L'homme resta songeur quelques minutes. Avec les problèmes de santé grandissants de leur population vieillissante, les Verdoyants craignaient surtout de ne plus pouvoir compter sur un service médical de base sur l'île.

— Puis là vous voyez la maison blanche avec les volets gris, c'est chez Rosel…

— Wô! les moteurs, Marc-André! Penses-tu vraiment qu'on va se rappeler tous ces noms-là? demanda Philippe en riant.

Son cousin haussa ses larges épaules. Il avait rarement l'occasion de faire visiter son coin de pays dont il était si fier.

— Ok, Ok, je me tais!

Chavirée par la beauté des maisons colorées, Marjolaine avait à peine écouté le discours du cousin, de toute manière. Elle prit la main de son époux en lui souriant paisiblement. La vie serait belle ici, elle en était convaincue. Son père avait les yeux fermés et laissait le soleil caresser son visage ridé. Philippe, quant à lui, retrouvait avec joie l'air pur, le vent du large et la plénitude qui se dégageait des paysages bucoliques. Entourée de champs encore jaunâtres en cette période de l'année, l'île était le paradis des moutons et des vaches qui broutaient l'herbe dans les prés sans même lever la tête au passage du véhicule qui roulait pourtant en soulevant un nuage de poussière dans son sillage. Tout le long du chemin bordé de cornouillers rouges, les nouveaux arrivants remarquèrent d'étranges petits bâtiments étroits construits en hauteur. Leurs murs étaient faits de planches verticales et recouverts d'un toit de bardeaux de cèdre, matés par le temps.

— C'est quoi, ces drôles de cabanes? s'informa Paul, coincé entre sa fille et son gendre. On dirait que leur toit est recouvert d'un deuxième toit plus petit.

— Tu leur as vraiment rien dit sur l'Île Verte ? se moqua Marc-André en se penchant pour voir son cousin. C'est les fumoirs de l'île.

— Ça s'appelait pas des boucaneries ?

— Même affaire !

— C'est haut ! s'exclama Paul.

— Autour de vingt pieds en général. Pas le choix si on veut avoir de la place pour suspendre les harengs !

Marc-André ne remarqua pas la grimace de dédain de Marjolaine, qui n'aimait guère le poisson. Paul, par contre, se promit d'en manger à la première occasion.

— Ta pêche est où, toi ? s'informa Philippe.

— On en a pas. Papa a jamais trop aimé ça, puis quand il est parti pour l'université, c'est mon oncle Jasmin qui a pris la relève jusqu'à il y a dix ans environ. Après ça, il a tout vendu à Conrad Dionne. Vous verrez, chez eux, ils ont trois fumoirs sur leur terrain. Ils ont la plus grosse pêche de l'île, la première au Bout d'en-Bas... en plus du magasin général, puis du chaland le plus récent.

Le blond n'aimait pas assez la pêche pour avoir envie de fumer des tonnes de poissons chaque saison. Par contre, il aurait bien aimé s'occuper du magasin général qui, auparavant, déménageait tous les dix ans en s'établissant d'une maison à l'autre. Mais cinq ans plus tôt, lorsque Lionel Vézina avait fermé boutique, sa femme Marie-Laure avait refusé catégoriquement d'utiliser une pièce de leur maison pour y installer le commerce. Elle prévoyait alors avoir au moins trois autres enfants et se disait qu'ils auraient besoin de la place. Marc-André se résignait donc à fréquenter le petit marché des Dionne lorsque des denrées essentielles venaient à manquer.

— La maison tout en bois avec une annexe à l'est du quai, c'est chez Conrad et Victoire. Vous pourrez y aller demain, c'est là que se trouve le magasin général, continua Marc-André. Entre vous puis moi, ce sont eux les plus riches de l'île!

C'était dit sans animosité, juste un constat. Tant mieux pour eux, avait l'habitude de dire le costaud blond. Lui, il préférait sa petite vie tranquille plutôt que l'animation constante qui régnait sur la terre des marchands: allers-retours de touristes d'un jour, obligation de s'occuper du magasin, traverses chaque semaine pour aller chercher les denrées… Non, vraiment, il n'échangerait pas sa place contre celle de cette famille bien nantie. Son compte de banque oui, par exemple!

— C'est donc bien beau! furent les seuls mots à franchir le seuil des lèvres rouges de Marjolaine, qui soupirait d'aise. Voilà qui devrait te faire oublier ton deuil, se moqua-t-elle affectueusement en posant sa main sur le genou de son mari.

— Un deuil?

Marc-André fit enfin demi-tour devant la route du Quai d'en-Bas, conscient que les nouveaux arrivants devaient être impatients de découvrir leur nouvelle demeure. Il lança un regard inquiet à son cousin, alors que celui-ci prenait un air maussade. Vers l'ouest, le paysage changeait. Les arbres disparaissaient à droite du chemin pour laisser place à de larges champs chatoyants. De l'autre côté, les façades écarlates créaient une toile irisée qui ravissait le regard des étrangers. Renfrogné, Philippe ne prit pas la peine de répondre au conducteur. Même l'estran vaseux émerveillait la jeune femme, qui fit un clin d'œil à Marc-André.

— Son deuil d'un nouveau pays, expliqua-t-elle en s'excusant du regard à son mari d'avoir ri de sa réelle tristesse.

Depuis l'élection du Parti Québécois, avec René Lévesque à sa tête, en 1976, Philippe s'était mis à rêver que la province deviendrait enfin un pays. Fervent militant, le barbu s'était donné corps et âme afin que le Oui l'emporte au référendum du 20 mai. Il ne s'était pas encore remis de la défaite de la semaine précédente et ne voulait même pas aborder le sujet. Son beau-père lui lança un coup d'œil éloquent. Il l'avait bien averti que jamais les Québécois ne voteraient pour ce projet insensé. En tout cas, lui avait voté contre, malgré tous les arguments de son gendre pour le faire changer d'idée. Marjolaine s'était bien amusée de cette divergence de vues politique en cuisinant un superbe gâteau séparé en deux pour la soirée référendaire : la moitié d'un drapeau canadien et la moitié d'un drapeau québécois. Le gâteau rouge et bleu avait fait fureur auprès de leurs amis venus assister au dévoilement du résultat dans leur salon. Seul Paul avait opté pour le glaçage rouge, faisant dire affectueusement à son gendre :

— On sait bien, les vieux, c'est peureux !

— Oh, ça ! répondit Marc-André en secouant la tête.

Sur l'Île Verte, la politique faisait un très mauvais sujet de discussion. La terre était petite, les dissidences difficiles à éviter. Alors peu d'insulaires faisaient part de leurs préférences politiques ouvertement. À part le commerçant de l'île, Conrad Dionne, avec lequel le jeune citadin aurait peut-être des discussions enflammées, étant donné leurs allégeances opposées.

— La maison est encore loin ? cria Marjolaine, la tête sortie par la fenêtre.

— Une couple de minutes encore, précisa le conducteur en saluant un motocycliste qui passait à contresens. On l'a dépassée tantôt, mais je voulais vous faire la surprise !

La femme haussa les yeux au ciel, exaspérée. Elle remarqua le nuage de poussière qui se dirigeait doucement vers une habitation turquoise en bordure du chemin en se disant que cela devait être bien malcommode de vivre si près de la route. En souhaitant que leur maison soit située plus près du fleuve, Marjolaine ferma les yeux pour humer l'odeur de la mer. Tout lui plaisait dans ce premier contact avec son nouvel environnement. Au début de février, ils avaient planifié se rendre au moins une fois sur l'île avant de s'y installer pour de bon. Malheureusement, la fin de semaine de leur visite prévue, la température s'était adoucie, obligeant la municipalité à fermer le pont de glace. Par la suite, il leur avait été difficile de s'absenter de leur travail tous les deux au même moment. Déçue, la jeune femme s'en était donc remise au destin. Elle murmura à l'oreille de Philippe :

— On va être heureux ici, mon amour.

Marc-André leur jeta un coup d'œil inquisiteur sans dire un mot. Peu curieux de nature, il espérait pourtant en apprendre un peu plus sur ce cousin retrouvé et sa drôle de petite bonne femme endimanchée. Après deux minutes, le véhicule ralentit pour s'engager dans une large entrée de cailloux gris et blancs qui descendait vers le fleuve.

— La marée est en train de baisser, pointa Marc-André. J'espère que papa est déjà parti ! Sinon, vous aurez votre *stock* juste demain.

Ignorant ce commentaire qui la préoccupait pourtant beaucoup, un peu plus tôt, Marjolaine tourna la tête vers le conducteur. Elle s'exclama, la voix enrouée par l'émotion :

— Sérieux ? Sérieux là, c'est ici, la maison ?

— Sérieux. C'est ici, VOTRE maison !

— Oh mon Dieu !

La maison rouge au toit de fer-blanc jaillissait au milieu d'un champ de foin donnant l'illusion d'une carte postale. Perchée entre le fleuve et la route, la grande demeure aux multiples fenêtres blanches accueillait les visiteurs d'un air altier. Éberluée devant la beauté de la demeure, Marjolaine avait la main sur la poignée de porte pour s'extraire du véhicule dès qu'il serait immobilisé. En mettant les pieds sur le sol de SA terre, elle sentit les larmes jaillir de ses yeux, créant un sillon noir jusqu'à son petit menton tremblotant. Philippe la serra contre lui, le regard interdit, alors que son père sortait de sa rêverie :

— Marjolaine ?

— C'est tellement... tellement...

La jeune femme ouvrit les bras en éclatant de rire au travers de ses sanglots. Comme si les craintes des dernières semaines, alors qu'ils avaient tous les deux quitté leur emploi au restaurant Napoléon de Sillery, s'effaçaient devant la magnificence du lieu. Elle avait un peu hésité quand même à entraîner son père âgé dans cette folle aventure. Un regard vers le fleuve et les pleurs de la femme recommencèrent. Mais cette fois, les trois hommes comprirent que seule l'émotion était à l'origine de cette crise singulière. Le quatuor s'avança dans les ornières créées dans le chemin près de la maison.

— C'est à qui, les granges ?

— À vous autres.

— Toutes à nous autres ?

— Oui, rigola Marc-André en tournant la tête vers Philippe.

— Ah bien *torrieu* !

À gauche de la maison écarlate, entre la route et le fleuve, se trouvait une énorme grange grise avec deux larges portes entrouvertes. Un peu endommagée, elle n'avait pas servi depuis longtemps. Sur leur terrain, on trouvait aussi trois bâtiments du même bois, mais plus petits.

— Ça, c'était le poulailler de Jasmin, désigna le costaud. Mais il y a plus de poules. Après sa mort, on a pas eu le choix de les partager dans la famille, s'excusa presque l'insulaire.

— Ça veut dire qu'on pourrait en avoir, nous autres aussi? s'informa Marjolaine, toujours pieds nus.

Le cousin jeta un regard équivoque sur les orteils vernis de la belle avant de marmonner quelque chose qui ressemblait à un « oui ». Il allait élaborer davantage sa réponse lorsque le visage enjoué de Philippe le retint. Après tout, s'ils voulaient avoir des poules, des vaches, des cochons, ils feraient bien ce qu'ils voudraient! Au bout du chemin, juste avant la descente à la mer, un petit chalet blanc avec le toit rouge serait le logis de Paul sur cette terre. Quatre cents pieds séparaient les deux habitations. Une vaste galerie sur pilotis surplombait le fleuve.

— Je décharge vos affaires ici, puis je retourne chez nous. Je suis certain que vous avez hâte de vous installer...

Désireux de les laisser découvrir leur habitation seuls, Marc-André s'empressa de déposer les gros sacs à dos des nouveaux arrivants, leur glacière et Gaston sur le gazon avant de les saluer gentiment. Il reviendrait un peu plus tard.

— On se revoit bientôt! Oubliez pas de nous appeler si vous avez besoin de quoi que ce soit! Vous avez juste à traverser chez le voisin pour le téléphone. Je pense que...

Marc-André s'interrompit. Il hésita avant de soulever les épaules. À quoi bon les avertir que l'oncle Jasmin n'avait pas la réputation de bien entretenir sa demeure? Personne n'y avait vraiment mis les pieds depuis des lustres, mais les mauvaises langues ne se gênaient pas pour extrapoler sur l'intérieur du reclus. Marc-André recula pour faire demi-tour pendant que

Philippe et Marjolaine, collés l'un contre l'autre, reportaient leur regard sur le toit de fer-blanc et la longue cheminée de briques ocre qui s'étirait vers un ciel sans nuages. Tout près, un peuplier gigantesque se balançait au gré du vent, alors que de l'autre côté du chemin principal, dans le champ qui s'étendait du côté nord, une dizaine de bêtes duveteuses mâchouillaient paresseusement les longues herbes. Pendant plusieurs minutes, les amoureux restèrent rivés l'un à l'autre en se promenant lentement sur l'allée de cailloux. Paul, lui, hésitait entre se diriger tout de suite vers son nouveau chez-lui ou visiter la grande maison d'abord.

— Bon, les jeunes, on fait quoi, là? Parce que moi, j'aimerais ça me laver un peu.

Philippe tendit la main à sa femme et proposa:

— On entre?

— On entre!

Sans plus attendre, ils s'avancèrent vers l'escalier chambranlant situé à l'arrière de la grosse maison. Quelques marches grises mal entretenues les menaient à une petite galerie avec vue sur le fleuve. Au loin, ils apercevaient la flèche élancée et les pinacles sur le clocher de l'église de style néogothique du village de L'Isle-Verte, de l'autre côté du fleuve. Une vue parfaite! Avant la formation de la paroisse de Notre-Dame-des-Sept-Douleurs, sur l'île, en 1874, toutes les cérémonies religieuses avaient lieu de l'autre bord, sur la terre ferme. Mariages, baptêmes et funérailles se déroulaient à l'église de Saint-Georges-de-Kakouna ou devant le curé de Saint-Jean-Baptiste-de-l'Isle-Verte. Il était fréquent, à cette époque, d'apercevoir de jeunes fiancées, tenant précieusement leur robe de mariée bien enveloppée, traverser le fleuve jusqu'au quai à bord d'une chaloupe mise à leur disposition*.

— Il y a combien d'habitants sur l'île? demanda Paul en secouant doucement sa tête.

— Maintenant, environ cent trente à temps plein, je pense.

— C'est peu, ça !

— Oui. Quand mes parents étaient jeunes, il y avait trois cent trente-cinq habitants sur l'île. Toutes des familles de même souche. Vous allez rencontrer des Ouellet, des Fraser, des Lindsay... Ici, les terres se lèguent de père en fils. En général ! précisa Philippe en pensant à son oncle. Mais les hommes partent quand ils se trouvent pas de travail dans le coin ou quand les enfants sont en âge d'aller au secondaire.

— C'est parfait pour nous autres, ici, renchérit Marjolaine. On aura pas d'enfants ! Mais je veux un chien. Puis un gros à part ça !

— Ça bave puis ça pue, un gros chien ! marmonna Paul avant d'empoigner Gaston. À voir les marches, la nouvelle demeure de sa fille aurait sûrement besoin d'un petit coup de marteau !

— Papa, franchement !

Inspirant à pleins poumons, la femme grimpa sur la rampe en levant ses bras vers le ciel. Au loin, à environ un mille du rivage, sur la droite, un îlot rocailleux ressemblait à une immense baleine se chauffant au soleil. Tournant la tête vers Philippe, Marjolaine fit un large sourire qui découvrit sa petite canine à la pointe cassée.

— Je pense qu'on devrait acheter des moutons, puis peut-être des cochons aussi !

Philippe éclata de son rire contagieux.

— Je pense que non ! As-tu vu la grange ? Elle tient à peine debout. Puis tu es pas trop le genre à te mettre les pieds dans la bouse de vache ! On va se contenter de notre gîte, je pense que ça va être en masse d'ouvrage !

Paul resta à l'écart afin de laisser le jeune couple explorer seul son nouvel habitat. Il sentait une grande paix l'envahir à la pensée de finir ses jours dans un tel environnement. Un seul regret... que le reste de la famille ne puisse connaître un si beau lieu. Sa femme, son fils, son autre fille. Si seulement...

CHAPITRE 4

Le découragement de Marjolaine

Quand sa femme Emma était décédée, les enfants de Paul n'étaient âgés que de treize, quinze et seize ans. Les trois adolescents avaient vu leur père sombrer dans une profonde dépression avant d'être confiés à la garde d'une tante maternelle. Tout en étant la cadette, Marjolaine avait toujours été la plus solide des enfants. À cette époque, elle n'avait pu compter sur le soutien de son aînée, Sophie, qui avait toujours eu l'âme rebelle et n'était guère responsable. Avait alors commencé à s'installer chez Marjolaine une rancœur face à l'égoïsme de sa sœur. À chacune de ses visites à son père, elle tentait de le faire rire, prenait soin de lui en réitérant qu'il devait guérir parce qu'eux voulaient revenir à la maison. Sophie, elle, ne restait que quelques minutes avant de prétexter un rendez-vous important et de s'en aller.

— Tu pourrais faire un effort, lui avait reproché Marjolaine. Papa a besoin de nous!

— Tu es meilleure que moi pour ça. Je sais pas quoi lui dire!

Leur frère Stéphane, lui, pleurait encore tous les soirs avant de s'endormir en pensant à sa mère qu'il ne verrait plus. Marjolaine tentait de rester forte pour son père et pour son frère, et rageait de voir Sophie s'étourdir dans les bars, alors qu'elle n'en avait même pas l'âge. Un peu plus de six mois après le décès d'Emma,

Paul avait commencé à reprendre pied. Alors Stéphane, Sophie et elle avaient pu réintégrer leur logis. Honteux de sa faiblesse, le père avait compris que sa cadette serait une femme forte, sur laquelle il pourrait toujours s'appuyer. Quant à Sophie, sous cette carapace provocante, il reconnaissait en elle une grande fragilité qui lui donnait envie de la protéger. Le détective privé avait repris les rênes de son entreprise en remerciant son employé qui avait tenu le fort pendant sa maladie.

Agence d'investigation Paul Lalonde

Détective privé

Pendant plus de trente ans, l'homme avait suivi, épié, noté pour répondre aux besoins de clients de plus en plus exigeants. Son bureau, situé sur l'avenue René-Lévesque, tout près des plaines d'Abraham, constituait pour sa progéniture un endroit mystérieux dans lequel les enfants ne pouvaient déplacer un papier ou un dossier, sous peine de faire échouer une *affaire importante*. À soixante-sept ans, las de courir après l'argent de clients fâchés par les résultats de ses enquêtes, Paul avait mis la clé sous la porte. Ce qui ne l'empêchait pas de charmer les gens avec des récits tous plus hilarants les uns que les autres.

— Mais je suis sérieux! arguait-il fermement après chacune de ses narrations. Pourtant, ses enfants, son premier auditoire, n'arrivaient pas à croire toutes les histoires qu'il relatait.

Dans son grand appartement de la rue Charlevoix, la famille sans mère avait réussi à trouver une certaine sérénité, malgré le caractère fuyant de l'aînée, Sophie. Elle en avait fait voir de toutes les couleurs à son pauvre père avant d'atteindre la vingtaine. Puis le drame. Le drame qui avait coûté la vie à l'unique garçon, Stéphane, avait détruit leur monde et complété l'éclatement de cette cellule déjà fragilisée par le décès précoce de la mère. Depuis cinq ans, pas une journée ne passait sans que Paul pense à ces deux disparus qui avaient laissé un si grand vide dans le cœur des deux sœurs. La plus vieille était partie au loin, vivre sa vie après «l'accident» de Stéphane. De temps en temps, elle expédiait une carte postale ou appelait pour donner de ses nouvelles. Puis plus rien pendant de longs mois, parfois même une année. Quand sa cadette et son gendre avaient informé Paul de l'héritage de l'oncle Jasmin, leur enthousiasme contagieux l'avait atteint jusqu'à ce qu'il réalise ce que ce déménagement représentait.

— Et si Sophie revient au Québec ? avait demandé Paul à sa fille.

Marjolaine l'avait regardé longuement sans répondre. Sa sœur était morte pour elle le soir de sa fuite, alors que leur frère n'était même pas enterré. Elle les avait laissés seuls avec leur peine, leurs questions. Ce n'était pas Sophie qui avait dû faire des détours pour éviter de passer à l'intersection où l'accident avait eu lieu ou qui avait dû répondre aux questions des curieux. Lorsqu'il avait fallu se défaire des vêtements, de la collection de livres et de disques de Stéphane, Paul et elle l'avaient fait en pleurant toutes les larmes de leur corps. Comme elle en voulait à cette sœur absente de ne pas avoir partagé leur détresse !

— Tu lui laisseras ta nouvelle adresse, avait répliqué sèchement Marjolaine à son père hésitant.

— Mais...

— Papa, tu sais qu'elle veut pas revenir au Québec. Ses dernières lettres provenaient de Calgary et jamais elle fait mention d'un quelconque retour. Tu veux vraiment rester ici en espérant que ta chère fille se souvienne de toi ? avait ajouté la brune le regard dur.

Ces paroles avaient suffi pour convaincre le patriarche, qui ne voulait pas demeurer seul à Québec. Marjolaine et Philippe avaient organisé une grande fête pour souligner leur départ en faisant promettre à tous leurs amis de venir les visiter à l'Île Verte. Malgré un certain chagrin de quitter ces êtres aimés, les deux amoureux voulaient aller de l'avant avec leur projet. Dès leur première rencontre, ils avaient compris que la perte de leur parent respectif à un jeune âge les unirait pour la vie. Cette détresse, ce manque d'un papa ou d'une maman auparavant si important, ne se comblerait jamais. Mais au moins, ils comprenaient, l'un comme l'autre, les moments où leurs yeux se perdaient dans le vague ou que la mélancolie les envahissait parfois sans raison. Paul avait laissé leurs nouvelles coordonnées à leur voisin, son plus proche ami, en lui faisant promettre de ne pas oublier de les transmettre à Sophie si elle revenait. Comme il n'avait pas de numéro de téléphone où là joindre, il priait de toutes ses forces pour que la lettre qu'il lui avait envoyée à sa dernière adresse connue lui parvienne bien. De ça, il n'en avait pas parlé à Marjolaine et il n'en dirait mot. La relation entre les sœurs était rompue depuis si longtemps, à quoi bon raviver les tensions? Le cri de sa cadette qui hurlait sa joie en pénétrant dans la véranda couverte de la maison écarlate sortit Paul de sa rêverie.

— MALADE! Papa, viens voir le banc d'église! Tu auras même plus besoin de passer voir le curé, tu auras juste à t'asseoir ici pour te confesser!

Marjolaine s'esclaffa en pointant un long banc de bois qui occupait toute la longueur du mur de la maison. Elle sautait sur place comme une enfant. Devant le banc, deux grandes fenêtres ouvertes sur le fleuve. Philippe, lui, était déjà en train d'évaluer la solidité de la porte de la maison en érable foncé. Il prit une profonde inspiration avant de l'ouvrir sur ce qui serait leur logis pour le reste de leur vie… peut-être!

— Hé misère !

— Quoi ?

Marjolaine arriva en vitesse derrière son époux, qui n'avait pas bougé du seuil de la cuisine. L'énorme pièce encombrée était tout en bois : plancher de larges lattes usées, lambris sur les murs, énormes poutres au plafond. Même les armoires et le comptoir – du moins ce qu'ils en voyaient – avaient été fabriqués dans une essence de bois chaud. Le poêle à bois Bélanger, pièce maîtresse de la cuisine, était orné de tuiles de céramique blanches au contour bleuté et de parties nickelées. Cet appareil semblait presque trop luxueux pour l'insalubrité des lieux. Deux poignées de ronds chromées trônaient fièrement sur le dessus.

— Mon doux, murmura Paul en s'avançant pour mettre la main sur le dessus du poêle noir charbon. Comme dans *Les Plouffe** !

Philippe et Marjolaine ne commentèrent pas sa remarque, trop occupés à faire le tour de la maison. Une fois passée la répulsion qu'ils ressentaient face à l'odeur de renfermé qui leur chatouillait les narines, face au bric-à-brac de vieilleries empilées partout, ils découvraient un intérieur intéressant. L'escalier de bois était chaleureux, malgré des marches inégales. Le barbu avait les yeux brillants lorsqu'il pointa à sa femme les larges fleurs de lys appliquées contre le limon.

— C'est sûr que c'est un signe, mon amour ! se moqua affectueusement Marjolaine.

Paul s'avança vers l'escalier, délaissant à regret le poêle de ses rêves ! Il fit mine de ne pas comprendre l'allusion devant le visage épanoui de Philippe et ses fleurs de lys.

— Bel escalier, en effet.

— Regardez, le beau-père ! Cette maison-là m'était destinée !

Le beau noir fit un clin d'œil amical au père de sa femme avant de laisser ses longs doigts minces glisser sur le côté des marches.

— Oh, c'est sûr! répondit Paul en secouant la tête. En tout cas, une chance que j'ai apporté Gaston, vous pouvez pas dire le contraire! Je pourrai vous donner un coup de main pour les rénovations.

— Heu... les rénovations? demanda Philippe sur un ton incertain.

— Bien sûr. J'ai les outils, les compétences... on est en business!

— En business certain! marmonna le barbu en lançant un long regard dubitatif à sa douce, qui arrêta de se promener quelques secondes puis leva les yeux au ciel.

— Ce mur-là, on pourrait l'abattre, commença Philippe en tirant sur un pan de tapisserie bleue usée, puis en remonter un ici. Comme ça, on aurait une plus grande pièce qui pourrait devenir une chambre d'hôte.

— Les nerfs, mon chéri! Avant de défoncer, on va aller voir en haut!

Passant sur un vieux tapis sale en grimaçant, Marjolaine grimpa l'escalier pour atteindre le deuxième étage. Elle se buta à une trappe fermée et attendit que son mari la pousse pour se glisser par le trou.

— On est pas rendus aux chambres! marmonna-t-elle en ouvrant grands les yeux.

Un étroit passage faisait le tour de la cage d'escalier. Mais c'était impossible pour l'instant d'y circuler, puisque les obstacles étaient nombreux: bureaux, chaises défoncées, coffres de métal, revues, sacs verts remplis...

— Je veux pas savoir ce qu'il y a là-dedans! grogna d'ailleurs la femme en jetant un regard désolé sur sa robe en jeans à présent plus grise que bleue.

— Pousse-toi, Marjolaine, je vais grimper.

— Heu...

— Il faut toujours bien qu'on aille voir si on a un lit!

Un peu découragée, la femme posa ses fesses sur la marche en ne laissant que sa tête dépasser par l'ouverture. En peu de temps, Philippe était passé par-dessus deux coffres et un bureau avant de s'écrier:

— Magnifique, ma chérie! Tu devrais voir la vue sur le fleuve. Puis inquiète-toi p...

Au même moment, dans la cuisine, un vacarme assourdissant précéda une exclamation de douleur:

— *Ayoye! Calvince!*

Descendant rapidement, Marjolaine ne put retenir un fou rire en voyant son père tenir la poignée de porte d'une garde-robe grande ouverte, de laquelle avaient déboulé une trentaine de bûches bien sèches.

— Tu avais le goût de faire un petit feu, mon papa chéri? se moqua Marjolaine alors que l'homme lui jetait un regard piteux.

— Ça m'est resté dans les mains!

Il tendit le bras pour montrer la poignée cassée alors que sa fille s'affalait sur une chaise à peu près propre avant de s'écrouler de rire... puis d'éclater en larmes!

— Qu'est-ce qu'on va faire avec tout ça? se lamenta-t-elle en pointant les objets hétéroclites qui envahissaient tous les recoins de la maison.

— On va y aller un morceau à la fois, ma perle! répondit Philippe en lui baisant le dessus de la tête.

À présent, Paul frétillait d'envie de voir à son tour son dernier logis. Car il avait bien l'intention de mourir sur cette île. Finis les déménagements. C'est donc avec soulagement qu'il entendit sa fille proposer :

— On va voir ton chalet, papa ?

— Oui, j'aimerais ça !

Quelques minutes plus tard, Paul observait avec satisfaction la grande cuisine de bois franc de son nouveau chez-lui. Un escalier étroit montait à l'étage, où se trouvaient la seule chambre et la salle de bain. Le chalet était sale, mais en parfait état.

— Un bon coup de torchon, puis on devrait être corrects ! Bon, par quoi on commence, les jeunes ? Parce que chez vous…

Paul lança à Marjolaine et Philippe un regard entendu avant de ressortir sur sa galerie. Ils retournèrent en marchant lentement vers la grande maison rouge, la mine basse. Dix minutes plus tard, assis sur les chaises droites dans la cuisine, le trio était songeur. L'oncle Jasmin n'avait guère pris soin de sa belle maison centenaire, l'une des premières à être construite sur l'île. En souriant, Paul dit en pointant le chalet blanc par la fenêtre.

— Ça me fait penser à un chalet que j'avais pris en photos dans le temps. La pauvre vieille qui nous avait engagés disait que des gens venaient chez elle lorsqu'elle s'absentait. J'avais mis des semaines à me rendre compte que la femme avait perdu la boule. Elle sortait de sa maison, partait faire des commissions, revenait déplacer des meubles puis repartait. Après une couple de va-et-vient comme ça, je me suis dit que…

Des coups à la porte l'interrompirent. Son histoire attendrait !

– Calgary –

Pendant ce temps...

La femme aux longs cheveux d'ébène jeta un regard désabusé vers la pile de lettres trônant sur le secrétaire de bois blond.

— Encore une... marmonna-t-elle en lançant paresseusement une enveloppe blanche sur l'amoncellement de papier.

Fermant les yeux quelques secondes, Sophie Lalonde leva ses bras bien haut au-dessus de sa tête pour s'étirer avant de glisser une cigarette entre ses lèvres peintes en rouge. Même à des milliers de kilomètres de sa province natale, la délicate femme n'arrivait pas à oublier les siens. Surtout son père Paul qui lui écrivait quelques fois par année depuis son départ de Québec. Elle n'ouvrait que la carte d'anniversaire qu'il lui envoyait toujours, pour sa fête le 25 janvier. La femme savait qu'elle y trouverait un billet de 100 $ lui permettant de se gâter un peu. Parfois, la nuit, elle restait éveillée pendant des heures en tentant de changer le cours des événements qui avaient modifié son destin.

— Si seulement... pensait-elle en triturant sa lèvre inférieure.

Ce matin, en ouvrant la boîte aux lettres, la vue de l'écriture de son père sur le dessus de l'enveloppe l'avait perturbée plus que d'ordinaire. Les mois qui passaient lui rappelaient sans cesse que cet homme si bon, qu'elle aimait tant, ne vivrait pas éternellement. Lorsqu'elle avait fui le Québec après l'accident de son frère, Sophie s'était promis de ne plus y remettre les pieds. Le regard accusateur de Marjolaine l'avait pénétrée jusqu'au plus profond de son âme. Ses cris, ses larmes, sa culpabilité. La fuite demeurait la meilleure solution pour elle, qui n'avait jamais voulu affronter directement les problèmes. Les amoureux, elle les quittait lorsqu'ils l'aimaient trop. Les emplois aussi, lorsqu'ils l'ennuyaient. Alors le soir de la mort de son frère, elle avait su que ses jours auprès de son père et de sa cadette tiraient à leur fin. Elle devait partir pour toujours. Pourtant... cette enveloppe qui venait d'arriver l'interpellait plus qu'aucune autre auparavant. Devrait-elle l'ouvrir?

⟿

— Puis? demanda Gaspard en serrant son neveu dans ses bras musclés. Vous êtes pas trop découragés?

Philippe pointa sa jeune épouse du menton, elle qui avait les yeux encore rouges des larmes versées. Paul, quant à lui, tournait autour du poêle à bois pour tenter d'en trouver l'année de fabrication. Il marmonnait tout bas et finit par abandonner sa recherche en s'avançant, la main tendue vers le maire de l'île.

— Enchanté, monsieur Caron. Je suis Paul Lalonde, le beau-père de Philippe.

Au premier coup d'œil, les deux hommes surent qu'ils s'entendraient bien. Il y a de ces amitiés qui se forment en quelques secondes. Des amitiés qui durent ensuite éternellement. Gaspard pointa le gros poêle avant de dire:

— Toute une pièce, hein?

— J'en reviens pas! Si j'avais pu avoir ça chez nous...

Le gros chauve s'avança dans la cuisine sans prendre la peine d'ôter ses bottes de caoutchouc. Il salua Marjolaine, qui lui rendit son bonjour tièdement. La pauvre avait perdu de sa verve devant l'ampleur de la tâche à accomplir.

— Voyons, voyons, ma petite jeunesse, qu'est-ce qui te fait pleurer de même?

— Bien là!

— C'est pas une couple de traîneries qui vont t'empêcher d'apprécier ta nouvelle maison, j'espère? Mon frère était peut-être un peu désordonné, mais le fond est solide! Ici, sur l'île, on construit pas des maisons en pailles ou en carton!

Le jovial Gaspard éclata de rire. Marjolaine haussa ses fins sourcils en murmurant:

— Heu... un peu désordonné?

La jeune femme pointa son menton vers le salon adjacent dans lequel il était impossible de pénétrer, tant une quantité astronomique d'objets hétéroclites étaient entassés. Mais Gaspard balaya son observation de la main et la jeune femme eut l'impression d'être la pire capricieuse de tous les temps. Surtout que son père et son mari hochaient tous les deux de la tête derrière Gaspard Caron. Alors la nouvelle insulaire releva ses épaules fines camouflées sous ses épaisses épaulettes avant de lancer:

— Faites-vous-en pas pour nous! On se met au travail tout de suite. Sans perdre une minute!

— Bon, parle-moi de ça! Puis on va vous aider. Demain matin, Marc-André et moi, on va être ici à la première heure si ça vous dit!

— Moi aussi, je vais être ici. Avec Gaston. C'est mon coffre à outils, précisa Paul en se penchant pour pointer l'objet sur le banc d'église.

Gaspard ne fit aucun commentaire sur l'appellation, ce qui le rendit encore plus sympathique auprès du menuisier en herbe. Les deux hommes sortirent pour discuter, assis dans les marches de la grande maison rouge, pendant que le jeune couple faisait le tour de toutes les pièces afin d'évaluer encore plus précisément la situation. Un peu plus tard, ce fut au tour de Marc-André de venir les rejoindre au volant d'une vieille Jeep. Il plissa les yeux en voyant le quatuor installé dans l'escalier, riant aux éclats. Les boucles brunes un peu dorées de Marjolaine brillaient dans le soleil de ce milieu d'après-midi et, encore une fois, le blond se demanda comment cette jolie femme pourrait s'harmoniser avec les autres insulaires féminines. Il voyait mal Roseline Lamothe, Victoire Dionne ou même sa propre épouse trouver des points en commun avec cette délicate poupée!

— Ouin, ouin… cria-t-il pour chasser son trouble, ça travaille fort ici! Moi qui croyais venir vous donner un coup de main!

Philippe se leva en titubant légèrement avant de dire:

— On réfléchit tu sau… sauras le cou… sin.

— Oui… On parle de…

Marjolaine arrêta sa phrase avant de se pencher vers son père. Elle ne portait plus de veste sur sa robe de jeans et les deux premiers boutons de celle-ci étaient détachés. La jolie prit une gorgée de bière avant de demander:

— On parle de… de… quoi donc, papa?

Sa question fut suivie d'un éclat de rire général alors que le nouvel arrivant s'avançait pour piger la dernière bouteille dans la caisse de vingt-quatre. Il avait envie de s'amuser, lui aussi, après avoir dû se quereller avec son fils cadet pour qu'il mange au moins un morceau de poulet avant de prendre de la crème glacée.

— On en… en… a d'autres… en dedans… dit Marjolaine en posant sa main manucurée sur l'avant-bras de Marc-André.

— D'autres?

Le pauvre homme ne savait pas où poser son regard pour éviter de saliver devant la poitrine offerte qu'il apercevait lorsque Marjolaine se penchait vers l'avant.

— D'autres… bières!

— Heu… Ok.

Marc-André prit place sur une marche plus bas pour ainsi s'assurer de ne pas avoir de vision directe sur la robe déboutonnée de Marjolaine. Avec bonne humeur, il vida presque la moitié de sa bouteille avant de se joindre à la conversation légèrement confuse... surtout venant de Paul, qui n'était pas habitué de boire autant en si peu de temps. Lorsque le soleil baissa davantage, vers la fin de l'après-midi, les bières ingurgitées rendaient la tâche de nettoyage d'une simplicité presque enfantine!

— Dans deux... deux... jours, on... on... a une... mais... maison *spac ain spin*! marmonna difficilement Philippe en cognant sa bouteille contre celle de son beau-père à moitié endormi, la tête appuyée sur la rampe de bois.

— En plein ça! répondit Gaspard, dont les pans de chemise sortaient à présent de son pantalon gris. Le maire n'avait plus de digne que le nom, mais personne n'en avait cure. De toute manière, sur l'île, les occasions de s'amuser n'étaient jamais refusées!

— Comme ça.. mon... Marc-André... Tu es rendu avec... une tr... trâlée d'enfants! J'aurais jamais...

Philippe rota sans pudeur avant de lancer sa bouteille sur le sol. Il n'attendait pas vraiment de réponse de la part de son cousin, mais celui-ci se redressa avec fierté.

— Une trâlée, je sais pas, mais on a trois *flos*.

— Fiouuuu! C'est... du... mon... monde ça!

— Bof, moi, j'en aurais encore un paquet. Mais...

Marc-André arrêta de parler avant de remonter ses bas blancs sur son pantalon pour reprendre contenance. Il espérait que son cousin change de sujet, mais Philippe avait un regain d'énergie. Cigarette au bec, le beau noir mit son bras autour des larges épaules de son cousin avant de demander:

— Mais quoi? Raconte-nous... ça...

— Non, non… laisse tomber, vous avez d'autres choses de plus intéressant à faire que m'écouter. Moi, je vais…

Philippe se redressa péniblement en s'appuyant avec ses deux mains sur la rampe près de lui, faisant sursauter Marjolaine à moitié endormie contre ses jambes. Surplomblant le blond de ses grands six pieds, l'homme souffla des ronds de boucane avant d'insister :

— Combien… vous en voulez, coudonc ?

— On aurait aimé ça en avoir cinq…

— Cinq ? *Tabarnak !*

— Philippe !

Paul ouvrit ses yeux en entendant le juron. Philippe ricana niaisement en mettant sa main sur ses lèvres.

— Oups… Je voulais… dire… bravo !… Ouin… bravo ! Cinq ! *Hey boy…*

— Nous autres, marmonna Marjolaine, on veut… juste un chien.

Gaspard, qui sommeillait dans une chaise pliante en haut de la galerie, attendait les précisions de son fils. Il savait bien, le maire, pourquoi les rêves de grande famille de son gars s'étaient dissipés. Mais Marc-André aurait-il l'honnêteté de révéler son secret à des étrangers ? Philippe avait beau être son cousin, ce n'était pas facile de lui parler de son fils cadet.

— En tout cas, marmonna le blond en se levant à son tour, on verra bien. Pour l'instant, je vais justement retourner chez nous pour m'occuper du trio qu'on a déjà ! Ça fait que je vous laisse. Je pense pas que vous ayez de la misère à vous endormir ce soir.

Marc-André lança un regard non équivoque aux trois citadins, qui titubaient de fatigue et d'ivresse, et salua son père d'un signe de la main. Une dizaine de minutes plus tard, lorsque le maire monta à son tour dans sa vieille Oldsmobile autrefois d'un flamboyant vert, Philippe cria en riant :

— Attends, mon oncle. Je vais... je vais t'en donner... une petite froide pour la route.

Le jeune propriétaire partit en vitesse à l'intérieur de la maison, du moins le plus vite que son état le lui permettait, et farfouilla pendant quelques minutes avant de trouver une bouteille encore un peu fraîche. Quand il retourna à l'extérieur, Paul s'éloignait en vacillant vers son chalet en chantonnant faussement. Gaspard tendit la main hors de l'habitacle de son véhicule avant d'avaler presque la moitié du liquide ambré, puis de s'éloigner vers le chemin principal.

— Une chance... qu'il s'en va... pas trop loin, hein, Marjo ? Marjo ?

En ricanant, Philippe empoigna sa belle endormie sur les marches et la jeta sur son épaule. Les amoureux peinèrent à grimper au deuxième étage, où ils s'écroulèrent sur un matelas à la propreté douteuse, sur lequel une Marjolaine à jeun n'aurait jamais daigné poser l'orteil ! Mais la boisson aidant, le couple oublia vite l'insalubrité du lieu pour se dépêcher de se dévêtir et ainsi bénir de sa passion sa nouvelle maison !

— Alléluia ! hurla Philippe au moment de jouir en s'effondrant, un sourire innocent aux lèvres.

CHAPITRE 5

La curieuse Roseline

Roseline Lamothe avait attendu le plus longtemps possible. Tous les soirs, elle questionnait sa fille aînée, qui faisait exprès de lui fournir des réponses évasives pour faire fâcher sa mère. La femme avait beau avoir une poigne de fer – pas le choix, avec un mari parti en mer sept mois par année – elle tenait à sa marmaille comme à la prunelle de ses yeux. Hélène savait bien que sa maman s'exaspérerait un peu, mais n'irait pas jusqu'à la punir de son silence. Lorsque son Edmond sortait de l'île au mois d'avril pour aller s'occuper des traversées ailleurs dans la province, la pauvre mère de famille pleurait toutes les larmes de son corps, dans son lit, une fois ses cinq enfants couchés. Par la suite, toutefois, la mère Lamothe retrouvait le moral en attendant impatiemment les appels de son homme. Après quelques jours à patienter, la femme grassouillette n'y tint plus. Elle se planta sur le seuil du salon, les deux mains bien appuyées contre ses hanches voluptueuses.

— Bon, Hélène, viens avec moi, on va aller porter une tarte au monde de la ville.

— À qui? demanda distraitement sa fille, agenouillée près d'un de ses frères qui peinait à reproduire les lettres dans son cahier d'école. Hélène prenait un soin maternel de ses deux sœurs, Véronique et Valérie, et des jumeaux Maxime et Maxence – les M&M comme les Verdoyants les surnommaient, puisqu'ils étaient incapables de les différencier ! Les petites, qui aimaient l'école, n'avaient besoin que d'une légère supervision quand venait le temps des devoirs. Mais pour les garçons de la famille, la tâche s'avérait plus ardue, eux qui préféraient de loin prendre soin des animaux. Roseline, qui avait peiné durant toute sa vie scolaire, avait depuis longtemps laissé la corvée à son aînée, qui avait une facilité étonnante en classe.

La mère s'approcha de ses enfants, puis détacha son tablier blanc qui ceinturait son corps trapu.

— La vedette, là !

— Qui ça ?

— Arrête de me niaiser, ma fille, tu vas manger une taloche ! Les yeux de Roseline brillaient d'agacement.

— Oh, tu parles de Marjolaine Lalonde ?

Hélène cacha son sourire dans les boucles brunes de son frère cadet en le félicitant du regard. Depuis l'arrivée des citadins, quelques jours auparavant, elle était déjà passée trois fois à la maison rouge après l'école. Sa mère lui demandait un compte rendu des travaux tous les soirs, un résumé qu'elle s'empressait de répéter dans ses discussions au magasin ou au téléphone, avec les femmes qui habitaient d'un bout à l'autre de l'île. L'aînée de Roseline admirait la belle Marjolaine, qui avait troqué ses talons hauts pour de vieilles espadrilles fleuries.

— Même ses *running shoes* sont plus beaux que mes sandales du dimanche ! avait déclaré la jeune à son amie Marion avec dépit.

Les adolescentes avaient pris l'habitude d'aller donner un coup de main au trio de la ville pour le ménage, après avoir obtenu la permission de leurs parents respectifs. Dans le cas de Marion, sa mère Marie-Laure ne se préoccupait guère de ses allées et venues, trop accaparée par son fils cadet. Les deux enfants ne parlaient pas trop à Marjolaine, qu'elles admiraient de loin, tout en rougissant dès que la belle leur adressait la parole.

— Veux-tu bien me dire pourquoi elles me regardent de même, ces petites-là? avait demandé Marjolaine, surprise, à la fin de la deuxième journée de corvée. Moi, je comprends rien aux enfants!

— Je pense qu'elles sont pas habituées à voir de telles tenues, ma chérie.

— Hein?

Marjolaine avait jeté un regard sur son legging noir qui lui arrivait au genou, sur lequel elle avait enfilé un long chandail gris aux manches chauve-souris. Son bandeau rose vif qui retenait ses jolies boucles donnait du teint à son visage autrement pâle.

— J'ai jamais fait si dur de ma vie! avait répliqué la nouvelle insulaire en haussant les épaules.

— Peut-être pour toi, mais compare avec Marie-Laure ou Roseline...

Marjolaine était restée songeuse pendant quelques secondes avant de hocher la tête. Depuis leur arrivée, elle n'avait pu que constater que les tenues vestimentaires des femmes de l'île étaient pour le moins... pratiques. Pantalon de jogging, vieux t-shirts étirés, *running shoes* déchirés. Elle se demandait bien ce qu'elle ferait de toutes ses petites robes courtes qui lui faisaient un si joli... postérieur! Philippe avait placé ses mains sous ses petits seins, tout en s'assurant que son beau-père ait toujours la tête sous le lavabo qui fuyait. Il avait embrassé sa femme dans le cou en humant avec appétit son doux parfum d'agrumes.

— Leurs mères ont presque l'air des hommes avec leur accoutrement! avait-il murmuré, tout émoustillé.

— Bon, je pense que j'ai trouvé la fuite! avait crié la voix glorieuse de Paul.

Le couple s'était séparé à regret, alors que Marjolaine faisait un clin d'œil entendu à son époux dépité :

— Tu as bien raison, je dois être chic en *maudit* pour les petites! Bien d'abord, je vais leur en mettre plein la vue!

Alors, à leur troisième visite, elle s'était fait un point d'honneur de faire pendre des grands anneaux dorés à ses oreilles pour accompagner sa longue jupe paysanne lilas et sa chemise blanche nouée à la taille. Son père avait sifflé lorsqu'elle était descendue dans la cuisine, où il sirotait une tasse de café en attendant l'arrivée de Gaspard et Marc-André. Paul avait le regard plus vif que jamais, lui qui avait l'impression de vivoter depuis si longtemps entre *Jamais deux sans toi* et *Le clan Beaulieu**. Alors que le jeune couple se lamentait tout de même un peu devant l'ampleur de la tâche à accomplir pour mettre de l'ordre dans la nouvelle maison, Paul jubilait d'avoir enfin un but dans la vie. Il relevait le torse pour retrouver la splendeur de ses trente ans – ou peut-être davantage cinquante – et suivait à la lettre les instructions des deux insulaires, qui venaient chaque jour donner un coup de main. Lorsqu'arrivaient les adolescentes sur leurs vieilles bicyclettes CCM, il se faisait un plaisir de les questionner sur la vie de l'île :

— Vous sortez, des fois?

— Sortir où?

— Bien… traverser de l'autre côté, je veux dire.

— Heu, pour quoi faire? avait demandé Hélène surprise.

— Vous promener, aller magasiner…

— On aime mieux se promener au nord! avait répliqué Marion en pointant le sentier de l'autre côté du chemin.

Paul restait songeur devant l'amour qu'éprouvaient les jeunes filles pour leur terre de naissance. Dans leurs vêtements trop grands, tachés, usés, elles avaient pourtant le sourire épanoui des enfants heureux. Il comparait ces regards vibrants avec celui trop sérieux de la jeune Marjolaine ou de la petite Sophie et il constatait que la grande ville ne lui manquerait pas. Il était maintenant dix-sept heures, le vendredi 30 mai, lorsque le véhicule à trois roues de Roseline tourna dans l'allée de la maison rouge. En entendant le grondement du moteur, Marjolaine tassa le rideau orange de sa fenêtre de salle de bain pour voir qui arrivait. Ils n'attendaient plus personne aujourd'hui, ayant obligé Gaspard et Marc-André à retourner chez eux pour se reposer un peu.

— Puis ce soir, restez avec votre famille ! avait ordonné gentiment Philippe. De toute manière, il voulait de nouveau regarder le discours de concession que son chef avait prononcé au Centre Paul-Sauvé, même si on était dix jours après la défaite référendaire. Sa femme souriait avec affection lorsqu'il poussait la cassette Beta dans le magnétoscope d'occasion qu'elle lui avait donné à l'avance en prévision de son anniversaire du 12 juin pour lui permettre de regarder ses films westerns préférés sur l'Île Verte.

Gaspard s'était retenu pour dire à son neveu que, dans son cas, il préférait passer ses soirées ici plutôt que devant son poêle à se bercer tout seul, mais il ne voulait pas avoir l'air d'un *colleux*. De toute manière, il avait promis à Conrad Dionne de l'accompagner pour aller chercher sa pêche à l'aube le lendemain. Il valait mieux se coucher tôt. Devant l'intérêt de Paul, il avait proposé à ce dernier de venir avec eux. Le plaisir dans l'œil de son nouvel ami l'avait fait sourire.

— Veux-tu bien me dire… ? commença Marjolaine en jetant un coup d'œil au miroir au-dessus du petit lavabo. Philippe !

cria-t-elle, on a de la visite. Elle avait chaud et la sueur lui coulait entre les seins.

Essuyant ses mains sur la serviette encore accrochée à un clou, faute de support adéquat, Marjolaine sortit de la salle de bain. Son mari avait la main sur la bouche, les larmes aux yeux et il répétait mot pour mot les paroles de René Lévesque, qu'il connaissait par cœur:

— *Si je vous ai bien compris, vous êtes en train de dire,* «à la prochaine fois». Il va y arriver ma femme. Un jour...

— Peut-être bien que oui, mon amour, mais en attendant, sèche tes pleurs parce qu'on a de la visite!

Marjolaine souffla un bec à son époux, qui ferma le téléviseur avant de monter se changer. Une main en visière sur sa galerie, la jeune brune retint une grimace de dépit en reconnaissant Roseline Lamothe. Le cousin de son mari les avait bien avertis:

— Attention à la mère Lamothe! Rien de ce que vous pouvez lui dire restera secret! Un vrai moulin à paroles. Une gentille femme, mais toute une commère!

— Marc-André! Laisse-les se faire une opinion eux-mêmes! avait pesté son père Gaspard, en fronçant ses épais sourcils.

— Puis voir leur réputation détruite avant même d'avoir passé leur premier mois sur l'île? Quand même pas!

Alors, à la vue de la femme semi-blonde qui s'avançait vers son escalier avec un grand sourire, Marjolaine eut l'impression qu'elle allait se faire dévorer par une louve carnivore. Elle n'eut pas le temps de retourner avertir son mari, monté à leur chambre.

— Bon, me voilà enfin! annonça la femme courtaude. Puis, je vous apporte une bonne tarte. Vous m'en donnerez des nouvelles.

— Mon doux, merci bien! Allo, Hélène.

— M... oall... o, marmonna l'adolescente sous le regard déconcerté de sa mère. Ses yeux bleus grands ouverts, elle ne reconnaissait plus son enfant, qui semblait tout à coup sur le point de s'enfoncer dans le sol.

— Bien voyons, Hélène, qu'est-ce que tu as?

— R... rien.

Marjolaine lui fit un large sourire encourageant et l'adolescente brune se redressa en tirant sur son vieux chandail des Nordiques. Pour une fois, elle aurait aimé posséder une belle robe comme la femme de la ville. Une robe sans manches qui tenait sur sa poitrine menue par un large élastique du même tissu rouge que le vêtement. Elle avait les ongles des mains et des pieds peints de la même teinte, et même son rouge à lèvres s'harmonisait avec le reste. Ce que ne manqua pas de remarquer Roseline Lamothe, en portant une main boudinée à sa permanente usée.

— Excuse mon allure, j'avais les deux mains dans le jardin jusqu'à tant que je monte sur mon trois-roues pour venir ici.

Hélène allait lui dire qu'elle avait pourtant passé la dernière heure à lire l'*Échos Vedettes* en cherchant une nouvelle coupe de cheveux qu'elle pourrait copier. Victoire Dionne, la commerçante, avait suivi un cours de coiffure par correspondance et Roseline avait bien envie d'essayer de changer de tête. Marjolaine hésitait dans l'escalier de sa maison, la tarte dans les mains. Dépitée, elle pointa la porte entrouverte.

— Voulez-vous rentrer? Philippe doit aller au quai avec Lionel, mais il devrait descendre bientôt.

— Ah bon? Ils vont faire quoi au quai? questionna la curieuse en grimpant la côte le plus dignement possible et en s'assurant de garder la poitrine bien avancée. Un dos droit, avait coutume de dire sa mère, ça permet d'être élégante, peu importe l'habillement!

— Lionel a besoin d'un coup de main pour rapporter sa nouvelle motoneige…

— Un nouveau *ski-doo*?

— Heu… oui, un *ski-doo*.

Roseline observait avec avidité la cuisine de bois tout en posant ses questions indiscrètes. Du vivant de Jasmin Caron, l'homme l'avait bannie de sa maison depuis longtemps, sachant trop bien que la femme ne savait garder sa langue.

— Je savais pas qu'il s'en était acheté un nouveau. Il vient d'où, son *ski-doo*?

— De l'autre bord, au garage Gadbois. Je pense que c'est…

Marjolaine allait donner des détails lorsqu'elle réalisa qu'elle était en train de potiner avec la commère de l'île. Se concentrant sur la description de la maison, elle pointa le coin du salon en précisant:

— Avez-vous vu? On a décidé de fermer cette pièce-là!

— Bien oui, toi! Hé je te dis que ça fait longtemps que j'avais pas mis les pieds ici! Le vieux Jasmin était pas commode, si tu vois ce que je veux dire…

La grosse femme éclata d'un rire de gorge puissant et Hélène grimaça en comparant de nouveau sa mère et la belle. Pourquoi n'avait-elle pas une maman comme Marjolaine? Roseline se promenait partout en regardant avec indiscrétion dans tous les recoins de la maison. La cuisine était reluisante, loin d'afficher l'aspect négligé qu'elle avait une semaine auparavant. Les insulaires avaient bien remarqué le nombre sans cesse croissant de rebuts placés, près de la grosse grange. Le pantalon trop court et taché de Roseline faisait honte à sa fille, qui désirait à présent partir au plus vite. Pour la première fois de sa courte vie, la jeune réalisait qu'à l'extérieur de son île, il y avait vraiment des gens qui ressemblaient à ceux qui figuraient dans les revues de vedettes qu'affectionnait sa mère. Alors Hélène se promit d'emprunter les romans-photos qui s'entassaient sur la petite table de leur salon. Malgré les moqueries des autres insulaires, Roseline et son amie Gilberte s'échangeaient avec grand plaisir ces revues italiennes, dans lesquelles étaient présentées des histoires d'amour en photographies. Lorsque cette publication arrivait dans la boîte aux lettres de Roseline, une fois par mois, depuis son adolescence, ses enfants savaient qu'ils ne devaient pas la déranger, tant que la lecture de cette histoire ne serait pas terminée. Par la suite, leur mère restait avec un sourire béat sur les lèvres le temps d'une soirée, avant de reprendre ses esprits. Hélène pressa sa petite main sur l'avant-bras de Roseline en levant son nez bronzé vers elle :

— On y va, maman ?

— Oui, oui…

Mais la mère n'en avait pas terminé avec Marjolaine, qui souriait nerveusement. Elle jetait de temps en temps un regard vers l'escalier, en espérant voir apparaître son mari. Pourtant, au bout de quelques minutes, les deux femmes se mirent à jaser de choses et d'autres et la citadine crut le danger écarté jusqu'à cette question, qui se voulait pourtant innocente.

— Puis ta mère, elle aimait mieux venir un peu plus tard dans la saison ?

— Elle est morte.

— Oh, excuse-moi ! Je te dis, des fois, je devrais penser avant de parler ! As-tu des frères ou des sœurs ? continua Roseline sans remarquer le visage à présent fermé de sa vis-à-vis.

Comme Marjolaine ne répondait pas, la mère Lamothe se retourna pour poser sa question de nouveau. Pourtant, à la vue des yeux de la jeune femme qui se voilaient, Roseline dut sentir qu'il était temps de partir parce qu'elle releva ses grosses fesses de la chaise où elle les avait posées. En pointant le haut de l'escalier, elle tenta toutefois d'en savoir plus sur l'avancement des travaux :

— Ça a l'air que Jasmin a laissé des traîneries au deuxième ? Je sais pas si Gaspard te l'a dit, mais il y a Adrien Ouimet, un ancien de l'île, qui ramasse le métal, le fer puis toutes ces affaires de ferraille-là. Parce qu'il faut pas oublier que les vidanges se ramassent pas toutes seules, hein ? Puis c'est pas bien beau sur le bord du chemin... C'est sûr que vous pourriez aller porter ça à votre *dump* au nord ou attendre pour les gros morceaux que le pont de glace se forme puis mettre ça dessus. À la fonte, au printemps, au moins, ça polluerait plus le paysage. Ça fait que...

— ...Inquiétez-vous pas, madame Lamothe, on parlera à monsieur Ouimet, répondit Marjolaine en tentant de garder un ton posé malgré son impatience.

— Mon doux, appelle-moi Roseline, on est presque du même âge !

La trentaine presque terminée de la costaude était pourtant loin des vingt-six ans de Marjolaine. Hélène allait passer une remarque, mais en voyant le regard bleu de sa mère vrillé sur elle, elle se dit que ce n'était peut-être pas la meilleure idée ! Alors, pour faire diversion, elle montra la grosse chaise ronde dans le coin de la cuisine en avouant à cette dernière :

— J'aimerais tellement ça avoir un *papasan* moi aussi, maman !

— Un quoi ?

Une grimace d'incompréhension suivit les paroles de sa fille. Marjolaine passa sa main sur le gros coussin jaune et vert en expliquant :

— Un *papasan*. Ça se vend dans le coin de Québec. Ça a été inventé en Italie, puis après, les...

— Es-tu folle, ma fille ? coupa Roseline sans pudeur. Ça doit coûter une fortune, cette affaire-là ! On va commencer par manger à notre faim, vous habiller proprement puis après ça, ton père et moi, on verra pour le luxe !

C'est sur ces paroles acerbes que le duo sortit de la maison rouge sans plus de cérémonie. Hélène voulait mourir de honte. Marjolaine fustigeait son mari lâche qui ne s'était pas montré le bout du nez en entendant la voix de la commère.

— Merci encore pour la tarte ! C'est bien gen...

— Oui, oui... à bientôt !

♫

La route entre la maison rouge et celle des Lamothe ne prenait que quelques minutes à parcourir. Ce ne fut pas assez pour calmer la mauvaise humeur de Roseline. Voir s'ils avaient de l'argent en trop pour acheter des meubles inutiles ! Quand sa fille mit pied à terre devant leur grange, elle l'admonesta sèchement.

— Va t'occuper des poules, puis après, viens m'aider à mettre la table.

— Mais maman, c'est vendredi !

— Et puis ?

— D'habitude, je vais manger chez Marion, pleurnicha Hélène, qui attendait chaque semaine ce moment avec impatience.

Roseline avait bon cœur. Elle savait à quel point sa fille était aidante et responsable. Tentant de faire taire sa jalousie, elle afficha un rictus qui pouvait ressembler à un sourire avant de faire un signe de la main.

— C'est vrai, ma grande. J'avais oublié. Ok, mais va quand même nourrir les poules avant de partir. Puis reviens pas trop tard, on va donner un coup de main à Conrad et Victoire demain matin.

La fillette grimaça avant de protester :

— Oh... maman !

— Quoi ? Viens pas te plaindre parce que tu vas te coucher tout de suite en passant en dessous de la table.

Hélène se dirigea donc la mine basse vers le grand poulailler situé à l'arrière de la maison. Elle donnait des coups de pied sur les cailloux qu'elle croisait en marmonnant tout bas.

— J'haïs ça, la pêche ! Ça pue, le poisson ! Puis c'est tout gluant ! En plus, il faut que je m'habille comme une gueuse dans ce temps-là. J'espère que Marjolaine me verra pas !

Comme il était habituel de s'entraider sur l'île, sa mère entraînait ses enfants avec elle lorsque les marchands sortaient leurs poissons. Roseline ferait la même chose pour Lionel s'il avait besoin d'aide à son tour.

— Tu devrais être fière, lui disait souvent sa mère. Ce genre de pêche-là se pratique juste ici sur l'île !

Bien que ce ne soit pas tout à fait la vérité, les Verdoyants étaient tout de même reconnus partout au Québec pour leurs habiletés de pêcheurs. Depuis des siècles, les hommes pratiquaient ce type de pêche, qui consistait à installer dans le fleuve une aile de chasse d'environ cinq cents pieds de long, terminée par un parc en forme de croc recourbé. Lorsque la marée baissait, les poissons qui s'aventuraient le long des côtes longeaient cette palissade de bois, se retrouvaient capturés dans l'enclos et tournaient en rond sans pouvoir en sortir. Ne restait plus aux pêcheurs qu'à récolter le fruit de leur labeur. Si Hélène détestait se rendre dans le fleuve à marée basse, la plupart des insulaires participaient activement à la tâche et s'y adonnaient avec plaisir.

— C'est déjà commencé? avait questionné Philippe, lorsque Gaspard lui avait dit qu'il ne pourrait venir le lendemain, puisqu'il allait donner un coup de main à Lionel Vézina.

— Oui, on a installé les ailes il y a quelques semaines...

Marjolaine avait arrêté de clouer les marches de l'escalier extérieur pour écouter les explications. Appuyé sur sa pelle, Marc-André s'était plu à donner des détails.

— Il faut qu'on monte sur des bancs pour enfoncer les piquets de bois à coup de pioche dans le fleuve. Après, on ajoute des branches de sapins, puis on accroche des branches d'aulnes ou de bouleaux à la base. Au fil des semaines, les branches s'enfouissent dans la boue.

Les citadins, captivés par la narration de Marc-André, avaient tourné leur regard vers le fleuve, où ils apercevaient deux de ces murs de pêche.

— Ça doit être long de préparer ça? s'était exclamée Marjolaine en mesurant la lourdeur de la tâche.

— Oui, mais pas mal tout le monde sur l'île «donne une marée», ce qui fait que le travail avance assez vite.

Dans la maison, les coups de marteau et de scie étaient entrecoupés des directives d'un Paul pas mal fier de remplacer Marc-André, le temps de sa pause. Marjolaine imaginait très bien la tête des «employés» devant les commandements de son père. Car depuis leur arrivée, pas une journée ne passait sans qu'un homme ou deux de l'île viennent leur offrir de l'aide.

— «Donne une marée?»

Marc-André avait rigolé avec son père devant les interrogations des citadins. Puis, retrouvant son sérieux, il avait répondu:

— J'oublie que vous êtes du petit monde de la ville! Disons que moyennant une couple de piastres, ceux qui le veulent bien aident à piquer les poteaux et à installer les fascines – le mélange de branches d'aulnes – placées au travers des piques.

Depuis ces explications, pas une journée ne passait sans que Paul parte assister à la levée des pêches. À marée basse, le vieil homme, qui avait maintenant abandonné l'idée d'être contre-maître en chef pour les rénovations à la maison rouge, avait pris l'habitude d'accompagner Gaspard pour donner un coup de main aux pêcheurs. Passionné, il racontait de long en large les talents des insulaires et aurait voulu passer sous silence ses propres déboires. Mais le maire l'avait obligé à avouer sa mala-dresse lorsqu'il avait précisé, le ton sévère :

— Mais tu suis bien les directives hein, mon Paul ? Il faudrait pas que ta gaffe se reproduise.

Le père de Marjolaine avait rougi en toussotant.

— Oui, oui… mais franchement. Une fois est pas coutume! Ça aurait pu arriver à tout le monde.

Sa fille et son gendre avaient posé leurs yeux rieurs sur le visage empourpré de l'homme malhabile. Ce dernier avait haussé les épaules, obligé d'expliquer :

— Quand j'ai voulu donner un coup de main à Lionel, j'ai enlevé les mauvaises branches. Comment je pouvais savoir, moi, qu'il y avait un trou en dessous! C'est quand même pas de ma faute si leur mur est pas étanche puis que les poissons se sont sauvés!

Depuis sa bévue, le pauvre Paul avait été contraint de pour-suivre son observation, sans participer activement au travail! Les vieux de l'île avaient vite compris que le nouvel arrivant n'était pas particulièrement habile de ses mains! Rapidement, ceux à qui il proposait son aide trouvaient soudainement une solution de rechange. Alors le malheureux en était quitte pour se promener avec Gaston à bord du camion que leur avait prêté Marc-André, le temps que son Impala puisse être traversé.

— Il y a toujours bien quelqu'un qui va avoir besoin d'un coup de main, un moment donné ! Il faut juste qu'ils apprennent à me connaître, puis ils vont se rendre compte que j'ai l'œil, même si je fais des petites gaffes des fois !

Et il est vrai que Paul était un fin renard. Toutes ces années à suivre des gens et à les surveiller l'avaient amené à développer un souci du détail peu ordinaire. Mais s'il réussissait à cuisiner avec brio, à faire croître toutes les plantes et les fleurs qui agrémentaient son intérieur, le pauvre n'arrivait pas à se structurer lorsque la tâche à effectuer était plus manuelle. Ses yeux et ses oreilles fonctionnaient à merveille… mais disons que pour ce qui était de sa motricité globale, c'était une autre paire de manches !

⤶

Pour l'enfant qu'était Hélène, qui avait compris depuis longtemps que l'odeur du poisson restait imprégnée dans ses vêtements, toutes les autres tâches étaient préférables à celle de la pêche. C'est en chantonnant qu'elle ramassa les œufs et qu'elle nettoya le poulailler, en jetant un coup d'œil envieux à ses sœurs cadettes, qui se balançaient au pneu accroché au grand saule pleureur dans le champ. Véronique et Valérie vivaient dans un monde à part des autres ! N'ayant que onze mois de différence, les fillettes étaient toujours ensemble et n'éprouvaient pas le besoin de côtoyer d'autres enfants. Calmes et réservées, elles avaient même développé un langage juste pour elles. Ce qui faisait rager Roseline, qui tentait depuis longtemps de comprendre leur charabia. Hélène, elle, ne s'en formalisait pas, les trouvant peu dérangeantes, au contraire de Jules, le petit frère de sa meilleure amie Marion. Par contre, elle aurait bien aimé que les fillettes l'aident un peu plus au poulailler.

— Mais je suis mieux de pas me plaindre, parce que maman va m'empêcher d'aller chez Marion. Elle va encore me dire que mes sœurs ont juste sept et huit ans.

Dès qu'elle eut accompli la demande maternelle, Hélène sauta sur sa vieille bicyclette au long siège banane à moitié arraché. Il y avait longtemps qu'elle avait enlevé la cuirette noire, laissant apparaître l'espèce de mousse jaunâtre qui se défaisait petit à petit. Elle espérait bien recevoir un nouveau *bicycle* lors de sa fête de douze ans. Celui-ci avait appartenu au fils aîné des Dionne avant qu'il ne quitte l'île plus de dix ans auparavant.

— Dites à maman que je reviens après le souper ! cria-t-elle à ses sœurs en levant les jambes pour se laisser filer dans la pente jusqu'au chemin de terre.

L'adolescente pédala le visage levé vers le ciel, face contre vent. Ici, sur l'île, rares étaient les moments d'accalmie. Malgré la chaleur intense des derniers jours, Hélène avait revêtu son épaisse veste de laine brune parce qu'au retour, le soleil serait tombé et elle gèlerait assurément. Entre la maison jaune de sa meilleure amie et la sienne, il y avait environ deux milles à parcourir. C'était peu, mais assez pour qu'Hélène s'arrête à chaque boîte aux lettres pour remonter le petit drapeau rouge indiquant l'arrivée du courrier. Du courrier « inventé » pour matante Minou, du courrier pour monsieur le curé, encore pour Gaspard... La fillette s'amusait en imaginant la déception des insulaires en constatant que leur boîte aux lettres ne contenait en réalité aucune lettre !

— Ils vont se choquer après Conrad Dionne en disant qu'il fait pas une bonne *job* ! jubila Hélène, qui trouvait injuste que son papa à elle ne puisse pas travailler sur son île, alors que le marchand était de plus en plus prospère ! Pourtant, elle savait bien que la majorité des hommes sortaient de l'île dès l'arrivée du printemps pour se joindre à des chantiers de bois ou pour travailler sur les bateaux. Mais le marchand semblait toujours réussir mieux que les autres, ce qui générait bien sûr une certaine jalousie chez quelques insulaires...

Pendant que sa fille jouait un tour aux voisins, Roseline Lamothe fit manger ses autres enfants qui se dépêchèrent de sortir dehors aussitôt la dernière bouchée de pâté chinois avalé. La mère de famille soupira de bien-être et reprit sa pile de revues entamées durant l'après-midi, en observant attentivement les coiffures des vedettes. Mais elle dut vite prendre une pause pour s'occuper du coucher des quatre cadets, qui tentèrent d'étirer l'heure en ronchonnant un peu. Pourtant, ils savaient bien qu'à sept heures trente pile, leur mère les voulait dans leur chambre. Ensuite, elle leur permettait de jaser un peu jusqu'à huit heures. Et puis enfin, le calme envahissait la grande maison de bois.

— *Maudit* que je suis bien quand ils sont couchés, eux autres ! pensa la mère de famille. Bon, continua-t-elle à voix haute, c'est le temps de penser à moi. Hum... Je pourrais peut-être demander à Victoire de me teindre les cheveux plus blonds encore. Ou noir corbeau, comme Ginette Reno. Si je pouvais avoir l'avis d'Edmond, me semble que je serais moins inquiète. Je voudrais pas avoir l'air de Ti-Lard dans *Du tac au tac* !

Délaissant son magazine pour ouvrir le téléviseur, la femme s'arrêta net dans son salon en voyant un trois-roues passer à toute vitesse sur le chemin. Rapidement, elle s'installa à la fenêtre pour tenter de voir qui était au volant. Les couettes accrochées à son rideau de voilage turquoise, elle grimaça et claqua sa langue de dépit :

— *Tsut*!

Le véhicule venait de disparaître au tournant sans qu'elle ait eu le temps de voir qui se trouvait dessus. «J'aurais bien aimé ça, moi, lui dire deux mots, à ce *bozo*-là! Ma fille se promène en bicycle, puis lui, il roule comme un fou! Si jamais je l'attrape! Ça doit être Justin Castonguay! Il a juste ça à faire, du trois-roues, l'innocent!», marmonna-t-elle en laissant retomber le voile. La musique thème de son émission se mit à résonner dans le salon et Roseline s'empressa de s'asseoir dans son gros divan vert défoncé. Son postérieur y avait sa place imprimée depuis si longtemps qu'elle refusait les offres répétées de son mari pour en acheter un autre.

— Laisse faire ça, mon homme! On va dépenser notre argent ailleurs. Ce sofa-là est moulé à mon corps, je vais le garder jusqu'à ma mort!

Elle se concentra sur son émission en essayant tant bien que mal de tricoter sans regarder ses mailles. Dépitée, la pauvre Roseline devait faire le constat qu'elle ne réussirait jamais à manier les aiguilles aussi habilement que sa mère le faisait. Quand elle vérifia la laine rose qui s'allongeait, crochetée, entre ses mains, elle vit un trou en plein milieu d'un rang et dut se résigner à détricoter le tiers de son foulard.

— Je suis donc bien pas bonne!

Le téléphone sonna dans la cuisine et tous ses sens s'éveil-lèrent aussitôt. La femme déposa son ouvrage sur ses cuisses. Un coup, deux coups, trois… zut, l'appel n'était pas pour elle. Mais cela n'empêcha guère Roseline de décrocher le récepteur pour écouter la conversation d'un de ses voisins. C'est sans surprise qu'elle entendit la voix nasillarde de son amie Gilberte, à l'autre bout de l'île, qui répondait au salut de sa mère, qui habitait dans une résidence à Cacouna. Après avoir capté quelques paroles sans importance, Roseline raccrocha, déçue. Surtout que son amie lui ferait le récit complet de sa conversation dès qu'elle la verrait, le dimanche suivant. En regardant l'heure sur l'horloge ronde fixée au mur, elle fronça ses sourcils épilés finement et décida d'appeler chez Marie-Laure et Marc-André.

— La petite chipie a encore dépassé son heure! grogna-t-elle.

Hélène devait rentrer à la maison à vingt heures trente le vendredi. Mais chaque fois, une excuse quelconque l'en empêchait. *Le rôti a brûlé, on a dû attendre; on a tenté de retrouver une poule de Marion, elle s'était sauvée; Jules a fait une crise; ses parents ont dû le calmer...* En pensant au petit dernier de son amie Marie-Laure – qui ignorait probablement ces liens d'amitié – la femme plissa sa grosse face ronde. Elle l'avait bien observé, cet enfant-là, puis elle était certaine qu'il y avait quelque chose qui ne tournait pas rond chez lui. Même Edmond lui en avait glissé un mot, lui qui confondait encore ses jumeaux malgré leur différence au niveau de la taille.

— Il va toujours bien falloir que je lui jase de son gars, à mon amie! Si mon mari a remarqué que Jules était pas normal, c'est que ça doit être vrai en diable! Son bonhomme dit pas un mot encore. Je me demande ce que le monde de la ville en pense. Je vais en parler avec Marjolaine dès que j'aurai l'occasion.

Roseline composa le numéro de téléphone des Caron-Marchand, les yeux fixés sur les premières images de *Terre humaine**.

— Allo, Marie-Laure, excuse-moi, je voulais juste être sûre que ma fille était partie.

— Hélène? Oui, elle doit être à la veille d'arriver chez vous! répondit l'autre en adressant un signe complice à l'adolescente, qui avait le pied dans la porte.

— Bien correct. Bon, je vais l'attendre en regardant la télévision. Dis donc, je pensais à ça, aimerais-tu qu'on aille faire un pique-nique au Bout d'en-Haut en fin de semaine?

— Heu...

Marie-Laure sourit une dernière fois à Hélène, qui referma la porte en vitesse. Se concentrant de nouveau sur la conversation, elle tira la langue en cherchant quoi répondre.

— Ça va être difficile parce que... bien... je suis supposée donner un coup de main à Marjolaine et Philippe.

— Oh oui?

Il n'en fallait pas plus pour que toute l'attention de la mère Lamothe soit éveillée. Voilà sûrement son occasion de se rapprocher du trio de la ville. Mais avant qu'elle ne puisse rajouter quoi que ce soit, Marie-Laure mit un terme à la conversation.

— Alors on se reprendra pour le pique-nique. À bientôt!

Clac!

En déposant à son tour le récepteur, Roseline livra pour elle-même le fond de sa pensée sur le monde «pas de classe». Avant que l'autre n'ait la chance de recevoir une nouvelle invitation à se joindre à elle pour quelque événement que ce soit, les poules auraient des dents! se promit la blonde. Puis Roseline espéra que son mari Edmond attende après son émission avant de lui téléphoner. Il savait que son téléroman préféré finissait à vingt et une heures et, habituellement, il attendait la fin pour l'appeler. Chaque vendredi, le matelot se faisait un devoir de vérifier comment allait sa famille, lui qui se targuait d'avoir la meilleure femme de l'île!

— J'ai juste le temps d'aller mettre ma jaquette entre deux annonces! se hâta Roseline en grimpant le plus vite possible au deuxième étage.

Les pieds dans ses grosses pantoufles en Phentex rouges et blanches, la femme redescendit se servir une grosse part de pain aux bananes et un verre de lait frais.

— Bon, je suis prête! soupira-t-elle en se laissant lourdement tomber dans son fauteuil. Un sourire satisfait flottait sur son visage.

Dès qu'elle avait grimpé sur sa bicyclette, Hélène s'était rendue près de la route à Clopha*. Elle partirait de là pour remonter jusqu'à chez elle et ainsi étirer l'heure à laquelle elle devrait se coucher. Il faudrait juste qu'elle pédale de toutes ses forces parce qu'elle en avait pour au moins trente minutes.

— De toute manière, pensa l'enfant en riant, ma mère doit être plongée dans les histoires de la famille Jacquemin!

Ici, sur l'Île Verte, les enfants pouvaient circuler d'un bout à l'autre sans craindre les voitures, quasiment absentes du territoire. C'est pourquoi l'adolescente sursauta lorsqu'elle fut presque happée par un véhicule tout-terrain qui la dépassa à vive allure pour s'éloigner vers le Bout d'en-Bas.

— Maudit niaiseux! cria Hélène en colère.

Elle fila sur sa bécane pour essayer de rattraper le jeune Castonguay, un adolescent de dix-sept ans un peu niais qui n'avait rien d'autre à faire le soir que de se balader sur le chemin désert en attendant que la vie passe.

— Tu vas voir, hurla la brunette, ma mère va te dire deux mots, grand innocent!

CHAPITRE 6

Paul à la pêche

Quelques semaines après l'arrivée de Marjolaine, Philippe et Paul sur l'Île Verte, le temps se rafraîchit enfin un peu. En l'espace d'une seule nuit, comme c'était souvent le cas, le mercure chuta de plusieurs degrés. En frissonnant, la femme pressa son corps contre celui de son époux endormi.

— Voyons donc, s'étonna la brune au petit matin, il fait plus froid que le mois passé! Tu parles d'un monde à l'envers!

Incapable de se rendormir, Marjolaine repensait au bonheur démontré par son père la veille au soir. Il y avait longtemps qu'elle ne l'avait pas vu aussi heureux. Depuis leur première rencontre, Paul et Gaspard s'étaient découvert de nombreux points en commun. Même si son père avait toujours vécu en ville, il se plaisait à accomplir les tâches rurales sur l'Île Verte. Il leur avait raconté sa journée dans les moindres détails au souper et c'est Philippe qui avait demandé pitié lorsque Paul avait étiré ses explications au moment du dessert. Mais malgré les réticences de son gendre, le vieux avait poursuivi son discours sans omettre une seule étape:

— ...puis après, ils doivent charger les tombereaux, rapporter le poisson chez eux, l'étendre sur le sol, le trier, le mettre dans la saumure... En tout cas, moi, je trouve que c'est bien trop d'ouvrage pour ce que ça rapporte! Je suis pas certain que je me serais occupé d'une pêche si j'avais vécu ici!

Marjolaine sourit à l'évocation de ce souvenir en se rapprochant de son époux endormi. Comme si son père avait les capacités manuelles pour gérer une telle activité! La jeune femme resta longtemps éveillée, son esprit vagabondant entre l'amour qu'elle ressentait pour sa petite famille et les exploits d'un homme hors du commun du nom de Terry Fox*. Le soir précédent, juste avant de se coucher, elle avait entendu, aux nouvelles de Radio-Canada, une brève mention de ce Manitobain, amputé de la jambe gauche à tout juste dix-huit ans. Marjolaine allait fermer le téléviseur, mais les paroles du journaliste l'avaient freinée dans son élan:

— Le sportif continuera son Marathon de l'espoir au Québec, ce soir et cette nuit et pour les prochains jours, afin d'amasser des fonds pour la recherche sur le cancer. Il a déjà parcouru plus de 1650 milles. «Le vent a de nouveau hurlé toute la journée. Il me fouettait le visage. C'était très difficile de courir constamment contre le vent. C'est difficile physiquement et mentalement* », avait mentionné le coureur, malgré tout déterminé à poursuivre sa route jusqu'en Colombie-Britannique.

Marjolaine soupira de bien-être en songeant qu'elle tenait enfin une source de motivation. Si ce jeune homme pouvait courir sur une seule jambe, elle pouvait certainement se remettre à pratiquer son sport préféré, négligé depuis trop longtemps. Elle avait hâte de parler avec sa copine Isabelle de son nouveau défi! La veille, le téléphone avait enfin été installé dans la maison rouge et au chalet près du fleuve.

— Moi, j'en ai besoin pour parler à mes amies et à nos futurs clients! avait insisté Marjolaine alors que Paul lui suggérait d'attendre un peu.

Sourire aux lèvres, la femme ferma les yeux avec satisfaction. Lorsque le réveil sonna, quelques heures plus tard, son mari ne perdit pas une minute avant de sauter hors du lit.

— Mon doux Seigneur, veux-tu bien me dire ce qui te prend, ce matin?

— C'est le jour du lever du drapeau, ma perle! Je te l'ai dit hier.

— Hum… on pourrait peut-être faire lever ton mât avant, qu'est-ce que tu en penses? rigola Marjolaine en pointant la bosse dans le caleçon de son mari.

Incapable de résister à l'appel de sa douce, Philippe se glissa de nouveau entre les draps en souriant. Une heure plus tard, lorsqu'il sortit de la maison, le fervent nationaliste rayonnait. Il cria à l'intention de son beau-père, qui arrachait des mauvaises herbes autour du poulailler:

— Paul, laissez faire ça! Vous en avez pour des années si vous vous attaquez aux pissenlits sur le terrain! À la place, venez m'aider, s'il vous plaît!

Le vieux se releva lentement avant de s'avancer vers le balcon. Son gendre était grimpé sur la balustrade, un long poteau de bois à la main. Il avait commencé à clouer ce dernier sur la façade rouge face au fleuve, lorsque la voiture verte de son oncle Gaspard tourna dans leur entrée.

— Salut, mon oncle! cria-t-il avec un grand sourire. Puis, il tendit la main à Paul afin de saisir le drapeau que ce dernier tenait.

Gaspard ne dit pas un mot et regarda curieusement son neveu, alors que celui-ci s'affairait à accrocher son drapeau du Québec au poteau. Lorsque la longue banderole bleue et blanche se mit à voler au vent, le barbu sauta sur le sol pour s'avancer vers le chauve, qui tenait ses bras croisés sur son gros ventre.

Philippe s'aperçut alors bien vite que les insulaires n'étaient pas tous enclins à partager ses allégeances politiques.

— C'est quoi ça, Philippe? s'informa le maire sévèrement.

— Un drapeau!

— Oui, ça, je le sais. Mais pourquoi tu l'accroches à ta maison? C'est quoi, l'idée?

Paul, qui préférait ne pas se mêler de la conversation, s'éloigna pour tenter d'arracher un morceau de clôture à moitié pourri. Il tendit l'oreille, tout de même curieux. Philippe haussa les épaules en regardant son oncle d'un air interrogateur.

— Bien, c'est la Saint-Jean bientôt. Puis je suis fier d'être québécois. Pas toi?

— La Saint-Jean, c'est pas avant une semaine.

— Oui! Mais de toute façon, mon oncle, répondit Philippe en riant de bon cœur, il faut que tu t'habitues parce qu'un jour, ce drapeau-là va flotter sur tous les édifices de la province. Puis pas avec l'autre. Juste lui tout seul!

— L'autre?

Paul, qui sentait la tension dans la voix de Gaspard, délaissa sa pelle pour s'approcher de lui et tenter de changer de sujet.

— J'aurais bien besoin...

— L'autre? répéta Gaspard à l'intention de Philippe.

— Bien, le rouge et blanc.

Si Philippe ignorait à ce moment-là quel fervent fédéraliste était son oncle Gaspard, il le sut à son air renfrogné. Le visage d'ordinaire serein du maire s'enflamma. Il leva un doigt vindicatif vers son neveu, étirant du coup sa chemise à carreaux, dont un bouton tomba.

— Écoute-moi bien, mon petit gars. Ici, sur l'île, on parle pas de politique, puis encore moins de séparation. Ça fait que j'aimerais bien que tu fasses flotter ton drapeau juste la journée de la Saint-Jean, si ça te dérange pas.

— Oui, oui, Gaspard, sans problème! répondit Paul en s'élançant le plus vite possible dans l'escalier avant que son gendre ne réagisse. Or celui-ci, malgré un tempérament pacifique, sentit la colère monter en lui. On n'attaquait pas ainsi impunément son parti chéri!

— Voyons donc...

— Philippe, discute pas!

La vue du visage buté de son oncle convainquit le barbu de ne pas en rajouter. Il ne pouvait risquer une dispute avec le maire, alors qu'ils auraient besoin de son appui lors de l'ouverture de leur gîte du passant. Si les craintes de sa famille se confirmaient, obtenir un permis d'exploitation ne se ferait pas sans heurts. Alors c'est la mine basse qu'il acquiesça à la demande – ou plutôt l'ordre – de Gaspard.

— Franchement, marmonna-t-il, moi qui pensais qu'il y avait juste Conrad Dionne qui trippait sur le *maudit* « PET* ». Me voilà *pogné* avec un autre rouge dans ma famille! Le beau-père, puis le *mononcle*! *Pfff!*

Philippe grimpa sur la balustrade pour décrocher son drapeau et le replia avec soin en se promettant de le faire flotter devant la maison très tôt le matin du 24 juin. Satisfait, Gaspard retrouva son visage avenant avant de faire un clin d'œil à Marjolaine, qui venait de sortir sur la galerie.

— Bon, vous êtes prêts, *astheure*? Parce que Lionel nous attend de pied ferme. Ses gars lui avaient promis un coup de main, mais ça a l'air qu'il y en a deux sur trois qui sont *pognés* sur un chantier à Rimouski. Ça fait qu'il manque de bras.

— Certain qu'on est prêts!

Paul grimpa avec enthousiasme à bord de l'automobile, suivi par un Philippe maussade qui s'empressa de relever sa manche de chandail pour bien montrer son tatouage de fleur de lys qui s'étalait sur le haut de son bras. Mais la confrontation avec son oncle n'eut pas lieu, l'aîné choisissant de ne pas réagir à l'enfantillage de son neveu. Si Conrad Dionne avait l'habitude de fanfaronner et de s'enflammer, lui préférait rester à l'écart. Mais la provocation de son neveu avait été trop forte. Il s'en voulait un peu de ne pas avoir été plus délicat dans sa demande. En descendant le chemin du Quai d'en-Bas vers le fleuve, il voulut s'excuser, mais Paul hocha la tête pour lui dire de laisser tomber. Il connaissait son gendre et savait que dans quelques minutes, la mésentente serait oubliée.

— Nous voilà rendus! Je me demande qui va s'occuper d'Anémone ce matin, s'interrogea Gaspard.

La vieille épouse de Lionel Vézina avait commencé à perdre la mémoire deux ans plus tôt. Au début, il s'agissait de petits oublis sans importance : le panier d'œufs dans l'étable, les vêtements sur la corde à linge. Puis, peu à peu, le doyen de l'île avait constaté que les facultés mentales dans sa femme diminuaient rapidement. À présent, il devait la garder à ses côtés nuit et jour pour éviter de la retrouver dans la cuisine d'un autre insulaire. Une fois, elle avait presque mis le feu à la maison d'Hermine Lajoie, en voulant faire cuire ses *toasts* sur le four. Heureusement, les Verdoyants avaient une grande affection pour ce duo âgé et personne ne tenait rigueur à la femme malade ni à son époux. D'ailleurs, comme le constata le trio en arrivant au quai, Anémone était assise sur une chaise droite aux côtés d'Hermine, qui lui lisait une histoire pour enfants. Marc-André les rejoignit une trentaine de minutes plus tard, ayant eu une nouvelle altercation avec sa femme Marie-Laure. Il était finalement sorti de sa maison en claquant la porte. Une autre querelle non résolue! Pendant près de trois heures, ils ramassèrent les harengs frétillants pour les transporter chez Lionel Vézina. Puis, après une longue matinée, les quatre hommes, fourbus, mais réconciliés, reprirent le chemin de la maison rouge. Le soleil était brûlant, même si la nuit avait été fraîche. Les avant-bras et la nuque de Philippe étaient rougis par les rayons. Son beau-père l'interpella sévèrement:

— Tu aurais dû mettre un chapeau, mon gars, tu as l'air d'un homard!

— Heu... un chapeau comme le vôtre, mon Paul? Pas de danger!

— Qu'est-ce qu'il a, mon chapeau? demanda le vieux en ôtant son large couvre-chef de toile beige. Tu sauras que c'est un Tilley, ça, le jeune, puis...

— Puis quoi? s'esclaffèrent Marc-André et Philippe.

— Puis c'est le meilleur chapeau du monde. Les Tilley sont fabriqués au Canada et ils bloquent entièrement le soleil! Si tu remarques, j'ai pas l'air d'une tomate, moi!

Les deux autres se moquèrent de Paul en lui disant que la compagnie devrait l'embaucher pour faire la promotion de ses produits. Puis Marc-André délaissa le sujet en lançant, toujours aussi hilare:

— Quand je pense que la pauvre Anémone est tombée dans l'eau tantôt! relata le blond sous le regard amusé des trois autres.

La vieille Vézina avait en effet profité de l'absence d'Hermine, partie à la toilette, pour suivre son mari pas à pas, en trébuchant plus souvent qu'à son tour au bord de l'eau. À un moment donné, alors que Lionel tirait de toutes ses forces sur son large filet, la femme était tombée assise dans un trou de boue, obligeant Lionel à la rincer à l'eau du fleuve.

— Voyons, Anémone! avait-il grogné, gêné, tu peux pas rester tranquille deux minutes!

— Une minute… pas deux minutes! avait répondu la femme sous les fous rires des autres insulaires.

Haussant ses larges épaules avec dépit, Lionel l'avait dirigée vers sa chaise pour l'y asseoir en attendant le retour de sa «gardienne». Paul regarda le jeune Justin Castonguay qui zigzaguait sur son trois-roues devant eux sur le chemin de l'Île en se demandant pourquoi personne ne le mettait en garde contre les accidents qu'il pouvait causer. Mais décidant que ce n'était pas de ses affaires, le père de Marjolaine se pencha vers le maire.

— Gaspard, est-ce que je t'ai déjà parlé de la vieille qui m'avait engagé pour que je trouve qui allait…

— OUI! s'exclamèrent les trois autres hommes sans le laisser terminer son histoire!

Dépité, Paul s'adossa au siège en se disant qu'il commençait à radoter lui aussi!

↬

Après un dîner bien arrosé, les quatre hommes et Marjolaine profitèrent du beau temps pour se lancer dans le débroussaillage de l'ancien jardin de Jasmin Caron. Ils charriaient des brouettes de terre et arrachaient les plantes sauvages qui y avaient élu domicile, après que l'ancien propriétaire eut abandonné la culture de légumes.

— Je pense que, pour lui, faire un jardin, c'était trop de trouble! Il mangeait juste des affaires en *cannes*, mon frère, à la fin de sa vie! Même ses patates, il les achetait en conserve! Puis il y a pas à dire, sur l'île, tout le monde fait pousser des pommes de terre!

Gaspard avait roulé les manches de sa chemise très haut sur ses bras et son pantalon était enfoncé dans de grosses bottes de travail. En plus de la maison rouge, du chalet et des autres bâtiments, Philippe avait hérité d'une terre étroite qui s'étirait de l'autre côté du chemin principal, jusqu'à la grève du côté nord. Depuis leur arrivée, Marjolaine et lui avaient traversé l'île à quelques reprises, éblouis de constater que ce bout de paradis leur appartenait. Le soir, le soleil tombait sur le fjord du Saguenay au loin, projetant ses rayons sur les eaux et les roches colorées. Assis l'un contre l'autre sur les crans, les amoureux soupiraient d'aise au son des vagues qui se fracassaient près d'eux.

— Je peux pas croire que c'est à nous autres ! se ravissaient les tourtereaux en extase.

— Marie-Laure m'a raconté l'autre jour que Jacques Cartier a failli perdre son bateau sur l'Île Rouge*. Tu t'imagines, si ça avait été le cas, on pourrait admirer l'épave de ce grand explorateur directement en avant de chez nous.

Tout en piochant la terre du futur jardin de son cousin, Marc-André avisa les nouveaux propriétaires de l'inutilité de ce terrain au nord, sauf pour servir de lots à foin.

— Peut-être bien que tu pourrais t'essayer à la culture de la pomme de terre, proposa-t-il à Philippe, mais il y a rien qui garantit que ça va pousser ! Remarque qu'il y a une couple de familles du Bout d'en-Bas qui vivent de ça, les patates ! Mon grand-père, lui, était capable d'en récolter quasiment 1 000 poches de 75 livres par saison. Mais ça valait pas cher la poche !

Le blond éclata d'un rire bref un peu désenchanté. L'île était très rocailleuse et peu propice à l'agriculture. Surtout au nord.

— Mais si jamais tu achètes des bêtes, tu pourras cultiver du foin pour elles. Ça pousse sans problème ! ajouta Gaspard pour tempérer les paroles décourageantes de son fils. C'est vrai que tu seras toujours mieux avec quelques animaux.

— C'est bien dommage, quand même! marmonna Paul en laissant son regard pâle errer sur les grands champs autour d'eux. Il se serait bien vu en cultivateur. Plus qu'en pêcheur!

Sous le chaud soleil de cette fin de printemps, les coups de pioche continuèrent de se faire entendre alors que tous respectaient le silence, ce qui était unanimement apprécié. Quand Justin Castonguay tourna à toute vitesse dans l'entrée de la maison rouge, Paul le toisa d'un regard sévère. Il y avait toujours bien des limites! Le balourd descendit lourdement de son véhicule avant de saisir une large boîte de carton installée à l'arrière.

— Tiens, Justin! Quel bon vent t'amène?

Étonné par la question, l'adolescent aux cheveux bruns coupés très court leva les yeux vers le ciel avant de comprendre.

— Heu… j'apporte ça pour eux.

Marjolaine arrêta de creuser la terre en se disant que le jeune manquait réellement de vocabulaire! Elle regarda la grosse boîte avec curiosité. Ses cheveux bien relevés sur sa tête, ses épaules dénudées par son chandail au col large et ses lèvres charnues offraient une image fort appétissante. Surtout que la jeune femme n'était guère consciente du charme qu'elle dégageait, agenouillée dans la terre noire, une marque foncée sur la joue.

— Ça? pointa-t-elle. C'est quoi?

Justin rougit en la regardant. Il sentit son pantalon gigoter sur le devant et baissa ses yeux inexpressifs. Oh non! D'habitude, c'était juste le soir au coucher que son engin faisait des siennes. Encore plus cramoisi, le lambin baissa la boîte pour cacher la bosse. Il tenta de parler intelligemment. Sa mère lui avait dit que les gens de la ville étaient importants.

— Mon père dit que vous... avez... voulez... peut-être... un...

— Un quoi, mon Justin? demanda Gaspard gentiment.

— Un chien.

— OUI! hurla Marjolaine en sautant sur ses pieds nus pour courir jusqu'au garçon. Avant qu'il ne puisse déposer la boîte sur le sol, la brunette l'avait ouverte par le dessus pour s'emparer du chiot Labrador qui se lamentait.

— Ouache! Pas un chien! grogna Paul qui leva le nez sur la petite bête soyeuse à la fourrure brune et aux grands yeux dorés comme les foins.

Marjolaine était tellement heureuse qu'elle embrassa l'adolescent sur les deux joues sans remarquer son embarras. Il se dandinait sur ses jambes courtaudes et se dépêcha de se rasseoir sur son tout-terrain pour cacher son érection.

— Maman dit que... heu...

Il avait oublié, le pauvre Justin, ce qu'il devait préciser concernant les soins à donner au petit chien. Philippe lui sourit pour l'encourager, mais ce fut peine perdue. Le fils Castonguay dut repartir chez lui sans avoir pu fournir ses consignes.

— Pas grave, Justin. Dis à ta mère de m'appeler! sourit gentiment Marjolaine avant de s'avancer vers l'escalier de la maison.

Quand le trois-roues se fut éloigné dans leur entrée, Paul s'admonesta en se rendant compte qu'il avait oublié de réprimander le jeune pour sa vitesse. Pendant près d'une heure, les hommes perdirent trace de Marjolaine, qui avait choisi de rentrer dans la maison pour prendre soin de son nouvel animal et lui inculquer les bonnes manières!

— Je peux toujours pas le laisser tout seul dans un environnement qu'il connaît pas! répliqua-t-elle à son mari lorsque celui-ci l'interpella.

— Bien non, hein ! ricana ce dernier.

Un peu plus tard, vers le milieu de l'après-midi, Marjolaine ressortit enfin, un sourire flamboyant illuminant son minois rousselé.

— Joe est le plus beau chien du monde !

— Heu... Joe ? questionna Philippe. C'est parce que moi j'avais pensé à Sergio.

Sa femme mit ses mains sur ses hanches fines en tirant la langue.

— Sergio ? C'est donc bien laid ! Pourquoi on appellerait un si bel animal avec un nom aussi affreux ?

— Parce que Sergio Leone est le meilleur réalisateur de westerns au monde, madame ! Puis je vois pas pourquoi on lui donnerait le nom d'un chanteur de pomme !

Marjolaine s'avança jusqu'à son époux et mit son index sur sa poitrine. Quand elle le regardait avec ses grands yeux noisette de cette manière, Philippe se savait perdu d'avance.

— Ok, ce sera Joe !

La femme retourna à l'intérieur pour vérifier que Joe ne manquait de rien. Dépitée, elle réalisa que le chiot avait trouvé sa réserve de papier hygiénique et qu'il s'était amusé à déchiqueter les rouleaux dans la cuisine. Elle s'empressa de le disputer d'une voix beaucoup trop douce avant de faire disparaître toute trace de son méfait.

— Tiens-toi tranquille, mon beau coco, parce que ton maître pourrait changer d'idée et vouloir te retourner chez Justin...

Lorsqu'elle revint dans le jardin, Marc-André discutait sérieusement, le corps appuyé sur la clôture qui faisait le tour du potager. Tout comme ceux de son père, ses bras musclés s'attachaient à un torse corpulent et trapu. Philippe était à ses côtés, satisfait de prendre une petite pause. Le barbu sentait la sueur couler entre ses omoplates. Il décida de retirer son vieux chandail. Marc-André voulut l'imiter, puis se ravisa, en se disant que la comparaison entre leurs deux corps ne serait pas à son avantage! Il poursuivit plutôt ses explications en essuyant son front.

— Après la disparition de la mousse de mer, la plupart des hommes se sont dit qu'il fallait bien qu'ils trouvent un moyen de subvenir aux besoins de leur famille. Je pense que c'est pour ça que plusieurs ont essayé de planter plein de légumes.

— C'est quoi, la mousse de mer? demanda distraitement Marjolaine, qui venait d'empoigner une brouette pleine de gazon et de roches. Elle n'arrivait même pas à la soulever et reporta plutôt son attention sur le cousin de son mari.

Marc-André lui jeta d'abord un regard distrait, avant de s'attarder un peu trop longuement sur ses jambes fines et bronzées que laissaient paraître ses shorts noirs très courts. L'homme rougit quand il s'aperçut que son père l'avait vu reluquer la femme de son cousin. Gêné, il enfonça sa casquette rouge sur ses boucles avant de reprendre sa pelle.

— La mousse de mer, c'est ce qui faisait vivre tous les insulaires quand j'étais jeune répondit Gaspard d'un ton calme. Il constatait le malaise de son fils devant la beauté de Marjolaine et se dit qu'il devrait lui jaser un peu… C'était une plante qu'on nommait aussi « herbe à barnache » ou « foin de mer ».

— Ah bon. Ça poussait dans vos champs? demanda naïvement la jeune citadine.

— Non, rigola Marc-André. On trouvait ça sur les battures du fleuve, surtout sur la rive sud de l'île. Pas trop loin d'ici. Tu sais où est la maison des Dionne? Le magasin général? Bien c'était à peu près vis-à-vis, puis autour de l'île Ronde.

Au milieu du fleuve, entre le continent et l'Île Verte, se trouvait un minuscule îlot sur lequel personne n'habitait : l'île Ronde.

Certains jeunes s'amusaient, l'été venu, à traverser jusque-là afin d'explorer cette petite terre déserte. Marc-André et Marie-Laure y avaient aussi passé quelques moments tendres, avant la naissance des enfants.

— Oui, mais… hum…

Marjolaine n'osa pas admettre que le terme battures lui était aussi étranger. Elle tenta de mémoriser le mot afin de s'informer plus tard auprès de son mari. Délaissant son ouvrage durant quelques secondes afin de frotter discrètement son chandail entre ses seins, où la sueur dégoulinait, elle posa son regard foncé sur l'homme pour l'encourager à poursuivre. Le cousin de Philippe évitait de la fixer directement. Malgré les journées éreintantes, la jeune femme prenait encore le temps de coiffer ses boucles, de maquiller ses yeux et de vernir ses ongles. Même si cette dernière coquetterie s'avérerait bientôt inutile :

— J'ai beau mettre trois couches de *Cutex*, s'était-elle plainte à son amie Isabelle au téléphone, après deux heures les mains dans la terre ou l'eau chaude, c'est tout écaillé !

— À partir du mois de juillet jusqu'à la fin de septembre, tout le monde – femmes et enfants inclus –, continua Marc-André, fauchait la mousse puis remplissait des chalands, que les hommes ramenaient au rivage lorsque la marée était assez haute. Bon, assez parlé de ça…

— Non, non, ça m'intéresse, moi ! coupa Marjolaine. Dis-moi donc à quoi ça servait, cette affaire-là ?

Retenant un soupir d'exaspération devant l'insistance de sa nouvelle amie, Marc-André fournit encore une courte explication :

— À l'automne, ils mettaient la plante séchée en ballots pour aller la vendre sur la terre ferme. Eux autres, de l'autre bord, ils avaient des usines de transformation. Parfois, les ballots étaient envoyés directement aux États-Unis.

Se détournant pour aller lancer une grosse pierre au bout du terrain, Marc-André plissa son visage rond en entendant la voix enfantine de Marjolaine l'apostropher de nouveau.

— Tu m'as toujours pas dit à quoi servait cette mousse de mer.

— Ça servait de matériel de rembourrage pour la fabrication de matelas, de coussins et même pour les sièges des premières voitures motorisées.

— C'est tout?

— Oui. Je peux aller porter ça au chemin ou tu as d'autres questions, madame la journaliste? demanda Marc-André d'une voix impatiente.

Marjolaine resta la bouche ouverte, étonnée du ton employé par le cousin de son mari. Mais Marc-André pouvait-il lui dire que la vue de ses petits seins appétissants qui tendaient le tissu de son chandail noir ainsi que ses hanches fines et son ventre plat le tentaient plus que de raison? Surtout que depuis quelque temps, sa femme n'avait jamais envie de faire l'amour. Avant, Marie-Laure n'avait guère été du genre à se refuser à son mari. Souvent, même, elle prenait les devants aussitôt leur progéniture assoupie. Mais depuis quelques mois, elle semblait toujours trop épuisée pour s'adonner aux plaisirs de la chair.

— Bien voyons, je demandais, c'est tout! répliqua aussitôt Marjolaine mal à l'aise.

Gaspard connaissait bien son fils. Il pouvait lire en lui comme dans un livre ouvert et savait qu'il n'aurait d'autre choix que d'aborder la question. Son impatience face à la femme de son cousin le trahissait. Il sentait bien que le couple de Marie-Laure et Marc-André battait de l'aile depuis un moment. Mais lorsqu'il avait tenté d'en parler avec son garçon, ce dernier avait balayé ses inquiétudes du revers de la main, gêné d'admettre que sa femme n'avait plus d'intérêt pour «la chose». Et puis, pouvait-il avouer à son père que son fils Jules lui faisait penser à son oncle Arthur, le frère de Gaspard? Ce frère qui avait tellement fait jaser sur l'Île Verte, tout au long de sa vie? Marc-André avait préféré parler de petite fatigue, rien de plus. Paul, qui était au fond du hangar de bois depuis un bon bout de temps, en ressortit au même moment le sourire aux lèvres:

— Regardez ça! J'ai trouvé plein de semences! cria-t-il fier comme un paon. Déterminé à montrer ses trouvailles, le vieil homme ne vit pas le râteau laissé à l'envers et marcha droit dessus.

Bang!

Surpris, les quatre travailleurs qui se trouvaient au milieu du potager virent l'homme qui avait fêté son soixante et onzième anniversaire de naissance au début du mois se figer sur place. Puis, Paul s'effondra sur le sol comme au ralenti, face contre terre. C'est Gaspard qui réagit le premier:

— Paul? Paul?

Lâchant sa grosse pelle, le maire partit en courant, étonnamment agile malgré son surpoids. Marc-André et Philippe le suivirent aussitôt, tandis que Marjolaine avait blêmi. La vue du corps de son père, avachi sur le sol, faisait remonter à la surface la longue agonie de sa mère plusieurs mois avant sa mort. Et Stéphane… Stéphane, ce frère qu'elle aimait tant, et dont le dernier souvenir qu'elle conservait de lui était un lit d'hôpital dans lequel son corps inerte reposait.

— Paul, m'entendez-vous?

Philippe était agenouillé près de la tête de l'homme, qui saignait abondamment. Dans sa malchance, le vieux s'était fracassé le front sur l'une des grosses roches qu'avait lancées Marc-André un peu plus tôt. Ses yeux étaient fermés, mais sa bouche ouverte laissait passer un léger râle, indiquant qu'il était vivant.

— Marjolaine, va chercher de la glace! cria Marc-André.

Aussitôt, la brune se dirigea à pleine vitesse dans l'escalier gris. Elle ouvrit la porte de la maison à la volée, puis celle du congélateur, d'où elle sortit une barquette de glaçons, qu'elle transvida dans un sac de papier brun. En retournant à l'extérieur, elle prit une profonde inspiration.

— Il va être correct! murmura-t-elle en s'avançant comme un robot vers le groupe réuni près de la victime gisant au sol.

Quand elle vit la pâleur de son père, ses belles boucles châtaines imbibées de sang, Marjolaine laissa échapper un son rauque. L'air lui manquait.

— *Nonnn...*

Philippe posa ses yeux sur sa femme et s'avança vers elle.

— Il va falloir aller chercher l'infirmière, insista le maire, qui lança les clés de sa vieille Oldsmobile à son fils.

Marc-André ne perdit pas de temps. Sur le front de l'homme blessé, une bosse d'une grosseur impressionnante s'était formée. Le jeune blond se souvenait du couple Tremblay, au Bout d'en-Bas, qui avait perdu un enfant de cette manière, après que le jeune eut fait une commotion cérébrale sévère en recevant le bout d'un râteau sur la tête. Sur l'île, les services de santé restaient limités. Depuis 1943, au moment de l'arrivée d'Antoinette Raymond-Ouellet, la première infirmière, des améliorations avaient été apportées. En 1961, quatre chalands naviguant côte à côte sur le fleuve avaient transporté une roulotte qui devait servir de dispensaire. Jour et nuit, une infirmière qualifiée offrait à présent divers services à la population. Parmi les patients traités, matante Minou était suivie de près pour un problème cardiaque, le jeune Justin Castonguay devait se rendre à l'infirmerie une fois par mois pour une déficience anémique…

— J'espère qu'elle sera là, pensa Marc-André, en souhaitant une conclusion heureuse pour le père de Marjolaine. La vieille Rita devait quitter l'île à la fin de l'hiver prochain pour prendre une retraite bien méritée. Souvent, elle partait ramasser des petits fruits autour du dispensaire, obligeant ainsi les insulaires à faire sonner la cloche accrochée près de la porte à leur arrivée. Alors, Marc-André fut soulagé en voyant la vieille femme ouvrir rapidement la portière de la voiture.

— Ton père m'a téléphoné. Dépêche-toi !

En tournant dans l'entrée de la maison rouge, Marc-André pria pour que la situation ne se soit pas détériorée. Pourtant, la vue du corps de Paul toujours allongé ne présageait rien de bon. À peine la voiture arrêtée, l'infirmière sortit et courut le plus vite que ses jambes fatiguées le lui permettaient.

— Bon, poussez-vous tous et laissez-moi m'approcher du blessé.

Gaspard, Marc-André et Philippe ouvrirent grands les yeux devant le ton sans réplique de la femme mince. Marjolaine, elle, ne semblait pas avoir entendu la consigne. Craignant pour la vie de son père, elle tenait sa main serrée contre sa joue et ne cessait de murmurer à voix basse.

— Madame…

— Marjolaine.

— Alors, Marjolaine, laisse-moi m'approcher de ton… père ?

— Oui. Papa, papa, il y a quelqu'un pour t'aider.

Tremblante, la femme se releva et se colla contre son mari. Philippe la serrait très fort contre lui en priant à son tour pour son beau-père qu'il aimait tendrement. Les pertes dans la vie de Marjolaine avaient été déjà trop nombreuses.

CHAPITRE 7

Accident à la maison rouge

En peu de temps, la nouvelle avait fait le tour de l'île. Quand elle avait vu l'auto verte de Gaspard passer en vitesse devant chez elle, Roseline s'était aussitôt penchée par-dessus la rampe écaillée de sa large galerie. De là, elle avait une vue parfaite sur le chemin de l'Île et le dispensaire. En voyant l'infirmière grimper à bord du véhicule, sa sacoche noire à la main, la blonde avait poussé un hoquet d'inquiétude.

— Hélène, occupe-toi de tes frères et sœurs, j'ai à faire !

En deux minutes, elle avait démarré son trois-roues et s'était élancée sur la route sans se préoccuper de sa tenue débraillée. Hélène et sa fratrie l'avaient regardée s'éloigner avant de courir dans la grange pour jouer à la cachette. Pour une fois que leur mère ne les obligeait pas à faire des corvées avant le souper ! Roseline prit moins de temps que d'ordinaire pour parcourir la distance qui la séparait de chez Marjolaine et elle était arrivée à la maison rouge presque au même moment que l'Oldsmobile. Les événements qui suivirent firent partie du récit passionnant que la blondasse se mit à raconter le lendemain matin.

— Je l'ai vu par terre, le pauvre vieux ! Il était presque mort ! Puis je vous dis que sa fille en menait pas large. Mais je me suis occupée d'elle, vous savez bien ! annonça la mère Lamothe en tenant fermement la main de ses jumeaux de dix ans, qui zieutaient les bonbons à la *cenne* sur le comptoir du magasin.

Maxime et Maxence – ou les M&M comme ils étaient surnommés par les Verdoyants – avaient déjà tenté de dérober des lunes de miel à Victoire Dionne et, depuis cette fois-là, toute liberté dans le magasin général avait été interdite aux pauvres enfants. Ils vivaient à chaque visite l'humiliation de sentir la poigne de leur mère sur leurs poignets dodus !

— Avant que je vous lâche *lousse,* mes petits *bonyennes*, vous allez être mariés puis pères de famille ! les avait menacés une Roseline confuse qui s'était confondue en excuses, même si Victoire en avait fait bien peu de cas. La mère avait tenu parole et pas une fois, depuis un an, ses M&M n'avaient eu la permission de déambuler dans le petit magasin sans qu'elle soit à leurs côtés !

L'auditoire qui écoutait la narration de l'accident était habitué aux exagérations de la mère Lamothe. Assis sur un long banc de bois, Adrien Ouimet, toujours inquiet de l'arrivée des citadins sur son île, émit un petit son sec. Le vieux aux cheveux blancs espérait presque que cet accident sonne la fin de l'aventure verdoyante du trio de Québec. Il ne voulait pas de mal au père, mais peut-être bien que l'absence d'un hôpital à proximité lui ferait peur. L'aîné avait le pied droit posé sur un coffre à outils afin d'alléger la douleur persistante dans son genou. Sa canne entre les jambes, il prêta l'oreille au reste de la conversation en silence. En plus de Victoire Dionne, deux ménagères du Bout d'en-Bas et Lionel Vézina écoutaient avec intérêt le compte rendu de l'incident. Lorsque Roseline était entrée dans le magasin, Justin Castonguay s'était empressé de sortir par la porte de derrière.

— Faut que je m'en aille, avait-il marmonné en filant à toute vitesse. Il savait que la mère Lamothe le cherchait pour lui dire deux mots concernant sa conduite sur le chemin de l'Île. Peureux, l'adolescent un peu nigaud avait décidé de ne plus être en contact avec la femme. Pourtant, sur l'île, à moins de rester encabané toute l'année, il n'y avait guère d'échappatoire! Mais rassuré de ne pas être suivi, Justin fit démarrer son trois-roues et s'éloigna vers le Bout d'en-Bas en rigolant niaisement.

Les événements qui survenaient sur l'île ne restaient jamais secrets bien longtemps. Même si les clients doutaient un peu des éléments qui lui donnaient le beau rôle, ils auraient été surpris de s'apercevoir que, pour une fois, Roseline Lamothe n'exagérait pas. Quand elle avait constaté l'état de Marjolaine en arrivant à la maison rouge, la veille au soir, elle avait en effet pris le contrôle de la situation. Le bras passé autour des frêles épaules de la citadine, elle l'avait rassurée d'une voix ferme.

— Bon, bon, ma toute belle, ton père va être correct. Viens avec...

— Je... peux pas... s'il meurt...

Marjolaine regardait l'homme qui l'avait élevée, qu'elle chérissait plus que tout au monde et son cœur s'affolait dans sa poitrine. Dès qu'elle fermait les yeux, elle revoyait les mois de dépression pendant lesquels son père avait peiné à garder la tête hors de l'eau. Malheureuse alors, Marjolaine avait tout de même su qu'il s'en sortirait. Mais à présent, devant le corps inanimé qui semblait si fragile, la femme s'écroulait. Si elle perdait Paul, Marjolaine ne pensait pas survivre.

— J'étou... étouffe, Philippe! J'étouffe!

Tout aussi désemparé, son mari avait tenté de la rassurer du mieux qu'il le pouvait, mais il s'était aperçu que l'infirmière éprouvait des difficultés à trouver le pouls de son beau-père. Se mordant les lèvres pour éviter de s'effondrer à son tour, il avait lancé un regard de détresse à Roseline Lamothe, qui avait pris les choses en main. La femme trapue avait toujours l'âme aidante, peu importe la situation.

— Là, Marjolaine, tu vas me suivre dans la maison. On va préparer un lit pour ton père au cas où madame l'infirmière voudrait l'y installer.

— Un lit… oui, un lit.

L'infirmière leva les sourcils avant d'acquiescer. Elle venait enfin de trouver le pouls de l'homme.

— Son cœur bat. Faiblement, mais il bat. Vous allez m'aider à le transporter à l'intérieur, messieurs.

Marc-André, Gaspard et Philippe s'étaient dépêchés d'obéir à l'ordre de la femme. Deux pour soutenir les épaules et la tête du vieux, l'autre pour agripper les jambes. Dans la maison, Roseline avait fait bouillir de l'eau, trouvé des draps pour en couvrir le divan-lit du salon, qu'elle s'était empressée d'ouvrir, pour éviter que l'homme ne soit monté à l'étage. La porte de bois avait claqué sur le mur lorsque le groupe avait pénétré dans la cuisine avec le blessé. Marjolaine était assise à la table et mordillait le bout de ses doigts sans essuyer les larmes qui coulaient sur ses joues. Son chiot Joe tournait autour d'elle en quémandant des caresses, qu'elle lui prodiguait au compte-gouttes. Philippe avait déposé son beau-père sur le divan et était allé baiser le dessus de la tête bouclée.

— Il va être correct, ma perle.

Marjolaine avait levé un regard éteint vers son mari. Toute vigueur avait déserté son beau visage étroit. Elle avait chuchoté, la tête entre ses mains :

— Stéphane aussi, il devait être correct ! Le docteur en était sûr. Puis il est mort !

⤸

Finalement, après quelques heures à vomir, et à être étourdi et confus, Paul avait posé une seule question à Marjolaine :

— Elle est où, Sophie ?

Sous le gros pansement blanc qui enserrait sa tête, son regard pâle affichait son trouble. Avec désarroi, sa fille l'avait regardé sans répondre. Pour la femme, la seule mention de ce prénom détesté au moment où son père se battait pour sa vie lui avait donné envie de hurler. Sa sœur n'avait jamais été présente dans les moments difficiles. Bien sûr, enfants, elles avaient joué ensemble. À l'élastique surtout. Jusqu'à ce que l'aînée ait eu douze ans. Sophie arrivait toujours à la battre grâce à sa taille élancée, qui lui permettait de sauter jusqu'aux épaules. Elle avait ignoré les demandes secrètes de sa maman qui lui soufflait de donner une chance à sa cadette de temps en temps.

— Pourquoi, maman ? répondait Sophie, il faut que Marjo s'endurcisse un peu !

Alors semaine après semaine, les fillettes avaient sauté en montant l'élastique des genoux aux cuisses, aux hanches et à la taille. Semaine après semaine, Marjolaine avait essayé de se propulser en hauteur pour atteindre les épaules de sa sœur. Puis un jour, elle en avait eu assez et avait refusé de jouer.

— J'ai plus envie.

Elle se souvenait encore du ricanement ironique de Sophie, qui s'était éloignée en fourrant son élastique usé dans la poubelle de la cuisine. Marjolaine avait donc retenu un geste de rage en entendant son père parler de sa sœur. Philippe lui avait mis la main sur l'épaule et s'était avancé pour s'asseoir sur la chaise de bois à la tête du divan-lit.

— Paul, on est à l'Île Verte. Vous vous en souvenez ?

— L'Île...

L'accidenté s'était assoupi sans finir sa phrase et Marjolaine n'avait pas reparlé de ses paroles blessantes. Pour elle, Sophie avait pratiquement disparu de sa mémoire. Si seulement son père pouvait en faire autant! Gaspard et Marc-André avaient quitté la maison rouge un peu avant le souper, lorsque l'infirmière leur avait assuré que la vie du nouvel insulaire n'était plus en danger.

— Une grosse, très grosse commotion cérébrale! avait énoncé la professionnelle de la santé. Je vais surveiller monsieur Lalonde jusqu'au matin. S'il s'avérait que sa condition se détériore, il faudra le traverser à l'hôpital de Rivière-du-Loup. Seriez-vous en mesure de le faire?

Gaspard avait eu à utiliser son chaland pour des urgences médicales à quelques reprises au cours de sa vie. Une grossesse qui avait mal tourné, un accident de chasse, un enfant tombé d'un toit...

— Sans problème, comptez sur moi. Par contre, la marée sera basse à quatre heures cette nuit, gardez ça en tête! Il faudra que ce soit avant... sinon...

Sinon, ils devraient faire appel à l'hélicoptère d'urgence, comme durant l'hiver, avant la formation du pont de glace. Roseline Lamothe, quant à elle, avait appelé Hélène pour lui demander de faire chauffer un pâté au poulet pour ses frères, ses sœurs et elle.

— Je vais revenir un peu plus tard. Après le souper, surveille les devoirs. Je vais être là pour le coucher des petits.

La grosse femme s'était ensuite occupée de faire chauffer un reste de soupe, un repas que Marjolaine et Philippe avaient mangé du bout des lèvres. Mais Roseline était restée à leurs côtés jusqu'à ce qu'ils aient avalé la dernière bouchée.

— C'est pas le moment de manquer de force! avait-elle martelé. Monsieur Lalonde va avoir besoin de vous deux.

La nouvelle insulaire, complètement dépourvue face à la blessure de son père, s'attacha aux paroles réconfortantes de la costaude, qui avait un visage rempli de bonté. Marjolaine la regarda avec espoir et, pour la première fois depuis la mort de sa mère, eut l'impression de retrouver une femme sur laquelle elle pouvait s'appuyer.

— Merci, Roseline... avait-elle chuchoté, lorsque celle-ci l'avait serrée dans ses gros bras mous, mais si confortables.

— *Tsss! tsss!* je suis là pour ça, ma toute belle. Ton papa, il va se remettre sur pied dans le temps de le dire, je te le garantis!

L'incident, qui aurait pu avoir des conséquences dramatiques, fut finalement moins pire qu'anticipé. Après quelques jours, comme l'avait prédit Roseline, Paul avait retrouvé tous ses esprits. Mais il ne se souvenait plus des instants qui avaient précédé le choc, même lorsque Philippe lui montra les sachets de semences qui avaient créé ce chaos!

— Des graines de tomates, de carottes, de concombres... le beau-père! Qui datent toutes de... attendez: 1950! Crois-moi qu'on va avoir un beau jardin avec ça, hein, ma petite femme?

Philippe, soulagé par le regain d'énergie de Paul, se moquait un peu du vieux, qui bougonna:

— Je vois pas comment des graines peuvent « passer date », moi! C'est toujours bien pas un steak!

— Bien moi, oui! clama Marjolaine en jetant à la poubelle les petits sachets jaunis par le temps.

— Tu vas être obligée de traverser de l'autre bord *astheure* pour aller en acheter, ma fille!

— Même pas! fanfaronna la brune en arrêtant de brasser sa crème fouettée. Marie-Laure m'a promis des semis! Elle en a fait trop, puis il lui reste à peu près de tout! De toute manière, elle dit qu'elle a pas trop le temps de s'occuper de son jardin.

Marjolaine s'approcha de son père, assis à la table de cuisine devant une grille de mots croisés découpée dans le journal de Rivière-du-Loup et mit ses bras autour de son cou. Elle posa sa tête sur son épaule en murmurant:

— Fais-moi plus peur de même, mon papounet! Jamais! S'il t'arrivait quelque chose à toi aussi... je... je...

La petite brune délicate ne put continuer, remplie d'émotion. L'homme tourna son visage fripé par le temps et lui baisa le bout du nez. Il se leva lentement afin de vérifier si les étourdissements avaient bien disparu. Satisfait, il tapota la main de Marjolaine avant de dire:

— Bon, ma fille, c'est pas que je vous aime pas, mais ce matin, je vais retourner chez nous.

Aussitôt, le visage de la jeune femme se referma et elle secoua sa tête, couverte d'un bandana orange. Les bretelles de sa salopette de jeans penchaient de chaque côté de ses épaules, mais elle n'en avait cure pour l'instant:

— Pas question, papa!

— Marjolaine, ça fait quatre jours que je dors sur votre divan, puis l'infirmière m'a donné le Ok.

— L'infirmière, l'infirmière... c'est quand même pas un médecin!

— Moi je la trouve très compétente, cette femme-là!

Marjolaine allait répliquer, puis elle plissa ses grands yeux en réfléchissant. Pesant le pour et le contre, elle observa longuement le doux visage de Paul avant de dire affectueusement:

— Alors c'est fini, tes ronflements sonores qui nous donnaient l'impression d'être au cœur de travaux routiers, mon cher papa?

— Je ronfle pas, ma fille, tu fabules! Je le saurais, répondit l'aîné. Ta mère a partagé mon lit pendant vingt ans et elle m'en a jamais parlé. Je pense que Philippe et toi, vous vous mélangez avec les marées.

— Hein? rigola Marjolaine en fixant son père d'un regard incrédule. Es-tu en train de nous dire qu'on confond ton ronflement avec le bruit des vagues?

— Exactement, ma fille!

Marjolaine voulut répliquer, mais l'air buté de son père la fit changer d'idée. Ce n'était pas le moment de s'obstiner pour une telle banalité. Mais après la première nuit de son retour chez lui, elle ne put se retenir de se moquer tendrement de son père. En lui tendant une tasse de café bien chaude le lendemain matin, elle affirma, en pointant le fleuve:

— Oh et papa, imagine-toi donc que les marées nous ont pas tenus éveillés cette nuit! C'est étrange, hein?

Paul ne prit pas la peine de réagir, faisant mine de ne pas entendre le commentaire amusé de sa fille. Son pansement plus très solide devait être enlevé le soir même et il se retenait pour ne pas l'arracher tout simplement.

— Je vais avoir l'air fin au quai ce matin, avec ça sur la tête!

— Au quai? demanda sévèrement Marjolaine.

— Je veux aller donner un coup de main à Gaspard et Conrad. Ils doivent traverser le tr...

— Pas question, papa! Tu étais presque mort voilà même pas une semaine. Je te laisserai pas...

Paul mit son doigt sur la bouche de sa fille. Il secoua sa tête châtaine et dit:

— Marjolaine, laisse-moi faire. Je suis guéri. Je passerai pas mes journées à me bercer sur ma galerie à ressasser mes vieux souvenirs. J'ai besoin de me sentir vivant, comprends-tu ? Je te promets d'être prudent, ma chérie.

La jeune femme connaissait assez son père pour savoir que rien de ce qu'elle dirait ne pourrait le convaincre de se tenir tranquille. Elle se retourna donc en boudant et continua à découper les petites annonces qu'elle devrait aller afficher dans les villages du continent dès que leur projet de gîte serait accepté par le conseil de l'île.

— C'est ça, fais ta tête dure, papa !

⌢

Presque six semaines étaient passées depuis l'arrivée du trio sur l'Île Verte. Des journées de découvertes, de promenades, de rencontres et de travail acharné. Chaque matin, à son réveil, Marjolaine se réjouissait de la vue qui s'offrait à elle. Elle soulevait le lourd rideau bleu de sa chambre pour regarder le fleuve valser doucement au gré des marées. Une brise constante pénétrait par la fenêtre toujours ouverte. Un sentiment d'apaisement l'envahissait à la pensée qu'il s'agissait à présent de son environnement quotidien. Elle en oubliait presque les épreuves de naguère et tentait surtout d'oublier la question posée par son père, après son accident : « Où est Sophie ? » Quand Roseline Lamothe lui avait demandé qui était Sophie, Marjolaine l'avait ignorée et, pour une fois, la femme costaude n'avait pas insisté. Depuis l'incident du râteau, les deux femmes s'étaient revues à plusieurs reprises.

— C'est ta nouvelle... amie ? se moqua Philippe, un matin que son épouse revenait de chez Roseline avec une grosse tarte aux fraises.

— Arrête donc de juger, monsieur parfait! Tu sauras que cette femme-là a le cœur sur la main, puis ça me fait du bien de jaser avec elle.

— Jaser, hein? rigola son mari, pourchassé dans l'escalier par Marjolaine, qui tentait de lui donner une *bean* sur l'épaule. Vous parlez de quoi? Des tendances mode!

Il éclata de rire en mettant ses mains à la hauteur de ses oreilles pour mimer une mise en plis, tout en étirant les lèvres vers l'avant pour faire semblant de donner un baiser. Il s'assit sur son lit pour changer de chandail, toujours hilare.

— Tu sauras que Roseline est une femme charmante. Puis plus courageuse que bien du monde que je connais. Elle s'occupe de sa terre et de ses enfants toute seule sept mois par année. Ses filles sont pas mal tranquilles, mais je te dis que ses jumeaux donnent pas leur place. Imagine-toi donc qu'hier, ils ont décidé d'attacher leur brouette après leur bicyclette pour promener les deux cochonnets que leur truie a eus le mois passé. Pas besoin de te dire que l'idée a mal viré quand le trois-roues du jeune Castonguay les a croisés sur le chemin. Les cochons ont eu tellement peur qu'ils ont sauté en bas de la brouette et les M&M ont passé deux heures à essayer de les rattraper dans le champ!

Philippe éclata de rire en pensant aux folies que sa sœur Liliane et lui avaient faites dans leur jeune temps sur l'île! Les époux redescendirent dans la cuisine et l'homme prit ses vieilles espadrilles trouées avant d'ouvrir la porte de la véranda.

— Ils les ont rattrapés?

— Oui… puis après, c'est Roseline qui a *pogné* ses gars. Je pense qu'ils vont passer un petit bout de temps à réfléchir. Ils avaient les oreilles bien rouges quand elle les a rentrés dans la maison! conclut la femme en donnant un bec à son mari, qui s'éloigna vers le chalet.

Marjolaine riait encore quelques minutes plus tard en cherchant sa tarte, qu'elle avait déposée sur la petite table basse de l'entrée.

— Bien voyons? Veux-tu bien me dire...? Philippe, criat-elle à son mari par la fenêtre au-dessus du lavabo de la cuisine, as-tu rangé ma tarte quelque part?

— Non!

Marjolaine fit un tour rapide de la pièce et un bruit suspect la fit se pencher pour regarder sous la table.

— Ah bien, mon petit *tabarnouche*!

Joe, les babines rougies par les fraises, regardait piteusement sa maîtresse. Il avait englouti la tarte en entier, pendant que les humains rigolaient. Ce n'était pas de sa faute si on laissait de tels mets divins à sa hauteur... Comment pouvait-il résister? Marjolaine ramassa les quelques graines restantes en maugréant.

La jolie brunette s'était aperçue assez vite qu'il y avait peu de femmes de son âge sur le territoire. Il y avait les sœurs de Justin Castonguay, dans la trentaine, mais elles habitaient à l'autre bout de l'île. Alors à part Marie-Laure et Roseline, toutes les Verdoyantes résidant entre les deux quais avaient plus de quarante ans. Même si elle appréciait la compagnie de la femme de Marc-André, la pauvre Marjolaine avait constaté que cette dernière n'avait guère de temps à lui consacrer. Autant Roseline menait ses enfants d'une main de fer, autant Marie-Laure semblait éprouver des difficultés à gérer les comportements des siens.

— En fait, avait dit Marjolaine à son père et son mari, j'ai jamais vu un enfant comme son Jules. Quand il est avec nous, elle le quitte pas du regard, puis elle fait bien, parce qu'il arrête pas de se sauver ou de faire des bêtises. En plus, il dit pas un mot! Juste du charabia incompréhensible.

— Nos enfants, on les aime comme ils sont… avait murmuré Paul, les yeux fixés sur sa cadette. Il aurait tant aimé lui parler de sa jeunesse à elle, des beaux moments passés avec sa sœur et son frère avant les drames. Mais le visage fermé qu'affichait Marjolaine chaque fois que son père tentait une approche lui enlevait l'envie de lui rappeler les fous rires qu'ils avaient échangés lorsque Sophie enfournait des frites dans son nez à la table ou que Stéphane coupait tous les bouts des aliments – saucisses, carottes… – en marmonnant sérieusement « que ça l'écœurait ! » de manger les extrémités trop sèches.

Même si Marjolaine faisait mine d'avoir oublié la question que son père avait posée après son accident, elle savait que Paul n'avait pas perdu espoir de revoir son autre fille. Tous les jours, l'homme commençait sa journée en allant chercher leur courrier dans la jolie boîte aux lettres turquoise installée sur le bord du chemin. Il espérait tellement des nouvelles de son aînée, mais après toutes ces semaines, il n'avait toujours rien reçu. La canicule bien installée forçait les insulaires à prendre de plus en plus de pauses pour se rafraîchir. Les travaux étaient presque terminés à la maison rouge, même si certaines réparations s'avéraient moins réussies que d'autres !

— *Ayoye ! Câlique !*

— Papa ! gronda Marjolaine en riant.

Paul avait la tête sous le lavabo pour tenter de colmater une fuite depuis le matin. Il avait vissé, dévissé, collé, décollé et se disait que, bientôt, il n'aurait pas le choix d'admettre son impuissance face à ce mystère de la plomberie.

— Je comprends vraiment pas ce qui se passe avec ton tuyau, mon Philippe ! reconnut son beau-père en émergeant de la salle de bain du rez-de-chaussée, la chevelure hirsute. Ses lunettes à fine monture dorée s'étaient décrochées d'une de ses oreilles et pendaient drôlement sur le côté. Marjolaine s'avança pour les replacer et fronça ses sourcils :

— Papa, tu as perdu un morceau !

— Hein ? Bien oui, toi ! C'est pour ça que ça pique sur mon nez !

Retirant sa monture, il passa une main sur l'arête rougie. Le petit coussinet de sa lunette avait disparu.

— Ouin… je suis mal pris, là !

— Surtout qu'ici, des opticiens… Je pense qu'il va falloir que tu ailles jusqu'à Rivière-du-Loup pour les faire réparer, papa.

Paul grimaça en secouant ses boucles pâles. Il replaça sa monture sur son visage, mais, puisqu'elle était devenue inconfortable, il l'enleva de nouveau.

— Je vais m'en passer ! Bon, je retourne sous mon lavabo, marmonna-t-il en taisant le fait qu'il ne voyait rien.

Philippe, qui finissait de sabler les planchers de l'escalier, obligea son beau-père à s'arrêter, lui qui préférait se rendre presque à l'épuisement pour montrer sa vigueur au travail. Malgré le vent qui soufflait sur l'Île Verte, ils suaient tous à grosses gouttes.

— Non, non, Paul, laissez faire ça. Je vais jeter un coup d'œil après le dîner. Allez vous reposer un peu.

Soulagé, le vieux fit mine de résister, avant d'abdiquer. Il reviendrait plus tard. Pour l'instant, il tenterait de trouver une solution à son problème de vision. Le soir venu, assis sur leur galerie à fixer « la mer », Marjolaine poussa un long soupir de soulagement. Les travaux achevant, ils pourraient bientôt accueillir leurs premiers clients au gîte. Elle caressa tendrement le visage de son homme avant de chuchoter :

— Enfin ! Une autre journée de terminée. Bon, je vais mettre un peu de musique.

— Ah… vraiment?

La femme tourna son visage sévère vers son mari rougissant.

— Oui, vraiment! Il y a un problème?

— Heu.. non. Un peu de Genesis peut-être? Je dois aller donner un coup de main à Lionel demain, ça m'aiderait à m'endormir… ajouta Philippe avec espoir.

— *Pfff*… Tu as juste à penser à sa femme Anémone, puis tu vas plonger dans un sommeil profond! ricana Marjolaine, alors que son mari lui donnait une *pichenotte* sur le bras.

⤴

Pieds nus comme toujours, vêtue d'un short noir à taille haute et d'un chandail au col découpé qu'elle laissait glisser sur ses fines épaules, Marjolaine pénétra dans sa vaste cuisine enfin remise à neuf. Sur le seuil, elle sourit avec joie en constatant le progrès réalisé depuis leur arrivée. Si Roseline Lamothe adorait les romans-photos remplis de beaux jeunes hommes qui font rêver, Marjolaine, elle, ne jurait que par les chanteurs européens. Elle connaissait par cœur les refrains et les couplets des chansons de Gérard Lenorman, Jacques Brel, Claude François et, surtout, de Joe Dassin. D'ailleurs, depuis l'arrivée de leur labrador, Philippe grimaçait chaque fois qu'il devait faire venir le chiot près de lui.

— Déjà que je suis *pogné* pour entendre ce chanteur de pomme à longueur de semaine, me voilà pris pour prononcer son nom dix fois par jour, avait-il argumenté pour faire changer le nom de l'animal.

Mais le visage buté de sa femme lui avait rappelé que lorsque Marjolaine avait pris une décision, la faire changer d'idée était aussi facile que de lui faire manger du poisson. C'est-à-dire impossible!

— On a vraiment la plus belle maison de la Terre, murmura-t-elle avant de glisser son disque préféré sur la table tournante et de se recroqueviller sur la chaise berçante près de la porte. Dès que la voix sensuelle – insignifiante selon Philippe – de Claude François emplit la pièce, la femme ferma les yeux, un sourire béat sur le visage.

Écoute, maman est près de toi,
il faut lui dire : « Maman, c'est quelqu'un pour toi » (...)
Le téléphone pleure quand elle ne vient pas,
Quand je lui crie : « Je t'aime »[2]

Fumant une cigarette assis dans l'escalier extérieur, Philippe leva les yeux au ciel en souhaitant qu'aucun voisin n'entende les sons émanant de la maison rouge. Déjà que leur arrivée faisait jaser, s'il fallait que les Verdoyants entendent la musique préférée de Marjolaine ! Et que dire de leur projet d'ouvrir un « gîte » ? Outre son oncle Gaspard et son cousin Marc-André, personne n'était encore au courant de leur idée et, s'il se fiait à leur réaction – fraîche... très fraîche – et aux appréhensions de sa famille avant son départ de Québec, cette nouvelle ne serait pas accueillie sans tumulte par le conseil de l'île.

Le vieux pêcheur Lionel Vézina avait sur sa terre deux hauts fumoirs en bois qu'il avait bâtis de ses mains. Cela faisait presque deux mois que les Verdoyants avaient commencé « à prendre soin de la pêche » à chaque marée. Philippe aimait bien aller aider le vieux couple lorsqu'il avait un moment de répit au futur

---

2 *Le téléphone pleure*, paroles : Frank Thomas, musique : Jean-Pierre Bourtayre et Claude François, 1974.

gîte. Cela le changeait de la gestion des rénovations avec son beau-père et Gaston, sa boîte à outils! Il grimpait avec le doyen dans son chaland à fond plat et l'aidait à trier les poissons afin de conserver les plus gros.

— Tu sais, le jeune, ici, sur l'île, on est les meilleurs pêcheurs de hareng du Québec, se vantait Lionel en plongeant ses poissons dans la saumure, où ils resteraient durant au moins trois jours.

Les insulaires avaient développé un produit fort apprécié par les consommateurs des environs: le hareng fumé de l'Île Verte. Le lendemain matin, lorsque Philippe se présenta aux côtés des fumoirs blancs au toit de bardeaux gris, le couple âgé avait déjà commencé à enfiler les poissons sur les baratins*.

— Rajoutes-en, la vieille, tu vois bien qu'il y a encore de la place en masse sur ta baguette.

— Hein? Veux-tu que j'en mette d'autres, Lionel? Hein, Lionel, je m'en souviens plus… demanda Anémone encore en longue jaquette fleurie.

Le vieux soupira avant d'enlever le bâton des mains de sa femme à moitié sénile. Il la poussa affectueusement vers une chaise qui faisait face au fleuve et elle s'y effondra, avec un sourire enfantin au visage. Elle tourna la tête lorsque son mari lui mit son tricot entre les mains. Philippe n'osa rien dire, mais c'est l'autre qui marmonna, en enlevant son petit casque tissé pour s'essuyer le front:

— Elle perd la tête, ma bonne femme. Peux-tu arranger sa baguette, toi? Il faut que je commence à les suspendre dans la boucanerie. On va la laisser à ses foulards puis à ses pantoufles. Son tricot est la seule affaire qu'elle a pas oubliée. Tu devrais voir la « sauce à spaghetti » qu'elle a faite hier soir! As-tu déjà mangé ça, toi, une sauce aux tomates… brune?

Philippe ne répondit rien, mais il jeta un coup d'œil à la femme délicate qui se balançait doucement en chantonnant dans la chaise berçante, qui semblait engloutir son corps décharné.

CHAPITRE 8

Un enfant différent

À l'occasion, depuis la fin des classes, Marie-Laure et Marjolaine partaient en bicyclette vers la pointe de l'île, accompagnées des enfants de la première. Elles aimaient bien se tenir compagnie l'une et l'autre. Parfois, Roseline se joignait au groupe, mais son incapacité à remonter la côte jusque chez elle l'obligeait souvent à renoncer au projet, malgré son envie de trouver sa place dans cette nouvelle amitié.

— Mon *bicycle* est mal ajusté; je me suis fait mal au pied... leur disait-elle alors, d'un ton dépité. Les deux amies souriaient légèrement en écoutant les excuses de la femme corpulente.

Quant à Marie-Laure, ces rencontres l'obligeaient à sortir de la réserve dans laquelle elle s'était plongée dans la dernière année à la suite des remarques et commentaires désobligeants des autres insulaires à l'égard de son cadet. Ce qui lui plaisait avec Marjolaine, c'était justement qu'elle ne commentait jamais les comportements étranges de son enfant. Un soir, elle avait confié à son mari que l'arrivée de son cousin et de sa femme lui permettait d'avoir des discussions intéressantes.

— Je peux enfin parler d'autres choses que du dernier épisode des *Brillant* ou de la nouvelle chanson de Patsy Gallant! avait affirmé la grande châtaine avant de l'embrasser. Marc-André en avait profité, lui qui rongeait son frein depuis quelques mois, sa femme refusant presque toujours ses approches amoureuses. Frustré, le pauvre blond en était rendu à s'enfermer dans sa grange avec sa pile de revues *Playboy* pour se satisfaire en solitaire.

Un matin de juillet, Marie-Laure installa son fils Jules sur le guidon de son vélo pour aller rejoindre Marjolaine au Bout d'en-Haut. Le garçon avait beau avoir bientôt cinq ans – à la fin de septembre – il ne voulait pas apprendre à rouler sur deux roues. Lorsque son père essayait de l'amadouer, il hurlait en se bouchant les oreilles. Marie-Laure se fâchait toujours contre son mari, qui devrait se concentrer sur *des affaires plus importantes*! Mais Marc-André trouvait anormal que son fils n'ait pas envie de faire comme tous les autres enfants de l'île qui parcouraient le chemin principal sans inquiétude du matin au soir. Marion et Éloi, eux, n'avaient aucune difficulté à circuler à bicyclette, même que la plupart du temps, le frère et la sœur devançaient les femmes jusqu'au Bout d'en-Haut.

— Le monde commence à parler, Marie-Laure! l'avait prévenu Marc-André un soir de la semaine précédente, alors qu'une autre tentative d'enseignement venait d'échouer.

— Laisse-les parler! Elles ont juste ça à faire, les *maudites* commères! Notre gars sait peut-être pas faire du *bicycle*, mais au moins, il est pas méchant comme le gars à Conrad Dionne.

— Marie-Laure!

La femme avait jeté un regard furieux à son mari avant de préciser que quand son enfant lancerait des roches sur les animaux dans le champ ou piétinerait les fleurs de sa mère volontairement comme Antonin Dionne, elle écouterait les *mémères* de l'île. En attendant, elle appréciait la chaleur qui se dégageait du cou humide de son enfant, qui hurlait de joie sur le chemin de terre parsemé de cailloux. Marjolaine et Marie-Laure tentaient d'éviter les trous, parfois trop gros. La première avait pris l'habitude d'installer Joe dans son gros panier accroché à son guidon. Le chiot grossissait à vue d'œil et, bientôt, elle devrait sûrement trouver une autre solution pour le traîner avec elle !

— *Ouch !* grogna Marie-Laure, dont la roue arrière venait de déraper.

Elle jeta un regard inquiet sur son garçonnet, mais un large sourire barrait son visage rousselé. Marie-Laure sentit son cœur vibrer d'amour pour son petit bonhomme différent. Personne ne comprenait cet attachement particulier qui les liait. Lorsqu'il lui souriait, la châtaine s'apaisait aussitôt. Lorsqu'il faisait des crises, elle voulait crier sa détresse. Il n'y avait que des hauts et des bas avec Jules. Jamais de juste milieu. Quand il éclatait de rage, personne ne pouvait le calmer. Il lançait sa nourriture, jetait ses jouets, hurlait sa colère sans dire un mot. Toujours, Marie-Laure l'excusait :

— Il sait pas comment s'exprimer, c'est tout. Il est fatigué, il a mal dormi, il a faim…

Depuis un an, Marc-André s'inquiétait des comportements étranges de son petit rouquin. Même ses cheveux le différenciaient des autres membres de la famille. Marion et Éloi étaient blonds comme leur père. Jules, lui, avait une longue chevelure rousse qu'il refusait de faire couper. Le père aurait aimé parler de ses inquiétudes avec son épouse, mais celle-ci fermait la porte à la discussion dès qu'il était question de la différence de son Jules. Après s'être rendues jusqu'à la « mare aux amoureux », où les deux amies laissèrent leurs bicyclettes, Marjolaine et Marie-Laure s'assirent sur un gros billot de bois rejeté par la mer. Jules et Joe couraient derrière les sternes, qui protestaient en s'envolant.

— C'est la marée basse, on devrait voir les loups marins, affirma la châtaine la main au-dessus de ses beaux yeux bleus.

— J'aimerais ça ! répondit Marjolaine, en copiant son geste. Je me tanne jamais de les observer.

L'autre lui jeta un regard en coin, étonnée de l'air béat qu'elle lisait sur le joli minois de sa comparse. Marie-Laure tentait de s'imaginer que ces animaux marins soient une nouveauté pour elle aussi… mais, en soupirant, elle admit à regret ne plus être épatée par les gros mammifères gris foncé. À tout le moins, elle avait la paix le temps que ses enfants tentaient de les approcher sans se mettre les pieds dans l'eau. En silence, les deux femmes regardèrent quelques instants le jeune trio courir sur les roches en encourageant Joe, qui hésitait devant les trous d'eau. Marjolaine jeta un regard par en dessous vers son amie avant de demander d'un ton hésitant :

— Marc-André t'a dit qu'on veut ouvrir un gîte à la maison ?

— Hum… moui…

— Puis ? Qu'est-ce que tu en penses, toi ?

Marie-Laure était bien plus grande et costaude que Marjolaine. Pourtant, une douceur et une fragilité se dégageaient de tout son être. Née sur l'île, elle visitait à l'occasion ses parents qui habitaient encore la maison familiale, près de l'école Michaud. Ses deux sœurs cadettes avaient quitté l'Île Verte, l'une pour se marier à un agriculteur de Kamouraska, l'autre pour étudier le droit à l'Université Laval à Québec. Pour l'aînée des trois filles, Marie-Laure, quitter sa terre était inconcevable, même si l'étroitesse des liens entre les insulaires la gênait beaucoup plus depuis la naissance de Jules. Comme ses parents, la femme préférait l'intimité de sa maison aux réunions quotidiennes au quai ou au magasin. Tout l'inverse de son mari verbomoteur qui carburait aux assemblées improvisées !

— On dirait que tout le monde a un mot à dire sur ce que notre fils fait ou fait pas ! avait-elle crié à son mari un soir, au retour d'une séance à la salle communautaire.

Sa chevelure châtaine un peu terne et ses grands yeux bleus au regard las faisaient contraste avec le dynamisme qui se dégageait de Marjolaine. Un peu plus âgée, Marie-Laure ne pouvait s'empêcher d'envier la vie de l'ex-citadine qui avait le temps de faire de l'exercice, de jardiner, de cuisiner pour le plaisir, d'avoir des projets, alors qu'elle...

— Un gîte, hein ? Pour quoi faire ?

— Pour...

Marjolaine ouvrit grands ses yeux bruns en réalisant qu'elle n'avait pas de réponse à fournir autre que l'envie de le faire. Elle se releva alors et pointa le bout de sa sandale de cuir dans le trou qui s'étalait à ses pieds. De minuscules coquillages s'agrippaient aux rochers dans l'espoir de survivre jusqu'à la prochaine marée.

— Parce que l'île est magnifique !

— Justement. Si les touristes se mettent à l'envahir, clama sèchement Marie-Laure, elle le sera plus !

Marjolaine déglutit avec peine, ne sachant comment réagir. Si même les amis étaient contre leur projet... elle se demandait comment réagiraient les autres insulaires ! Le cri que lança alors Marie-Laure l'empêcha heureusement de trouver une réponse adéquate.

— Éloi, lâche Jules ! aboya la mère en se relevant rapidement.

Secouant les cailloux accrochés à son vieux short beige, elle s'avança la mine sérieuse vers son aîné. Éloi lui jeta un regard frondeur, du haut de ses dix ans. Il ne desserra pas sa poigne sur le plus jeune des trois enfants, qui avait calé ses petites espadrilles entre deux grosses roches grises en refusant d'avancer.

— Il va tomber, maman !

— Laisse faire. Il tombera pas de haut!

— Tant pis pour toi!

Éloi délaissa le bras du petit roux en y mettant un peu de vigueur, ce qui eut pour effet de faire basculer l'enfant vers l'arrière. Jules atterrit les fesses dans l'eau mais, au lieu de pleurer, il éclata de rire. Marie-Laure sentit son corps se détendre, elle qui anticipait toujours des crises alors que, parfois, elles s'évitaient d'elles-mêmes.

— Lève-toi, Jules, pour faire sécher tes culottes.

L'enfant obéit aussitôt et il sauta sur ses pieds en tapant des mains. Marjolaine observa le garçon avec curiosité. Elle avait bien averti Philippe lorsqu'il lui avait fait part de son envie de partager sa vie:

— Moi, je veux pas d'enfants.

— Heu... jamais?

— Ouin... bien, je suis pas mal sûre. J'ai pas ça, moi, cette fibre maternelle dont tout le monde parle. Ça fait que tant qu'à me gâcher la vie et la tienne si tu la partages, bien j'aime mieux te le dire tout de suite.

Philippe, qui n'avait jamais réellement pensé à la chose, avait choisi de rester avec elle. Après tout, il ne se sentait pas plus l'âme d'un parent en devenir que sa blonde. En regardant le plus vieux des garçons de Marc-André et de Marie-Laure, Marjolaine sourit en constatant qu'il était la copie conforme de son père. Même sa démarche, les jambes un peu écartées, les bras par en avant, était identique. De Gaspard à Marc-André... de Marc-André à Éloi! Le plus jeune, par contre, avait les grands yeux bleus de Marie-Laure sous une toison rouquine. Ce petit était un mystère pour Marjolaine.

— Tu trouves pas que Jules est étrange, avait d'ailleurs murmuré Philippe un soir qu'ils étaient revenus d'une visite à la maison jaune de son cousin.

— Oui. Je pense qu'il est pas normal.

Et en le regardant en ce moment, alors qu'il déambulait la tête penchée vers le sol à la recherche de coquillages et d'autres trésors de la mer, elle ressentit de nouveau un malaise. Sa petite tête rousse se balançait de gauche à droite et il semblait chantonner tout bas. Marjolaine jeta un regard vers son amie et s'aperçut que Marie-Laure l'observait aussi, le visage soucieux.

— Jules? appela-t-elle. Jules, mon gars? JULES?

Au troisième appel, elle s'avança vers son fils pour lui chuchoter quelque chose à l'oreille. Puis elle retourna s'asseoir aux côtés de Marjolaine, qui soupirait de bien-être sous le soleil du matin. La brune se tourna vers son amie.

— Ça fait du bien, un peu de soleil. Me semble que je l'ai pas vu depuis trois mois!

— Tu exagères, rigola Marie-Laure. Mettons... trois jours!

Depuis le début de la semaine, le temps maussade avait empêché la plupart des déplacements sur l'île et Marjolaine s'en ressentait. Finies les visites au centre commercial ou au cinéma en cas de mauvais temps, comme lorsqu'elle habitait Québec. À part les quelques appels qu'elle faisait à Isabelle, son isolement sur l'île était complet. Elle avait d'ailleurs un peu caché son ennui lors de sa dernière conversation avec son amie: «Tu trouves pas le temps long?», s'était informée Isabelle. «Non, du tout! On a tellement d'affaires à gérer!» Mais Marjolaine réalisait tranquillement que la période hivernale serait loin d'être idyllique sur sa nouvelle terre.

— Bien moi, j'ai l'impression que ça fait une éternité que j'ai pas vu le soleil. J'haïs ça, être obligée de faire de l'exercice en regardant les cassettes de Jane Fonda. Surtout que mon *chum* passe son temps à rire de moi puis à m'imiter chaque fois qu'il arrive dans le salon.

Marie-Laure soupira avant d'avertir ses deux aînés de reculer pour éviter de se retrouver coincés par la marée qui montait.

— Tu es bien chanceuse d'avoir le temps de faire de l'exercice. Moi, à part courir après eux autres…

Marjolaine hésita en remontant la fermeture de son K-Way jusqu'à son cou. Au Bout d'en-Haut, il y avait toujours un vent à écorner les bœufs. Elle allait répondre à son amie lorsqu'un cri de Jules l'arrêta :

— Hiiiii, hiiiiiii ! hurlait le garçon en sautant sur place. Les regards des deux femmes se déplacèrent vers le lieu pointé par son petit index. Le gamin sautillait en battant des mains, sans dire un autre mot. À une trentaine de pieds d'eux, un groupe de phoques noirs venaient de grimper sur un gros rocher. Ils s'ébrouaient avec lourdeur, plongeant et ressortant de l'eau dans une danse savamment maîtrisée. Les hurlements de ces loups de mer au cœur de l'estran faisaient crier de joie le cadet des enfants. Son visage exalté faisait plaisir à voir. Marie-Laure sourit avant de pointer un groupe de rochers plus loin dans le fleuve.

— Regarde, on voit un peu « Les Couillons* ».

Marjolaine éclata de rire avant de suivre son regard.

— « Les Couillons » ? C'est quoi ça ?

— Les grosses roches qui sortent de l'eau là-bas. Dans l'ancien temps, quand il faisait mauvais, les marins les apercevaient à la dernière minute et leur bateau se fracassait dessus. Ça fait longtemps là, mettons trois cents ans !

— Oh, Ok. Et qui leur a donné ce charmant nom, à ces rochers ? rigola encore Marjolaine.

Le visage rougi de Marjolaine par l'air du large, ses courtes boucles plaquées sur son front et sa bouche toujours écarlate faisaient un joli tableau que Marie-Laure nota une fois de plus en jetant un regard désabusé vers son vieil imperméable vert, ses *runnings* à moitié décousus et ses shorts troués à la cuisse. Elle envia son amie toujours habillée parfaitement selon les circonstances. Comme si elle avait traîné avec elle sur l'île une garde-robe complète. Pourtant, à plusieurs reprises, Marie-Laure avait remarqué les mêmes vêtements sur le corps délicat de Marjolaine, mais elle réussissait toujours à agrémenter la tenue ou à la différencier avec un foulard, une ceinture ou une petite veste colorée.

— Les anciens. Ce sont les anciens de l'île, il y a bien longtemps, qui ont trouvé que ces rochers faisaient une vraie *job* de couillons !

Reportant ses yeux bruns ourlés de noir sur les phoques luisants, Marjolaine se leva à regret. Elle fit signe à son amie.

— Bon, bien, moi, j'y vais. Il me reste encore pas mal de bouffe à faire pour nos premiers clients. Je veux être certaine qu'ils vont être satisfaits à cent pour cent.

— Tu prépares ta nourriture sans savoir si le conseil acceptera votre projet ? demanda sèchement Marie-Laure.

— Oui ! Pas le choix. Joe, Joe, hurla-t-elle, viens-t'en, mon chien, on s'en va.

Se retournant vers sa camarade, elle continua :

— C'est pas en deux jours que je vais remplir mon congélateur. De toute manière, le conseil va être d'accord. C'est trop un beau projet ! J'ai tellement hâte, tu peux pas savoir comment !

Sans remarquer le petit rictus de scepticisme de Marie-Laure, Marjolaine releva sa vieille bicyclette rose tachée de rouille, déposa les trois roches spéciales qu'elle avait ramassées dans son panier d'osier avant d'y installer Joe et fit sonner sa clochette pour saluer les enfants. Seuls les deux plus vieux lui rendirent son signe de la main. Elle avança péniblement sur les rochers avant de grimper sur son engin déglingué pour filer sur l'étroit sentier entouré d'églantiers. Les rosiers sauvages étaient maintenant en fleurs et l'Île Verte se parfumait agréablement. Quelques heures plus tard, après un souper bien arrosé, Marjolaine plongea le regard dans celui de son mari et annonça de sa voix claire:

— Demain matin, je me remets en forme!

— Tu vas encore faire ta Jane Fonda? ricana l'époux en levant la tête de son journal.

— Niaiseux! Je veux recommencer à courir. Ça fait presque un mois que j'y pense. Si je continue, je vais bientôt rouler au lieu de marcher!

Son mari posa un regard appréciateur sur le corps délicat de sa douce, qui avait à peine un léger renflement au niveau du nombril.

— Je te trouve pas mal parfaite de même... D'ailleurs, je me disais que si tu veux faire du sport...

Il laissa sa phrase en suspens, déposa le journal de Rivière-du-Loup de la veille pour s'avancer, les mains droites devant lui, à la hauteur de la poitrine de Marjolaine. Elle éclata de rire avant de s'enfuir à l'extérieur.

— C'est gentil de vouloir finir la vaisselle, mon amour, moi, je vais voir mon jardin!

Avant que Philippe ne puisse réagir, il avait reçu un linge à carreaux au visage pendant que l'éclat de rire de sa femme la suivait sur la galerie. Son mari regarda les deux chaudrons à essuyer en plissant le nez avant d'attaquer la besogne. Il s'empressa d'allumer la radio et la voix de Roger Tétreault envahit la pièce:

— Les partisans du Canadien de Montréal ne se sont toujours pas remis de l'affront subi lors du repêchage du 11 juin dernier. Rappelons que plutôt que de choisir l'un des meilleurs joueurs de centre junior disponible, le jeune Québécois Denis Savard, l'organisation a préféré un costaud de l'Ouest canadien nommé Doug Wickenheiser...

— C'est ça, encore un Anglais! marmonna Philippe avec frustration.

Les adeptes de l'équipe montréalaise avaient été atteints en plein cœur. Eux qui espéraient voir se poursuivre la tradition des grandes vedettes comme Maurice Richard, Jean Béliveau et Guy Lafleur avaient ressenti le choix des dirigeants de l'équipe comme un coup de massue. Mais pour Philippe, fervent amateur des Nordiques de Québec, les nouveaux rivaux des Canadiens de Montréal, tous les joueurs de cette formation n'arrivaient pas à la cheville des hockeyeurs de son équipe préférée. L'ajout d'un anglo ne ferait qu'empirer les choses. Tant mieux! Le barbu étira le bras pour fermer le radio puis sortit retrouver sa femme, qui jasait avec Paul sur la galerie. Philippe montra la grange et les portes du bâtiment, sorties de leurs gonds:

— Je sais bien pas quand on va avoir le temps de réparer ça.

— Je vais te faire ça demain si tu veux! répondit Paul. Son front portait une légère cicatrice à l'endroit où le râteau l'avait atteint. Il se redressa un peu trop vite et sa fille remarqua la grimace qui marquait son visage à chacun de ses mouvements. L'homme âgé n'arrêtait pas une minute, dès son réveil jusqu'à son coucher, tous les jours depuis leur arrivée, sauf lors de son arrêt forcé.

— Avant ou après être entré à l'hôpital pour surmenage? demanda-t-elle ironiquement en l'agrippant par le coude.

— Hein?

— Papa, tu penses que ça se voit pas que tu as de la misère à bouger?

— *Pantoute!*

— Ah non? Pourquoi est-ce que tu as dû t'appuyer contre le mur de ta maison pour te relever tantôt?

Paul chercha une réplique adéquate en réponse à l'interrogation de sa fille, mais préféra changer de sujet:

— Est-ce que je vous ai déjà parlé de madame Laroche, qui était certaine que son mari la trompait même s'il approchait de quatre-vingts ans? Je l'ai suivi pendant quelques jours et même moi, je me disais que le bonhomme était louche. Mais quand il est disparu à l'intérieur d'une grange dans ce genre-ci...

Paul pointa la grosse construction de planches grises usées par le vent du large vers laquelle ils s'étaient avancés tous les trois.

— ...j'ai dû user de toutes mes stratégies pour réussir à voir ce qu'il faisait. Bien le vieux avait installé une machine à écrire sur une botte de foin et il tapait à longueur de journée.

Marjolaine, qui s'amusait à fouiller dans les meubles empilés dans un coin pendant que son mari regardait les outils rouillés qui traînaient près du mur du fond, referma un tiroir en se tournant vers son père.

— Il tapait quoi?

— Ses mémoires! J'ai fait semblant de m'être perdu – il faut dire que le vieux l'était pas mal, perdu – et je suis entré dans la grange pendant qu'il piochait à deux doigts sur sa machine. Il m'a dit: « Ça, monsieur, ça va être le meilleur livre que le Québec aura jamais lu! »

Philippe s'approcha de son beau-père en riant:

— Puis, l'avez-vous lu?

— Non. Il est mort le lendemain!

Paul éclata de rire à ce souvenir. Les deux autres l'imitèrent avant que Philippe ne grogne après les maringouins qui s'en donnaient à cœur joie sur leur peau dénudée. À la tombée du jour, les moustiques virevoltaient autour des insulaires, qui se déplaçaient alors à grande vitesse. Le couple décida donc de rentrer dans la véranda, mais Paul préféra redescendre à son chalet. Sa fille avait visé juste en parlant de son état de fatigue.

— Mais c'est une bonne fatigue, comme disait mon père ! marmonna l'homme en trottinant doucement, le col de son vieux chandail remonté sur son cou appétissant !

⌒

En s'allongeant dans son lit, un peu plus tard, Marjolaine ignora le regard inquiet de son mari lorsqu'elle agrippa leur réveille-matin.

— Heu, Marjolaine ?

— Quoi ?

— Tu fais quoi, là ?

— Je place mon réveil parce que je veux courir une couple de milles demain matin ! Je te l'ai dit tantôt ! Ça te tente-tu de venir avec moi ?

Malgré son ton rempli d'espoir, la jeune femme savait que son mari détestait suer comme un cochon en courant sans but ! Le seul exercice qu'il pratiquait, à Québec, c'était le hockey dans une ligue amicale de leur quartier. Ici, sur l'Île Verte, Philippe préférait fumer une cigarette en écoutant de la BONNE musique ! Il secoua sa tête noire avant de frotter sa barbe drue.

— Tant pis pour toi, tu vas devenir un petit vieux bedonnant ! ricana Marjolaine en se penchant pour l'embrasser. Comme c'était souvent le cas, leurs corps s'embrasèrent au contact l'un de l'autre et le barbu enfouit ses mains sous la jaquette courte de son amoureuse. Ils s'embrassèrent à pleine bouche et, en quelques minutes, ils explosèrent de jouissance avant d'éclater de rire en voyant l'état de leur lit.

— Une vraie tornade, souffla la voix assourdie de tendresse de la femme qui se pencha pour ramasser leur douillette échouée au pied du lit.

— Laisse-la donc par terre… murmura Philippe en recommençant à caresser le corps alangui à ses côtés.

Finalement, ce n'est qu'après un long moment que les amants remirent de l'ordre dans leur lit, leur passion assouvie. Ils restèrent longtemps couchés l'un près de l'autre à discuter de leurs projets pour le futur. Par la fenêtre, la nature qui s'endormait tranquillement ne laissait entendre que le piaillement des oiseaux nocturnes entrecoupé des bourdonnements des insectes. Un moment de grande quiétude sans klaxon, sans lampadaires éblouissants, sans cris d'enfants.

⌇

Cette ambiance sereine dans laquelle baignaient Philippe et Marjolaine était tout à fait le contraire de ce qui se passait dans la maison de Marc-André et Marie-Laure. Assise sur son matelas, les deux pieds au sol, la femme pleurait toutes les larmes de son corps.

— J'en peux plus! J'en peux plus!… se lamentait-elle le visage entre les mains, en se balançant d'avant en arrière.

La porte de la chambre était fermée et un large tapis tissé était roulé à la base de celle-ci. Malgré cet objet censé étouffer le bruit, Marie-Laure l'entendait. Dans la chambre voisine de la leur, son fils Jules *lirait* dans son lit.

— Han, han, han… ha… han… han… han…

Voilà une heure que le manège durait sans arrêt. La femme s'était déjà rendue deux fois dans la chambre du garçonnet pour le calmer. Mais il n'y avait rien à faire. Lorsqu'elle pénétrait dans la pièce sombre, elle avait besoin de quelques secondes pour que ses yeux s'acclimatent à la pénombre avant d'être en mesure de percevoir où se trouvait son fils. À quatre pattes, comme un bébé, il se balançait doucement en cognant sa tête contre la tête de lit.

— Jules, mon chéri. Jules !

— Han, han, han, han…

Marie-Laure s'était vite rendu compte, à son grand désespoir, que son enfant dormait. Non seulement il se lamentait lorsqu'il était éveillé, mais le voilà qui s'y mettait même endormi. Désespérée, elle avait appuyé sur ses petites fesses pour le faire s'écraser contre le matelas. Elle avait ensuite déposé un baiser sur sa joue douce, puis elle était ressortie de la pièce en soupirant. Avec Marc-André parti de l'autre bord pour deux jours, elle devait gérer toute seule cette nouvelle situation. De toute manière, son mari ne serait d'aucune aide. Elle s'était étendue encore vêtue de son pantalon trop grand et n'avait même pas trouvé la force de brosser ses dents. La châtaine sentait la fatigue la gagner, un doux engourdissement bienvenu. Mais c'était sans compter son fils, qui se remit à *lirer*. Encore et encore. Elle ne savait plus quoi faire, ayant perdu l'espoir de dormir au moins quelques heures.

— Han, han, han… han, han, han…

La détresse de la mère était accompagnée par les coups de tête qui résonnaient contre le mur mitoyen qui séparait les deux chambres. Fermant les yeux, Marie-Laure cria :

— Arrête, Jules ! Arrête, je t'en supplie !

Des sanglots dans la gorge, la pauvre n'arrivait plus à réfléchir tant la fatigue accumulée la rendait folle. Au début de sa vie, le gamin avait fait des coliques; par la suite, des terreurs nocturnes qui le tenaient éveillé pendant de longues heures sans qu'il puisse clairement préciser sa peur. Et puis maintenant, cette crise incontrôlable! Marie-Laure fixait le plancher en songeant à son quotidien, qui ressemblait de plus en plus à un enfer. Elle allait retourner calmer son fils, lorsque la porte de sa chambre s'ouvrit pour laisser passer une Marion tout échevelée. À un autre moment, Marie-Laure aurait souri de fierté devant la beauté douce de cette adolescente qui demandait si peu et de ses belles pommettes ciselées, ses boucles dorées, ses yeux plissés de sommeil. Mais la mère de famille ne voyait plus rien. Elle ne fit que relever sa tête et poser ses mains fines près de ses cuisses.

— Maman?

— Quoi, Marion?

— Il y a quelqu'un qui scie du bois.

— Hein?

— Tu entends pas? Écoute.

Marion vint s'asseoir aux côtés de sa mère et posa sa tête contre son épaule en fermant les yeux. Lorsque Jules recommença à gémir, sa sœur se releva d'un coup.

— Tiens, écoute!

— *Han, han, han... han, han, han.*

Si la situation ne l'avait pas autant épuisée, sûrement que Marie-Laure aurait souri ou même éclaté de rire. Mais elle ne put que secouer la tête en repoussant fermement sa fille.

— Arrête de dire des niaiseries! C'est ton frère.

— Mon frère?

— Bien oui. Jules.

— Heu... pourquoi il scie du bois?

Le visage délicat de Marion affichait un air confus. Elle repoussa ses longues mèches blondes derrière ses oreilles, où de fins anneaux dorés étaient accrochés. Soupirant avec exaspération, Marie-Laure se leva :

— Bon, ça suffit. Il scie pas du bois, niaiseuse, il dort... mais il rêve en même temps ! Va te coucher. Je m'en occupe.

— Maman...

Blessée par les paroles de sa mère, autrefois si affectueuse, Marion sentit les larmes monter à ses yeux. Elle les essuya rageusement avant de tourner sur ses pieds et de sortir de la chambre. Juste avant de fermer la porte, elle lança :

— Moi, je suis tannée d'avoir un frère fou !

Marie-Laure ferma ses paupières lourdes en culpabilisant. Elle aussi en avait assez d'avoir un fils fou. Mais jamais, jamais elle n'avouerait sa défaillance. Elle serait une bonne mère, pas une de celles qui abandonnent lorsque la tâche devenait trop difficile...

CHAPITRE 9

Souvenir d'un soir d'été

Lorsque le réveil se fit entendre, à cinq heures trente, Marjolaine eut beaucoup de mal à décoller son corps de celui tout chaud de son époux endormi. Elle repensa au jeune Canadien amputé qui parcourait le Canada sur une jambe et roula sur le côté...

— *Argggh...* grogna-t-elle en fixant les chiffres lumineux.

Elle plissa ses yeux pleins de sommeil avant de prendre une grande inspiration. Le soleil qui se glissait au travers de leur rideau de chambre couvert de gros cercles bleus l'encouragea à chausser ses espadrilles violettes. Enfilant un short Adidas très court, une camisole rouge et un bandeau de ratine de la même couleur, elle prit quelques minutes pour passer à la salle de bain avant de s'éclipser à l'extérieur de la maison. Le regard perdu sur le fleuve calme, la femme sourit paisiblement. Impatient, Joe la regardait avec espoir.

— Je vais aller trop loin pour toi, mon pitou ! Mais viens, on va aller dire bon matin à Paul.

Enthousiaste, le labrador fila dehors à peine la porte de la maison entrouverte. Marjolaine le laissa aller en pensant à la surprise de son père, qui n'avait toujours pas reconnu que le chien de sa fille lui plaisait quand même pas mal. Elle avait surpris Paul à quelques reprises en train de dialoguer avec le chiot, mais chaque fois, il marmonnait qu'elle entendait des voix! La sportive du matin se dirigea lentement vers le chalet, en regardant la rosée s'agglutiner sur le dessus de ses espadrilles. C'est sans étonnement qu'elle aperçut son père, le regard fixé sur les moutons du voisin qui broutaient dans son champ. Il était toujours levé à l'aube. Joe attendait au pied de l'escalier de bois l'autorisation de grimper les marches.

— *Hop!* mon chien. Salut, mon papounet, dit la femme d'une voix douce.

— Oh... Marjolaine.

C'est tout. Pourtant, dans son regard bleu pâle, qu'il tourna vers sa fille, se lisait toute la détresse du monde. Marjolaine connaissait cet air perdu qu'il avait en ce moment pour l'avoir observé, chaque fois qu'il posait les yeux sur les photos de ses enfants. Même si Stéphane lui manquait autant que le jour de son accident, Marjolaine refusait de laisser cette émotion l'envahir en ce moment.

— Je vais courir.

— Ah bon. Tu fais bien. Si j'étais capable, je te suivrais.

Il n'ajouta rien de plus avant de prendre une gorgée de café. Puis, se retournant vers sa fille :

— Demain c'est le 10 juillet.

— Je sais papa.

— Ça va faire cinq ans.

— Je sais.

Sentant les larmes monter à ses yeux pas encore tout à fait ouverts, Marjolaine inspira profondément avant de se détourner. Le lendemain marquerait le triste anniversaire de la mort de son grand frère. Elle n'avait pas envie d'y penser, de rager en se souvenant de cette journée qui avait signé l'éclatement de leur famille telle qu'elle l'avait toujours connue. Elle reporta son regard sur le visage tendu de son père avant de se pencher pour lui baiser la joue. Ce faisant, elle plissa le front avec étonnement.

— Tu as réparé tes lunettes. C'est.. c'est quoi ça, papa?

Marjolaine s'approcha du visage de son père et écouta l'explication qu'il lui lança fièrement.

— J'ai pris un bout d'efface que j'avais. Je l'ai piquée pour remplacer le coussinet, puis tu vois, ça fait le travail!

— Papa, ha ha ha!

Amusée, la jeune femme pointait le bout rond de la gomme à effacer rose et tentait de dire quelque chose, mais chaque fois que son regard se posait sur l'objet, elle riait. Son père avait quand même raison: sa monture était à peu près droite et, au moins, il n'avait plus de marque rouge sur le nez. Soulagée du répit dans leur peine que ce fou rire avait apporté, elle le serra dans ses bras avant de dire:

— Bon, j'y vais.

— Bonne course.

Paul se retint de lui dire d'avoir une pensée pour sa sœur Sophie. Pour elle aussi, cette journée devait avoir été la plus affreuse de sa vie. Mais il savait trop bien la colère qui accueillerait un tel commentaire. Alors il laissa ses yeux glisser sur le fleuve pour se replonger dans ses souvenirs…

༄

– Calgary –

À l'autre bout du pays, dans sa chambre miteuse, Sophie jeta un regard hésitant sur la dernière lettre qu'elle avait reçue de la part de son père. Depuis un mois, elle ne l'avait pas encore ouverte. Incapable de dormir, elle tournait en rond dans sa cuisine.

En pleurant, elle fixa la date sur le calendrier fixé au mur, laissant glisser son index sur le papier glacé.

— Demain, le 10 juillet. Ça va faire cinq ans que j'ai pas vu mon papa.

Et si les nouvelles étaient mauvaises ? Il lui fallait le savoir. Cigarette aux lèvres, la grande femme aux longs cheveux noirs avait le même visage étroit que sa cadette de trois ans. Une lassitude se dégageait de tout son être à chacun des regards qu'elle posait sur son logis minable. Elle décacheta lentement l'enveloppe et se mit à lire avidement, elle qui s'était retenue depuis si longtemps de prendre connaissance des lettres de son père. Elle savait qu'il avait quitté son travail, que sa sœur s'était mariée, parce qu'elle posait des questions, parfois, à d'anciens collègues de Québec avec lesquels elle avait gardé contact. Si un malheur s'était abattu sur ces deux êtres, Sophie voulait croire qu'elle aurait eu le courage de retourner les voir. Mais heureusement, depuis cinq ans, depuis son départ, leur vie semblait se dérouler paisiblement. Sophie laissa échapper un soupir de dépit en déposant la lettre sur sa table bancale.

— J'ai mon voyage ! murmura-t-elle. Pendant que je me morfonds ici, ma sœur hérite d'une grosse cabane sur une île !

Elle écrasa son mégot dans le cendrier sur pied qui débordait, avant d'étirer sa longue silhouette fine. Avec lassitude, elle s'avança vers sa fenêtre étroite qui donnait sur l'une des pires rues de la ville albertaine. La pluie qui tombait depuis la veille n'aidait pas à améliorer l'humeur de la femme de vingt-neuf ans, qui prit sa décision sur-le-champ.

— Je vois pas pourquoi je continuerais à vivoter ici pendant qu'eux autres font la belle vie dans une maison de rêve. Je me suis assez punie. Puis ma sœur, bien elle a juste à pas me parler, c'est pas pour elle que je le fais.

Au début de la matinée, après une fin de nuit sans sommeil, la noire empoigna donc le téléphone après avoir trouvé le numéro qu'elle cherchait dans l'annuaire de la ville.

— *Hello, yes, I'd like to book a flight for Quebec city as soon as possible please. Yes I'll wait, thank you*[3].

Dès que Marjolaine se mit à trottiner dans le chemin pour se rendre à la route de terre, son esprit fit abstraction de la conversation qu'elle venait d'avoir avec son père et un doux bien-être l'envahit. En sortant de son entrée, elle avertit Joe :

— Tu restes ici, mon pitou ! Pas question que tu me suives.

Le chien branlait la queue en jappant, espérant que sa maîtresse l'amènerait avec elle. Mais son doigt sévère dirigé vers lui lorsqu'il fit mine de lui emboîter le pas le fit changer d'avis. Il retourna donc s'installer sur la galerie de Paul afin de lui tenir compagnie. Le vieil homme posa son regard triste sur la bête, qui déposa sa gueule brune sur l'un de ses pieds. Si Marjolaine ne voulait pas de lui, il trouverait bien quelqu'un d'autre pour l'apprécier !

— Pour ma première course sur l'île, songea Marjolaine, je vais essayer d'aller jusqu'au dispensaire. Mais un jour, je vais essayer de me rendre au Bout d'en-Bas ! continua-t-elle en fixant le long chemin de terre brunâtre devant elle. Huit milles, c'est pas la fin du monde !

Quelques secondes plus tard, elle courait, les écouteurs mauves sur ses oreilles en regardant toutes ces habitations colorées qui

3 Bonjour, oui j'aimerais réserver un vol pour la ville de Québec le plus tôt possible, s'il vous plaît. Oui, je vais attendre, merci.

s'étalaient de part et d'autre de la route. La maison jaune et verte des Vézina et leur fumoir double, la petite école bleue du Bout d'en-Haut et son hangar dans lequel étaient entreposés les vieux pupitres et les équipements pour le hockey. Un peu plus loin, elle aperçut avec étonnement le jeune Justin, qui s'éloignait à toute vitesse sur son trois-roues.

— *Tabarnouche*, il est de bonne heure sur le piton! Pour moi, son père l'a obligé à aller donner un coup de main à quelqu'un ce matin.

Son père, Anatole, un vieil homme délicat de soixante-dix ans, sa mère Constance, ses deux sœurs Marie-Noëlle, trente-cinq ans, et Marguerite, trente ans, ainsi que leurs maris et leurs cinq enfants vivaient tous dans la même grosse maison turquoise, à l'autre bout de l'île. Il y avait aussi sept autres filles exilées sur le continent qui revenaient à l'occasion visiter la famille. Lorsqu'elle avait rencontré ce jeune adolescent rondelet après qu'il lui eut apporté son chien, Marjolaine avait rigolé de le voir essayer d'attacher les lacets de ses grosses bottes. Puis Gaspard l'avait sermonnée sévèrement :

— Voyons, Marjolaine, ris pas des difficultés de Justin!

— Hein? Je pensais qu'il niaisait…

La jeune femme avait alors constaté que le pauvre adolescent n'était même pas capable de nouer les cordons malgré tous ses efforts et sa langue sortie. Piteuse d'avoir ri, elle s'était avancée vers lui pour l'aider.

— Attends, laisse-moi faire!

— Oh bien *câline*! Ok d'abord! Ma mère veut jamais m'aider!

Mais aussitôt, le jeune avait regretté d'avoir laissé la jolie femme s'agenouiller devant lui. Il avait prié de toutes ses forces pour que son pénis reste gentiment caché dans sa tanière! Le contraste entre les paroles enfantines et le corps costaud laissait souvent les étrangers perplexes. Mais à force de côtoyer le jeune Castonguay, les citadins s'étaient bien rendu compte des limites intellectuelles de ce dernier.

— Je peux t'aider, si tu veux… offrait-il à Roseline lorsqu'elle éprouvait de la difficulté avec son tracteur tondeuse.

— Laisse faire, mon Justin, la dernière fois, tu as défoncé le mur de mon poulailler.

— Ouin… c'est vrai, hein?

ou

— Donne-moi ta liste de commissions, Lionel, puis je vais m'occuper de ça!

— Oublie ça, mon garçon, j'ai eu ma leçon! Quand tu feras la différence entre du pain croûté puis du pain tranché, on s'en reparlera!

Ce n'est pas que les insulaires n'avaient pas de cœur. Mais à force de constater les gaffes du pauvre Justin, ils éprouvaient un peu moins l'envie d'avoir recours à ses services. Pourtant, il était heureux d'offrir son aide, comme un enfant était heureux devant un trou d'eau ou un carré de sable.

— Quand on pense que c'est leur seul fils! répétaient les Verdoyants en plaignant les pauvres parents de Justin. En effet, cet unique héritier mâle était arrivé bien longtemps après ses neuf sœurs. Ses parents, âgés de cinquante-trois et quarante-cinq ans à l'époque, s'en étaient réjouis. L'adolescent de dix-sept ans ne fréquentait plus l'école depuis longtemps et mettait toujours deux fois plus de temps que tout le monde à comprendre des directives.

— Il va falloir que tu écoutes mieux, mon Justin, cette année, avait prévenu Victoire Dionne lorsqu'elle avait offert au jeune de faire ses livraisons pour la saison estivale. C'était un deuxième été de labeur pour le lambin. La femme avait pitié de son amie Constance, la mère du garçon.

Emballé à l'idée de ne pas avoir son fils dans les pattes pendant l'été, Anatole Castonguay l'avait «formé» pendant près d'une heure, en lui faisant répéter les plus simples consignes. L'année précédente, les erreurs de son fils avaient fait parler et rire sur l'île une bonne partie de l'été. Le vieux père de famille espérait que ses conseils judicieux l'aideraient cette fois à faire une meilleure *job*.

— Tu dis: «Voici votre commande.» Après, tu demandes où tu dois la laisser.

— Laisser quoi?

— La commande. Puis là, tu prends l'argent.

— Ils me donnent de l'argent?

Patient, le père n'avait pas cessé d'expliquer encore et encore à son fils les étapes du processus de livraison. Tant et si bien que lors de sa première journée de travail, au début du mois de juin, Justin était parti fort confiant pour livrer deux gros sacs de farine et deux livres de café à matante Minou, avant de s'apercevoir qu'un des sacs était tombé sur le côté dans sa remorque et s'était éventré. Pendant quelques jours, les insulaires qui faisaient la route entre le magasin et la maison verte d'Hermine eurent l'occasion de voir la trace blanche qu'avait laissée la poudre en se déversant sans interruption. Marjolaine et Philippe ne fréquentaient pas beaucoup cette famille qui habitait l'autre bout de l'île. Avec leur projet de gîte, leurs rénovations et le jardin, le jeune couple se contentait de voisiner Marc-André, Marie-Laure et Gaspard. Et Roseline Lamothe!

— *Câline* que ça fait du bien! murmura la coureuse en inspirant à pleins poumons.

Malgré tous ses efforts, Marjolaine n'arrivait pas à chasser de son esprit sa dernière chicane avec sa sœur Sophie, qui avait eu lieu le 10 juillet 1975, quelques heures après l'accident de Stéphane. Elle revoyait le visage buté de son aînée et son gros sac à dos rempli à craquer.

— Tu es sérieuse, là? Tu nous laisses tomber comme ça?

— Pas le choix! Les yeux d'ébène de son aînée l'avait fixée froidement derrière sa longue frange noire. De toute manière, tu m'en veux pour mourir, viens pas me dire le contraire!

— Mais tu es donc bien sans-cœur, Sophie Lalonde! avait hurlé Marjolaine, le visage rougi par les larmes. J'ai mon *maudit* voyage! Toute ta vie, tu as joué avec celles des autres sans te soucier des conséquences. On a bien vu ce que ça a donné avec Stéphane. Moi, que tu restes ici ou que tu t'en ailles, ça me fait ni chaud ni froid. Tout ce que tu as fait depuis notre enfance, c'est prendre ce qui m'appartenait. D'abord mes jouets, puis mes amis, mes amoureux... puis là, la vie de mon frère.

Sanglotante, pleurant la perte de Stéphane, la crainte de devoir de nouveau prendre soin de Paul, Marjolaine avait crié à sa sœur, qui s'éloignait sur le trottoir:

— ...mais PAPA, LUI... PAPA...

Sa voix s'était brisée devant la silhouette qui s'éloignait en vitesse et son ton avait ressemblé à celui d'une enfant lorsqu'elle avait continué à voix basse:

— ...papa, lui, vient de perdre son gars. Me semble que tu pourrais rester pour lui, pour l'aider à passer au travers des funérailles...

Mais Sophie s'en était allée sans se retourner. Depuis ce temps, la rancœur sommeillait dans le cœur de sa cadette, qui ne voulait plus jamais la revoir. La relation avait toujours été difficile entre les sœurs après la mort de leur mère. Enfant, la plus jeune avait été la raisonnable, l'optimiste, la responsable. Son aînée aimait s'amuser, sortir, boire, fumer. Quand leur mère était tombée malade, ça avait été pire. Il n'était pas rare qu'elle disparaisse pour une nuit ou deux alors qu'elle n'avait que seize ans. La première fois, ses parents, Marjolaine et même Stéphane avaient fait des appels chez les amies de Sophie dans l'espoir de la retracer. Et puis, au petit matin, elle était revenue à la maison la mine brouillée, les vêtements fripés sans aucune excuse autre que :

— Désolée, papa, désolée, maman, je me suis endormie chez Benoit.

Marjolaine avait ragé de voir son pauvre père, lui-même détective privé, qui avait été incapable de trouver sa trace, tenter de cacher sa peine de ne pas avoir été avisé par sa fille. À l'époque, la maladie de sa mère avait déjà commencé à l'affaiblir et elle n'avait que souri faiblement en faisant promettre à sa fille de ne pas recommencer. Paul, lui, avait demandé :

— La prochaine fois, Sophie, peux-tu m'appeler, s'il te plaît ?

— Puisque je te dis que je me suis endormie. On va pas en faire un drame ! Bon, je vais me recoucher…

— Et l'école ?

— Bof, il y avait rien d'important aujourd'hui.

Les années n'avaient guère amélioré les choses, Sophie ne rendant de comptes à personne. Elle passait d'un garçon à l'autre sans se préoccuper de la peine qu'elle laissait dans son sillage. Combien d'adolescents en pleurs s'étaient lamentés sur le perron des Lalonde, croyant que la belle noire leur était destinée ? Stéphane, Marjolaine et Paul les retournaient chez eux sans trop d'explications autres que la « jeunesse » pour justifier aux amoureux éconduits les gestes de la belle. Puis le peu de liens qui existaient encore entre les sœurs avait été fracturé par le drame survenu cette soirée-là, cinq ans plus tôt.

Marjolaine fixa la route de terre devant elle pour reprendre le contrôle de ses émotions. Chaque fois qu'elle accordait une pensée à Sophie, elle s'en voulait. Elle accéléra le rythme pour chasser la vision de leur dernière dispute. Fière d'elle, Marjolaine dépassa une maisonnette occupée par des citadins, la fin de semaine seulement. Malgré la lourdeur qu'elle ressentait dans ses cuisses et les battements trop rapides de son cœur, Marjolaine continua sa course en tentant d'amoindrir son martyre en jouissant de la vue qui s'offrait à elle. Épuisée, elle se donna comme mission d'atteindre au moins l'église-centre communautaire puis de ralentir un peu avant de mourir. À chaque pas, la peine s'allégeait, son corps s'habituant à l'effort, et les bienfaits qu'elle ressentait la firent soupirer de soulagement. En passant devant une vieille maison orange, Marjolaine dut réprimer son envie de s'asseoir quelques secondes dans les marches de la belle grande galerie face au fleuve.

— Allez, la mère, encore un petit effort, s'admonesta-t-elle. Le bruit de ses pas lui rappelait le bonheur de vivre dans ce lieu où elle pouvait courir en plein milieu de la route sans craindre de se faire écraser. Enfin, sauf lorsque Justin Castonguay avait une livraison à faire!

La vue du presbytère avec son toit en pavillon à quatre versants lui fit presque verser une larme de joie! À bout de souffle, Marjolaine se dirigea droit vers la bâtisse érigée à côté de l'église construite après l'incendie. Le bâtiment beige de deux étages était coiffé d'un toit à croupes percé de lucarnes et doté d'une longue galerie en façade. Les trois religieuses responsables de l'instruction des jeunes de l'île y vivaient en compagnie du curé, lorsque ce dernier venait donner la messe, un dimanche par mois.

— Enfin! Yé! J'ai presque réussi! se félicita Marjolaine en ralentissant le rythme. Elle voyait la maison blanche de Roseline, un peu plus loin, et continua à courir quelques pieds encore avant de changer d'idée. Le dispensaire serait pour une autre fois! Espérant de tout son cœur ne pas voir la femme sur le balcon, elle ferma les yeux quelques secondes. Sa nouvelle amie n'avait pas la langue dans sa poche et Marjolaine n'avait aucune intention de jaser de « madame chose » et de « monsieur bidule » à cette heure-ci de la journée. Sur sa droite, le fleuve endormi accompagnait sa course et, de nouveau, la brunette réalisa la beauté du lieu. Depuis quelques semaines, les églantiers en fleurs longeaient le chemin de terre presque du Bout d'en-Bas au Bout d'en-Haut. Leur parfum sucré et enivrant ravissait l'odorat et la couleur fuchsia comblait le regard. La semaine précédente, Roseline lui avait précisé que plus l'odeur était présente, plus les propriétés médicinales de la fleur étaient puissantes.

— Dans le temps, lui avait confié la blonde, les Amérindiens s'en servaient pour cicatriser les plaies, les brûlures et parfois même pour soigner les inflammations ongulaires.

Marjolaine avait froncé les sourcils n'ayant jamais entendu un tel mot :

— …des inflammations aux ongles?

— Aux ongles? J'ai pas dit aux ongles, j'ai dit ongulaires! avait grogné la courtaude.

Mais la citadine avait renchéri :

— Bien ongulaire ça existe pas, je pense, Roseline.

— Hein? Ah. Bien en tout cas, les Indiens s'en servaient pour les problèmes aux yeux. Pas aux ongles.

Son amie avait réfléchi quelques secondes avant d'éclater de rire.

— Voulais-tu dire oculaires peut-être, Roseline?

— Oculaires, ongulaires, je le sais pas, moi!

Marjolaine sourit à ce souvenir, même si chaque pas était une torture et qu'elle soufflait comme un bœuf.

— J'espè... re... que tout le... ouf... monde... dort.

Qu'est-ce qui lui avait pris, aussi, de se lancer hors du lit pour aller souffrir ainsi? Toute à sa douleur physique, elle en avait au moins oublié sa sœur.

— Pas vrai... ouf... ouf... que tu vas arrêter... ouf... ça, là, ma Marjolaine! Allez, un coup de pied... au... derrière...

Retournant près de l'église, la coureuse s'appuya contre la petite clôture ceinturant le cimetière, puis reprit lentement son souffle, avant de pivoter pour fixer sans pudeur la maison grise d'Adrien Ouimet, juste en face. Elle aimait sa façade de bois, découpée de six fenêtres à carreaux.

— C'est quand même une belle maison!

Sa curiosité l'emporta sur sa prudence. Pourtant, Gaspard et Marc-André les avaient gentiment avisés, Philippe, Paul et elle, à leur arrivée, que monsieur Ouimet ne voyait pas d'un bon œil la venue de citadins sur son île. Chaque fois qu'ils avaient croisé le vieux, elle avait bien remarqué la sécheresse de son ton lorsqu'il s'adressait à eux.

— C'est pas des farces, on dirait qu'il va nous sauter dans la face, quand on le voit, grognait Marjolaine.

— Il est pas si pire, l'avait défendu une fois son mari avant d'être boudé pendant deux heures par sa femme.

Quant à Paul, chaque fois qu'il rencontrait l'aîné, il le saluait avec indifférence. L'avantage du père de Marjolaine était cette tolérance, cette patience légendaire face à la bêtise humaine.

— J'en ai vu dans ma vie, des idiots, rétorquait-il à sa fille lorsque celle-ci lui demandait comment il faisait pour ne pas se fâcher devant le manque de convivialité du vieux Ouimet. Puis c'est un peu normal, Marjolaine! On vient s'installer ici, alors qu'on avait jamais mis les pieds sur leur île avant...

— ...leur île, leur île! Ils l'ont toujours bien pas achetée *câline*!

La semaine précédente, alors que le jeune couple prenait une marche jusqu'à la maison de Lionel et Anémone, à moins de dix minutes de la maison rouge, l'homme les avait croisés sur le chemin et leur avait lancé un regard sévère avant de les prévenir:

— Prenez bien soin de cette maison. C'est un joyau sur notre île.

Marjolaine avait voulu l'interpeller, mais son mari l'en avait empêchée.

— Non mais sérieusement, il se prend pour qui, le bonhomme? Je vais lui dire ma façon de penser, moi!

— Tu feras pas ça, Marjolaine.

— Pourquoi pas?

— Parce qu'il est toujours poli malgré sa réticence envers nous. Là, on arrive sur son île et on va pas mettre la chicane partout. Oublie pas, en plus, qu'il fait partie du conseil à qui on doit demander la permission pour ouvrir le gîte. Donne-lui le temps, il va s'habituer à notre présence ici quand il va se rendre compte qu'on vient pas l'envahir avec nos idées modernes.

Un peu plus tard, son père avait renchéri:

— Pourquoi tu l'inviterais pas à venir voir la maison? Ça le rassurerait peut-être de réaliser qu'on fait des travaux qui ont bien de l'allure puis qu'on a gardé l'authenticité du lieu. Paul n'avait pas remarqué le coup d'œil que sa fille avait échangé avec son mari, qui avait songé à recouvrir le plancher de bois par un prélart plus pratique. Déterminée à ne pas se laisser intimider, Marjolaine traversa lentement le chemin désert.

— Pour une fois que je peux observer sa maison comme il faut, je vais pas me gêner, pensa-t-elle, les joues encore écarlates. Elle ferma son *walkman,* et ôta ses écouteurs le temps de son arrêt. Ses cheveux courts mouillés par la sueur étaient aplatis autour de son visage étroit. Ses joues rouges et ses yeux sans maquillage lui donnaient l'air d'une enfant. Elle observa la maison de deux étages avec attention, remarquant au passage l'énorme potager sur le côté, qui s'étirait jusqu'à la petite grange au fond du terrain. Elle s'approcha de la clôture de vieux bois afin de mieux voir les plants de légumes.

— Wow! Tout un jardin!

Les rangs alignés avaient été créés par l'insulaire à l'aide d'un judicieux entrelacement de cordes. Au moment de la plantation, il avait enfoncé des piquets dans le sol et avait noué des ficelles pour s'assurer d'avoir des rangées distancées également. Les couleurs vibrantes des laitues, les feuillages des légumes racines et les tomates bien mûres la faisaient saliver d'envie. Étirant distraitement le bras par-dessus la clôture fragilisée par le temps, Marjolaine posa la main sur une poignée de framboises bien rouges. Fermant les yeux avec délectation, elle les glissait sur sa langue lorsqu'un cri la fit sursauter :

— Hé toi, petite voleuse!

Au milieu de son jardin, les deux bottes plantées dans la terre meuble, le vieux Adrien Ouimet avait les mains sur sa pelle et affichait un air... outré!

— Bien voyons! marmonna Marjolaine en déglutissant avec peine.

Vêtu d'une salopette en jeans pas très nette et d'une casquette noire d'où dépassait sa longue chevelure blanche, l'aîné pointa

Marjolaine avec un doigt accusateur. Le cœur de la jeune femme avait recommencé à s'emballer dans sa poitrine. Il s'avança avec colère pour se placer à quelques pieds de la coureuse.

— Veux-tu bien me dire ce que tu fais à prendre le manger des autres sans le demander?

— Heu… c'est… juste… quelques framboises, murmura Marjolaine en sentant l'emportement l'envahir à son tour. Non mais, pour qui il se prenait, le fossile, pour l'interpeller ainsi et la traiter de voleuse?

Elle ne recula pas lorsqu'il sortit de son jardin pour s'avancer en boitant vers elle, en pointant toujours un doigt menaçant devant lui. Les deux opposants se trouvaient maintenant à moins d'un pied l'un de l'autre, séparés par la seule barrière de bois. À son tour, la jeune femme mit les mains sur sa taille en trépignant.

— Revenez-en, je vous les remettrai si c'est si grave!

— J'espère bien! Ici, sur l'île, on demande la permission avant de prendre les choses des autres.

Marjolaine allait le traiter de «vieux fou» lorsque le visage calme de Philippe surgit dans son esprit. Puis le regard pâle et respectueux de son père. Inspirant profondément, elle plissa ses yeux avec dédain, remit ses écouteurs, appuya sur le bouton de son baladeur et continua son chemin sans un regard derrière elle.

You are a Dancing Queen
Young and sweet, only seventeen
Dancing Queen[4]

---

4   *Dancing Queen*, paroles et musique: ABBA, 1976.

CHAPITRE 10

Une voleuse en colère!

La colère battait toujours aux tempes de Marjolaine lorsqu'elle vit quelqu'un la héler depuis la maison des Lamothe. Regrettant de ne pas avoir rebroussé chemin, elle ne put éviter d'attendre Roseline, qui s'empressa de descendre son escalier, vêtue d'une large jaquette. Il n'était pas encore sept heures, et déjà, la commère était à l'affût. Elle avança vers la coureuse du plus vite qu'elle le put, en pantoufles sur le chemin de terre. Ses deux plus jeunes, accroupies dans le gazon trop long, tentaient d'attraper un crapaud avec une pelle de jardin et une chaudière de métal. Les fillettes avaient la bouche pleine de confiture, remarqua Marjolaine en les saluant gentiment. Du coin de l'œil, elle vit son amie s'approcher en vitesse.

— Mon doux Seigneur, je vous ai entendus! Veux-tu bien me dire ce qui s'est passé? Adrien avait l'air en beau diable!

Marjolaine hésita avant d'enlever ses écouteurs. Mais le visage avenant de la femme corpulente invitait aux confidences et, sans plus attendre, la jeune brune la suivit sur sa galerie ensoleillée. De l'autre côté du chemin, un peu plus loin, Adrien continuait à travailler dans son jardin, en maugréant contre le manque de respect du monde de la ville. La coureuse sourit à Hélène, qui lui apporta un grand verre d'eau bien fraîche tout en zieutant la tenue sportive de la citadine. Chaque fois que l'adolescente côtoyait la belle, elle se prenait des notes mentales concernant son habillement. Ensuite, elle grimpait dans sa chambre, où elle s'empressait d'écrire en détail les vêtements portés par Marjolaine dans un vieux cahier Canada. Un jour, elle pourrait sûrement s'en servir pour se monter elle aussi une belle garde-robe. En attendant, la fille aînée de Roseline prit place dans les marches de sa maison en essayant de se faire le plus discrète possible. Parfois, elle se disait que la jolie brune réaliserait sûrement à quel point sa mère était insipide et alors, elle disparaîtrait de leur vie comme elle y était apparue. Donc, prévoyante, Hélène notait!

— Raconte-moi donc votre chicane, je vais te dire ce que j'en pense.

Si elle avait réfléchi un peu plus, peut-être que Marjolaine se serait retenue, mais… cet homme avait le don de la faire disjoncter.

— Puis là, parce que je lui ai piqué quelques framboises, il grimpe dans les rideaux!

— Il faut que tu saches que mon voisin aime vraiment pas les étrangers, ma pauvre Marjolaine. Veux-tu un bon café puis des bonnes crêpes aux bananes? Hélène va s'en occuper, hein, ma fille? demanda la nouvelle rousse, blonde, brune.

En effet, après avoir un peu tergiversé, la mère de famille était passée à l'action et avait pris rendez-vous chez Victoire Dionne l'avant-veille. Munie d'un sac de découpures de revues, elle avait expliqué avec moult détails la coupe qu'elle voulait. Ce qui donnait une chevelure coupée aux oreilles avec une frange un peu croche plus pâle que le reste. La coiffeuse avait aussi *permanenté* la toison de Roseline, qui portait maintenant des boudins frisés serrés. Très serrés. Coquettement, avant d'entrer dans sa grande maison, elle se tourna vers son amie :

— Puis, qu'est-ce que tu en penses ?

— Hein ? De quoi ?

Roseline rosit un peu en mettant sa main boudinée sur ses boucles crépues.

— Ma nouvelle couleur et ma coupe ?

— Heu...

Tout ce que Marjolaine avait comme image en tête, c'était le gros caniche royal que son oncle Louis avait eu dans son jeune temps. L'espoir dans les yeux bleus de Roseline était cependant si grand que la plus jeune esquissa un large sourire avant de la rassurer :

— Très joli ! Ça te va très, très bien !

La mère de famille continua vers la cuisine en ayant l'impression de voler. Son amie de la ville trouvait qu'elle avait un beau genre, elle pourrait bien s'en vanter un peu. Pendant les longs mois qu'elle passait seule sur l'île, Roseline n'avait guère l'occasion de recevoir de compliments. Au mieux, on la félicitait pour ses tartes et confitures qu'elle vendait au magasin général. Mais pour son apparence, seul son beau Edmond la louangeait à profusion dès qu'il était en permission. Elle eut soudainement l'impression de s'être fait une amie pour la vie. Hélène, sceptique, regarda directement Marjolaine pour une rare fois, mais celle-ci lui fit un sourire franc sans une ombre d'hypocrisie.

⤺

Une heure plus tard, Marjolaine tourna dans l'entrée de sa maison écarlate, accéléra le pas, grimpa l'escalier extérieur maintenant solidifié et s'engouffra dans la cuisine d'un pas empressé.

— Coudonc, ma fille, as-tu rencontré un ours ? demanda Paul à quatre pattes derrière le poêle pour colmater un trou dans le sol.

— Pareil ! Adrien Ouimet !

— Qui ?

— Le vieux aux cheveux longs.

— Oh et puis ?

— Puis c'est un fou, ce bonhomme-là. Faudrait le faire enfermer !

Sans attendre la réplique de son père, qui la fixait avec incompréhension, elle monta l'escalier en vitesse. Après une courte douche, Marjolaine sécha ses boucles, ourla son regard de mascara noir et enfila son chandail bedaine vert et son short en jeans préféré. Avant que Philippe ne se lève, elle s'empressa de faire jouer son disque préféré sur la table tournante. Lui aimait les groupes de rock : Supertramp, Genesis, Pink Floyd... Elle, les chanteurs français romantiques : Julien Clerc, Johnny Hallyday et surtout Joe Dassin. Elle connaissait toutes les paroles de ses chansons par cœur et ne se gênait pas pour les hurler :

Taka ta ta ka ta ta ka ta ta
J'entends mon cœur qui bat[5]

Marjolaine pouvait l'imaginer sur une grande scène tout vêtu de blanc, se déhanchant au son de la musique. Tentant d'oublier la chicane qui l'avait opposée au vieux Ouimet, la jeune femme ferma les yeux. Mais c'était peine perdue ! Après sa deuxième tasse de café, elle n'y tint plus. Convaincue que son mari irait

---

5　*Taka takata (La femme du toréro)*, paroles originales et musique : Al Verlane, adaptation française : Claude Lemesle et Richelle Dassin, 1972.

dire deux mots en pleine face d'Adrien afin de la défendre, elle lui raconta sa mésaventure d'une voix insultée. Philippe et Paul, sans se concerter, firent le même commentaire :

— C'était ses framboises, Marjolaine !

— C'est à lui, les framboises, Marjolaine !

La jeune femme ne prononça plus un mot, son visage fermé en disant long sur ce qu'elle pensait de leur réaction. Après une longue réflexion, elle déposa sa tasse dans l'évier de la cuisine et s'approcha de Philippe, assis dans la berçante. Il était occupé à rouler ses cigarettes, une tâche qu'il prenait très au sérieux. Elle posa ses mains aux ongles manucurés sur les bras de sa chaise et avança son minois à quelques pouces du barbu.

— J'ai mangé quelques framboises du potager de monsieur, des fruits qui, soit dit en passant, dépassaient de sa clôture et se trouvaient sur le chemin, qui appartient à tout le monde. Penses-tu que je devrais me dénoncer à la police ou tu vas le faire toi-même ? Va donc au diable, Philippe Caron !

L'époux amoureux, torse nu, posa ses yeux verts sur le visage enflammé de sa douce avant de s'allumer une cigarette parfaite. Il tira une longue bouffée en savourant ce premier plaisir du matin.

— Tu as volé ses framboises, oui ou non ?

Marjolaine serra ses lèvres charnues l'une contre l'autre et plongea son regard assassin dans celui de son mari. Paul ne pouvait s'empêcher de remarquer à quel point les emportements soudains de sa cadette ressemblaient à s'y méprendre au comportement orageux de Sophie. Dans le fond, elles n'étaient pas si différentes, ses deux filles... juste incompatibles !

— Marjolaine, peux-tu prendre... ? commença le vieux, un genou sur le sol.

Le visage crispé sous l'affront, la brunette lança, sans un regard pour son père :

— Oh… oh, laissez donc faire !

…avant de claquer la porte à moustiquaire derrière elle. La femme descendit l'escalier en vitesse pour se diriger vers le bout de leur terre qui surplombait le fleuve. Bredouillant face au vent contre les injustices, les malcommodes et les bornés, Marjolaine vira de bord et courut chercher sa bicyclette. La jeune femme n'avait qu'une envie : s'asseoir sur les crans pour laisser la nature l'apaiser. Sur la dernière marche de l'escalier, son chien jappa en frétillant la queue.

— Ok, Joe, viens-t'en ! Au moins, toi, tu me comprends !

Un étau serrait le cœur de Marjolaine. Elle s'apercevait que ses réactions au contact d'Adrien Ouimet ressemblaient à celles qu'elle avait quand sa sœur Sophie agissait de manière irresponsable. Et cela ne lui plaisait pas. Pas du tout.

— Pas vrai que je vais laisser ce vieux pépère gâcher ma vie sur MON île ! ragea-t-elle de manière enfantine avant de sauter sur son siège pour grimper vers le chemin.

⤸

Deux jours après le cinquième anniversaire de la mort de son fils, un bonheur indescriptible avait envahi Paul lorsqu'il avait mis la main dans la boîte aux lettres en bordure du chemin. Depuis une semaine, il n'arrêtait pas de réfléchir, le cœur en liesse.

— Le plus difficile, pensa le vieil homme en brassant son café, c'est de le cacher à Marjo.

Étirant la main, il prit la lettre de sa fille Sophie et sortit sur sa large galerie, sa tasse à la main. Paul relisait pour la troisième fois du matin la missive de son aînée. Les battements dans sa poitrine se conjuguaient à la moiteur de ses paumes pour exprimer son émotion. Seul face au fleuve, il laissait les larmes couler sur ses joues fripées.

Bonjour papa,
J'ai pris la décision de revenir au Québec. J'aimerais aller te voir à ta nouvelle maison, mais j'ignore si ma sœur voudra me recevoir. Si tu ne me téléphones pas au 418 323-9090, je comprendrai que tu n'as pas envie de me voir après toutes ces années. Je serai de retour au Québec d'ici quelques semaines.
Je t'embrasse fort,
Ta Sophie

— Ta Sophie, murmura l'homme, qui ne savait s'il devait se réjouir ou craindre la visite de sa fille aînée, qui culminerait assurément par une chicane avec sa sœur.

Jamais il n'aurait pensé que celle qu'il n'avait plus revue depuis la mort de Stéphane, cinq ans auparavant, voudrait revenir près d'eux. Elle n'était même pas restée à Québec pour les funérailles de son frère. Engoncés dans leur souffrance, Marjolaine et lui s'étaient appuyés l'un sur l'autre en imaginant leur vie sans ce garçon timide d'une grande sagesse. Lorsque le médecin leur avait annoncé qu'il n'y avait plus rien à faire pour sauver Stéphane, Paul s'était écroulé contre le mur, incapable de pleurer tant sa peine était profonde. Cette perte était contraire au sens de la vie avait-il aussitôt compris, amputé à jamais d'une partie de son cœur. Il avait eu peur de retomber dans une profonde dépression, mais les grands yeux souffrants de sa cadette l'en avaient empêché. Lorsqu'il avait regardé Sophie, blanche comme les corridors impersonnels de l'hôpital, il avait levé la main pour la retenir. Mais déjà, dans ses yeux d'ébène, il avait lu la fuite.

— Jamais je reviendrai vous voir ! Jamais, tu m'entends, avait hurlé Sophie sur le balcon de leur maison le jour de son départ.

— Bon débarras ! avait crié à son tour Marjolaine, alors que lui, Paul, était resté abasourdi par la violence de l'échange entre les sœurs qui s'était terminé par la désertion de la plus vieille.

Dans le trio d'enfants auquel il appartenait, Stéphane avait toujours réussi à agir comme un tampon entre les deux autres. Il tempérait la plus vieille, calmait la plus jeune. Sa mort avait créé une onde de choc encore plus intense que celle de leur mère. Emma avait été malade si longtemps que son décès avait signé la fin de ses douleurs et un certain soulagement chez les survivants. Mais son fils, qui n'avait jamais eu d'amoureuse, qui n'avait pas terminé son cégep en littérature, avait encore toute la vie devant lui.

Quand Paul avait fouillé machinalement dans la boîte aux lettres turquoise, il venait juste de finir sa conversation somme toute fort amicale avec Adrien Ouimet, qui s'était arrêté au chalet lorsque Paul lui avait fait signe sans vraiment réfléchir. Lorsque le vieil insulaire s'était approché avec suspicion, le père de Marjolaine avait reconnu :

— Je pense que ma fille et vous manquez d'atomes crochus !

Le vieil ermite l'avait regardé étrangement, avant de jeter un coup d'œil sur la maison rouge. Puis, mettant son pied sur la clôture de bois, il avait haussé ses frêles épaules. Son visage ridé s'était éclairé d'un rictus édenté :

— C'est ta fille, ça, la petite furie qui vole mes framboises ! constata-t-il.

— Heu...

— J'ai eu bien du *fun* à la faire fâcher, celle-là! Une vraie lionne! Tu aurais dû lui voir la face quand je l'ai *pognée* la main dans le sac. C'est vrai que je la trouvais pas gênée, mais j'en ai mis un peu quand même!

Repoussant ses longs cheveux blancs derrière ses oreilles, Adrien avait ajouté sur le ton de la confidence:

— Mais... garde ça entre toi puis moi! Je veux qu'elle me les remette, mes framboises. Elle me l'a promis, je les attends.

Paul n'avait pu retenir un fou rire à son tour, sans savoir que la complicité naissante entre les deux vieux faisait rager sa fille, qui les espionnait depuis la maison. Le père de Marjolaine avait promis de ne rien dire, avant de plonger la main dans la boîte aux lettres de manière automatique. Puis l'enveloppe pêche avec l'écriture reconnaissable entre toutes lui avait fait palpiter le cœur.

— Mon doux que je m'ennuie d'elle...! murmura-t-il doucement en humant l'air salin.

Le 10 juillet était venu, puis passé sans que ni Marjolaine ni Paul n'en reparlent. Ils avaient tous les deux en tête la soirée d'horreur vécue en 1975, alors qu'ils attendaient des nouvelles de Stéphane, en salle d'opération. Puis, au bout de plusieurs heures, un seul signe désolé du chirurgien avait anéanti leurs espoirs.

— Elle l'a tué! avait simplement affirmé la cadette en fixant les portes battantes par lesquelles sa sœur ne repasserait jamais. Elle a tué Stéphane!

Retournant à l'intérieur pour sa sieste matinale, Paul ouvrit machinalement son poste de radio. La voix sérieuse de Sandy Burgess envahit la petite cuisine.

— C'est sous le signe du boycott américain que s'ouvrent aujourd'hui les Jeux olympiques d'été, à Moscou. «Ce boycott s'inscrit dans un ensemble de mesures visant à protester contre l'invasion de l'Afghanistan par les troupes soviétiques, en décembre 1979*.» Outre les États-Unis d'Amérique, plus d'une quarantaine de pays ne délégueront pas d'athlètes à cette grande célébration du sport amateur. Le Canada, à l'exemple de son voisin du sud, n'aura pas de représentants pour la première fois dans l'histoire des Jeux.

Songeur, Paul secoua sa tête blanche. «Le monde va mal!», pensa-t-il juste avant de déposer ses lunettes sur sa petite table de chevet. Il réfléchit à la meilleure façon d'annoncer la visite de Sophie à sa fille cadette avant de sombrer dans un sommeil profond. Rien de mieux qu'une petite demi-heure de repos chaque matin pour lui permettre de vaquer efficacement à ses occupations par la suite. Il serait toujours temps de trouver une explication pour Marjolaine. Pour l'instant, son vieux corps était fatigué!

~

— Tu es certaine que tu veux pas venir? demanda Philippe à sa femme.

Le couple venait de terminer de souper et le barbu mettait la touche finale à sa tenue vestimentaire. Pantalon de noce noir avec fines rayures blanches, chemise blanche et petit foulard noué autour du cou. Il grimaça en se regardant dans le miroir.

— Me semble que c'est un peu trop, non?

— Arrête, c'est parfait! Les vieux trouvent ça important, l'habillement, répliqua Marjolaine tout en se disant que cette affirmation n'était peut-être pas aussi juste sur l'Île Verte. Mais peu importe, la situation exigeait la perfection. Et en regardant son époux, long, mince, bien coiffé, avec sa chevelure nouée sur la nuque, la femme sentit de nouveau son cœur fondre.

— *Câline* que tu es beau, mon amour !

— Merci bien, madame. J'espère que ça nous aidera et je vous retourne le compliment.

Philippe chaussa ses beaux souliers de cuir verni noir, enfila son veston et, juste avant de quitter la maison, demanda une dernière fois :

— Certaine ?

— Certaine. Je suis bien trop nerveuse, puis je vais me *pogner* avec les vieux rétrogrades. Toi, tu sais comment leur parler !

Philippe s'avança jusqu'au *papasan*, prit le petit visage entre ses paumes et baisa le nez rousselé de sa douce.

— Je te promets de revenir avec leur accord, ma perle. Promis !

Il mit la main sur la poignée de porte sous le regard impatient de Joe. Le pauvre chien en fut quitte pour une tapoche sur sa belle tête brune.

— Pas ce soir, mon Joe. J'ai pas le temps de prendre une marche avec toi !

Juste avant que Philippe ne sorte de la maison, Marjolaine sauta sur ses pieds et chuchota :

— Peux-tu leur dire que ça s'appellera *Au chant des marées* ?

Son mari plongea son regard vert sur son visage délicat.

— *Au chant des marées ?*

— Aimes-tu ça ? J'aimerais que ce soit le nom de notre gîte.

— J'adore ça ! *Au chant des marées*, ce sera !

Alors Philippe quitta la maison, songeur devant la tâche qui l'attendait. En peu de temps, l'Île Verte était devenue leur refuge. En peu de temps, la plupart des insulaires les avaient adoptés.

— Finalement, ils sont pas si pires, les gens de la ville.

— On gagne à les connaître, les citadins.

Quelques aînés entretenaient toutefois encore des inquiétudes face à l'arrivée du trio. Ce qui tracassait d'ailleurs Philippe en cette soirée fort importante pour leur avenir. Il avait beau faire montre d'une grande assurance en présence de sa femme, en vérité, il était loin de la ressentir. Pour convaincre les membres du conseil de l'île, il devait dépasser sa réserve habituelle et faire preuve d'audace. À présent que la maison rouge était de nouveau présentable, Marjolaine et lui pouvaient enfin commencer les démarches pour y ouvrir le premier gîte du passant de l'Île Verte.

— Je quitte pas le conseil de ce soir sans avoir obtenu leur appui, se promit-il en regardant le ciel.

∽

Quelques instants plus tard, Philippe pénétrait dans la petite école bleue où était réuni le conseil de l'île, au complet cette fois-ci. Victoire Dionne, qui avait manqué les dernières rencontres, avait insisté auprès de son mari pour qu'il s'occupe du magasin ce soir-là.

— Je suis bien trop curieuse de voir c'est quoi la demande du petit couple de la ville! avait claironné la femme aux cheveux gris avant de grimper dans sa vieille Toyota. Ici, il n'était pas nécessaire de doter les voitures d'une plaque d'immatriculation ni de changer les pneus deux fois par année. Personne ne s'inquiétait de suivre les règles en ce qui concernait ces *bazous* en fin de vie. L'ambiance était légère en cette belle soirée de juillet. Le maire Gaspard et les conseillers Marc-André, Victoire, Lionel, Adrien, Hermine et Roseline semblaient tous vouloir faire belle figure auprès du jeune Caron. Surtout Roseline, qui se targuait d'être la meilleure amie de Marjolaine sur l'île, si on exceptait

Marie-Laure, qui était plus «de la famille». La femme bien en chair fit d'ailleurs un large sourire enthousiaste à Philippe dès qu'il mit les pieds dans l'unique salle de classe. Le jeune homme sentait les regards vissés sur lui lorsqu'il s'avança pour serrer la main de son oncle.

— Pense pas que c'est parce que tu connais le maire que tu vas obtenir tout ce que tu veux, le jeune! Puis, c'est quoi, ces vêtements-là! On m'avait pas dit qu'il fallait être chic *astheure* pour venir au conseil! marmonna Adrien Ouimet, inquiet de la demande à venir. Hermine tapota le bras tendu de son vieil ami. Il tenait l'ordre du jour de la rencontre à la main et y avait souligné en rouge le point numéro 1.

1. Demande de modification de zonage pour le 16, chemin de l'Île.

Philippe se retourna pour toiser le vieux, qui fumait sa pipe en la cognant de temps en temps sur le coin du mur. L'homme était assis sur la chaise la plus proche de la fenêtre ouverte, la jambe étirée devant lui. Vêtu d'une chemise bleue trouée aux coudes et d'une veste à carreaux rouges et noirs, il avait tout de la caricature du vieil ermite vivant au fond des bois. Le barbu ne savait jamais comment aborder l'insulaire aux cheveux longs. Il tenta de sourire, mais son effort se mua en une étrange grimace d'inconfort devant le regard sombre qui le fixait. Il se concentra sur les visages ouverts des autres conseillers avant de prendre la parole, comme proposé par son oncle. Après une dizaine de minutes, l'atmosphère de la salle s'était transformée.

— Je peux vous garantir que nous allons nous porter garants des visiteurs qui viendront *Au chant des marées*...

— *Au chant des marées*? Qu'est-ce que c'est ça, cette niaiserie-là? demanda Adrien sans retirer sa pipe de sa bouche.

Gaspard leva une main ridée avant de la porter à son crâne nu. Chaque mois, les mêmes dissidences ; chaque fois, les mêmes objections. Peu importe ce qui était proposé, l'homme de la maison grise, qui était né sur l'île et ne l'avait jamais quittée après la guerre, s'opposait systématiquement à tout ce qui entraînait une once de transformation. Les champs devaient rester tels quels, les maisons ne pas changer de couleur, les herbages pour les agneaux ne pas être coupés… et surtout, les visiteurs ne pas rester plus longtemps qu'une journée. Sauf pour les membres des familles des insulaires, qui avaient le *droit* de prendre quelques jours de vacances auprès des leurs. Penché vers l'avant, le vieux attendait la réponse à sa question lorsque le maire le foudroya du regard.

— Adrien, laissons-le finir, s'il te plaît !

— *Pfff…* un hôtel… sur notre île !

Philippe leva les yeux au ciel en priant pour être capable de retenir son exaspération devant la mauvaise foi évidente du conseiller. Le vieux allait parler de nouveau, mais Victoire l'arrêta. La femme courte et bien enrobée évaluait déjà l'intérêt de voir des touristes fréquenter l'Île Verte. Son mari et elle étaient probablement les seuls à être en mesure d'apprécier cette grande possibilité offerte à leur île de s'enrichir.

— On pourrait être la deuxième île d'Orléans, se disaient-ils souvent. Si seulement les Verdoyants comprenaient que la venue des touristes sur notre terre serait juste profitable !

En plus du magasin général, des boucaneries et du chaland, le couple de commerçants songeait depuis quelque temps à ouvrir un petit casse-croûte où l'on servirait hot dogs et hamburgers pour satisfaire les fringales. Alors Victoire Dionne supposait que la venue de clients au gîte pourrait créer une demande pour ce genre de commerce. Elle posa sa main sèche sur l'avant-bras de Philippe.

— Bon, je récapitule votre demande, monsieur Caron. Vous désirez ouvrir un gîte du passant dans lequel vous loueriez trois chambres à des visiteurs de l'extérieur. Votre épouse, Marjolaine...

— Marjolaine, la voleuse... rétorqua en boudant Adrien Ouimet, alors que Philippe se levait lentement. Mais son oncle fit un geste apaisant et le jeune homme se rassit pour éviter un esclandre.

— ...fournirait des repas à vos invités. Tous les repas ? demanda-t-elle en tentant de prendre un ton détaché. Car s'il en était ainsi, elle ne voyait pas l'intérêt de son futur casse-croûte. Mais la réponse de Philippe la rassura.

— Bien, puisqu'il y a rien sur l'île...

— Comment ça, rien ? s'indigna Adrien.

— Je veux dire pas de restaurant. Oui, on offrira le déjeuner et le souper. Pour le dîner, Marjolaine pensait laisser les gens utiliser notre cuisine pour se faire des repas légers, comme des sandwichs. Parce qu'on veut pas être contraints de rester à la maison 24 heures sur 24 quand même !

Essayant d'adopter un air indifférent malgré l'excitation que cette réponse générait en elle, la femme de soixante ans reprit la parole sous les regards songeurs des autres membres du conseil. Matante Minou balançait sa tête de gauche à droite, indécise comme souvent.

— Ce serait pas dangereux d'avoir des étrangers qui couchent sur notre île ?

— En plein ce que je me disais, Hermine ! répliqua Adrien avec satisfaction. Tu m'enlèves les mots de la bouche, mon amie !

— Moi non plus, j'aime pas trop l'idée...

Lionel Vézina ne semblait pas apprécier la proposition plus que les deux autres aînés présents au conseil. Malgré tout, il n'avait pas l'énergie de l'acariâtre veuf. Quant à Roseline Lamothe, elle mâchouillait le bout de ses ongles en se demandant si cette idée pouvait lui permettre de faire un peu d'argent. Peut-être pourrait-elle vendre quelques pâtés au poulet au couple d'hôtes ? Depuis que son Edmond était parti, elle cherchait comment rajouter à la somme qu'il lui envoyait une fois par semaine. Elle ne voulait pas importuner son chéri avec ses problèmes, mais les M&M grandissaient à vue d'œil et bientôt, elle n'aurait pas d'autre choix que de traverser sur le continent pour leur acheter des pantalons pour l'école. Or la pauvre Roseline se demandait bien où elle trouverait l'argent pour ces achats supplémentaires ! Alors si la venue de touristes lui permettait de renflouer les coffres, certainement qu'elle donnerait son accord ! Victoire Dionne, déjà vendue à l'idée, continua toutefois sur sa lancée pour éviter qu'on ne la juge trop enthousiaste :

— Mais qu'est-ce qu'ils feront, vos clients, de leurs journées ?

— Des balades, de l'observation de la nature, des animaux. J'ai même parlé avec Pierre Michaud qui m'a montré tous ses squelettes d'animaux marins. Je lui ai suggéré d'en faire un petit musée* pour que les visiteurs puissent profiter de ses connaissances.

— C'est ça, vendons nos trésors, *bonyenne* !

— Adrien !

— Désolée, Hermine ! Mais ça me met en *tabarn…*

— Adrien !

L'homme fit un effort incommensurable pour retenir le sacre bien senti qu'il s'apprêtait à lancer. Ce duo d'anciens avait une bien drôle de relation !

— Finalement, poursuivit Philippe avec un sang-froid remarquable, je sais que la situation est nouvelle, mais je pense que ça pourrait vraiment être bénéfique pour tout le monde si on avait un peu de touristes sur l'île. Merci de votre écoute, je vous laisse maintenant prendre votre décision.

Il laissa échapper un long soupir le plus discrètement possible, lui qui avait retenu son souffle depuis le début de cet échange. Un silence pesant suivit son discours. Puis, Gaspard se releva lentement en posant son regard franc sur chaque membre du conseil, en s'attardant quelques secondes sur le visage fermé d'Adrien Ouimet.

— Si vous êtes d'accord, on te demanderait de sortir, Philippe, le temps qu'on en vienne à une décision.

— Oh... oui, bien sûr !

Le grand barbu n'avait jamais tant eu besoin de fumer de sa vie ! Roseline et Marc-André n'avaient pas dit un mot et le jeune homme avait senti moins de réticence de leur part. Dehors, il s'alluma une cigarette, malgré la sécheresse de sa gorge. Incapable de rester en place, il descendit l'escalier et se dirigea vers l'est, sur le chemin de l'Île. Il marchait, la tête en l'air, pour évacuer la tension de la dernière heure. Sans même s'en apercevoir, il se rendit au petit cimetière, adjacent à l'église. Cette bâtisse dans laquelle se tenaient aujourd'hui certaines assemblées du conseil, les votes lors d'élections, les fêtes spéciales... servait de moins en moins de lieu de culte. Déambulant lentement entre les pierres tombales, les croix ordinaires et les grosses stèles, l'homme fut étonné de la grande quantité de défunts portant le même patronyme que lui.

— Mon doux, on dirait que l'île au complet avait le même nom que moi ! Edibert Caron, Abélise Caron, Saturnin... Une chance que les prénoms ont progressé, ricana-t-il pour chasser sa nervosité.

S'éloignant vers le fond du petit terrain, plus près de la forêt, il resta longuement immobile devant la tombe de Peter Fraser*, le premier habitant permanent de l'île, décédé en 1820 dans une maison du Bout d'en-Haut. L'explorateur d'origine écossaise avait mis le pied sur l'Île Verte à la fin du XVIIIe siècle, suivi quelques années plus tard par une autre famille, les Caron. Pas peu fier, Philippe avait fait part de cette découverte à sa femme et son beau-père à leur arrivée. Le jeune homme se déplaça dans le petit sentier vers la gauche, et se retrouva devant la sépulture des Lindsay, la génération des gardiens du phare de l'île. Il était en train de se pencher pour lire les noms à moitié cachés sous la terre et érodés par le temps quand la voix de son oncle Gaspard, sur le chemin, l'interpella.

— Coudonc, Philippe, tu voulais te cacher ? Viens, on a pris notre décision !

CHAPITRE 11

Grand projet en vue

— Merci beaucoup! Vous le regretterez pas! Lorsque le barbu referma la porte de la petite école bleue derrière lui, près d'une heure plus tard, un large sourire de contentement apparut sur son visage.

— *Maudit* que Marjo va être contente!

Il referma son veston, ôta son foulard qui l'étouffait et s'éloigna rapidement dans le chemin. Les conseillers le suivirent de près et, en moins de cinq minutes, il ne restait plus que le maire et son fils dans la classe. Philippe leur avait proposé de les attendre avant de retourner chez lui, mais son oncle avait décliné l'offre avec un malaise sur son visage d'ordinaire chaleureux. Le gros homme désirait parler seul avec Marc-André. Ce dernier avait déjà pris sa veste de jeans lorsque son père se racla la gorge pour lui demander:

— Heu... Marc-André, je pourrais te parler une minute?

— Bien sûr! Dis-moi pas que tu regrettes le vote qui...

— Non, non. C'est concernant ton gars.

Le fils fronça ses sourcils blonds en broussaille avant de s'asseoir lourdement sur un banc. Son père fit de même à ses côtés en grimaçant. Les levers à l'aube pour faire la traverse des derniers jours l'avaient fatigué, lui qui éprouvait une douleur permanente au dos. Il n'avait pas eu le choix de dépanner Conrad Dionne, alité avec une vilaine grippe depuis une semaine. Comme le commerçant s'occupait aussi du courrier, Gaspard avait offert de le remplacer temporairement et d'aller chercher les lourds sacs au Quai des vases, sur le continent. Ensuite, il devait faire la tournée des boîtes aux lettres, du Bout d'en-Haut au Bout d'en-Bas, afin de distribuer journaux, colis et lettres. Depuis le dimanche précédent, les premières traverses se faisaient à partir de 5 h 15, ce qui ne laissait guère de place à la grasse matinée! Marc-André leva son regard surpris vers son père.

— Mon gars? Éloi a fait une niaiserie?

— Éloi? Non, non, je te parle de Jules.

Marc-André se sentait encore plus troublé. Il savait que son aîné avait l'habitude de jouer des tours pendables à son grand-père, souvent avec la complicité des jumeaux de Roseline Lamothe. Mais Jules, lui, ne quittait pas les jupes de sa mère.

— Qu'est-ce qu'il a fait?

— Heu… je me demandais… Il va bien? Il est pas… heu… malade? interrogea Gaspard, gêné. Depuis son divorce, bien des années auparavant et le départ de son ex-femme et de sa fille pour Québec, il avait développé un lien étroit avec son fils Marc-André et, par le fait même, sa bru, Marie-Laure. Jamais il ne mettrait en doute leurs qualités de parents, mais les gens de l'île parlaient de plus en plus des comportements de Jules.

— Malade? Je sais pas… Est-ce qu'il est malade?

La confusion se lisait sur les traits du trentenaire, qui songeait qu'il devrait se dépêcher de rentrer chez lui afin de constater l'état de santé de son cadet. Mais un mouvement de son père freina son élan. De plus en plus maladroitement, Gaspard tenta d'expliquer à son fils que les dernières fois qu'il avait vu Jules, ce dernier lui avait semblé encore plus «perturbé» et retiré du monde réel qu'avant. Avec son éternelle casquette de marin posée sur le devant de sa tête chauve, Gaspard fit un signe de ses larges mains hâlées.

— Tu trouves pas qu'il est... heu... différent?

— Hum...

Le père et le fils se regardèrent sans parler pendant quelques secondes avant que le visage de Marc-André ne se crispe légèrement. La douleur que Gaspard lisait sur les traits de son garçon lui fit mal au cœur. Il l'entoura de son large bras.

— Je sais plus quoi faire, papa, murmura Marc-André dans une longue plainte.

— Comment ça?

— Je le vois bien qu'il parle pas, qu'il agit pas comme les autres enfants de son âge. Il nous empêche de dormir une nuit sur deux. Si tu l'entendais *lirer* dans son sommeil. Mais Marie...

— Marie?

Marc-André hésita, ayant l'impression de trahir sa femme.

— Marie-Laure veut rien savoir. Chaque fois que j'aborde le sujet, elle éclate de rage. Ça fait que j'ai laissé tomber. Je la reconnais plus. Parfois, elle oublie même de faire la traite, puis c'est Marion qui s'en occupe en revenant de l'école. On dirait qu'il y a juste Jules qui compte! Puis je te dis pas de quoi ont l'air nos soupers... murmura-t-il d'un ton piteux.

Gaspard soupira. Il connaissait trop bien les ravages que la maladie mentale pouvait causer dans une famille.

— Tu sais pourtant que mon frère Arthur est pas bien dans sa tête! Mon père aussi, à la fin de sa vie, s'était mis à divaguer...

— Hum...

Gaspard parlait rarement de ce secret de Polichinelle. Tout le monde sur l'île avait connu Arthur Caron – l'oncle de Marc-André – avant son internement ainsi que Jacques Caron – son grand-père – avant sa mort. À plusieurs années d'intervalle, ces hommes avaient perdu la carte, s'enfermant dans un mutisme volontaire, accompagné de comportements particuliers, avant que l'aîné ne meure et que le frère de Gaspard ne soit placé dans un hôpital de Québec. Le maire se releva pour se déplacer avec nervosité. Les deux hommes silencieux remirent de l'ordre dans le local, car sœur Claudette acceptait à contrecœur de «prêter» sa classe aux conseillers pour leurs réunions, à la condition que tout soit exactement remis en place le lendemain à son retour. Gaspard se dirigea vers le corridor menant aux toilettes, au fond de la pièce, avant de confirmer:

— Je reviens.

Quelques minutes plus tard, le père et le fils sortirent pour continuer leur discussion sur le petit balcon de l'école. Le soir était tombé depuis peu et les moustiques commençaient à se réjouir à la vue de ces peaux dénudées. Le divorcé prit une voix ferme pour ajouter:

— Je suis bien placé, Marc-André, pour savoir que la prévention est importante.

— Qu'est-ce que tu veux que je fasse, papa? demanda son fils la voix cassée. Marie-Laure dit que ça va finir par débloquer. Mais moi…

L'homme blond plongea son visage entre ses mains pendant que Gaspard levait les yeux vers le ciel étoilé. Le bruit des vagues, au bout des terres, donnait envie de s'étendre pour se laisser bercer vers le sommeil. Mais le plus vieux ne pouvait abandonner tout de suite cette conversation capitale qu'il avait avec son fils.

— Si je lui parlais, moi? Je pourrais lui suggérer de prendre rendez-vous à l'hôpital. Venant de quelqu'un d'autre, ça passerait peut-être mieux?

Marc-André soupira en croisant les bras sur sa poitrine. Sa chemise grise laissait voir de larges cernes de sueur sous ses bras et, malgré la fraîcheur de la soirée, il sentait son visage luisant et surtout fatigué.

— Je sais pas... J'ai peur qu'elle soit choquée. Mais...

— Mais...

— Le petit commence à faire rire de lui, puis ça... je le supporte pas!

Marc-André leva un regard rempli d'espoir vers son père.

— C'est correct, papa, tu peux essayer de lui parler. Mais... vas-y doucement parce que je te le dis, elle devient une vraie furie quand on ose suggérer que Jules est pas normal!

Gaspard ne fit que hocher la tête avec soulagement. La réaction de son fils lui démontrait que ses craintes étaient fondées.

— Inquiète-toi pas... Je vais d'abord lui proposer de rencontrer l'infirmière... ça peut pas faire de tort!

Les deux hommes descendirent les quelques marches pour rejoindre la voiture. Avant de refermer sa portière rouillée, Marc-André se tourna vers son père et interrogea:

— Tu penses que Jules est comme...?

Une boule dans la gorge l'empêcha de poursuivre sa phrase, mais Gaspard avait compris. Il s'approcha, posa sa main sur celle de son fils en secouant sa tête chauve.

— Je sais pas, mon gars. Mais il vaut mieux attaquer le problème de front plutôt que de l'enfouir sous le tapis. Tu sais, depuis le temps, les traitements pour les maladies de ce genre ont pas mal évolué. Garde espoir, ça pourrait juste être un retard de développement qui s'atténuera avec les années.

Le léger sourire qui naquit sur le visage rond de son fils fit plaisir au père. Ses souvenirs émergeaient régulièrement au contact de son petit-fils. Les mauvais souvenirs. Les crises de colère, les errances sur l'île, les hospitalisations à répétition… La vie de son frère avant que ses parents n'acceptent l'inacceptable.

⮕

En amorçant sa marche de retour jusqu'à la maison, Philippe arborait un large sourire. La route et ses crevasses lui importaient peu; les millions de maringouins qui tournoyaient autour de lui, un peu plus par contre.

— Voyons *câlisse* de *tabarnak*! *Maudites* bibittes!

Seul dans le chemin de l'Île, il se tortilla et utilisa son foulard de satin rouge pour se couvrir la tête. Seuls ses yeux étaient visibles et, malgré cela, certains moustiques plus voraces réussissaient néanmoins à piquer de leur dard acéré la peau de ses joues. Philippe décida de courir sous les étoiles brillantes et c'est à bout de souffle qu'il grimpa l'escalier de la maison, où il s'engouffra en refermant immédiatement la porte derrière lui.

— Ouf! *Maudit!*

— Enfin! C'était bien long! Ils ont pas voulu, c'est ça? J'ai dit à papa, si ça prend plus qu'une heure, c'est parce que…

— On l'a.

— …le conseil a décidé que… Quoi?

Marjolaine regarda son mari, qui frottait sa barbe pour retirer les maringouins qui pouvaient avoir été tentés de s'y faire un nid. Il leva son regard vers elle en répétant sa bonne nouvelle, avec un large sourire:

— On a le permis. Comme je te l'avais promis, ma petite chérie, le conseil municipal de l'Île Verte nous donne l'autorisation d'ouvrir notre gîte à compter du 11 août.

— Pour vrai? sourit Marjolaine en cessant de marcher dans la cuisine.

— Oui, pour vrai! Tu vois que tu t'es encore énervée pour rien!

— Félicitations, les jeunes! Je suis bien content pour vous! C'est une bonne nouvelle, ça!

Paul embrassa sa fille et serra la main de son gendre. Il regrettait d'avance la perte de ces moments privilégiés qui se feraient sûrement plus rares lorsque les touristes s'installeraient momentanément chez eux. Par contre, il savait bien que le couple avait besoin d'un revenu, malgré l'héritage de l'oncle Jasmin dont il pouvait profiter. Les clients qui rempliraient le gîte devraient permettre aux deux jeunes de vivre sur l'île sans devoir se trouver un autre gagne-pain. Cependant, toujours embarrassé par son secret, le vieux espérait encore trouver le bon moment pour annoncer à Marjolaine que sa sœur reviendrait au Québec.

— Mais pas là... murmura-t-il à voix basse pour lui-même avant de ramasser la pointe de tarte aux pommes que sa fille lui avait gardée. Bon, je vous laisse. Je veux passer voir Conrad Dionne, on s'est organisé une partie de *cribble*. Il dit qu'il est plus capable de rester couché. Ça fait que je vais aller le désennuyer un peu. Je t'inviterais bien, Philippe, mais...

— ...pas question! On a plein d'affaires à préparer, répondit Marjolaine à la place de son mari. Puis je veux que tu me racontes tout, tout, tout!

— Tout? Tu es certaine? rigola Philippe en évitant le coup de poing simulé de sa douce. À demain, Paul, salua-t-il.

Lorsque la porte de la maison rouge se referma sur la nuit sombre, Philippe bomba le torse pour bien montrer la fierté qu'il éprouvait malgré l'inquiétude qui l'avait assailli un peu plus tôt dans la soirée, lorsqu'il avait pénétré à la suite du maire dans la classe enfumée. Adrien Ouimet, sa pipe éteinte au coin des lèvres, affichait un air déçu. Mais contre toute attente, il s'était rendu aux arguments des autres et avait accepté d'octroyer le permis.

— Mais à la condition que les touristes respectent les règlements de l'île ! expliqua Philippe.

— Hein… les règlements ? Je savais pas qu'il y en avait ! Quels règlements ? demanda Marjolaine.

— Bien, c'est ce que je me suis dit aussi, ironisa son mari en attirant sa douce contre lui. Je te dis que j'ai eu peur en *maudit* ! Au début de la soirée, je tremblais comme une feuille. Une chance que mon oncle et mon cousin m'ont souri, parce que je pense que je serais parti en courant !

Philippe entreprit d'exposer la suite de la rencontre tout en caressant les bras dénudés de sa femme. Assis tous les deux dans leur *papasan*, ils chuchotaient leur bonheur de pouvoir vraiment réaliser leur rêve.

— Je peux te dire qu'on risque d'être pas mal surveillés, mais au moins, *Au chant des marées* peut enfin ouvrir !

Le couple contempla sa cuisine chaleureuse, le salon adjacent et le bel escalier lambrissé avec un sourire rêveur. Marjolaine leva la tête pour embrasser le menton barbu.

— Puis après, continue ! insista-t-elle.

— J'ai oublié tout ce qu'ils ont dit après… répondit Philippe d'un ton piteux.

Après avoir reçu l'accord du conseil, le jeune homme avait plus ou moins entendu la suite du discours du maire, trop soulagé à l'idée de ne pas avoir à tenter de les convaincre de nouveau de la pertinence de son idée. Il avait serré la main de tous, même celle d'Adrien Ouimet, qui l'avait regardé longuement avec de la tristesse au fond des yeux. Leur voisin de biais, Lionel Vézina, avait grommelé, le ton encore plus sec que d'habitude :

— Nous autres, ça fait pas notre affaire pantoute, votre idée, le jeune! Voir du monde passer devant chez nous ou sur nos terres sans cesse, c'est pas du tout à notre goût, mais ça a bien l'air qu'on a pas le choix, la majorité l'emporte! Ça fait qu'assure-toi que tes « clients » se promènent pas sur les terrains privés, c'est tout ce qu'on te demande! S'ils veulent aller au nord, bien qu'ils passent par votre accès. Seulement le vôtre.

Lionel était sorti de la salle de classe la mine basse avant que Philippe ne puisse le rassurer. De toute manière, le doyen ne pouvait jamais s'attarder longtemps, trop inquiet de laisser sa femme Anémone seule à la maison. La dernière fois, lorsqu'il était revenu, il l'avait retrouvée à quatre pattes dans la salle de bain en train de laver le plancher avec sa brosse à dents! Le barbu tourna un visage sérieux vers son épouse.

— Là, Marjolaine, il faut quand même que je te dise que pour certains, l'accord a été donné sans grand enthousiasme. Adrien Ouimet...

— Évidemment!

— ...mais Lionel Vézina aussi.

Philippe exposa à Marjolaine les réticences du vieil homme, dont la terre longeait la leur au nord.

— Je comprends pas, il est super fin d'habitude. Du vieux Ouimet, ça me surprend pas, mais Lionel...

Elle fronça ses sourcils pour montrer son incompréhension. Les deux aînés qui habitaient la jolie maison jaune et verte située de l'autre côté du chemin avaient été les premiers, après Marc-André et Marie-Laure, à venir les visiter à leur arrivée. Lui était un homme de fière allure qui portait de larges bretelles pour retenir son pantalon de flanelle et son petit casque rond brodé sur le dessus de ses cheveux drus. Sa femme Anémone, d'origine irlandaise, était toute menue, avec une peau presque translucide et une longue chevelure argentée qui flottait sur ses épaules. La vieille oubliait de plus en plus d'événements et de gestes à poser, mais elle avait souri gentiment à Marjolaine lors de cette première visite avant de lui chuchoter d'une petite voix enfantine : « J'aime votre robe, Nathalie ! » Philippe avait voulu la corriger, mais son mari Lionel l'en avait dissuadé d'un signe : ça ne servirait à rien !

Le barbu tapota le genou de sa femme avant de la tirer vers lui doucement.

— Allez, dit-il l'œil malicieux, on va se coucher, la journée a été longue…

— Oh et tu es TRÈS fatigué, ricana Marjolaine en s'élançant dans les marches à toutes jambes.

Rendue en haut, elle riait tellement qu'elle était pliée en deux derrière la porte de leur chambre, qu'elle avait fermée pour agacer son mari. Collant son oreille contre le bois blond, elle sourit en entendant la chasse d'eau dans la toilette du couloir et se dépêcha de sauter dans leur grand lit douillet. Les deux larges fenêtres à battants laissaient entrer la brise venant du fleuve. Marjolaine soupirait de bonheur. Leur rêve deviendrait réalité !

⇜

Depuis l'arrivée de Marjolaine et Philippe sur l'île, presque deux mois plus tôt, la mère Lamothe avait commencé à prendre soin de sa tenue vestimentaire. Lorsqu'elle prévoyait rencontrer son amie de la ville, Roseline vidait le contenu complet de ses tiroirs sur son lit afin de trouver le meilleur agencement de vêtements possible. Le lendemain de la réunion du conseil au cours de laquelle le permis de gîte avait été octroyé au jeune couple, elle regardait avec dépit ses huit chandails d'été étalés sur son couvre-lit.

— Hélène, cria-t-elle, Hélène? Viens ici tout de suite!

En petite tenue, la femme courtaude n'éprouvait aucune gêne face à son aînée, qui fit la grimace devant les sous-vêtements beiges de sa mère. Trapue, la blonde avait coutume de pointer son ventre rebondi en disant à sa fille:

— Ça, ma grande, c'est le résultat des cinq beaux cadeaux qui courent dans le chemin. Alors, que je voie pas personne me dire que j'ai une bedaine ou que je suis grosse parce que je suis fière de ce que ce corps-là a accompli, tu sauras!

Hélène, plutôt maigre, ne savait jamais où poser le regard quand sa mère se trouvait dans une de ses envolées dénudées. Elle resta donc le dos appuyé contre le vieux bureau de bois sombre en attendant la question habituelle.

— Puis, qu'est-ce que tu en penses?

— De quoi?

— Bien de mes chandails. Sont tous laids, tu trouves pas?

Roseline fit un signe de dépit en pointant les tissus usés à la corde qui avaient pour la plupart perdu leur couleur d'origine. Hélène s'avança pour prendre une pièce vert néon arborant sur le devant une imposante fleur grossièrement dessinée.

— Celui-là, c'est ton pire, en tout cas!

— Ah oui? C'est mon préféré!

— Maman!

— Bien quoi, me semble que le vert, ça me fait bien. En tout cas, c'est ça que ton père dit.

En pensant à ce qu'Edmond ajoutait lorsqu'elle enfilait son *baby doll* de la même couleur que le chandail, la mère Lamothe rougit comme une pivoine. Hélène fronça ses épais sourcils noirs et prit un autre haut.

— Lui, il est pas pire.

— Bof. *Maudit*, je sais pas quoi mettre ! Je vais encore avoir l'air d'une habitante !

Hélène s'assit sur le lit en laissant errer son regard sur les murs de bois peint en bleu turquoise. La chambre de ses parents ressemblait de plus en plus à une boîte de Prismacolor. Outre les murs, il y avait le lit jaune, le contour du miroir rouge, le tapis vert... Ne manquaient que des rideaux orange ou mauves et la palette au complet y serait. Elle reporta son regard sur sa mère, effondrée au fond d'une chaise berçante. Ses seins épanouis débordaient de son large soutien-gorge et, encore une fois, la fillette se demanda si, un jour, les siens se mettraient à pousser ! Pour l'instant, elle était plate comme une planche, ce que ne manquaient pas de lui rappeler Antonin Dionne et ses comparses !

— Tu fais quoi de spécial, coudonc, maman ?

— Tu le sais bien, il faut que j'aille voir Marjolaine.

— Pour quoi faire ?

Roseline se releva le plus dignement possible pour s'asseoir près de sa fille. Sur le ton de la confidence, elle glissa :

— Faut que j'aille lui offrir mes services avant que Victoire Dionne y pense !

Hélène serra sa longue couette brune sur sa nuque avant de demander :

— Tes services de quoi, maman ?

Et Roseline de se mettre à expliquer à son aînée le projet fantastique qu'avait mis au point le couple de Québec pour la maison rouge. Tout excitée à son tour, la fillette se leva avant de s'exclamer :

— Ça veut dire qu'on va avoir du monde nouveau sur l'île ?

— Oui, en plein ça !

— Écœurant !

— Hélène!

— Quoi, maman? C'est vraiment écœurant comme nouvelle. Je peux appeler Marion pour lui dire?

— Elle doit le savoir, son père est conseiller lui aussi.

— S'il te plaît, maman! Je veux en parler avec elle.

Roseline jeta un coup d'œil au visage enflammé de sa fille avant de pincer ses lèvres et de la pointer avec son index.

— Veux-tu bien me dire ce qui t'énerve de même, toi?

— Maman, il se passe jamais rien ici. Enfin, on va voir d'autres personnes. Peut-être qu'il va même y avoir des enfants qui vont venir.

— Ouin... Mais je suis pas certaine que ça va *pogner*, leur affaire. Moi, je vois pas qui serait intéressé à venir passer plus qu'une journée sur l'île. Tu l'as dit, il y a rien ici! En tout cas, avant que tu parles à ton amie, aide-moi à choisir comment je vais m'habiller.

Hélène calma son empressement pour aider sa mère à choisir ce qui lui semblait être le meilleur *kit* pour faire bonne impression à la belle Marjolaine. Elle convainquit sa mère que le chandail noir uni porté sur un short coupé dans un vieux jeans était à la dernière mode. Indécise, Roseline plissait ses joues rondes en reportant sans cesse ses yeux sur son chandail vert, que sa fille avait pourtant lancé sans ménagement dans un coin de la chambre.

— Si tu le dis...

— Je te jure, maman. Avec un peu de rouge à lèvres rose, tu vas être parfaite, ajouta Hélène en insistant sur le UN PEU, puisque sa mère avait tendance à déborder du tour de ses lèvres lorsqu'elle appliquait son maquillage.

Avant de sortir de la chambre pour appeler chez les Caron, Hélène demanda:

— Tu m'as pas dit ce que tu voulais faire au gîte pour rendre service à Philippe et Marjolaine.

— Tout. Je peux tout faire! Des repas, du lavage, du transport. N'importe quoi, ma fille. Je vais pas passer à côté de cette occasion-là de faire rentrer un peu d'argent dans mon ménage!

Toutefois, alors qu'elle arrivait sur son véhicule tout-terrain dans l'entrée de la maison rouge, la pauvre mère Lamothe constata avec déception que le gros camion blanc des commerçants Dionne y était déjà stationné. Roseline fit la moue avant de se mettre à maugréer contre le monde qui «veulent tout avoir, puis qui laissent rien pour ceux qui ont vraiment besoin de faire un peu d'argent». Elle ne remarqua pas Paul, qui sortait du poulailler avec une pelle à la main, et l'homme en fut quitte pour un salut dans le vide. Il haussa les épaules avant de retourner creuser une rigole à l'avant du potager pour éviter qu'une autre série d'averses comme celles de la semaine précédente ne nuise à leurs récoltes.

— Toc, toc, Marjolaine, c'est moi. Ton amie.

— Oh… Roseline, entre. Victoire s'en allait.

— Bien de valeur ça! Quel bon vent t'amenait ici, à l'autre bout de l'île, Victoire?

La commerçante eut un geste vague de la main et lança un coup d'œil d'avertissement à Marjolaine, lui enjoignant de ne pas divulguer son offre.

— Oh… pas grand-chose, des petites demandes. Bon, je vous laisse, mon homme est pas encore tout à fait rétabli, ça fait que je vais aller prendre la relève. Hermine est bien fine, mais elle m'a dit qu'elle pouvait pas laisser sa grosse *minoune* trop longtemps seule avec ses chatons, parce qu'elle est pas fine avec le plus petit. Elle dit que la chatte va finir par le tuer à force de le repousser.

Vous la connaissez, la pauvre Hermine, elle s'est mis en tête de nourrir le chaton à la seringue.

Avant que Roseline ne puisse s'informer un peu plus de la teneur des « demandes » que Victoire Dionne avait pour son amie Marjolaine, la porte à moustiquaire de la véranda claqua sur la commerçante, qui descendit les marches d'un pas leste pour une femme replète de soixante ans. La mère Lamothe, qui éprouvait certaines difficultés avec son système cardiorespiratoire quand venait le temps de faire un minimum d'exercice, la suivit des yeux avant de marmonner :

— Je gage que j'arrive trop tard ?

— Trop tard pour quoi ?

Marjolaine replaça ses boucles dans les airs d'un geste machinal. Le gel et le fixatif avaient toujours été ses meilleurs amis quand venait le temps de se coiffer le matin. Comme d'habitude, elle ressentit un léger inconfort à la vue de l'accoutrement de la commère, qui avait pourtant suivi à la lettre les conseils de sa fille Hélène. Mais l'adolescente, pressée, n'avait pas mentionné à sa mère que le port de bottes de caoutchouc avec le short et le t-shirt n'était pas très en vogue ou que juste une touche de mascara sur les cils était suffisant pour un maquillage de jour. Désireuse de copier les yeux de chat qu'affectionnait Marjolaine, la pauvre Roseline avait tracé sur ses paupières du haut et sous ses yeux de larges traits noirs qui s'étiraient vers les tempes. Une imitation plus ou moins réussie. Moins que plus, en fait !

— Viens donc boire un café, on va jaser de ce qui t'amène, ma Roseline !

— D'accord. Puis si tu avais un ou deux petits biscuits avec ça, je dirais pas non. J'ai presque rien mangé ce matin.

Marjolaine réprima un sourire en se rappelant à quel point son amie aimait les biscuits Whippet qu'elle achetait au Steinberg sur le continent. Quand elle enlevait la couche de chocolat avant de savourer la grosse guimauve, Roseline faisait plaisir à voir tant la gourmande appréciait cette gâterie qu'elle répugnait pourtant à se payer!

— Je peux juste te dire qu'avec cinq enfants comme les miens, cette boîte-là durerait pas une soirée! J'aime bien mieux dépenser mon argent ailleurs.

Mais elle savait que c'était aussi les biscuits préférés de Philippe et qu'à la maison rouge, il y en avait toujours une boîte dans la *dépense* proche de la cuisinière. Une fois les trois Whippets avalés, Roseline plissa les yeux, tourna la tête vers le tourne-disque dans le coin près du salon et susurra:

— C'est donc bien bizarre ce que tu écoutes là! J'ai jamais entendu ça, moi!

— Tu trouves? Pourtant, tu dois connaître Plastic Bertrand. Tout le monde le connaît!

— C'est ça, le nom du chanteur? Plastic Bertrand?

Devant le visage estomaqué de sa vis-à-vis, Marjolaine n'arriva pas à retenir son éclat de rire. Plus Roseline répétait le nom, plus son amie rigolait. À la fin, les deux femmes se tenaient le ventre, effondrées sur la table de la cuisine. C'est ainsi que Philippe, qui revenait du continent, les trouva en entrant dans sa maison. Il souleva un sourcil en attendant que le calme revienne, puis lança:

— On voit que certaines personnes s'amusent ferme pendant que d'autres se doivent d'effectuer des allers-retours tout ce qu'il y a de plus pénibles au sud!

Marjolaine voulut répondre, mais le commentaire de Roseline, qui se moqua de son époux, la fit s'esclaffer de nouveau:

— Mon doux, Philippe, les grandes phrases ce matin! «Pendant que d'autres se doivent…»!

Sans répondre, le barbu déposa la nouvelle batterie pour le *pick-up* prêté par Marc-André à ses pieds, avant de se diriger vers le salon pour baisser le son du tourne-disque.

— Tu l'aimes pas, Plastic Bertrand? demanda Roseline en éclatant de nouveau de rire.

— Bof... pas plus que Dassin ou Dalida!

Mais Marjolaine, qui avait bien ri devant les folies de la mère Lamothe, commençait à trouver la situation moins comique. Si son mari et son amie se liguaient contre elle en se moquant de ses choix musicaux, elle n'avait pas fini d'en entendre parler. Alors, prenant le contrôle de la discussion, elle mit sa main délicate aux ongles bien vernis près de celle tout usée de la blonde. Le contraste entre les deux était si frappant que Roseline se pressa de retirer sa main de la table pour la placer sur son genou.

— Bon, mon amie, on a bien ri, mais là, dis-moi donc ce qui t'amène?

— J'ai appris la bonne nouvelle hier soir.

— Pour le gîte?

Les grands yeux noisette de Marjolaine rayonnaient de fierté.

— En plein ça. Puis j'avais le goût de t'offrir mon aide!

— Mon doux, Victoire vient de me faire la même of...

— Je le savais! claqua la voix déçue de la courtaude, qui sauta sur ses pieds pour marcher vers la fenêtre.

Marjolaine fit une mimique embarrassée à l'intention de son mari, qui grimpait l'escalier pour éviter d'avoir à jaser trop longuement avec l'insulaire. Il aimait bien la femme, mais à petites doses seulement! Roseline revint placer ses mains sur le dossier de sa chaise, en penchant un visage sérieux vers la délicate brune.

— Bon, là, mon amie, écoute-moi attentivement! Moi, je suis la meilleure cuisinière de l'île, tout le monde le sait. Ok, je fume pas de poissons, mais tout le reste, c'est mon affaire. En plus, tu peux pas dire que ma maison est pas la plus ordonnée de la paroisse ! Je veux pas faire ma mauvaise langue... mais Victoire Dionne a pas trop le temps de prendre soin de son intérieur, avec le commerce et les traverses. Ça fait que moi, je m'en viens t'offrir mon aide, puis pas chère à part ça, pour bien partir ton gîte. Qu'est-ce que tu en dis ? Hein ?

Abasourdie par le flot de paroles sorties de la bouche de Roseline en si peu de temps, Marjolaine avala sa salive avant de se relever pour faire face à son amie. Les deux femmes avaient sensiblement la même grandeur, mais l'une avait l'air d'une adolescente par rapport à l'autre. Elle lui adressa un sourire pour éviter de la blesser.

— Je te... te remercie, Roseline. Je... sais pas quoi dire.

— Dis oui.

— Heu... c'est juste qu'on avait prévu de pas mal faire tout, tout seuls ! On sait pas trop si le gîte sera rentable avant un bout de temps...

— Oh ! Mais le ménage ?

Marjolaine souleva son bras pour pointer le deuxième étage.

— On a juste trois chambres à louer, tu sais.

— Oui, mais deux toilettes ! Ça, je te le dis, ça va être dégueulasse à nettoyer quand plein de monde vont y passer... Je pense pas que tu avais pensé à ça, hein ? Puis moi, avec cinq petits monstres à la maison, je connais ça, la crasse de toilettes !

Marjolaine tira sur les pans de son chemisier en polyester jaune serin avant de les glisser dans son short noir. Elle espérait que son cher époux se montre le bout du nez pour gérer la situation, mais le connaissant, elle le croyait capable de sortir par la fenêtre du deuxième pour se glisser le long de la façade de la maison, juste pour éviter une confrontation avec Roseline Lamothe.

— Je suis faite plus solide que j'en ai l'air, marmonna l'ancienne citadine avant de souffler : « Mais si tu pouvais me faire des tar... »

— Des tartes ? Certain ! Combien ? Dix, vingt, cinquante ? La quantité que tu veux !

— Heu... je pensais plus à quatre ou cinq pour commencer.

— Oh... quatre ou cinq...

La mine dépitée de Roseline donna presque envie à Marjolaine de gonfler sa commande. Mais après tout, la rentabilité de leur gîte était loin d'être assurée et il fallait qu'elle fasse attention aux dépenses. Quand son cahier de réservations se remplirait, il serait toujours temps de revoir la situation.

— Puis, aurais-tu besoin de moi pour les voyager, tes touristes ? demanda la blonde en retrouvant l'espoir. Je peux aller les chercher de l'autre bord avec notre petit chaland. Il faudrait pas qu'ils aient trop de bagages, mais...

Le hochement de tête de son interlocutrice la fit déchanter.

— Mon père va s'en occuper avec Gaspard. Tu sais, il a pas grand-chose à faire, puis je préfère le faire travailler un peu.

— Bien oui. Ton père. Bon... cinq tartes.

— Oui. Tu me les fais à combien ?

L'espace d'un moment, Roseline eut envie de lancer un chiffre bien au-delà du montant auquel elle avait songé avant de quitter sa maison. Mais honnête, elle se tourna vers son amie en proposant :

— Si je te dis 4 $ la tarte, ça fait-tu ton affaire ?

— Ce serait parfait, Roseline !

— Bon. Tu es certaine que quelques pâtés...

Marjolaine prit son air le plus compréhensif avant de répondre :

— Disons que pour l'instant, ça va être tout. Mais si je vois que j'arrive pas à tout faire, je te promets que tu seras la première que j'appellerai.

— Avant Victoire Dionne ?

— Avant Victoire Dionne. Promis.

Satisfaite malgré tout, la mère de famille fit la bise à la brunette avant de glisser ses pieds nus dans ses hautes bottes de caoutchouc noires puis de sortir de la maison. Cette fois-ci, elle salua Paul, qui coupait les gourmands de chaque plant de tomates avant de racler la terre autour. Il s'apercevait de plus en plus que le travail de la terre calmait ses angoisses. Agenouillé, les deux mains dans le potager, le père de Marjolaine oubliait ses tourments, savourait le moment présent. Il leva la tête en entendant la porte claquer.

— Bien contente d'être en affaires avec vous autres, monsieur Lalonde, cria la femme avant de grimper sur son tout-terrain en laissant Paul abasourdi.

CHAPITRE 12

Ça jase sur l'île...

Durant l'après-midi, plusieurs insulaires se retrouvèrent au marché général Dionne pour discuter de la grande nouvelle qui avait déjà fait le tour de l'Île Verte. Un gîte de touristes ouvrirait sous peu dans la paroisse de Notre-Dame-des-Sept-Douleurs. Ceux qui ne le savaient pas l'apprendraient bien assez vite.

— C'est un beau nom, *Au chant des marées*, je trouve.

— Moi, je peux pas croire que le conseil ait laissé passer une idée de même.

— Ça va faire du bien sur l'île, un peu de visite.

La nouvelle divisait les insulaires en deux camps. Tous ceux qui pénétraient dans le magasin étaient avisés laconiquement par Adrien Ouimet, qui en avait fait sa mission, bien installé dans le coin, près du gros congélateur. Il écartait ses bras maigres pour rajouter du poids à ses paroles :

— Oui, un hôtel sur notre île ! J'ai donné mon accord, mais contre mon gré !

— Adrien, arrête de dire ça, on t'a pas battu pour dire oui ! Puis ils vont louer trois chambres, pas quarante ! le réprimandait Victoire entre deux clients.

L'autre rejetait ses longues couettes derrière son dos en boudant quelques instants avant de continuer sa diatribe contre le gîte à venir. Sa barbe blanche dépassait ses épaules. Il refusait depuis des lustres de la tailler, même si les jeunes enfants l'appelaient père Noël derrière son dos.

— Tu vas voir que dans le temps de le dire, ils vont vouloir l'agrandir, cette maison-là, pour faire encore plus d'argent! Si on les arrête pas, les citadins, ils vont en bâtir un hôtel... exagéra le vieillard en cognant sa pipe contre sa chaise. C'est un peu comme vous autres, si tu me permets, Victoire! Au début, vous deviez avoir juste un petit comptoir avec les affaires essentielles, puis regarde ce que vous avez fait...

Les clients jetèrent un regard autour d'eux. Depuis cinq ans, c'était une réalité, les commerçants avaient fait les choses en grand! Avec l'aide d'un groupe d'hommes, Conrad Dionne avait construit une annexe à sa grande maison en bois vieilli. Déjà, sur l'île, la demeure du couple faisait belle figure avec sa façade percée de grandes fenêtres à battants qui laissaient entrer la brise. Voilà que l'ajout d'une autre pièce en faisait la plus grande maison de l'Île Verte. La demeure des Dionne était située un mille à l'est du Quai d'en-Bas, là où l'île était la plus large. La bonhomie du couple empêchait toutefois la plupart des insulaires de le jalouser.

— Ils l'ont l'affaire! On peut pas leur en vouloir pour ça! disaient les uns.

— Si je voulais, moi aussi je pourrais passer mes journées derrière un comptoir ou à m'occuper des touristes. Mais ça me tente pas, expliquait un autre.

Lorsque l'annexe avait été complétée, en moins de deux semaines, les Dionne avaient acheté et placé les denrées non périssables dans les profondes tablettes qui jalonnaient trois des quatre murs. Contre le dernier, un large réfrigérateur et un congélateur contenaient les produits frais. Conscient que les clients auraient envie de jaser un peu, surtout l'hiver, Conrad avait construit deux longs bancs qu'il avait placés contre les deux comptoirs de bois.

— Tant qu'à avoir juste une petite pièce pour garder quelques conserves, on va bâtir quelque chose de permanent, avait clamé Conrad, un homme coloré et fier. Comme ça, on sera pas obligés de changer de place aux dix ans, *taboire*! On va s'en occuper jusqu'à notre mort, de ce magasin-là, on vous en fait la promesse! *Astheure* qu'il nous reste juste Antonin ici, c'est pas le temps qui nous manque!

Le Verdoyant de soixante ans avait une chevelure hirsute brune et toujours une barbe naissante, même après l'avoir fraîchement rasée. Il portait des grosses bottes noires en laissant la langue traîner sur le devant, et ce, même en plein cœur de l'été. Quant à ses vêtements, peu importe la situation, Conrad Dionne s'assurait de faire tenir ses culottes avec ses bretelles rouges. Parce que c'était un fier libéral et que quiconque tentait de discuter politique avec lui se voyait contraint d'écouter ses envolées vantant les réalisations du gouvernement Bourassa, le plus jeune premier ministre de l'histoire du Québec, avant de déclarer forfait. Toutes les réalisations de ce parti étaient mises de l'avant :

— C'est qui, hein, qui était au pouvoir quand notre régime d'assurance maladie a débuté? Robert Bourassa. Le beau projet de la Baie-James, le plus gros chantier hydro-électrique au monde, qui a eu l'audace de le mettre en branle* ? Les libéraux de monsieur Bourassa. Puis grâce à qui vous pensez que le français est la langue officielle de notre belle province? Je vous le donne en mille: Robert Bourassa! Puis la *Charte québécoise des droits et libertés de la personne*, qui l'a fait adopter en 1975? Rob...

Personne ne pouvait placer un mot lorsque Conrad Dionne partait sur sa lancée. Sur l'Île Verte, tout le monde était donc au courant: NE JAMAIS ABORDER LE SUJET DE LA POLITIQUE AVEC CONRAD DIONNE! Surtout depuis l'échec du Parti libéral aux élections de 1976. Lorsque le commerçant avait compris que Philippe Caron votait pour René Lévesque et son parti, il avait décidé d'ignorer ce faux pas, en se disant qu'il serait toujours temps de le faire changer d'idée. Roch Bérubé, le dernier gardien du plus ancien phare du fleuve Saint-Laurent* écoutait avec intérêt le compte rendu du conseil que Victoire Dionne faisait au groupe d'insulaires réunis dans son commerce, en tenant une main levée devant Adrien Ouimet pour le faire taire jusqu'à la fin de son discours. La femme avait l'habitude de négocier avec le vieux, elle qui le côtoyait depuis sa tendre enfance:

— Je le sais pas si c'est une bonne affaire, mais d'un autre côté, vous savez bien tout le monde que si ça continue de même, l'île va se vider, puis à Québec, ils vont se demander quoi faire avec nous autres!

— Mais un hôtel! C'est quand même pas une petite affaire! grogna une petite bonne femme dodue du Bout d'en-Bas, avant de donner une taloche à sa fillette qui étirait la main vers un sac de réglisse.

— Ça s'appelle un gîte du passant, précisa la commerçante en remerciant du regard une cliente qui remboursait sa note de crédit.

La dizaine d'insulaires présents se mirent à discuter tous en même temps jusqu'à ce que la porte ne s'ouvre pour laisser entrer Marjolaine. Comme toujours, la jeune femme était à bout de souffle, après avoir roulé à toute vitesse entre sa maison et le magasin. Elle adorait circuler à bicyclette sur le chemin de terre. L'impression de liberté qu'elle éprouvait en voyant le fleuve des deux côtés justifiait toutes les douleurs que ses cuisses et ses mollets ressentaient à l'occasion, lorsque le vent soufflait trop fort et qu'elle peinait à avancer. Cet après-midi-là, la jeune femme avait juste besoin d'un gros sac de farine pour pouvoir faire sa pâte à pain. Il lui fallut un petit moment pour constater le silence que son entrée dans le magasin avait suscité. Levant les yeux de son portefeuille dans lequel elle vérifiait si son billet de 10 $ y était, elle rougit en voyant tous les regards la fixer.

— Ho... heu, bonjour !

Avalant sa salive, elle évita le regard appréciateur du « gardien » du phare, un célibataire endurci d'une quarantaine d'années qui se plaisait à tourner sa longue moustache grise à la Dalí lorsqu'il se plongeait dans des discussions. Car après vingt ans de loyaux services, il ne pouvait imaginer vivre ailleurs que dans sa petite maison près du phare. Pour l'instant, le gros homme appréciait la vue de la courte robe à motif pied-de-poule qui laissait voir les jambes fuselées de la femme. Ses bras légèrement bronzés, son visage délicat et même ses cheveux dressés sur sa tête grâce à un savant mélange de produits capillaires en faisaient un ensemble fort appétissant pour les hommes présents au magasin.

— Madame Lalonde ! se moqua gentiment le moustachu voûté en saluant bien bas la femme.

Roch Bérubé n'avait guère d'occupation à l'autre bout de l'île depuis que le phare n'était plus utile aux marins. En 1972, après plus de 160 années d'opération, l'endroit était devenu inactif et ses fonctions techniques avaient officiellement pris fin. Bérubé n'était plus qu'un insulaire comme les autres, même s'il recevait un montant forfaitaire chaque année pour s'occuper de l'entretien des bâtiments. Situé du côté nord-est, le phare avait été érigé en 1809, ce qui en faisait le plus ancien du Québec. Solidement bâti avec un mélange de pierre et de mortier, il était pourvu d'une longue tour blanche qui s'élançait dans le ciel sur une distance de dix-huit pieds. Vers 1852, il fut lambrissé de planches horizontales, puis, environ cinquante ans plus tard, recouvert de planches verticales. Le moustachu était arrivé à l'âge de vingt-quatre ans et, depuis, n'avait plus quitté l'île.

— Quel bon vent vous amène, ma petite dame ?

Marjolaine cacha une grimace d'inconfort sous un petit toussotement avant de répondre :

— J'ai besoin de farine. Vous allez bien, monsieur Bérubé ?

— Bien sûr. Et vous-même ?

Avant que la brune ne puisse répondre, Adrien Ouimet grommela d'un ton maussade en lissant sa longue barbe :

— Certain qu'elle va bien, elle vient d'avoir notre accord pour vendre notre île ! Je vous le dis, moi, j'étais pas pour, mais j'ai pas eu trop le choix. En tout cas, ironisa-t-il, venez pas vous plaindre quand vous vous ferez voler vos fraises et vos framboises dans vos jardins !

Aussitôt, le sang ne fit qu'un tour dans le corps de Marjolaine, qui planta ses espadrilles Converse blanches sur le sol face au vieil homme. Le regard furieux, elle mit ses mains sur les hanches et rétorqua :

— Vous, là, vieux malcommode, j'ai jamais vu quelqu'un d'aussi borné puis rétrograde. C'est toujours bien pas à vous, l'île Verte au complet, hein ? À moins que vous en ayez fait l'achat puis que je sois pas au courant ? Ça fait que si vous êtes pas content, bien laissez-moi vous dire que ça me fait pas un pli sur la différence, c'est clair ? Puis si quelqu'un d'autre a des affaires à me dire, bien c'est le moment, je suis prête !

Les insulaires présents regardèrent tour à tour le vieil homme et Marjolaine, dont le visage était cramoisi. Lentement, Adrien Ouimet prit sa canne, la déposa sur le sol devant lui et, d'une main ferme, s'empara de son pain tranché. Il se leva dans un silence de mort et, avant que personne ne puisse rien faire, se dirigea vers la porte, la tête relevée bien haut dans les airs en signe de protestation. Les autres clients désapprouvaient la situation, eux qui n'osaient jamais tenir tête au fier Adrien.

— Bonjour à tous, j'y vais, l'air est malsain par ici.

Le vieux claqua la porte et Marjolaine grimaça en s'en voulant de son envolée. Surtout que la plupart des insulaires la regardaient avec un air de reproche. Elle devrait encore expliquer sa saute d'humeur à son mari et à son père. Elle se dépêcha de payer sa farine et d'ouvrir la porte du magasin.

— Heu… au revoir!

La femme suivit le vieux de quelques minutes et ne put se retenir de le chercher du regard. Mais il était déjà rendu loin sur son trois-roues, qui laissait derrière lui une envolée de poussière brunâtre.

— *Maudite marde!*

⌇

De retour à la maison rouge, Marjolaine n'avait guère décoléré. Pour la deuxième fois en peu de temps, le vieux Ouimet avait réussi à la faire sortir de ses gonds. Ce bonhomme la faisait se sentir comme une enfant de cinq ans. Elle appuya sa bicyclette rose contre le mur, empoigna son lourd sac dans son panier et grimpa l'escalier de la maison sans remarquer qu'une marche avait été retirée. Et c'est avec un puissant cri de douleur qu'elle annonça sa présence aux hommes dans la cuisine.

— *Ayoye! Maudit tabarnouche!*

Paul fut le premier à sortir sur la galerie. Il éclata de rire devant la scène s'offrant à lui. Une des jambes de sa fille était coincée dans le trou et le reste de son corps gisait au sol. La face de Marjolaine était blanche de farine, le sac lui ayant éclaté au visage.

— Arrête de rire, papa !

— Voyons, Marjolaine ! Tu as pas vu le trou ?

— Bien oui, puis je me suis dit que ce serait le *fun* de me jeter dedans ! *Ayoye... ho... ouch !* Papa, aide-moi donc au lieu de dire des niaiseries !

Son père se pencha pour qu'elle puisse agripper sa main et, une fois sortie de son embarras, elle fit la moue en voyant la longue éraflure qui balafrait sa cuisse gauche. Affectueusement, Paul essuya le visage enfariné avec le bas de son chandail. Il ne fit pourtant qu'empirer les choses, la sueur et la farine formant une pâte collante sur les joues de sa fille.

— Qui a eu la brillante idée de... ?

Marjolaine cessa de parler en voyant la mine piteuse de son père et l'index de Philippe dirigé vers lui.

— Pas grave, papa, je me suis pas fait vraiment mal. Mais quand même, c'est dangereux de laisser l'escalier sans sa marche !

— Je le sais ! J'avais juste... oublié que tu reviendrais... marmonna Paul en se fustigeant. Je voulais l'avis de Marc-André avant de continuer...

Sa fille prit la main qu'il lui tendait avant d'entrer à sa suite dans la cuisine. Avant son arrivée fracassante, Gaspard, Philippe et Paul étaient attablés devant une belle omelette farcie aux poivrons. Le maire ouvrit grands les yeux avant de se lever en vitesse à la vue de la blanche éclopée.

— Bien voyons donc, Marjolaine !

Paul expliqua piteusement la situation et Philippe l'installa sur une chaise, puis lui tendit une débarbouillette humide. Sa femme pensa à l'altercation vécue au magasin tout en pressant le linge sur sa cuisse. Vu qu'elle faisait pitié, c'était peut-être le moment d'en parler? Les hommes seraient peut-être plus tolérants envers sa saute d'humeur... Elle allait ouvrir la bouche lorsque Marc-André ferma la porte de la salle de bain en disant:

— Vaut mieux attendre quelques heures avant d'y aller!

Il éclata d'un rire taquin pendant que les autres lui lançaient des quolibets amicaux. Désireuse de ne pas gâcher cette belle humeur, Marjolaine décida d'attendre avant de parler de sa malencontreuse rencontre. Vers la fin de l'après-midi, après s'être assoupie dans sa chaise longue à l'abri du vent, la jeune femme s'étira avec bonheur. Elle lança un regard en coin à son homme, torse nu, qui gonflait les pneus des vieux vélos qu'il avait trouvés au fond de leur grange.

— Ça peut toujours servir pour nos clients, ces vieilles affaires-là!

Avec Paul, il avait entrepris de les rafistoler du mieux qu'ils le pouvaient, quoique la première tentative de l'aîné pour réparer un dérailleur s'était conclue par une nouvelle pièce à acheter. Le pauvre homme avait tellement tiré que le morceau lui était resté dans la main.

— Bien voyons toi, sont donc bien pas solides ces *bicycles*-là! avait-il grogné en montrant le bout de métal à son gendre.

Philippe avait soupiré de découragement avant de marmonner:

— C'est certain que si on tire dessus comme un enragé, il y a pas grand-chose qui va résister...

— Hein?

— Non, rien. On ira de l'autre bord, chez Gadbois. Il doit bien avoir des vieilles pièces à vendre...

En regrettant un peu de ne pas être seule avec son époux pour une petite roulade dans le foin, Marjolaine trotta vers le duo pour embrasser Philippe sur l'épaule.

— Je pense que je vais aller aux chanterelles! Ça fait un bout, puis il doit y en avoir pas mal.

Il était quatre heures de l'après-midi et le soleil chauffait la terre de ses rayons dorés. La jeune femme sourit au duo avant de grimper l'escalier en prenant soin d'esquiver la marche brisée. Elle se retourna, un doigt levé :

— Papa, tu penses que tu vas réparer ça quand?

— Quoi?

— La marche!

— Oh, oui... c'est dans mon plan. Je finis les *bicycles*, puis...

— ...vous pouvez y aller tout de suite, mon Paul, coupa Philippe que les «habiletés» manuelles de son beau-père rendaient fou. Il savait que, de toute manière, il devrait repasser derrière chaque réparation effectuée par l'ancien détective.

Une belle pomme rouge à la main, Marjolaine ressortit de la maison quelques minutes plus tard. Elle prit une grosse bouchée avant de s'élancer vers le chemin de l'Île, tout heureuse.

— J'amène Joe avec moi.

— Lequel? la taquina Philippe. Moi j'aimerais mieux que tu amènes Dassin avec toi puis que tu laisses le chien ici!

— Niaiseux!

Son père et son mari éclatèrent de rire, alors qu'elle gravissait la pente de leur entrée, son labrador à ses côtés. Lorsqu'ils seraient rendus au plus haut de leur chemin vers le nord, Joe refuserait d'avancer, comme d'habitude, et sa maîtresse l'installerait dans son panier.

— Bientôt, tu vas être trop gros, mon Joe, pour que je puisse te transporter comme ça! le sermonna Marjolaine en l'empoignant.

Décidant d'oublier sa confrontation avec Adrien Ouimet survenue au magasin Dionne, elle leva le nez vers la rangée de pins qui longeait le sentier escarpé. Un épais tapis d'aiguilles rougeâtres adoucissait les pas des aventureux qui tentaient de se faufiler dans la pinède.

— Hé que ça sent bon!

Sous la chaleur, les champs de foin, les aubépines et même les potagers laissaient poindre une douce odeur de fraîcheur. Inspirant profondément, Marjolaine ralentit pour descendre de sa monture. Elle devait parcourir la dernière portion du sentier à pied, et c'est en tenant fermement son guidon que la jeune femme chantonna sa bonne humeur.

Elle m'a dit d'aller siffler là-haut sur la colline,
de l'attendre avec un petit bouquet d'églantines...[6]

— Tu sais quoi, mon chien, sourit Marjolaine en cueillant quelques fleurs, c'est quand même fantastique que je me retrouve entourée d'églantiers comme dans la chanson de mon Joe, hein? Aïe! Mais lui, il se pique pas, *câlique*, quand il les ramasse!

Déposant les roses dans son panier, la jeune femme ôta les épines qui s'étaient plantées dans son pouce avant de recommencer à marcher. C'était la deuxième fois qu'elle allait à la cueillette de champignons depuis son arrivée sur l'île, au mois de mai. Elle aurait bien proposé à Marie-Laure de l'accompagner, mais Marjolaine n'avait pas du tout envie de traîner le trio d'enfants avec elle.

---

6 *Siffler sur la colline*, paroles: Mario Panzeri et Daniele Pace, musique: Laurenzo Pilat, adaptation française: Frank Thomas et Jean-Michel Rivat, 1969.

— Surtout Jules, qui va piler partout sans nous écouter, marmonna-t-elle.

Elle entreprit donc sa marche en solitaire dans le sentier d'où montaient des odeurs de flore sauvage. Rosiers et campanules bleutées, accompagnés de lichens noirs, ravissaient l'ancienne fille de la ville, qui ne pouvait dorénavant plus imaginer sa vie ailleurs que sur l'île.

— Sens-tu ça, mon Joe? Voyons donc, où tu es passé, toi?

Tournant la tête, elle ne vit que la grosse queue brune dépassant d'un pin près du sentier. Elle s'avança et retint une grimace de dégoût en voyant son chiot le nez plongé dans les entrailles d'un écureuil éventré.

— *Ark!* Lâche ça, Joe!

Sentant enfin la paix revenir en elle, Marjolaine souffla sur une mèche de cheveux qui retombait sans cesse sur son front. Comme d'habitude, elle regrettait sa saute d'humeur qui ferait sûrement jaser partout sur l'Île Verte.

— *Mosus* que je suis pas du monde! pensa-t-elle, en faisant la lippe. J'aurais dû tourner ma langue sept fois dans ma bouche au lieu de répondre. Philippe va encore me dire que je suis trop impulsive. Mais on sait bien, lui, il y a jamais rien qui le fait choquer!

Trottant doucement dans le sentier, Marjolaine bifurqua sous les grands feuillus et conifères afin de récolter ses champignons. Elle devait se pencher pour éviter les branches, mais malgré tout, les épines s'accrochaient à ses cheveux. Pourtant, fébrile devant les talles de champignons, la jeune femme n'en avait cure.

— Je vais cuisiner une bonne crème de chanterelles pour nos premiers clients!

Marjolaine s'accroupit sous un arbre, en grimaçant à cause de son écorchure à la cuisse, et entreprit de couper la base des champignons jaunes qui foisonnaient en cette période de l'année. En moins d'une vingtaine de minutes, son sac de papier était déjà plein, mais la femme décida de poursuivre son chemin jusqu'à la rive. À l'occasion, un framboisier rempli de fruits bien rouges freinait son avancée. C'est l'estomac comblé et l'âme en paix que Marjolaine descendit la dernière partie du sentier, plus escarpée. Elle trébucha à quelques reprises en jurant à voix haute. Alors qu'elle arrivait au bas de la dernière descente, là où les sapins s'éclaircissaient pour laisser entrevoir le fleuve, une voix puissante brisa le silence.

— Qu'est-ce que c'est ça?

Replaçant les bretelles noires de sa robe sur ses épaules humides, Marjolaine attendit quelques secondes avant de poursuivre sa marche. Son chien sautillait autour d'elle, l'oreille à l'affût. Le même son se répéta et la femme fronça les sourcils. Tenant solidement son sac rempli de chanterelles et de framboises, elle marmonna:

— On dirait un homme qui chante. Ça doit être des jeunes qui sont venus faire le *party*. Je m'en vais leur dire ma façon de penser, à ces petits-là! Ils ont pas d'affaire à traverser chez nous! Allez, Joe, va leur faire peur un peu!

Marc-André et Marie-Laure leur avaient raconté qu'à l'occasion, des adolescents du village de L'Isle-Verte, sur le continent*, traversaient en chaloupe dans la soirée pour venir faire un feu sur la grève. Sans égard pour les terres des insulaires, qui pouvaient s'enflammer à la première étincelle durant les journées de grande sécheresse. Sentant sa colère poindre de nouveau, Marjolaine marcha d'un pas accéléré. Son regard s'adoucit en voyant la mer qui s'étirait devant elle. Un voilier de bernaches batifolait dans l'eau et, sur les gros rochers nommés les « dos de baleine », deux loups de mer se doraient sous les chauds rayons.

Déposant son précieux chargement à ses pieds, Marjolaine mit sa main en visière pour mieux contempler les outardes et les eiders. L'écho d'une voix fractura de nouveau le silence. Tournant la tête vers la gauche, puis vers la droite, elle haussa les épaules de dépit.

— Voyons donc, veux-tu bien me dire...

Marjolaine retira ses chaussures afin de sillonner le bord du fleuve. Malgré l'eau glaciale, elle s'amusait à glisser ses orteils dans chaque trou où la mer s'était engouffrée, puis retirée, en laissant de l'eau derrière. Elle savourait le vent du large, un souffle léger rempli d'humidité en cette chaude journée de juillet. Son chiot gambadait en direction de la voix sans tenir compte des gouttelettes qui l'éclaboussaient. Plus la femme avançait, plus le son s'intensifiait. C'était une voix mélodieuse, malgré quelques imperfections. Déterminée à percer le mystère, Marjolaine continua à grimper sur les rochers, puis elle le vit. Perché sur une plate-forme de bois posée sur le roc gris foncé, face à la mer, un homme chantait, les yeux fermés. Le mouvement de son corps s'avançant vers le fleuve et reculant vers la rive fascina Marjolaine pendant de longues minutes.

— J'ai mon voyage. Il a du talent... murmura-t-elle les yeux fixés sur Adrien Ouimet.

Elle s'assit en remontant ses genoux contre elle. La mélodie rappelait la musique du film *Il était une fois dans l'Ouest*, que la brunette avait vu au moins dix fois depuis sa rencontre avec Philippe.

— Meilleur film au monde, ma petite femme ! disait-il chaque fois qu'il poussait la cassette dans leur magnétoscope en imitant la voix d'un cow-boy.

Ignorant si elle devait dévoiler sa présence, Marjolaine hésita jusqu'à ce que le chanteur termine sa pièce. Ses boucles blanches volaient librement sur ses épaules étroites. Elle allait se retirer en douce lorsque le vieux ouvrit les yeux et tapota doucement Joe, parvenu à ses côtés. Lentement, Adrien Ouimet se retourna vers Marjolaine et la pauvre n'eut d'autre choix que de lever la main pour le saluer. Or, l'autre l'ignora et reporta son regard sur le fleuve. Cette mer qu'il aimait tant.

— Ah bien, quel impoli !

Pieds nus comme elle, l'homme resta longtemps à fixer le large sans bouger. Mal à l'aise, tant par sa position sur les roches que parce qu'elle avait l'impression de l'espionner, Marjolaine se releva et s'avança doucement. Elle était à quelques pieds de lui lorsque l'homme âgé la regarda enfin. Son visage hâlé et ridé était marqué par le tourment. La femme déglutit avec peine et le son de sa voix, lorsqu'elle commença à parler, ressemblait à celui d'une vilaine corneille.

— Heu... rebonjour. Vous chantez bien.

Adrien l'observa longuement avant de se relever sans dire un mot, affichant un air ennuyé. Marjolaine avait l'impression qu'il ne la reconnaissait pas. Il avait la silhouette d'un adolescent et, malgré elle, la femme ressentit une intense envie de le protéger. Tentant un timide sourire, elle attendit un signe de reconnaissance. Voûté, les épaules basculant vers l'avant, le vieil homme ne prononça pas un mot, lui qui n'en était pourtant pas avare en temps normal.

— Vous vous souvenez plus de moi ? Marjolaine Lalonde. On vient juste de se croiser au magasin et...

— Je me rappelle. La voleuse de framboises. On vient de se voir, je suis pas sénile !

Ce fut tout. Marjolaine pinça ses lèvres fermement pour taire sa réplique. Avec difficulté, l'homme agrippa sa canne de bois et s'éloigna vers la forêt.

— Vous venez souvent chanter ici ?

Encore une fois, le long regard énigmatique qu'Adrien lui décocha et qui fit rougir Marjolaine lui rappela qu'elle avait une grande bouche ! Pas capable de se taire, surtout quand elle se sentait mal à l'aise comme en ce moment. Mais elle était trop curieuse pour s'arrêter.

— C'est sûr que vous êtes sur ma terre, mais faites-vous-en pas...

Alors seulement il répondit :

— En fait, c'est la terre de Lionel.

— Heu...

En se relevant un peu, Marjolaine s'aperçut qu'en effet, le vieux se tenait à la limite des deux terrains, mais chez les Vézina. Elle rougit encore plus, se sentant complètement idiote.

— Bon, bien, je vais vous laisser. Heu... pour tantôt... je voulais vous dire...

— Oui ?

Marjolaine retint son souffle pendant quelques secondes afin qu'Adrien Ouimet ne puisse remarquer son embarras. Elle vit passer un sourire furtif sur le visage buriné. Aussitôt, elle sentit sa colère revenir. L'homme ne fit que se retourner légèrement et répéta :

— Tantôt ?

— Rien. Rien du tout. Bonne journée.

Elle commença à s'éloigner de lui en direction de sa terre, songeuse. Décidément, l'Île Verte comptait son lot de monde bizarre ! Mais ce vieux bonhomme malcommode était probablement le pire ! Débinée, Marjolaine constata qu'elle ne pouvait pas nier qu'il avait au moins une qualité : il savait chanter !

CHAPITRE 13

Premiers clients

Pour tromper son ennui et sa nervosité en attendant les premiers clients du gîte, Marjolaine tentait de tricoter, assise dans le salon. La langue sortie, elle rageait contre ses doigts pleins de pouces qui n'arrivaient pas à compléter une rangée sans perdre quelques mailles. Mettant son «foulard/tuque/bandeau» de côté, elle reporta son attention sur *Le Téléjournal*. Joe en profita pour tenter à son tour… de tricoter! La balle de laine rouge lui semblait bien attirante et, en douce, il prit le travail de Marjolaine pour l'apporter sous le divan.

— As-tu vu ça, Philippe? C'est fou!

Marjolaine fixait l'écran de télévision la bouche grande ouverte. Déposant sa blague à tabac sur la table du salon, son mari s'installa à ses côtés sur le sofa recouvert d'une jolie couverture tissée par Anémone Vézina. Dans un rare moment de lucidité, la vieille femme avait fait cadeau de la pièce d'artisanat au jeune couple en disant aux amoureux qu'ils pourraient s'en servir les soirs d'hiver. Philippe pencha la tête de côté en voyant l'arrière-train du chien qui dépassait du meuble.

— Heu… Marjo, tu sais que le chien a pris ta laine?

— Hein? Oh! Zut, Joe, lâche ça! Oh non… regarde, il a grignoté un gros bout de ma tuque!

— C'était pas un foulard? ironisa Philippe en observant l'étrange tricot.

Pour seule réponse, il reçut une claque sur l'épaule. Puis le couple reporta son attention sur le téléviseur. À l'écran, un énorme bateau de bois laissait s'échapper des gens en panique.

— C'est qui, ce monde-là? demanda Philippe en fronçant les sourcils.

— Ils les appellent les *boat people*. Le journaliste a parlé de réfugiés originaires du Vietnam.

— C'est en Asie, ça?

Découragée par la question, Marjolaine leva les yeux au ciel.

— Non. C'est la province voisine de l'Ontario, nono! Bien oui, c'est en Asie, pas loin de la Chine.

Philippe, qui n'avait jamais aimé l'école, réussissant ses cours par la peau des fesses, ne ressentit aucune gêne d'afficher ainsi son ignorance. Ce n'était pas donné à tout le monde de connaître le nom des pays sur le bout des doigts. Lissant sa barbe entre son pouce et son index, il haussa ses épaules.

— Puis ils arrivent jusqu'ici en bateau?

Marjolaine fit la moue sans répondre. Le couple regarda le reportage sur ce groupe de citoyens du Vietnam qui représentaient la majorité de réfugiés. Après avoir fui leur pays, ils échouaient dans des camps de survie, expliquait le journaliste.

Depuis la fin de la guerre, en 1975, le pays connaît un exode de réfugiés par voie terrestre et maritime. Ceux qui choisissent de partir en bateau débarquent dans les pays frontaliers et sont «accueillis» dans des logements de fortune où la promiscuité, la malnutrition, les conditions d'hygiène déficientes déciment les populations qui s'y réfugient. Les plus vulnérables ne survivent pas et la fuite à bord de bateaux précaires semble être la

seule issue à une mort certaine. Alors que plusieurs pays com-
mencent à être submergés par ces arrivées massives (la Malaisie
a, jusqu'à ce jour, accueilli plus de 60000 Vietnamiens en
détresse), d'autres s'ouvrent enfin*.

Marjolaine en avait assez entendu pour avoir les larmes aux
yeux. Elle se tourna vers son mari, qui savourait sa cigarette finement roulée, en continuant de fixer l'écran d'un air intéressé.
    — Me semble qu'on devrait en accueillir du monde de même
ici !
    — Ici ? Ici où ?
    — Bien au Québec, sur l'Île Verte même !
    — C'est ce qui se fait déjà, non ? Pas sur l'Île Verte, mais ail-
leurs au Canada ?
    — Oui, mais vraiment pas beaucoup.
    — Le journaliste a parlé de presque 13000 juste au Québec
depuis deux ans. Je trouve que c'est pas mal, moi ! rétorqua
Philippe. Si on veut garder notre pays français... Puis franchement, Marjo, la plupart des insulaires veulent même pas voir
d'autres Québécois traverser ici, puis toi tu veux faire venir des
Viet... quelque chose !
    Sa femme le dévisagea, dépitée par son raisonnement et son
manque de connaissances.
    — Arrête, Philippe, je suis sérieuse. Puis ce sont des
Vietnamiens, niaiseux ! Ces gens-là ont personne pour veiller
sur eux... Nous, ici, on a de la terre en masse pour leur bâtir des
maisons, prendre soin de leurs enfants. Le Canada est un pays
immense... Oui, je pense que je devrais...
    Aucun d'eux n'avait entendu Paul arriver dans la cuisine et ils
sursautèrent lorsque sa voix sèche interrompit sa fille :

— Tu veux pas voir ta sœur sur l'Île Verte, mais tu voudrais accueillir des gens qui viennent de l'autre bout du monde et qui doivent amener de la vermine avec eux!

Aussitôt, Marjolaine se redressa. Son dos raide, ses épaules rejetées vers l'arrière, son cou tendu et sa mâchoire crispée annoncèrent à Philippe que la réplique serait brutale. Il voulut poser sa main sur la cuisse de sa femme, mais elle la repoussa avec vigueur. Dans ses yeux noisette, la colère vibrait et ses pommettes rougirent encore plus lorsqu'elle répondit:

— Eux autres, ils ont pas tué mon frère!

Voilà, elle l'avait dit! L'avait craché, d'une voix méconnaissable. Le père et la fille s'affrontèrent longuement du regard. L'air dans le salon était irrespirable et Philippe releva sa longue silhouette efflanquée pour aller se chercher un Coke dans le réfrigérateur afin de fuir la pièce. Cette dispute ne le concernait pas. Un jour, le duo devrait crever cet abcès qui minait sa relation. Jamais en cinq ans il n'avait vraiment su ce qui s'était produit ce soir de juillet 1975. À ses questionnements, les réponses de Marjolaine étaient sèches: «Je veux pas en parler!» Lorsqu'il leur arrivait de passer devant la bibliothèque municipale, près de leur appartement, elle se contentait de dire: «Mon frère passait ses journées ici quand on était jeunes.» Philippe s'adossa au comptoir, les yeux fixés sur le duo père-fille qui s'affrontait dans le salon.

— Toi, le pardon, tu connais pas ça? furent les paroles paternelles qui déclenchèrent la furie de Marjolaine.

— Le pardon? Le pardon, papa? Es-tu tombé sur la tête, *sacrament*! Tu voudrais que j'accueille ici la personne qui a mis fin à la vie de mon frère et qui, en plus, a pris la fuite plutôt que de faire face aux conséquences de ses actes? Puis dis-moi pas qu'elle a pas fait exprès de tuer Stéphane, continua-t-elle en criant et en pleurant lorsque Paul voulut argumenter. Elle savait que ton fils, mon frère, aimait pas la vitesse. Elle connaissait sa peur des motos, mais il a fallu qu'elle le pousse jusqu'à ce qu'il accepte de monter derrière elle. Alors à ta question, à savoir si j'accueillerais des étrangers avant ma sœur, je te dis oui! Cent fois, mille fois oui! Et j'espère qu'on aura plus jamais cette discussion. Je veux pas la voir chez nous! Que ce soit clair! Je sais bien que tu te morfonds, que tu rêves de la revoir... tu penses que j'ignore à quel point je compte moins qu'elle? Quand tu regardes le fleuve... quand... tu es dans... la... lune... Depuis cinq ans... papa, que je... Je suis ici, moi... J'ai... toujours... été... là, sanglota-t-elle, mais... ce... c'est pas... assez, hein?

Repoussant la couverture bleue brodée, Marjolaine chaussa ses pantoufles avant de passer devant son père, figé par la douleur, et de grimper à l'étage. Elle murmura entre ses dents:

— Je suis pas... Sophie. Mais j'existe aussi!

— Tu te trompes, Marjo. Je vous aime. Toutes les deux.

Philippe jeta un regard attristé vers l'écran de télévision, où des gens en guenilles et en larmes tombaient dans les bras de sauveteurs déterminés à rendre leur vie meilleure. Sans dire un mot, Paul frotta sa courte chevelure blanchissante avant de se retirer de la pièce presque sur la pointe des pieds. Avait-il si mal aimé sa cadette? Comment lui annoncer que Sophie viendrait sur l'île dans un futur assez proche? S'il avait eu le moindre doute sur les sentiments de Marjolaine à l'égard de son aînée, la confrontation qui venait d'avoir lieu avait confirmé ses craintes. Sa fille serait furieuse et ne lui parlerait probablement plus pendant un moment lorsqu'elle apprendrait la venue imminente de sa sœur. Hésitant, l'homme regarda le ciel nuageux avant de prendre une décision. Il avait besoin d'un conseil.

— Je sors, Philippe... J'ai besoin d'air.

— Paul...

— Laisse faire, mon gars, inquiète-toi pas. C'est à moi de lui faire comprendre à quel point je l'aime...

Son bon visage tourné vers le fleuve, l'homme ne vit pas le geste de dépit de son gendre, qui avait envie d'obliger les deux entêtés à s'asseoir pour vider la question une fois pour toutes. Il en avait assez de toujours faire semblant que «la sœur» n'existait pas avec sa femme et, d'un autre côté, de devoir faire preuve de discrétion lorsque Paul mentionnait le prénom tant détesté par Marjolaine. Cette dernière, couchée sur son épaisse douillette, entendit avec tristesse la porte de la maison se refermer.

— Même absente... elle gâche encore ma vie... pensa-t-elle en essuyant ses joues.

Lovée dans son lit, Marjolaine sanglotait. Aurait-elle dû avouer à son père qu'après cette soirée de juillet 1975, elle avait tremblé pendant des semaines, voire des mois, à l'idée qu'il pourrait à son tour la laisser tomber? Refaire une dépression comme après le décès de sa mère? Marjolaine avait passé des nuits à ne pas dormir en posant son oreille sur la porte de la chambre de Paul pour écouter ses pleurs étouffés par l'oreiller. À tout juste vingt et un ans, elle sentait le poids de la responsabilité de la vie de son père sur ses épaules. S'il craquait encore, elle ne résisterait pas non plus. Elle avait tout mis de côté à cette époque: lâché des cours au cégep – elle prendrait plus de temps pour terminer son DEC; mis fin à sa relation amoureuse avec son *chum* des derniers mois: «Je dois m'occuper de mon père», avait-elle justifié; délaissé ses amies en prétextant une surcharge de travail.

— Puis tout ça, c'est de ta faute, Sophie Lalonde! Si on avait été deux, pour prendre soin de papa, j'aurais eu une vie. Si tu avais été là... il aurait... pu penser à moi un peu... mais ton absence a envahi l'espace!

Paul ne vit pas le rideau coloré se soulever au deuxième étage de la maison rouge et le regard de sa fille le suivre, le visage encore ruisselant de larmes. Pendant des mois, après la fuite de Sophie, elle avait espéré en secret recevoir une lettre d'excuse, un *mea culpa* qui l'aurait amenée à réviser sa position face au drame du 10 juillet 1975. Mais après quelque temps, Marjolaine avait compris que sa sœur avait fait la même chose avec eux qu'avec ses amants d'un soir : elle les avait rejetés. La femme suivit longuement la silhouette de son père, une forme qui lui semblait plus recroquevillée qu'avant. Lorsqu'il grimpa lentement dans le camion gris prêté par Marc-André, elle retourna s'asseoir sur son lit.

— Oh... papa, geignit la jeune femme en reniflant sans délicatesse... Tu vois pas qu'elle nous a oubliés?

Pendant que Marjolaine se remémorait cette époque, Paul, lui, conduisait lentement sur le chemin de l'Île en respirant l'embrun de la mer. Avec une grande gentillesse, Marc-André leur avait prêté son véhicule pour l'été. Il utilisait son autre *bazou* pour lui et sa famille, une vieille Jeep qui tenait encore très bien la route.

— Je vais te l'acheter, au moins, avait insisté Philippe.

Mais sans surprise, il avait vu son cousin refuser catégoriquement son offre. Alors avec gratitude, le couple utilisait le *pick-up* pour tous ses déplacements depuis son arrivée sur l'île.

Paul tentait depuis si longtemps de comprendre la haine de sa cadette à l'égard de son aînée qu'il en était épuisé. Il savait bien que la plus vieille avait toujours fait de l'ombre à Marjolaine.

Elle était si flamboyante, ma Sophie, pensa-t-il avec affection. Mais jamais on l'a préférée à notre douce et raisonnable

Marjolaine. Peut-être qu'on aurait dû lui demander d'être plus posée, moins extravertie ? Nos enfants avaient des personnalités bien différentes et les deux plus jeunes étaient si complices qu'ils tenaient souvent Sophie à l'écart de leurs projets.

Tout en roulant sur la route de terre, le pauvre vieux essayait de comprendre la rage qui s'était installée dans le cœur de Marjolaine après la mort de Stéphane. Un accident n'était pas un meurtre ! avait-il parfois envie de répondre à sa cadette. Ce n'était pas la première fois que Marjolaine l'accusait de lui préférer Sophie. Déjà, petite, elle boudait lorsque la plus vieille recevait un peu trop d'attention. Mais cette dernière agissait comme un aimant sur les gens, alors que la cadette réfléchissait, observait, se taisait. Deux opposées !

— Que j'aurais besoin de toi, de ta sagesse, ma douce Emma... murmura Paul en levant les yeux vers le ciel clair.

Le vieil homme arriva à l'intersection du chemin du Quai d'en-Bas et il sourit faiblement en voyant son bon ami Gaspard assis sur sa galerie lui faire un large signe de la main. Depuis leur installation sur l'Île Verte, le maire et Paul étaient devenus proches. Le veuf et le divorcé avaient le même tempérament, les mêmes valeurs et, instinctivement, c'est vers la maison grise que le père de Marjolaine s'était dirigé après la confrontation avec sa fille.

– Québec –

Hébergée chez un « ami », Sophie hésitait quant à la suite des choses. Sans trop de surprise, son ancien employeur au salon de bronzage L'Air du large lui avait redonné du travail, quelques heures par jour, à l'accueil. Elle en avait profité pour reprendre des couleurs, elle qui avait plutôt une teinte verdâtre à son arrivée au Québec, après cinq ans passés à travailler dans des bars enfumés. Sans plus de façon, elle avait dit à son *chum* des derniers mois :

— *I'm going back to Quebec city.*

— *When?*

— *The day after tomorrow.*

— *But?*

— *But nothing. It was nice but now I'm bored*[7].

Même les supplications qui avaient suivi n'avaient pas réussi à convaincre la femme de rester dans cette province de l'Ouest. Après toutes ces années à fuir, il était temps de rentrer au bercail. Maintenant, sur le divan usé où elle dormait, Sophie se demandait si elle oserait affronter les siens.

— Je serais peut-être mieux de téléphoner avant... pensait-elle. Ou pas. Marjolaine va me raccrocher au nez, puis je pourrai même pas avoir la chance de la surprendre. Non, je pense que je vais me rendre sur place, sans prévenir. Bonjour la surprise !

La jolie femme au visage fin et bronzé sourit d'un air narquois en imaginant la face de sa cadette devant son arrivée impromptue. Avant même les funérailles de Stéphane, elle avait quitté la province en se faisant la promesse de ne plus jamais y remettre les pieds. Voir jour après jour le regard culpabilisant des autres, très peu pour elle !

— Ma foi, il y a juste les fous qui changent pas d'idée, affirmat-elle en s'allongeant sur le canapé pour tirer sur sa cigarette et

---

7   — Je retourne à Québec.

— Quand ?

— Après-demain.

— Mais ?

— Il y a pas de mais. C'était bien le *fun*, mais maintenant je suis tannée.

faire des ronds de fumée qui montaient en volutes jusqu'au plafond défraîchi.

‿

Marjolaine et Paul n'eurent d'autre choix que de mettre leur différend de côté. Puisque les premiers clients devaient être tra-
versés par Gaspard le lendemain matin, la femme se voyait mal
les recevoir dans une ambiance tendue. Alors, dès le retour de
son père à son chalet, elle s'y dirigea pour lui rappeler qu'il devait
aller au quai pour neuf heures et demie. En effet, l'homme serait
le «chauffeur officiel» du *Chant des marées*. Paul la regarda pen-
sivement et offrit :

— Marjolaine, me semble qu'on devrait...

— Papa, non. Je veux plus en parler. Peux-tu faire ça pour
moi ? le supplia-t-elle en levant ses beaux yeux vers lui. Un jour
peut-être, mais maintenant, je veux savourer ce qui s'en vient.
S'il te plaît ? Pour une fois, penser à moi, seulement.

Le vieil homme, qui sentait tout le poids de ses soixante et
onze ans sur ses frêles épaules, hocha sa belle tête de plus en
plus blanche. Il s'avança pour serrer son enfant contre son cœur
et Marjolaine ferma les yeux pour humer cette odeur fraîche de
savon et de bonté qui se dégageait de son paternel. Cette odeur
qui l'avait toujours apaisée, même dans les moments les plus
horribles. Pas un homme ne sentait comme son père. Pas un.
Heureuse d'avoir fait la paix avec lui, elle chuchota :

— Je t'aime, mon papounet.

— Moi aussi, ma chérie. Doutes-en pas. J'oublierai jamais ta
présence sur laquelle j'ai pu compter dans les pires moments de
ma vie.

Se dégageant avec regret de l'étreinte qui lui faisait du bien, Marjolaine lui sourit tendrement puis fixa le fleuve, qui montait tranquillement sur les berges. Dans moins de douze heures, le gîte serait officiellement ouvert. Père et fille restèrent longtemps assis sur la grande terrasse, les yeux rivés sur l'eau. C'était le début d'une belle aventure.

↜

Marie-Laure avait une boule au creux de l'estomac. Depuis une heure, l'anxiété l'envahissait de plus en plus. Chaque matin, elle traînait son corps alangui dans la cuisine et s'assoyait à la table devant un café bien chaud. Parfois, Marc-André était déjà parti travailler, mais pas aujourd'hui. Les nuits la rendaient folle depuis que Jules s'était mis à *lirer* en se cognant la tête sur le mur.

— Bien voyons donc! avait dit le gros blond la première fois qu'il avait entendu son fils geindre de cette façon.

Découragé, il avait passé une partie de la nuit couché aux côtés de son enfant pour l'arrêter dès qu'il recommençait son manège. Puis, il avait abandonné, épuisé par les nuits sans sommeil qui s'accumulaient.

— On a rien qu'à se mettre des bouchons! avait-il proposé à Marie-Laure.

Il avait joint le geste à la parole et, depuis, n'éprouvait guère de difficulté à sombrer dans un sommeil profond, la nuit venue. Mais sa femme, voulant s'assurer que le comportement dérangé de son garçon cesse, avait refusé cette solution.

— C'est pas vrai que mon gars va geindre comme ça toutes les nuits!

Alors la pauvre Marie-Laure se relevait, deux, trois, six fois pour appuyer sur le petit corps, qui cessait temporairement de bouger. Ce matin, au réveil, une angoisse l'avait envahie en songeant que, bientôt, son fils devrait fréquenter l'école et qu'il n'était même pas capable de prononcer une phrase complète. Elle avait donc décidé d'y remédier. D'une drôle de façon.

— Ça va faire, Marie, l'avait sermonnée Marc-André, déjà prêt pour se rendre au quai.

Son pauvre époux avait tout tenté pour la faire changer d'idée, mais à bout de ressources, il était parti chercher de l'aide. Il ne reconnaissait pas sa femme dans cette furie qui refusait de laisser leur fils sortir de table. S'il s'approchait de Jules, elle serrait les poings, lui faisant craindre le pire.

— Je reviens dans quelques minutes, Marie. Calme-toi !

Marc-André pensa demander à son père de venir à la maison, mais la relation était tendue depuis que Gaspard avait suggéré à Marie-Laure de rencontrer l'infirmière avec Jules. La grande châtaine l'avait bêtement regardé avant de lui répondre froidement :

— Mêle-toi donc de tes affaires, Gaspard ! Mon fils est normal.

Dans la petite cuisine de la maison jaune, Marie-Laure respirait fort, alors que son aînée Marion montait doucement les marches pour éviter d'envenimer les choses. Matante Minou, assise à la table, affichait un visage tendu par l'émotion. Les deux femmes ne disaient pas un mot et, assis entre elles, Jules, les boucles rousses tout ébouriffées, avait les poings fermés sur ses genoux.

— Je pense que…

— Taisez-vous, matante Minou.

Marie-Laure portait une longue jaquette usée qui ne flattait pas vraiment sa grande silhouette un peu empâtée. Mais ce qui peinait le plus Hermine, c'était la crainte qu'elle voyait dans le regard enfiévré de la jeune mère. Elle n'était pas bien. Lorsque la dame âgée était arrivée avec le petit chaton qu'elle apportait pour la famille, la porte de la maison était grande ouverte et des cris s'échappaient de la cuisine.

— Il faut qu'il mange, rageait Marie-Laure.

— Il a plus faim. *Maudit!* Arrête!

Malgré son malaise, Hermine avait grimpé les trois marches pour cogner à la porte ouverte.

— Bonjour... Je vous apporte Virgule.

Aussitôt, les cris avaient cessé, et Éloi et Marion s'étaient pressés vers la vieille dame pour prendre le chaton beige. Jules avait levé son regard distant et voulu à son tour rejoindre son frère et sa sœur. Mais la voix de sa mère l'en avait empêché:

— NON! Toi, tu restes là et tu finis de manger!

Alors Marc-André avait décidé de se rendre à la maison rouge pour quérir de l'aide auprès de la seule personne qui pourrait peut-être faire entendre raison à sa femme. Marjolaine profitait des derniers moments calmes avant l'arrivée de ses clients.

— Deux heures... murmura-t-elle en envoyant la main à son père, qui coupait des fleurs autour de sa petite maison. Dans deux heures, notre gîte sera officiellement ouvert.

À l'occasion, le brouillard du matin tardait à se dissiper, comme c'était le cas aujourd'hui. Assise dans l'escalier pour savourer son café bouillant, la jeune hôtelière distinguait à peine le fleuve au loin lorsque l'arrivée catastrophique de Marc-André dans son entrée l'amena à descendre les quelques marches de sa galerie. Marjolaine s'avança vers la Jeep. Marc-André sortit sans éteindre son moteur et courut au-devant de la jeune femme.

— Tant mieux, tu es là! J'ai besoin de toi, Marjolaine.

— Hein? Heu oui...

— Peux-tu venir chez nous ?

— Là ? C'est parce que...

La brune resserra sa longue chemise mauve et se retourna vers la maison. Elle voulut lui dire qu'elle n'avait pas fini sa vaisselle du déjeuner, qu'elle n'était pas habillée, mais la détresse qu'elle lut sur le visage de Marc-André lui confirma l'urgence de la situation.

— Ok, laisse-moi juste avertir Philippe, puis j'arrive.

— Merci.

Paul, qui s'était dirigé vers la maison rouge pour saluer le jeune homme, fronça les sourcils devant l'angoisse qu'il lisait sur les traits de la bonne face ronde.

— Ça va, mon gars ?

— Non, pas du tout.

— Je peux t'aider à quelque chose ?

Le blond tourna un regard tourmenté vers Paul et, malgré son inquiétude, ne put retenir un sourire à la vue de l'accoutrement de l'homme. Son chandail *tye dye* bleu et blanc jurait avec son pantalon à carreaux gris et brun. Sur sa chevelure pâle, en cette fin d'été, le père de Marjolaine avait enfoncé un chapeau de toile bourgogne à l'intérieur beige. Il tenait un tesson de bouteille brune à la main et s'apprêtait à expliquer à Marc-André qu'il l'avait ramassé sur le chemin, lorsque Marjolaine, qui n'avait jamais vu un tel désarroi chez son ami, ressortit en vitesse de la maison.

— On peut y aller. Papa, veux-tu donner un coup de main à Philippe pour ramasser la cuisine ? Je reviens...

— ...bientôt, continua Marc-André d'un ton qu'il voulait assuré.

En peu de temps, le couple de Marie-Laure et Marc-André avait pris une grande importance dans la vie des nouveaux insulaires. Soupers, pique-niques, soirées de jeux... les cousins s'étaient découvert plusieurs affinités et les femmes aussi. Les deux pères, Gaspard et Paul, appréciaient aussi ces moments pendant lesquels ils discutaient pêche, voyage, actualité...

— Faites-vous-en pas! On s'occupe de tout. Après, j'aiderai Philippe pour la grange si les invités prennent pas tout mon temps! Gaston commence à trouver le temps long!

— Gaston?

— Son coffre à outils, Marc-André!

Depuis la fin des rénovations majeures sur la demeure principale, Paul et son gendre avaient décidé de colmater les ouvertures du vieux bâtiment de ferme sur leur terre en utilisant du vieux bois trouvé dans le caveau sous la maison. Philippe, appuyé contre la rampe de la galerie, vint saluer son cousin, mais celui-ci avait déjà agrippé la main de Marjolaine pour la mener au tacot.

— Peux-tu me dire ce qui se passe? Puis pourquoi moi? Tu aimes pas mieux que Philippe te donne un coup de main? demanda enfin Marjolaine lorsque la Jeep fonça vers le Bout d'en-Bas.

— C'est Marie-Laure.

— Hum...

— Elle a... comme viré folle... chuchota la voix désespérée de Marc-André, qui ne vit pas le vieux Ouimet lui faire signe de ralentir lorsqu'il le croisa sur son tracteur. Le vieux n'aimait pas la vitesse.

Marjolaine, elle, qui l'avait remarqué, tourna la tête pour que l'homme ne la reconnaisse pas. Déjà assez qu'il la traitait de voleuse depuis un mois, il ne manquerait plus qu'il l'associe à un «assassin des routes», maintenant! Elle sourit quand même en se remémorant la journée, une semaine plus tôt, où elle avait sonné à la porte de la maison grise, face au cimetière. Comme elle n'avait pas obtenu de réponse, elle s'était avancée pour contourner la façade. Du fond du poulailler, elle avait reconnu la voix profonde du vieux chanteur. Marjolaine était restée immobile quelques minutes pour s'étonner encore que cet homme puisse avoir une telle puissance vocale. Il était si maigre ! Elle avait souri en reconnaissant vaguement les paroles d'une chanson de Louis Armstrong, un Américain virtuose de la trompette !

I see « truies » of « cream », red roses too
I see them « boom » for me and you...[8]

— Allo ! avait-elle crié lorsque le ténor avait marqué une pause.

— C'est qui ? avait grogné la voix éraillée de l'aîné sans même sortir du poulailler.

— Marjolaine Lalonde.

— Qui ? avait-il redemandé en passant sa tête blanche par la porte. Oh, la voleuse !

— Monsieur Ouimet, franchement ! Tiens, les voilà, vos *maudites* framboises. Puis parlez-moi-z'en plus, c'est clair ?

Elle avait tendu au vieil homme un plein casseau de fruits rouges bien mûrs en se réjouissant de son air estomaqué. Ses longs cheveux blancs tombaient sous ses aisselles et il ne portait qu'un vieux pantalon noir déchiré. Dans sa barbe, des copeaux de bois étaient restés coincés et l'homme ne s'en formalisait pas.

— Il était temps ! Je me demandais si tu m'avais oublié. Sont sûrement pas aussi bonnes que celles que tu m'as volées, mais ça va faire ! lui avait-il répondu d'une voix moqueuse.

---

8   Paroles originales : *I see trees of green, red roses too, I see them bloom for me and you. What a wonderful world*, paroles et musique : Bob Thiele et George David Weiss, 1967.

Retenant son envie de lui sauter à la gorge, Marjolaine avait tourné les talons avant de dire, suavement :

— D'habitude, quand on chante une si belle chanson, on essaie d'avoir les bonnes paroles. Bonne journée !

Elle n'avait pas vu le regard outré du vieil homme, mais l'avait senti se poser sur l'arrière de son *jumpsuit* en jeans. Tournant sa tête vers Marc-André, elle posa sa main sur son bras tendu en conseillant, d'une voix claire :

— Ralentis un peu, Marc-André... puis explique-toi.

— Je sais... je sais pas quoi te dire. Tu vas voir.

Quand la voiture tourna dans l'entrée de sa jolie maison jaune, Marc-André se dépêcha de se stationner, tant et si bien qu'il se gara à moitié sur le gazon. Il jeta un regard désemparé vers Marjolaine avant de sortir en vitesse.

— Viens !

— Veux-tu bien me dire... ? marmonna Marjolaine en courant à la suite de son ami.

De plus en plus intriguée, elle entra par la porte déjà ouverte en s'attendant au pire. Au bout du corridor, tout au fond de la maison, elle découvrit la scène qui les attendait dans la cuisine. Assise sur une chaise droite aux côtés de son fils Jules, Marie-Laure avait l'œil hagard et la bouche pincée en une mince ligne rosée. Tout son corps montrait sa colère, tant les poings crispés sur le bord de la table, que son cou tendu vers l'avant. Matante Minou était assise de l'autre côté de la table et fixait l'enfant, qui refusait d'ouvrir la bouche pour manger. Marc-André la remercia du regard avant de s'avancer vers sa femme. Marie-Laure sentait la panique l'envahir chaque fois que ses yeux se posaient sur son fils cadet. Elle avait décidé de le prendre en main. Pourtant, les choses ne se passaient pas comme elle les avait imaginées. Dans un lointain brouillard, elle entendit la voix inquiète de son mari :

— Ma chérie, je pense que c'est assez. Regarde, Marjolaine est ici.

— Il va finir son assiette ou bien il va dire qu'il en veut plus, répliqua aussitôt la grande châtaine, après avoir jeté un rapide coup d'œil indifférent vers son amie.

Marjolaine avala péniblement sa salive en constatant que la femme qui se tenait près d'elle n'avait rien à voir avec celle qu'elle connaissait depuis son installation sur l'île. Disparue la mère affectueuse, chaleureuse. Ne restait plus qu'une mégère déterminée à faire manger son fils. Répondant à l'appel affligé de Marc-André, Marjolaine roula les manches de sa chemise avant de prendre place à son tour à la table.

— Marie-Laure? Qu'est-ce qui se passe?

— Marjolaine? Qu'est-ce que tu fais ici? Ouvre la bouche, Jules. Je t'ai dit d'ouvrir la bouche!

Sans se préoccuper de la réponse de son amie, trop estomaquée pour en fomenter une, Marie-Laure força la bouchée de gruau entre les lèvres presque blanches du garçonnet tremblant. Matante Minou tenta d'enlever la cuillère de la main de la mère, mais aussitôt cette dernière grogna:

— Touchez-moi pas, vous! Mange, Jules, ou dis: «Maman, j'ai fini.»

Éberluée par la scène surréaliste qui se déroulait devant elle, Marjolaine inspira profondément en cherchant dans sa mémoire les trucs que les psychologues avaient expérimentés auprès d'elle après la mort de son frère. Elle remarquait les mains vacillantes, la voix caverneuse de son amie… tous les signes d'une profonde angoisse. De sa voix la plus douce, elle murmura:

— Je vois que tu voudrais que ton petit garçon finisse son repas, mon amie.

— Ou qu'il dise qu'il en veut plus, répéta la mère de famille, comme un leitmotiv.

Les deux autres enfants flattaient le nouveau chaton de la famille dans un coin du salon. De temps en temps, ils levaient leurs têtes blondes pour observer leur mère. Sur leurs visages rousselés, la crispation montrait leur inquiétude et leur peur. Marc-André tenta de les rassurer d'un sourire qui ressemblait malheureusement plus à une grimace. Marjolaine posa sa main délicate sur celle de son amie.

— Je comprends. Mais je comprends aussi que ton Jules sait peut-être pas comment exprimer sa pensée, ma belle. Qu'est-ce que tu en penses?

— C'est pas difficile, je lui ai montré: «Maman, j'ai fini.» Un bébé de deux ans est bien capable de le dire, *crisse*!

Découragé, Marc-André, resté sur le seuil de la cuisine aux murs lambrissés, secoua la tête avant de maugréer:

— Ça va faire, Marie-Laure! Tu as l'air d'une folle, *sacrament*! Ça fait trois quarts d'heure que tu t'obstines avec lui! Tu vois bien qu'il y a rien à faire! Il est pas capable de parler, laisse-le donc tranquille, c'est pas la fin du monde! Il va bien finir par y arriver, mais sûrement pas comme ça!

Le téléviseur dans le coin du salon diffusait l'émission *Bobino*, et Marion et Éloi regardaient distraitement Bobinette qui «conduisait» une voiture, en prévenant les piétons de son arrivée. Secouant la tête, Marjolaine reporta son attention sur le duo mère-fils en crise. Marc-André s'avança pour prendre son garçon, mais aussitôt, telle une furie, sa femme le repoussa de toutes ses forces. Bien que son poids fût beaucoup plus imposant, la puissance du coup fit tomber Marc-André à la renverse et matante Minou eut un hoquet de panique.

— MARIE-LAURE, ARRÊTE, VOYONS!

Abasourdie, Marjolaine promena ses yeux sur la petite cuisine aux murs joyeusement colorés sur lesquels les parents avaient punaisé les œuvres d'art des trois artistes de la maison. Elle reconnut facilement les dessins de Jules, toutes des scènes de son dessin animé préféré, *Goldorak*! Le robot de l'espace, ses amis et ennemis, fascinaient l'enfant depuis plusieurs mois. Encore en pyjama, le petit roux pressait ses menottes sur les genoux usés de son pantalon à l'effigie de son héros. Sur son visage au menton pointu coulaient des larmes par-dessus d'autres, asséchées. Ses grands yeux bleus comme ceux de sa mère fixaient le mur en face de lui sans jamais se poser sur les gens autour. Marjolaine ne put assister plus longtemps à son calvaire. Son cœur battait à tout rompre dans sa poitrine, craignant que la colère ne finisse par être dirigée contre elle.

— Écoute-moi bien, Marie-Laure. Je vais maintenant faire descendre Jules de sa chaise. Je te demande de me laisser faire parce que je sais que tu l'aimes et que tu souhaites pas le faire pleurer encore. Ensemble, je te promets qu'on va travailler très fort avec lui pour l'amener à te dire ce qu'il désire. D'accord?

Sans attendre de réponse, Marjolaine se leva doucement, passa derrière la mère éplorée et, sous les regards inquiets d'Hermine Lajoie et de Marc-André, qui avaient tout essayé pour lui faire entendre raison, elle prit la main du garçonnet et le tira pour qu'il dépose ses pieds nus sur le sol. D'abord stoïque, Marie-Laure prononça en grinçant des dents :

— Il l'a pas dit. Il a pas dit : « J'ai fini, maman. »

— Je sais, mon amie. Je sais.

Sans plus un mot, Marjolaine amena le garçon à son père, qui la remercia, les yeux brillants de larmes. Hermine se leva à son tour et allait parler à Marie-Laure lorsque celle-ci cracha :

— Allez-vous-en! Vous connaissez rien aux enfants, *anyway*!

— Marie-Laure!

Hermine était abasourdie par la violence du ton et la rage contenue dans les yeux bleus de la jeune femme. Dans la petite cuisine, l'atmosphère était lourde.

— Laisse faire, Marc-André, je dois aller nourrir les chats, de toute manière. Si tu veux, je vais amener tes deux grands avec moi, chuchota la vieille femme, sur un ton triste. Presse-toi pas pour venir les chercher, je vais les garder à souper et à coucher. Je suis capable, tu sais...

Les traits tremblants à la suite de l'affront infligé par la jeune mère, la délicate aînée fit signe à Marion et Éloi de la suivre. La petite blonde jeta un regard désespéré à cette maman qu'elle ne reconnaissait plus et qui lui faisait peur. Parfois, le soir, elle écoutait les discussions enflammées entre ses parents et s'imaginait qu'ils divorceraient et qu'elle devrait quitter son île pour aller vivre de l'autre bord, à Saint-Pascal ou à Cacouna.

— Jamais je partirai d'ici, chuchota-t-elle à Virgule, qu'elle porta à son cou. Jamais!

Marion regrettait maintenant de n'avoir jamais dit à son père que, parfois, sa mère obligeait son petit frère à finir toute son assiette, même s'il lui fallait une heure de plus que tout le monde pour y parvenir. Marie-Laure ne leva même pas la tête lorsque Marc-André ouvrit la porte à sa voisine, Jules toujours agrippé à son cou. Lorsque matante Minou fut sortie avec les deux enfants, la mère de famille ne prononça que quelques paroles avant de croiser les bras sur sa poitrine légèrement affaissée.

— Bon débarras!

Pendant de longues minutes, Marie-Laure resta assise sur la chaise droite sans parler. Épuisée, elle ferma les yeux et, sans même s'en apercevoir, se mit à pleurer. Les billes claires roulaient sur ses joues pâles et la femme ne les essuyait même pas.

Marjolaine sentit son cœur se serrer devant cette peine profonde dont elle était le témoin.

— Je vais virer folle! murmura la châtaine sans ouvrir les yeux. J'en peux plus, Marjolaine!

— Je vais t'aider, mon amie, chuchota l'autre. Je vais t'aider.

— Moi aussi, ma chérie, ajouta l'époux.

Marc-André déposa son fils sur le sol et passa derrière sa femme pour l'entourer de ses bras costauds. Il ressentit toute la tension qui s'accumulait dans ce corps tant aimé. Comment n'avait-il pas remarqué la détresse de la mère de ses enfants? Un découragement sans nom envahit le pauvre homme, qui laissa à son tour les larmes rouler sur ses joues.

CHAPITRE 14

L'étrange Jules

L e lendemain soir, épuisés, Philippe et Marjolaine s'écrou-lèrent côte à côte sur leur épaisse douillette, encore tout habillés. Ils regardaient le plafond, les yeux à moitié ouverts.

— Je suis crevée! murmura la jeune femme en se retournant pour poser sa tête dans le creux de l'épaule de Philippe.

— Mets-en! Ton père a dû faire dix allers-retours avec le *pick-up* aujourd'hui. Va chercher les clients au quai, va recon-duire les clients au phare, au Bout d'en-Haut... Une chance que Marc-André nous l'a prêté parce qu'on aurait été dans le trouble! Je suis pas mal certain que Paul dort depuis longtemps!

Philippe rit brièvement alors que sa femme soupira en déta-chant sa chemise blanche:

— Puis moi, plus capable de voir un chaudron à laver!

Quelques secondes de silence passèrent pendant que les autres vêtements de la jeune femme furent lancés dans le coin de la pièce. Le sourire de Philippe s'élargissait au fur et à mesure que Marjolaine se dévêtait. En culotte et soutien-gorge rouges, elle leva les bras au-dessus de sa tête pour s'étirer, puis sourit doucement:

— Mais je suis heureuse! Je pense qu'on va se faire une belle vie au *Chant des marées*, mon amour!

— Tant mieux. J'avais peur que tu trouves ça trop difficile! Remarque que si tu continues à accueillir nos clients avec tes chanteurs de pomme, on aura peut-être pas foule! se moqua Philippe en glissant ses doigts sous la bretelle rouge.

Marjolaine sentit son ventre se tendre alors que son mari glissait son pouce sur son mamelon déjà dressé. Elle murmura :

— C'est dur, mais je vais m'habituer. Puis pour la musique...

Incapable de continuer à parler, elle soupira doucement sous la caresse qui s'intensifiait. En peu de temps, sa culotte et son soutien-gorge se retrouvèrent au sol et elle chevaucha langoureusement son époux dans une étreinte fort agréable. Épuisés par leurs journées, les deux amants soupirèrent de plaisir lorsqu'ils atteignirent l'orgasme au même moment. Conscients de ne plus être seuls dans leur maison, ils tentèrent de se faire le plus discrets possible, évidemment! Marjolaine resta allongée sur son époux, les doigts glissés dans ses longs cheveux noirs. Il caressait son épaule avec ses lèvres et la jeune femme roucoulait de bonheur.

— Je t'aime, chuchota-t-elle.

Philippe repoussa amoureusement les boucles qui collaient au front de sa douce pour l'embrasser tendrement. Après un moment, Marjolaine se recoucha à ses côtés et il murmura contre son bras :

— Veux-tu m'expliquer ce qui s'est passé chez Marc-André hier matin, finalement?

— Ohhhh... se lamenta Marjolaine en se remémorant la pénible scène. Elle entreprit de narrer l'événement dans les détails, alors que Philippe écarquillait de plus en plus les yeux.

— Le forcer à manger?

— Je te jure, Phil, je la reconnaissais plus. Elle faisait peur!

Un silence s'imposa entre les deux avant que le barbu ne murmure :

— Tu crois pas qu'ils devraient consulter, pour le petit ?

— Oui. Mais c'est plus compliqué que je pensais.

Lorsque Marc-André était venu reconduire Marjolaine chez elle, Jules endormi entre les deux, l'échange qu'ils avaient eu avait été succinct. Marc-André avait lâché un *tabarnak* qui avait fait sursauter la jeune femme. Le blond n'avait pas l'habitude de perdre son sang-froid. Il avait tourné la tête en esquissant un sourire triste.

— Excuse-moi.

— Non, inquiète-toi pas.

— Je savais plus quoi faire ou quoi dire, Marjolaine. Ça faisait une demi-heure que j'essayais de lui faire entendre raison. Quand Matante Minou est arrivée, j'étais soulagé, parce que ma femme l'aime bien, mais comme tu as vu... Puis, c'est de ma faute.

Marjolaine avait plissé les yeux en signe d'incompréhension. Les larmes qui brillaient dans les yeux clairs du conducteur la peinaient profondément. Sur l'île, les liens se solidifiaient rapidement. L'isolement, la proximité amenaient les gens à se fréquenter, à s'aimer ou à s'éviter ! Depuis bientôt trois mois, chaque rencontre avec Marc-André avait été pour elle synonyme de plaisir. Elle n'avait jamais connu un si bon vivant, rempli d'optimisme. Alors de le voir ainsi... Marc-André avait entrepris de lui expliquer que son oncle paternel était hospitalisé dans l'aile psychiatrique de l'Hôtel-Dieu, à Québec, depuis quinze ans.

— C'est un genre d'autiste. Il parle pas, peut rester dans un coin pendant des heures à fixer une vis... Ici sur l'île, il marmonnait tout seul, se lançait dans des dépenses invraisemblables avant de tout jeter à la poubelle. Quand il a été hospitalisé, ma grand-mère en a eu pour des mois à faire le ménage d'une collection de vieux bonbons. C'était épouvantable, la vermine qui s'était mise là-dedans.

Imaginant trop bien l'état de décomposition des friandises accumulées, Marjolaine avait pincé ses lèvres en jetant un regard sur l'enfant endormi.

— Tu penses que lui aussi est... malade ? avait-elle chuchoté.

Marc-André l'avait regardée en inspirant pour tenter de calmer ses pleurs. Plus jeune, il avait parfois craint pour sa propre santé mentale. Comme tout le monde, il lui était arrivé d'avoir des épisodes de tristesse, d'angoisse, de remise en question. Dans ces moments, il réalisait que la maladie de son oncle pouvait possiblement être héréditaire. Par la suite, avec les années et le bonheur que Marie-Laure avait amené dans sa vie, ses appréhensions s'étaient évanouies. Mais depuis quelques mois, il fermait les yeux sur ce qui s'avérait une évidence. Il avait hoché la tête en passant une main affectueuse sur les boucles rousses de son garçon. Les crises, le mutisme, le repli sur soi... tant de signes que sa femme et lui ne voulaient pas voir. Un peu embarrassée devant son acquiescement, Marjolaine n'avait pu résister à la tentation de satisfaire sa curiosité.

— Ah bon. Pourquoi vous allez pas voir un médecin à Rivière-du-Loup d'abord ?

— Ahhh...

Marc-André avait laissé échapper un rire narquois en évitant le trois-roues de Justin Castonguay qui roulait au milieu du chemin. L'homme conduisait lentement, comme épuisé par le drôle de combat qu'il venait de vivre.

— Si tu veux pas en parler, laisse faire !

Marjolaine avait reporté son attention sur la route de terre. En passant devant le dispensaire, elle avait souri en voyant l'infirmière sur son balcon. Elle discutait avec Anémone Vézina, qui semblait porter toutes les jupes de sa garde-robe en même temps. Son mari lui tenait le bras en tentant de l'attirer vers leur vieille voiture. La voix rauque de Marc-André avait ramené son attention sur lui.

— Marie-Laure veut pas.

— Veut pas quoi? avait demandé Marjolaine.

— Elle veut pas voir un docteur.

— Ah bon?

— Elle dit que Jules est juste un peu plus lent que son frère et sa sœur, qu'il va finir par parler. Mais moi...

Sa voix s'était brisée de nouveau et il n'avait plus dit un mot jusqu'à la maison rouge. Marc-André, ce grand gaillard fier et costaud, sanglotait en silence. Il rageait de montrer ainsi sa faiblesse, mais Marjolaine n'en avait pas fait de cas. Elle avait posé sa main sur son manteau de jeans en pressant légèrement sur son bras pour qu'il sache qu'elle ne le jugeait pas.

— Moi... avait continué le père éprouvé, j'ai besoin de savoir s'il est comme mon oncle. Quand Arthur est parti à l'Hôtel-Dieu, avait continué Marc-André, j'avais juste quinze ans. Je passais beaucoup de moments avec lui, c'était comme un enfant dans un corps d'homme.

— Il vivait avec vous?

— Oui. Mais avec les années, ça a été de plus en plus difficile, surtout quand il s'est mis à errer partout. Des fois, mon père devait aller d'un bout à l'autre de l'île pour retrouver son frère, qui s'était mis en tête de faire le ménage dans les roches au Bout d'en-Haut, par exemple. Il apportait une grosse chaudière et, pendant des jours et des jours, il restait là à trier les roches selon les taches qu'elles portaient ou leur contour. Puis après, c'est mon grand-père qui a perdu la tête. Il était pas si vieux, juste soixante-deux ans, mais il s'enfermait dans la grange des journées entières en prétextant qu'il voulait être tranquille. Quand je pense à ma pauvre grand-maman... Je suis pas certain que je pourrais faire face à ça.

Marc-André avait haussé les épaules pour s'excuser de ses paroles. Mais c'était la vérité.

— Marie-Laure a toujours été compatissante et essayait de ramener mon oncle à la réalité, même s'il lui faisait peur.

— Peur?

— Tu sais, un autiste a parfois d'étranges réactions face à l'inconnu. Il pouvait se mettre à hurler sans raison et Marie était toujours sur le qui-vive en sa présence. D'un autre côté, quand mes grands-parents ont décidé de le placer, elle leur en a voulu en disant que la famille, ça passait avant tout et qu'il fallait jamais s'en débarrasser. De tous nous autres, Marie était la plus compréhensive avec lui...

Marc-André avait soupiré. Le souvenir de cette période de sa vie l'attristait encore.

— À l'époque, je sortais avec elle depuis un an déjà...

— Mon doux!

Marc-André avait souri avec lassitude.

— Tu sais, ici, sur l'île, on niaise pas avec la *puck*! En tout cas, depuis quelques mois, je sais qu'elle fait un parallèle entre Jules et mon oncle. Marie-Laure s'imagine qu'elle doit le guérir à tout prix. Elle dit que si mes grands-parents s'étaient un peu forcés, le frère de mon père aurait eu un parcours différent, qu'il aurait pu rester ici. Mais il est pas malheureux, tu sais, à l'hôpital. Puis pour mon grand-père, Marie-Laure est convaincue que c'est la vieillesse qui l'a rendu fou. C'est peut-être vrai, je sais pas...

Marjolaine finit de relater les paroles de Marc-André avant de se coller contre le torse chaud de son amour et de murmurer:

— Je pense qu'après l'événement d'hier matin, ils devront aller consulter à Rivière-du-Loup, même si Marie-Laure veut pas. Si elle le fait pas, elle va virer folle, je te le dis !

Les amants restèrent longtemps sans parler, à moitié endormis. Puis, la jeune femme se redressa pour enfiler sa courte jaquette. Elle en profita pour chuchoter à son mari :

— Changement de sujet, qu'est-ce que tu penses de la nouvelle blonde de mon cousin ?

La veille, Marjolaine n'avait eu qu'une trentaine de minutes libres à son retour de chez Marie-Laure avant l'arrivée de leurs premiers clients : son cousin Marcel accompagné de cinq amis. Quand son cousin avait débarqué au Quai d'en-Haut, il était suivi par une espèce de longue asperge qui le dépassait d'au moins six pouces. La femme, tellement maigre que Philippe avait eu peur de la casser au moment de la saluer, n'avait à peu près pas prononcé un mot depuis son arrivée.

— Je vais te dire quelque chose, à part fumer des joints, je pense que la blonde de ton cousin fait pas grand-chose !

— Je le sais, se lamenta Marjolaine. Veux-tu bien me dire comment il fait pour toujours se *pogner* des *agrès* de même ?

Le cousin de Marjolaine avait trois ans de plus qu'elle. Même s'ils se voyaient peu, elle avait eu du plaisir à recevoir sa réservation.

— Vous allez être les premiers à dormir à notre gîte ! lui avait-elle dit au téléphone le mois précédent, avant même de savoir si le permis serait accordé.

— Super ! C'est mon père qui m'a dit que tu étais partie sur l'Île Verte. On est bien contents, nous autres, d'y avoir enfin un pied-à-terre ! Ça fait trois ans de suite qu'on y va, puis pas moyen de dormir nulle part.

— Jusqu'à maintenant! avait répliqué Marjolaine avant de raccrocher.

Distrait, exalté parfois lorsque les discussions le passionnaient, cet universitaire spécialisé en littérature avait tout de l'éternel étudiant. Il entamait sa deuxième année de maîtrise à l'Université Laval. Son sujet de recherche : l'auteur haïtien Frankétienne, de son vrai nom Jean-Pierre Basilic Dantor Franck Étienne d'Argent! Le cousin de Marjolaine pouvait passer des heures à discourir sur la démarche littéraire de ce dernier, nommée spiralisme. Philippe, qui n'avait que très peu d'intérêt envers ce qui touchait aux sujets académiques, soupira doucement avant de se tourner vers son épouse pour répondre à son interrogation :

— Entre toi et moi, ma petite chérie, précisa-t-il, le nez dans les boucles frisottées de sa douce, il y a pas grand-femme qui a le goût d'entendre parler sans arrêt de la vie d'un auteur complètement inconnu ici.

— Ouin…

Marjolaine, qui éprouvait une affection mêlée d'exaspération pour son cousin, réfléchit quelques instants et rétorqua :

— Tu sais que sa blonde a essayé de négocier le prix de la chambre! Sous prétexte qu'on est de la famille!

— Non!

— Mon père a même renchéri en disant que c'était sûr que j'allais leur faire un bon prix! Je te dis que je lui ai dit ce que je pensais, à mon paternel d'amour! Non, mais on va pas commencer à louer à rabais, nous autres, là!

— Tu as raison… Bon…

— Puis les deux autres couples qui sont avec eux, coupa Marjolaine qu'est-ce que tu en penses?

— …

— Philippe?

Un ronflement subtil répondit à son appel. Tournant doucement la tête, Marjolaine sourit en voyant son beau mari, la bouche entrouverte, profondément endormi. Elle se releva afin d'aller prendre son bain. Discrètement, pour ne pas déranger son cousin et Suzanne, leurs voisins de corridor, elle glissa pieds nus sur le bois du couloir. La salle de bain était située tout au fond, près de l'armoire à balai. Marjolaine fit la moue en voyant la porte fermée.

— Zut, il y a quelqu'un! Je pense que c'est ça qui va être le plus dur, pensa-t-elle. Partager ma toilette avec du monde que je connais pas... Je suis niaiseuse, j'avais pas trop songé à cet aspect-là!

Elle rebroussa chemin et s'assit sur la berçante près de sa porte. L'oreille collée au mur, elle sauta sur ses pieds en entendant la porte de la chambre voisine se refermer. Satisfaite, Marjolaine déchanta très vite en entrant dans la salle de bain rénovée aux couleurs de la mer. Plissant le nez, elle murmura:

— La *maudite* est venue fumer son petit joint ici. Je m'en vais lui passer mon message clairement demain matin!

Ouvrant grand la fenêtre à battants, Marjolaine balaya l'air pour tenter d'en chasser l'odeur de marijuana. Le couple avait beau ne pas être réfractaire à une petite bouffée de temps en temps, Philippe avait bien avisé tous leurs clients que la drogue était interdite à l'intérieur du gîte. Ils n'avaient pas envie que cette odeur s'incruste dans les pièces de leur grande maison. Soupirant de découragement, la brune laissa tomber sa jaquette sur le sol avant de grimper dans la vieille baignoire sur pieds. Un peu de mousse à la lavande devrait la calmer.

‿

Le lendemain, au déjeuner, Marjolaine ne se gêna pas pour répéter les règlements du gîte aux six clients encore à moitié endormis. À leur arrivée, elle avait précisé les heures de repas afin de s'assurer de ne pas être coincée dans sa cuisine toute la journée. Seule «l'asperge» de son cousin était arrivée quinze minutes en retard. Les mains dans la poche de son tablier qui ceinturait sa taille fine, Marjolaine s'était retenue de la réprimander, se concentrant plutôt sur sa consommation de marijuana dans la maison.

— Je voudrais juste vous rappeler l'interdiction de fumer du *pot* ou du *hasch* en dedans, dit-elle fermement en posant une large assiette remplie de crêpes au jambon sur la table en bois de noyer.

— Évidemment! répondirent aussitôt Julie et Martin, deux connaissances universitaires de son cousin.

Ces deux chargés de cours avaient de toute manière adopté un mode de vie sain depuis leur entrée au cégep, une décennie auparavant. Elle, en grande jupe paysanne, avait les cheveux frisés comme un mouton et des petites lunettes rondes sur le bout de son nez. Lui, en pantalon de velours côtelé brun usé à la corde avec un chandail un peu trop court et difforme, portait la barbe comme Philippe, mais avec une coupe de cheveux maison assez inégale. Ils ne buvaient pas, ne fumaient pas et mangeaient seulement les aliments issus de la Terre! L'autre couple, encore plus discret, ne fit que hocher la tête en continuant à manger en silence. Marjolaine déposa ensuite un grand pichet de jus d'orange au centre de la table avant de répéter :

— Quand je parle de pas fumer dans la maison, il faut comprendre dans TOUTES les pièces, même la salle de bain.

Enfin, «l'asperge» sembla sortir des limbes et eut la décence de rougir un peu. Ce qui ne fit pas de tort à son teint blafard.

Elle plongea son nez dans son assiette avant de hocher discrètement la tête.

⌒

En après-midi, Marjolaine et Marie-Laure se croisèrent au magasin général. Malgré les événements malheureux de l'avant-veille, la mère de famille posa un regard indifférent sur son amie, qui lui souriait gentiment.

— Allo, Marie, ça va?

— Très bien. Toi? Je suis venue chercher des saucisses à hot dog. On va se faire des bons pogos pour le dîner. Hein, mon Jules?

La grande châtaine fit comme si de rien n'était et un malaise envahit Marjolaine, surtout en voyant le regard vide du garçon.

— Dis bonjour à Marjolaine, Jules.

— …

L'enfant ne regarda même pas dans la direction de la femme et cette dernière eut peur de la réaction de sa mère. Pourtant Marie-Laure n'insista pas, le laissant plutôt aller observer les pots de bonbons sur le comptoir de bois. Bonbons qu'il se mit à compter à répétition, alors que Victoire Dionne et Roch Bérubé, le gardien du phare qui traînait souvent dans les environs, le fixaient intensément. Les deux amies n'abordèrent pas le sujet de la «crise» du déjeuner et Marjolaine détestait ce «faire semblant». De retour chez elle, la femme partagea ses impressions avec son mari:

— Me semble que je devrais lui en parler, non? Elle a quand même pété un câble!

Philippe, comme à son habitude, l'en dissuada. Dieu que la *grande* sagesse de son homme lui tapait sur les nerfs à l'occasion!

— Je pense pas qu'elle en ait envie, Marjolaine !

— Peut-être pas, mais c'est toujours bien moi qui ai désamorcé la bombe, tu sauras ! La prochaine fois…

— Il y aura peut-être pas de prochaine fois !

Alors la jeune hôtelière laissa tomber son initiative, préférant se concentrer sur les clients de son gîte. Elle voulait s'assurer que les six premiers visiteurs lui fassent une bonne presse sur le continent. En revenant du quai, avec son père, à la fin de l'après-midi de leur troisième journée sur l'île, elle lui demanda de ralentir en croisant son cousin et ses amis qui circulaient sur de vieilles bicyclettes.

— Salut, dit-elle en baissant sa vitre. Vous allez essayer les *bicycles* ?

— Oui, c'est ton mari qui nous les a prêtés ! On s'en va au phare, puis après, au Bout d'en-Bas !

Marjolaine grimaça. La route entre le gîte et le Bout d'en-Bas faisait tout de même près de cinq milles. De plus, elle voyait mal les visiteurs remonter le chemin abrupt du phare sans s'épuiser ! Et le comble : les trois clientes portaient toutes une longue jupe fleurie qui risquait à tout moment de se coincer dans les dérailleurs ou dans la chaîne des bicyclettes.

— C'est un méchant bout, quand même ! Puis devant le magasin Dionne, il y a une bonne côte. Vous êtes certains que vous préférez pas que mon père vous y conduise ?

— Non, non. Ça va nous faire du bien, un peu d'exercice. Tu nous fais manger comme des porcs ! On va y arriver… enfin, si ma blonde est capable de pédaler jusque-là ! répondit le jeune homme avec une moue équivoque.

La grande maigre avait le regard vitreux des gens dopés et riait niaisement en tentant de tenir son guidon droit. Marjolaine pinça ses lèvres avant de siffler d'un ton cinglant :

— Bonne chance! Essaye qu'elle se fasse pas frapper, puis qu'elle parle à personne. Pas envie qu'on pense que le gîte est un repaire de drogués!

Marjolaine remonta sa vitre sans écouter les excuses piteuses de son cousin, qui fila rejoindre son amoureuse. La brune se retourna vers Paul:

— Pas sûre qu'ils vont se rendre!

⌒

Après un séjour de trois nuits au *Chant des marées*, les premiers clients repartirent sur le chaland de Gaspard Caron, satisfaits de leur visite. Au quai, Marjolaine serra longuement et tristement son cousin dans ses bras. Tout chez ce jeune homme sérieux lui rappelait son frère adoré. Pendant son séjour, elle n'avait guère eu le temps de réellement jaser avec lui. Entre les repas à préparer, les lits à changer, les planchers à laver... Une fois, il avait voulu prendre des nouvelles de Sophie et avait été éberlué de voir sa cousine ignorer sa demande, puis changer de sujet. Un signe de la main de Paul, qui soupait avec eux ce soir-là, l'avait fait taire. Marcel lui fit un clin d'œil:

— Fais attention à toi, la cousine, puis à Paul aussi. Ici, l'hiver, ça doit pas être facile tous les jours. Ton père est pas jeune!

Après un dernier au revoir, Marjolaine et Philippe soupirèrent de soulagement. Le bateau de Gaspard s'éloigna lentement vers la terre ferme et les nouveaux aubergistes étaient rassurés de savoir qu'ils pourraient profiter de quelques jours de répit avant l'arrivée de leurs prochains visiteurs. S'approchant du quai, ils sourirent à Marc-André, qui chargeait de grosses glacières dans la boîte du camion rouge de Lionel Vézina.

— Salut!

— Salut.

Marc-André les regarda quelques instants, l'air de vouloir dire quelque chose, avant de se détourner pour terminer sa tâche. Après son été passé à rénover le gîte, il avait poursuivi son travail au Quai d'en-Bas. À chacune des traversées, il déchargeait les marchandises qui arrivaient de L'Isle-Verte et de Cacouna. Marjolaine s'approcha du gros homme avec douceur.

— Marie-Laure va mieux?

— Hein? Oh oui, oui, répondit le blond en rougissant. Il délaissa la grosse caisse de pamplemousses avant de prendre le bras de son amie pour l'attirer à l'écart. Je voulais te demander, commença-t-il maladroitement… si c'était possible de garder ça pour toi.

Marjolaine lui jeta un regard indigné et, la mine crispée, répliqua sèchement:

— Certain, franchement! Tu penses peut-être que je vais faire le tour de l'île pour raconter ce qui s'est passé chez toi? Tu me connais mal!

Marc-André secoua doucement la tête avant de murmurer:

— Je m'excuse, c'est juste que…

— Laisse faire, inquiète-toi pas, Marc-André. Je vais passer voir Marie-Laure cet après-midi, si j'ai deux minutes.

Haussant ses larges épaules cachées par un t-shirt étiré et déchiré, le blond fut satisfait.

— Je pense qu'elle serait contente. Bon, je vous laisse, il me reste le chaland à Conrad Dionne à décharger, puis j'ai promis à Roch d'aller solidifier les marches du phare. Ça a l'air que ton cousin et ses amis ont trouvé que c'était pas mal dangereux d'y monter. Je te dis que le monde de la ville… continua-t-il en lui faisant un clin d'œil amical.

Marjolaine le poussa gentiment avant de rejoindre Philippe, qui discutait avec Conrad, le pied appuyé contre le bord de son bateau. Quand la jeune femme arriva à leurs côtés, les deux se turent aussitôt. Fronçant ses sourcils, Marjolaine attendit que la conversation reprenne, mais au contraire, Philippe profita de son arrivée pour saluer le marchand avant de retourner au camion.

— De quoi vous parliez, vous deux, avant que j'arrive ? demanda-t-elle aussitôt.

— Hein, de pas grand-chose.

— C'était quoi, le pas grand-chose, Philippe ? Prends-moi pas pour une imbécile. Vous avez arrêté de parler dès que je suis arrivée.

Marjolaine croisa les bras sur sa poitrine en fixant son époux de son regard inquisiteur. Philippe attendit de dépasser Marie-Noëlle Castonguay, la sœur de Justin, sur sa bicyclette, avant de tenter une explication boiteuse.

— Il… me parlait juste d'un de ses agneaux, qui a l'air malade.

— Bien oui, toi ! Pourquoi pas d'une mouette qui a *pogné* la grippe ! Arrête de me niaiser, tu connais rien aux animaux !

Philippe retint un soupir. Devait-il avouer à sa femme que Conrad Dionne l'avait informé de la formation d'une espèce de comité mis sur pied par le vieux Ouimet pour surveiller les allées et venues des clients du gîte ? Il connaissait sa Marjolaine et il savait qu'en apprenant la nouvelle, soit elle ferait une crise d'angoisse, soit elle ferait une crise de nerfs ! Alors il choisit de se confiner dans son mensonge en se promettant d'avoir une bonne discussion avec Adrien Ouimet dès que possible.

CHAPITRE 15

Le grand cœur de Roseline

Désireuse d'aider son amie Marie-Laure, la mère Lamothe se rendit à la maison jaune un bon matin. Roseline avait décidé de prendre les choses en main. Matante Minou lui avait expliqué vaguement qu'un «incident» impliquant Jules s'était déroulé chez les Caron quelques jours plus tôt et qu'elle s'était sentie vraiment impuissante. Désireuse d'en savoir plus, Roseline avait questionné Hélène sans relâche jusqu'à ce que sa fille lui confie qu'elle trouvait la maman de Marion «vraiment pas en forme». Alors, la costaude avait compris que son assistance était requise.

— Pas en forme... pas en forme dans quel sens? avait-elle demandé, le visage soucieux.

— Bien je sais pas moi... Elle fait plus vraiment de souper, puis c'est Marion qui s'occupe de la maison. Mais dis-le pas à Marc-André, parce que mon amie va se fâcher. Elle m'a dit que c'était un secret.

— Hum...

Sachant que la mère de famille ne verrait pas son intrusion d'un bon œil, Roseline arriva donc les mains pleines de gourmandises. Son véhicule tout-terrain à peine arrêté devant la petite maison, elle vit Marie-Laure ouvrir la porte blanche, la main en visière au-dessus de ses yeux.

— Tiens, Roseline, qu'est-ce qui t'amène ici? demanda la châtaine en refermant la porte derrière elle. Elle fixa la femme, qui peinait dans l'allée de pierres, deux gros sacs bruns remplis de denrées au creux des bras.

Marie-Laure ne tenta même pas de cacher son désagrément à la vue de la commère. Elle l'avait toujours «endurée» dans son entourage, sachant qu'une chicane sur l'Île Verte pouvait s'envenimer et faire régner la discorde durant des décennies. Ses parents l'avaient appris à leurs dépens, eux qui vivaient presque reclus dans une petite maison près de l'école Michaud. Le père de Marie-Laure avait eu le malheur de contester la vente d'un terrain par les parents de Victoire Dionne. Malgré les avertissements des autres insulaires, l'homme avait mené la cause devant les tribunaux avant de la perdre et de voir la majorité des Verdoyants lui tourner le dos. Depuis, les parents âgés de la femme ne s'impliquaient plus dans la communauté et se contentaient d'une rare visite pour voir leurs petits-enfants.

— Je m'en viens te prendre en main, mon amie! annonça Roseline. Laisse-moi donc déposer ça sur ton comptoir.

Avant que l'autre ne puisse l'en empêcher, elle passa aux côtés de la grande châtaine, qui la suivit et jeta un regard désabusé vers sa cuisine en désordre. Depuis quelques semaines, toutes les tâches ménagères semblaient être au-dessus de ses forces. Lorsque Marc-André partait pour le quai, elle suivait longuement la Jeep des yeux, puis les reportait sur son garçon. À chaque réveil, une angoisse montait en elle lorsque la voiture s'éloignait dans le chemin. À quoi ressemblerait sa journée? Combien de feux devrait-elle éteindre? Saurait-elle faire face aux comportements de Jules? Heureusement, lorsque la marée le lui permettait, son mari s'assurait de déjeuner avec ses deux aînés. Marion savait que sa mère ne se préoccupait plus guère de leur tenir compagnie. Elle gardait le secret depuis bientôt deux mois. Depuis la fin de l'année scolaire, lorsqu'elle s'était aperçue que Marie-Laure passait presque tout son temps assise face au téléviseur ouvert en laissant son frère crayonner sur le mur et jouer dans l'eau de la toilette, entre autres actions répréhensibles, l'adolescente s'assurait d'accomplir les tâches quotidiennes pour éviter les disputes entre ses parents. Surtout les empêcher de divorcer. C'était devenu la mission de la blondinette, qui surveillait de très près toutes les interactions entre son père et sa mère. De plus, elle avait pris en charge la majeure partie des corvées, au grand désagrément de son amie Hélène, qui boudait souvent de ne pas pouvoir traîner avec elle au nord. Mais dès son réveil, Marion était en état d'alerte. Elle dévalait l'escalier, avant le lever de Jules, et offrait :

— Laisse faire, maman, je vais aller nettoyer le poulailler.

ou

— Inquiète-toi pas, je vais traire Bulle et Bidule.

Marie-Laure lui jetait alors un regard las, sans même penser à remercier sa fille, qui grandissait à vue d'œil. Depuis la fin des classes, Marion souffrait parfois de tiraillements dans le bas de son ventre, mais elle n'osait pas en parler avec sa mère. Celle-ci en avait déjà plein les bras. Une fois, la petite blonde avait chuchoté à Hélène, sa meilleure amie depuis toujours :

— As-tu mal au ventre, toi, des fois ?

— Heu... oui. Pourquoi ?

— Mais pas mal pour faire... heu caca... un autre mal.

Hélène avait posé ses yeux d'ébène sur le visage pâle de l'autre avant de répliquer en riant :

— De quoi tu parles, Marion ?

Son éclat de rire avait sonné la fin de la conversation. En voyant Roseline marcher dans leur maison, la fillette se redressa sur le divan pour jeter un coup d'œil à l'horloge accrochée sur le mur de bois près de la porte. Huit heures trente. La mère Lamothe était de bonne heure! Avec espoir, elle regarda derrière elle pour voir si Hélène ne l'avait pas accompagnée. En constatant que ce n'était pas le cas, elle reporta ses yeux sur l'écran de télévision, où Cannelle cherchait Biscuit, le phoque en poils que Passe-Partout lui avait donné. Elle aurait bien aimé regarder autre chose, mais Jules refusait de changer de poste quand cette émission pour bébés était diffusée. Elle avait appris à se plier à tous ses caprices pour éviter les crises.

— Mon doux, il y a eu une tornade ici, Marie-Laure?

Marion et Éloi relevèrent les yeux momentanément de l'écran. L'adolescente, qui éprouvait toujours une gêne lorsque Marjolaine venait chez elle, ne se sentait guère préoccupée par les commentaires de la mère Lamothe. Elle reposa donc sa tête ébouriffée contre la paume de sa main. Marie-Laure haussa ses épaules carrées, qui étaient couvertes d'une chemise d'homme bleu pâle aux manches roulées sur ses avant-bras bronzés.

— Pas eu le temps encore… répondit Marie-Laure sans même ressentir de culpabilité. Un sentiment d'injustice l'envahissait chaque fois qu'elle côtoyait la courtaude, qui avait la chance d'avoir cinq enfants en santé. Pourquoi une telle idiote avait-elle cette bonne fortune alors qu'elle, qui s'était nourrie sainement, qui avait allaité jusqu'à un an chacun de ses enfants, se voyait contrainte d'admettre que son fils cadet n'était pas comme les autres? Roseline grimaça sans même se cacher. Son menton arrondi se leva vers sa grande «amie» et elle lui dit:

— Bon, là ma fille, il va falloir que tu te prennes en main!

— Pardon?

— Tu peux pas laisser… tes émotions prendre le dessus !

— De quoi tu te mêles, Roseline ? grogna Marie-Laure en agrippant sa tasse de café froid sur la table. Elle voulait se donner une contenance pour éviter de sauter sur la grassouillette. Mais Roseline ne se sentait pas gênée du tout. Elle croisa ses bras dodus sur son énorme poitrine avant de pointer la pièce au sol jonché de jouets, de livres et de… céréales séchées ! La table de cuisine disparaissait complètement sous les journaux et la vaisselle empilée.

— Je me mêle de mes affaires parce que tu es mon amie, puis que je veux pas que tu t'enfonces plus ! répondit sèchement Roseline.

Pourtant, son regard chaleureux démentait la froideur de son ton. Cette femme au cœur grand comme la Terre avait envie de serrer l'autre dans ses bras, mais elle savait que cette étreinte ne serait pas bien reçue. Elle avança donc vers la table pour s'emparer des bols et des assiettes.

— On va commencer par laver ta vaisselle.

— J'ai pas le temps, il faut que…

— *Tsss, tsss, tsss…* laisse faire tes excuses, ma belle, la mère Lamothe les a déjà toutes entendues !

Ce disant, elle fit un clin d'œil moqueur à Marion, qui s'était assise sur le bout du divan, maintenant inquiète de la réaction de sa mère. Mais avec surprise, elle vit celle-ci imiter Roseline en haussant les épaules.

— Quand Jules va se tanner, il va falloir que je…

— *Tsss, tsss, tsss,* la coupa de nouveau Roseline, on avisera quand ton gars sera tanné. Pour l'instant, on a à faire. Puis regarde-le, il me semble pas mal fasciné par Passe-Carreau et compagnie !

Pour la première fois depuis très longtemps, Marie-Laure sentit la boule au creux de son estomac se délier un peu. Se pouvait-il que cette journée soit normale ? Elle y croyait presque, en se tenant aux côtés de Roseline, qui potinait sur tout un chacun en éclatant de son gros rire presque vulgaire chaque fois qu'elle faisait une remarque sur les commentaires grivois du gardien du phare ou du marchand général.

— Bon, va t'habiller, je m'occupe de finir de plier ton linge !

En disant cela, Roseline fit un autre clin d'œil à Marion, qui lui souriait avec soulagement. Enfin, ils pourraient s'asseoir confortablement dans le salon où étaient empilés des tas de vêtements depuis quelques semaines. Marie-Laure faisait encore la lessive, mais elle ne se donnait plus la peine de le ranger dans les tiroirs des enfants. Alors tous les matins, les trois gamins descendaient se chercher un short et un chandail propres dans le salon. Même Marc-André ne disait plus rien, convaincu qu'à la rentrée des classes, le retour de la routine permettrait à sa femme de reprendre des forces. Jules n'avait toujours pas bronché, reproduisant des sons qui pouvaient ressembler aux répliques des personnages à la télévision. Éloi, que cette émission commençait à lasser, profita de l'absence de sa mère pour lancer :

— Je m'en vais me promener !

Marion le regarda d'un air fâché. Elle savait bien qu'il allait rejoindre la bande à Antonin Dionne.

— Si maman l'apprend… murmura-t-elle.

— Arrête donc, j'ai dit que j'allais me promener.

— Bien oui, on sait bien !

Le jeune blond de dix ans tira la langue à sa sœur avant de courir à l'extérieur. Il avait envie de profiter des dernières belles journées de l'été avant d'être enfermé dans une classe avec les *pisseuses*. Puis il aimait ça, se tenir avec la bande à Antonin.

Au moins, eux autres le traitaient comme un grand. Ils lui permettaient même de prendre une bouffée de cigarette en arrière du vieux *shack* de Lionel Vézina sur sa terre au nord.

Quelques heures plus tard, lorsque Marc-André grimpa les marches de la maison jaune avec lassitude, il eut la surprise de voir ses deux aînés l'attendre sur le balcon. Les cheveux bien tressés de sa fille auraient dû lui mettre la puce à l'oreille.

— Ferme les yeux, papa, on a une surprise pour toi!

— Hein?

N'ayant pas le cœur à s'amuser, Marc-André allait refuser de jouer le jeu, mais la vue des petits minois remplis d'espoir levés vers lui le fit abdiquer. Il posa son sac à lunch sur la balustrade avant de plaquer ses larges mains sur ses yeux. Éloi et Marion prirent chacun un de ses coudes et le menèrent dans la cuisine.

— Ok, papa, à trois… Un, deux, trois! Talalala! annonça Marion, le visage rouge d'excitation.

Marc-André dut prendre quelques secondes pour reconnaître la pièce. Tournant doucement sa tête bouclée blonde vers le comptoir, il sourit tendrement en voyant sa femme, portant un tablier qui ceinturait sa taille, épaissie par les années. La cuisine était resplendissante: il n'y avait plus rien sur le sol ni sur la table et une légère odeur de savon flottait dans l'air. Au milieu du comptoir de bois, Marie-Laure tranchait un gros jambon qui dégageait un fumet d'érable.

— Mon doux, qu'est-ce qui s'est passé ici? demanda Marc-André, en sentant les larmes monter à ses yeux. Il pinça doucement ses lèvres pour éviter d'éclater en sanglots.

Depuis si longtemps, il revenait du quai pour manger un sandwich aux tomates ou un reste de macaroni qu'il en avait oublié qu'autrefois, avant… avant Jules, sa Marie-Laure était l'une des meilleures cuisinières de l'Île Verte. Ému, il se déchaussa sous le regard sévère de Marion, qui pointa le plancher rutilant, et s'avança pour serrer sa femme contre lui. Il l'embrassa dans le cou et sentit l'espoir d'un nouveau jour monter en lui.

— Bonjour, mon amour! murmura Marie-Laure en rougissant.

Un peu plus tard, allongé près du corps apaisé de son amante, il baisa les seins et le cou de Marie-Laure en se promettant de remercier Roseline Lamothe la prochaine fois qu'il la verrait.

Roseline continua de se rendre chez Marie-Laure et Marc-André quelques matins de suite pour l'aider à reprendre le contrôle de sa vie de mère à la maison. Heureusement, à presque douze ans, Hélène pouvait facilement s'occuper de ses frères et sœurs. Sur l'île, l'entraide entre les insulaires était essentielle. L'adolescente savait que si un problème survenait, elle n'avait qu'à traverser chez matante Minou ou aller au dispensaire pour avoir du soutien. Comme sa mère, la jeune avait une poigne de fer et ses cadets l'écoutaient sans trop rouspéter. Surtout les cadettes, car les garçons avaient l'habitude de la faire un peu plus rager! Mais dès qu'elle menaçait de faire rappliquer sa mère, les M&M se remettaient à filer doux pour éviter les représailles. Pour ces deux gamins vivant à l'extérieur douze mois par année, il n'y avait rien de pire que d'être enfermés dans leur chambre pour cause de punition! Les pauvres se lamentaient alors sur le sort injuste qu'ils subissaient, les préjudices vécus par un enfermement illégal, bref, ils en mettaient assez pour que Roseline se lasse de les entendre assez rapidement!

La mère Lamothe avait assisté, impuissante, à quelques-unes des colères de Jules et s'était retenue pour ne pas obliger

Marie-Laure à prendre un rendez-vous sur-le-champ avec un médecin de Rivière-du-Loup. Mais pour une fois, la blonde n'osa pas outrepasser la limite de ses interventions.

— Je pense qu'elle me parlera plus si je lui suggère de l'amener à l'hôpital, avait-elle dit à Marjolaine lorsque les deux femmes avaient cuisiné des pâtés au poulet un après-midi de la même semaine. Mais entre toi et moi, ce petit gars-là... bien ça va pas en s'améliorant, son affaire. Il ressemble de plus en plus à Arthur Caron, le frère de Gaspard. Notre pauvre amie est débordée avec ses crises. Mais ça nous regarde pas, dans le fond !

Marjolaine, malgré le sérieux de la situation, ne put retenir un petit sourire tout en roulant son abaisse de pâte. Plus elle côtoyait Roseline, plus cette femme l'amusait et l'exaspérait en même temps. Par contre, personne ne pouvait dire que la mère Lamothe n'avait pas le cœur à la bonne place. Le mardi, Marie-Laure avait remercié Roseline en souriant paisiblement pour la première fois depuis longtemps.

— Je pense que je vais être correcte maintenant, Roseline.

— Hum...

L'autre lui avait jeté un regard dubitatif avant de grimper sur son trois-roues. Elle avait tourné son visage épaté vers le balcon en levant un doigt sévère.

— Ok, mais appelle-moi dès que tu sens que tu rechutes, mon amie !

— Promis ! avait souri Marie-Laure, Jules accroché à la poche de son jeans.

Le matin du 21 août, Marjolaine roulait en direction du magasin général lorsque Roseline Lamothe sortit sur son balcon pour lui faire de grands signes. En soupirant, la brune n'eut pas d'autre choix que de se ranger près de la clôture de bois et de poser ses pieds par terre. En vitesse, la courtaude descendit son escalier en lissant ses bouclettes derrière ses oreilles, où pendaient de grands anneaux d'argent. Le contraste entre la tête bien mise, le visage outrageusement maquillé et les vêtements usés et difformes de la commère de l'Île Verte fit sursauter Marjolaine, qui tenta de contrôler son fou rire.

— Je suis contente de pouvoir te parler, mon amie! dit Roseline un large sourire dans sa grosse face ronde.

Marjolaine retint un léger soupir avant de plaquer à son tour un sourire sur son minois. Elle avait toujours les fesses sur son siège de bicyclette et un pied bien planté dans le bois de la clôture. Prête pour un départ rapide! Parce que si vous aviez le malheur de vous arrêter chez la mère Lamothe sans l'avoir prévu, vos plans pouvaient facilement tomber à l'eau.

— J'aimerais ça t'inviter à ma fête. C'est samedi.

— Heu… ta fête?

— Oui. Je vais avoir quarante ans! C'est pas rien. Puis mon beau Edmond peut pas être là. Ça fait que je me suis dit: «Tu es pas pour te morfondre toute seule dans ton coin, ma *pitoune*, organise-toi donc un beau *party*!» Tu es la première que j'invite, puis j'espère que tu vas dire oui! Tu viens avec ton *chum* puis ton père, évidemment!

— Évidemment! répondit Marjolaine pendant que son cerveau tournait à cent milles à l'heure en imaginant la soirée à venir. C'est juste que…

— …*tut, tut, tut*… pas d'inquiétude, je sais que tes nouveaux clients arrivent juste dimanche soir!

— Ah?

Marjolaine était de plus en plus confuse. La femme en face d'elle balançait sa tête à la manière d'une top-modèle qui rejetterait ses cheveux sur ses épaules. Sauf que ses boucles à elle ne dépassaient pas son menton arrondi. La cycliste posa finalement les deux pieds à terre en comprenant que la fuite ne serait pas une possibilité.

— Bien oui, je suis allée voir Gaspard hier pour lui demander quand est-ce qu'il traversait du monde. Puis c'est là qu'il m'a dit que son prochain transport aurait lieu juste dimanche.

— Ah!

Marjolaine n'avait aucune autre syllabe qui lui venait en tête. Elle allait marmonner quelque chose lorsque sa vis-à-vis se pencha vers elle et confia discrètement:

— C'est pour ça que je suis maquillée et bien coiffée. C'est une pratique.

— Ah!

— J'ai dit à Hélène: «Bon, aujourd'hui il faut que tu m'arranges pour que je voie si les couleurs que j'ai choisies me vont bien.» Qu'est-ce que tu en penses?

— De... de... quoi?

— Bien de mon *make up*?

Marjolaine n'eut pas le choix d'observer attentivement le visage maladroitement maquillé de Roseline. Du bleu poudre sur les paupières, deux traits de fard à joues rose jusqu'aux tempes, des cils allongés à outrance et même un rouge à lèvres dans les teintes de mauve qui lui donnait un peu la nausée!

— Hum... le rouge à lèvres...

— Pas sûre, hein? Moi non plus! J'ai dit à Hélène: «On l'essaye, puis si ça détonne avec le reste, on changera.» Viens donc voir avec moi. Tu pourrais me dire quelle couleur tu me suggères. J'ai copié sur toi pour le reste, j'espère que tu m'en veux pas ?

Marjolaine, toujours aussi surprise, eut un léger sursaut et se promit de demander à son mari si elle avait aussi l'air d'une décoration de Noël lorsqu'elle se maquillait. N'ayant pas le choix d'obtempérer à la demande de l'insulaire, elle appuya son vélo contre la clôture et suivit son amie chez elle, la mort dans l'âme. Certains jours, l'ennui de sa meilleure copine, qui habitait Trois-Rivières, était plus grand que d'autres. Marjolaine prit une note mentale afin de téléphoner à Isabelle en revenant à la maison. Il était temps que sa belle rousse vienne visiter son nouvel environnement !

— Je te suis, Roseline. Mais pas longtemps, j'ai beaucoup de travail à faire encore au gîte.

— Juste une minute, promis !

Comme d'habitude, la « minute » de Roseline s'étira en une heure bien comptée. Mais après les premiers moments de découragement, l'ambiance dynamique dans la maisonnée de son amie remplit la jeune aubergiste d'énergie. La mère de famille ramassait ce qui traînait sur son comptoir, tout en donnant ses consignes à ses cinq enfants assis à la table de la cuisine. Ses garçons avaient une belle moustache de lait, que s'empressèrent de commenter les plus jeunes en les traitant de bébés. Les deux petites blondes se levèrent de table et déposèrent leur vaisselle sale sur le comptoir de bois dans un synchronisme parfait. Puis, Véronique avisa sa mère qu'elles s'en allaient au nord, alors que Valérie la rassurait en lui disant qu'elles resteraient sur les crans. Roseline leur fit ses recommandations d'usage, puis accrocha son linge à vaisselle à une petite poignée de céramique blanche avant d'ordonner :

— Les filles, vous allez me ramasser les carottes avant, je veux en faire une soupe pour ce soir.

— M&M, je vous ai demandé d'aller vider la mangeoire des moutons, puis pas dans deux heures !

Valérie et Véronique ne prirent pas le temps de rincer leurs assiettes avant de sortir en courant pour se rendre au potager. Marjolaine les regarda disparaître par la porte avant de se retourner vers son amie.

— Comment tu fais pour qu'ils t'écoutent de même, tes petits ? J'ai jamais vu ça !

Fière comme un paon, la courtaude releva la poitrine en affirmant d'un ton pointu :

— J'ai le tour, qu'est-ce que tu veux ?

Hélène, qui avait entendu la question, sortit de la toilette avec le fou rire :

— C'est parce que si on écoute pas, maman nous enferme dans l'armoire à balai sans manger pendant deux jours !

La citadine eut un hoquet de surprise alors que Roseline faisait des gros yeux à son aînée.

— Nounoune ! Bien non, Marjolaine, elle dit des niaiseries !

Le rire de la fillette résonna longtemps dans la cuisine, même après qu'elle fut sortie pour donner un coup de main à ses sœurs. Le bonheur régnait dans cette maison, tout à l'opposé de la lourdeur que Marjolaine constatait chez son autre amie, Marie-Laure. Avec nostalgie, elle songeait que d'aussi loin que ses souvenirs la portaient, il n'y avait jamais eu autant de légèreté dans sa propre demeure. Avec une sœur comme la sienne, les colères et les obstinations étaient leur lot quotidien.

Sophie n'avait pas encore choisi sa date d'arrivée. Après maintes tergiversations, elle avait pris la décision d'attendre la fin de l'été pour se pointer sur l'Île Verte.

— Autour du 20 octobre, me semble que c'est parfait. Le gîte devrait être tranquille, puis il y aura encore des traverses.

Lorsque la femme de vingt-neuf ans s'arrêtait pour penser à cette étape qu'elle s'apprêtait à franchir, son cœur se mettait à s'affoler dans sa poitrine. Ce qu'elle avait lu à propos de cette Île Verte ne lui laissait pas grand espoir de s'échapper rapidement si sa sœur la chassait à coup de pelle!

— Pas moyen de traverser trop souvent! Il va falloir que je me cache dans un bosquet! ricana la jolie femme pour chasser son trouble.

Ses yeux noirs fixaient sans le voir l'écran de télévision qui diffusait le journal télévisé sur CFCF au canal 12. Depuis son retour au Québec, Sophie n'avait pas perdu l'habitude de regarder la télévision en anglais. D'abord *The Price is Right*, diffusée à 17 heures tous les jours de la semaine, puis *Pulse News* avec Bill Haugland. Mais si le gros lot du jeu télévisé n'avait pas été remporté à 18 heures, l'émission de Bob Barker débordait sur le bulletin de nouvelles.

— Il me reste environ deux mois pour changer d'idée, songea Sophie en pliant ses vêtements fraîchement lavés. Une vulnérabilité se dégageait de son être dans les moments où elle doutait, seule avec elle-même. Cette fragilité qu'elle avait cachée à la suite de la mort de sa mère, qui l'avait anéantie, mais qu'elle avait tenté de banaliser pour ne pas ébranler encore plus sa sœur et son frère. S'ils avaient su à quel point le désespoir tordait son cœur lorsqu'elle avait baisé les lèvres glacées de sa mère adorée pour une dernière fois, Stéphane et Marjolaine se seraient écroulés à leur tour, comme leur père. Malheureusement, sa cadette n'avait pas compris son agir, mettant sa froideur sur le compte du détachement et du manque d'amour qu'elle éprouvait pour sa maman.

— Si tu savais, Marjolaine, pleura la femme, si tu savais comme je voulais partir, moi aussi, comme ma maman d'amour! Je pensais qu'en me montrant forte, je vous aiderais à passer à travers le deuil. J'espérais qu'en gardant toutes mes émotions à l'intérieur, vous pourriez, Stéphane et toi, continuer à vivre comme avant. Si j'avais su que tu m'en voudrais autant. Tu as pas compris… Tu as juste pas compris!

À présent, l'envie que Sophie avait de revoir son père était irrépressible. Tant pis si Marjolaine se choquait, personne ne l'empêcherait de serrer Paul dans ses bras. «Je t'aime, papa. Je suis désolée.» seraient ses premières paroles. Ses longs cheveux noirs descendaient presque jusqu'à sa taille et, lorsqu'elle se penchait vers l'avant, lui faisaient un rideau de velours devant le visage. Elle était toujours aussi belle qu'à seize ans, même si les épreuves et les années avaient éteint l'étincelle de folie et d'énergie qui habillait ses iris avant la soirée du 10 juillet 1975. Elle avait tenté de s'étourdir pendant son exil, mais les matins de pleurs avaient toujours suivi les nuits d'ivresse. Assise sur le bout des fesses, elle soupira profondément en laissant glisser quelques larmes, en pensant à l'accident qui avait changé le cours de sa vie et détruit celle de son frère. Peut-être que si elle avouait la vérité sur cette soirée d'enfer…?

CHAPITRE 16

Anniversaire gâché

D ans sa grande maison, Roseline était comme une gamine le matin de Noël. Depuis l'aube, elle frottait sa cuisine tout en vérifiant l'état de sa coiffure. De temps en temps, elle disparaissait dans sa salle de bain pour replacer une mèche rebelle. Victoire lui avait conseillé de porter ses rouleaux toute la journée.

— Comme ça, tu vas voir, ma belle, que tes boucles vont tenir jusqu'à la fin de ton *party*.

Hélène obéissait aux ordres de sa mère avec une moue dubitative. Elle constatait bien que les cheveux courts de celle-ci ne s'enroulaient pas parfaitement sur les bigoudis et que certaines mèches resteraient droites !

— Hélène, va chercher des œufs. Il faut que je fasse le gâteau. Puis dis à tes frères de venir se laver.

— Il est midi, maman !

— Bien les invités vont arriver à 4 heures.

— Justement, tu trouves pas…

La courtaude avait simplement froncé ses sourcils pour la dissuader de s'obstiner et sa fille s'était tue. Après tout, ses frères auraient juste à maugréer que c'était beaucoup trop tôt pour se préparer, ce n'était pas son problème. Ce que les jumeaux s'empressèrent de faire, en arguant qu'ils se saliraient s'ils se changeaient tout de suite. Leur mère dut admettre qu'ils n'avaient pas tort et les M&M s'enfuirent dans la grange sans demander leur reste. Ce *party*-là finirait par être plus grandiose que les fêtes de Noël qu'organisaient les Vézina avant la maladie d'Anémone. Roseline et ses filles se démenèrent pendant des heures, alors que les jumeaux, qui avaient compris ce qui les attendait s'ils sortaient de la grange, ne s'étaient pas montré le bout du nez.

— Mais maman, s'était d'ailleurs plainte Hélène, les gars font rien, eux autres. C'est pas juste!

— C'est parfait comme ça! On a la paix!

— Ils mettraient de la farine partout, de toute manière! avait sagement rajouté Véronique, du haut de ses huit ans.

— ...puis du sucre, avait complété Valérie.

Les deux fillettes avaient enfilé de vieilles chemises appartenant à leur papa pour donner un coup de main à Hélène et Roseline. Consciencieusement, elles brassaient une étrange mixture dans un gros bol en plastique. Leur aînée se pencha avec suspicion au-dessus du mélange en reniflant:

— C'est quoi, ça?

— Les fruits pour la tarte.

— Puis il y a du sucre et des épices aussi.

Quand Véronique parlait, Valérie tentait toujours de rajouter un détail pour ne pas être en reste. Ce qui faisait sourire de fierté Roseline, mais tapait sur les nerfs d'Hélène. Cette dernière essuya ses mains qui sentaient les oignons sur son vieux tablier avant de supplier sa mère:

— Maman d'amour, moi aussi j'aimerais mieux aller m'occuper des...

— Non! coupa Roseline la bouche pincée. Toi, tu es responsable. Eux autres...

Le ton disait tout. Les frères d'Hélène ne songeaient qu'à s'amuser, idéalement en jouant des mauvais tours aux autres insulaires. La plupart du temps, c'était innocent, sauf la fois où l'un d'eux avait noué les lacets des souliers de Justin Castonguay pendant une messe. L'adolescent avait les yeux fermés et tentait de prier Dieu, même s'il ne saisissait rien au discours que tenait devant lui l'homme d'Église. Le curé leur avait montré la crèche avec l'Enfant Jésus et, dix minutes plus tard, il leur demandait de prier le bonhomme sur la croix. L'adolescent s'était penché vers son père en demandant :

— Mais c'est qui, Jésus, le bébé ou le monsieur mort ? Je comprends pas, moi !

— *Chut !* avait été la seule réponse du paternel.

Alors le pauvre garçon avait imité ses voisins et fermé ses paupières en faisant mine d'être pensif. L'un des jumeaux avait profité de ce moment pour faire son mauvais coup. Mais le gamin avait reçu toute une conséquence lorsque Justin Castonguay s'était enfargé dans ses chaussures et avait basculé, se fracassant le menton contre un des bancs. Il en avait été quitte pour une visite au dispensaire et une dizaine de points de suture. Les frères d'Hélène avaient dû s'occuper des vaches des Castonguay tous les jours pendant une semaine en remplacement de Justin, qui devait se remettre de sa blessure. Comme les M&M se protégeaient l'un l'autre et qu'ils n'avouèrent pas lequel des deux avait commis ce méfait, ils subirent la conséquence en duo. Donc, Hélène savait bien que si ses frères n'étaient pas dans la maison, c'est qu'ils devaient préparer une autre niaiserie. Elle laissa tomber le sujet en voyant le visage fermé de sa mère. Quelques heures plus tard, lorsque la fêtée fit son apparition en haut de l'escalier en criant...

— Les enfants, venez voir comme votre mère est bien arrangée !

...l'adolescente voulut mourir de honte. Elle posa ses grands yeux sur l'apparition vaporeuse et mauve... très mauve qui se tenait en haut des marches. Roseline avait les mains sur ses larges hanches recouvertes d'une espèce de robe sans manches violette dont le devant était constellé de paillettes de faux diamants. Éberlués, les cinq enfants remarquèrent les souliers à talons pointus d'une teinte indéfinissable – entre le mauve et le bleu – qui brillaient dans la lumière du jour.

— Puis, qu'est-ce que vous en dites, hein ? J'ai pas été belle de même depuis le jour de mes noces !

Bouche bée, les jumeaux de la femme ricanaient sans savoir quoi dire à la vue de cette femme qui ressemblait si peu à leur mère. Hélène eut toute la misère du monde à prononcer quelques mots :

— *Cool...* maman. Tu es très... belle... Heu, tu l'as prise où, ta robe ? Je l'ai jamais vue.

Roseline rosit un peu, même s'il était difficile de le remarquer sous l'épaisseur du fard à joues dont elle avait abondamment saupoudré son visage. Rendue dans la cuisine, elle tourna sur elle-même et prit la pose devant ses trois filles. Les jumeaux avaient disparu à l'extérieur de la maison, après avoir lancé un « Super, m'man ! ». Les deux cadettes la toisaient sérieusement en chuchotant dans leur langage secret. Roseline tendit l'oreille, mais comme d'habitude, elle ne reconnut que quelques mots. Elle s'avança donc vers Hélène et mit ses mains boudinées sur ses épaules tendues :

— Dites-le pas à personne, mais quand je suis allée au bazar de l'église, de l'autre bord, l'année passée, je l'ai achetée pour une bouchée de pain.

— Hein ? Tu as payé ta robe avec du pain ? demanda Valérie.
Comme leurs deux frères, Maxime et Maxence, qui se ressemblaient beaucoup en faisant exception de leur taille, les deux
cadettes étaient aussi très semblables : blondes, avec un visage
étroit et long.

— Bien non, niaiseuse ! répondit Hélène. Ça veut dire qu'elle
a pas coûté cher.

— En plein ça, ma fille ! Puis une robe de même, ça vaut au
moins 100 piastres. Je me suis dit que j'aurais sûrement une
occasion de la mettre, et puis voilà ! En plus, je vais pouvoir la
reporter pour Noël, s'il y a une soirée quelque part.

Hélène voulait pleurer. Non seulement sa mère avait la tête
d'un épouvantail, mais en plus, on aurait dit qu'elle s'était
déguisée pour l'Halloween. N'en pouvant plus, la jolie brunette
basanée sourit péniblement et lança :

— Bon, je vais aller me changer moi aussi. Vous venez, les
filles ?

— Puis, trouvez quelque chose de beau à porter, vous autres
aussi. C'est pas tous les jours que votre mère a 40 ans !

Heureusement !, voulut répondre Hélène avant de se mordre
l'intérieur de la bouche. Quelques heures plus tard, la tenue de
fête de Roseline était tachée de ketchup et décousue au milieu du
dos. Mais la femme était tellement heureuse qu'elle en était belle.
Quand Marjolaine, Philippe et Paul étaient arrivés, elle avait
serré son amie contre sa grosse poitrine en essuyant une larme.

— Vous pouvez pas savoir comme je suis contente que vous
soyez là ! C'est tout un honneur que vous me faites !

— Bien voyons, Roseline… c'est normal ! avait répondu
Marjolaine en retenant un fou rire.

— Puis tu es belle comme un cœur ! Je te dis toi, ma *maudite*,
on sait bien, tu veux me faire concurrence !

Philippe avait retenu un hoquet de stupeur avant de s'apercevoir de l'air désespéré d'Hélène, sagement assise dans un coin de la cuisine. Dans sa robe trop courte en polyester rouge et blanc, dont le devant chiffonné ne faisait que mettre l'accent sur son absence de poitrine, elle observait les nouveaux venus et ne pouvait que donner raison à sa mère. Marjolaine Lalonde était la plus belle femme qu'elle avait jamais vue. Même plus belle que Sandy dans *Grease,* son film préféré. Comme Roseline avait dit à tous qu'une tenue de soirée était recommandée, Marjolaine avait fouillé dans ses dizaines de robes qu'elle n'avait pas eu l'occasion de porter depuis son arrivée.

— Une chance que je les ai pas jetées comme j'y avais pensé, hein, Philippe?

— Une chance, ma perle!

Elle avait donc choisi une robe sans manches d'un rose éclatant qui la serrait comme un fourreau jusqu'à la taille avant de s'évaser en corolle autour de ses jambes fuselées. Autour de son cou délicat, elle avait accroché un collier de velours noir qui collait à sa peau. Un maquillage sobre dont l'emphase était mise sur les yeux et la bouche, et une paire de chaussures en cuir verni complétaient l'ensemble fort réussi. En voyant les deux femmes côte à côte, Hélène ferma les yeux durant quelques secondes en imaginant que celle en rose était sa génitrice. Mais en les ouvrant, c'est pourtant la grosse face ronde de Roseline qui se trouvait à quelques pieds d'elle et sa voix haut perchée qui lui intimait:

— Hélène, donne du punch aux invités, ma fille!

Lorsque tout le monde fut installé autour de la grande table blanche des Lamothe, il était déjà passé 20 heures. Marc-André, Marie-Laure et Gaspard avaient été les derniers à arriver. Le jeune couple n'avait pas mentionné la raison de son retard, mais les traits tendus de Marie-Laure et ses coups d'œil constants vers son garçon Jules, qui jouait avec des petits soldats de plastique dans un coin, avaient laissé croire à une autre crise de ce dernier. Roseline lui avait précisé qu'elle n'accepterait aucune excuse pour son absence, alors la châtaine épuisée avait suivi son mari même si le cœur n'y était pas du tout. Déjà que dans l'après-midi, ses parents avaient fait une visite surprise à la maison jaune. Les relations entre la femme et ses géniteurs avaient toujours été difficiles. Avec les années, Marie-Laure avait tenté d'espacer de plus en plus leurs rencontres. Sur une île isolée comme la leur, ce n'était pas chose facile. Toutefois, comme monsieur et madame Marchand s'étaient eux-mêmes effacés de la vie sociale de la paroisse après leurs déboires avec les Dionne, leur fille n'avait pas à les rencontrer trop souvent… sauf quand il leur prenait l'envie de venir voir leurs petits-enfants. Marie-Laure sortait toujours de ces rencontres éphémères tendue comme un arc tant elle faisait tout pour que son enfant semble le plus normal possible.

— On reste pas trop longtemps, chuchota Marie-Laure dès qu'elle eut enlevé son manteau usé.

— Laisse-nous donc arriver, répliqua son mari en souriant gentiment à Hélène, qui lui tendait un verre de punch.

Marc-André zieuta en direction de Jules pour éviter le regard incendiaire de sa femme. Jour après jour, il cherchait des comparaisons entre son fils et son oncle. Jour après jour, il en découvrait, et la détresse se faisait de plus en plus grande au fond de son cœur. Même si les insulaires constataient l'étrange comportement du petit, personne n'osait aborder la question avec ses parents. Tous préféraient le faire quand Marie-Laure et Marc-André n'étaient pas présents ! Rien de mieux qu'une bonne discussion sournoise pour se conforter dans l'idée de la réussite de sa propre vie. Roseline faisait le tour de ses invités comme une reine, tellement heureuse de se voir si bien entourée. Conrad et Victoire Dionne avaient apporté un plateau rempli de harengs et de saumons fumés.

— Frais du jour, mes amis, évidemment! s'était vanté le marchand, qui avait déposé ses poissons rougeoyants au milieu de la tablée.

Les Castonguay, les Vézina – Anémone avait souhaité un joyeux anniversaire à Victoire sans que personne la contredise – et Roch Bérubé complétaient la fête. Dès l'arrivée de son amie Marion et des filles de Marie-Noëlle Castonguay, Hélène s'était éclipsée pour aller jouer avec les nouveaux chatons de leur chatte Grisaille. Le souper était bien entamé lorsqu'un coup à la porte se fit entendre à l'avant de la grande maison blanche de la fêtée.

— Voyons, il manque personne... hoqueta Roseline en essayant de se lever dignement. Elle avait perdu une chaussure, qu'elle tentait de retrouver sous sa table. C'est peut-être... Adrien, mais il m'a dit de pas l'attendre. Je l'ai invité, même si je savais qu'il viendrait pas.

Personne ne remarqua la grimace sur le visage de Marjolaine, qui souhaita très fort que le vieil ermite n'ait pas changé d'idée. Lorsque les coups se répétèrent et qu'ils devinrent plus insistants, Roseline haussa les épaules et décida d'aller ouvrir pieds nus. Les invités recommencèrent à parler et à rire tout en consommant les tonnes de plats qu'avaient cuisinés Roseline et Hélène. Un hurlement venant de l'entrée fit sursauter le groupe.

— Oh bien *tabarnouche! Maudit! Ciboulot!* criait la voix enfiévrée de l'hôtesse. Avant que quiconque ne puisse l'interroger, elle arriva sur le seuil de la cuisine la face complètement épanouie. Regardez-moi ce que la marée vient de nous apporter! s'exclama-t-elle en ouvrant grands les bras.

— Papa ! crièrent ses enfants en se précipitant à toute vitesse contre l'homme qui venait d'apparaître aux côtés de Roseline.

Stupéfaites, les trois seules personnes qui n'avaient jamais vu Edmond Fraser refermèrent les yeux pour être certaines de ne pas avoir la berlue. Car le mari de Roseline arrivait tout juste aux épaules de sa femme. Il avait la carrure d'un joueur de football... de cinq pieds ! Sa large face rougeaude au nez épaté et aux petits yeux enfoncés dans les orbites se tourna vers les nouveaux arrivants lorsque Roseline lança joyeusement :

— C'est elle, la vedette dont je t'ai parlé ! pointa la femme en direction de Marjolaine, qui se sentit rougir.

— Bien le bonjour, le bonsoir... C'est vrai qu'elle est belle en pas pour rire, cette jeunesse-là ! Une chance que c'est toi ma femme parce que je te dis que je m'essaierais bien !

Edmond Fraser éclata d'un puissant rire de gorge suivi aussitôt par tous ceux qui le connaissaient depuis toujours. Seuls les trois anciens citadins hésitaient quant à la réaction appropriée à adopter. Après tout, Philippe se disait que le bonhomme venait presque de faire des avances à sa femme... mais en voyant les regards qu'il échangeait avec la dame en mauve à ses côtés, il sentit l'amour entre ces deux-là et se dit que sa perle n'était pas en danger. Puis, alors qu'Edmond allait prendre place sur la chaise qu'on avait rajoutée entre Roseline et Anémone, un autre hurlement se fit entendre.

— Bien voyons, qu'est-ce qui se passe encore ?

— C'est Jules.

Marie-Laure s'était figée en entendant le cri de son garçon. Elle fit tomber sa chaise en se relevant et courut à l'étage, suivie par Marc-André, confus. La scène à laquelle ils assistèrent et qu'entendirent les invités malgré la distance ferait jaser pendant plusieurs semaines dans les chaumières de l'Île Verte. La colère de Jules Caron avait éclipsé l'arrivée d'Edmond Fraser. Planté en plein centre de la chambre des jumeaux, le petit roux tenait une couverture entre ses mains et hurlait à pleins poumons les yeux fixés sur le mur devant lui. À ses côtés, le plus jeune des enfants de Marie-Noëlle Castonguay, un tannant de sept ans, se mordait les lèvres pour éviter de pleurer. Sur l'un des lits près de la fenêtre, les M&M de Roseline se serraient l'un contre l'autre.

— Jules, Jules, arrête ça, voyons! cria Marc-André désemparé.

— Jules, c'est maman. Qu'est-ce qui se passe?

Mais le garçon hurlait, ses bras battant de chaque côté de son corps sans montrer aucun signe d'apaisement. Lorsque le petit Castonguay tenta de se glisser hors de la pièce, un air coupable sur le visage, Marie-Laure l'agrippa par le coude.

— Qu'est-ce que tu as fait, mon petit *maudit*? grogna la femme, méconnaissable, entre ses lèvres fermées.

— Rien... rien...

— Je vais t'en faire, moi, rien. Ça paraît dans ta face! Dis-moi-le, sinon...

— MARIE-LAURE!

La châtaine tourna son regard colérique vers Marc-André et cracha:

— Toi, mêle-toi pas de ça! Tu cherches jamais à le protéger, notre gars. Je t'avais dit que ça me tentait pas de venir, aussi. Qu'est-ce que vous avez fait à Jules? Tais-toi, mon amour, *chut*...

Marie-Laure essayait de prendre l'enfant contre elle, mais le corps raidi d'effroi, le petit continuait à gémir et à pousser des cris, pendant que le trio de garçons laissait maintenant couler ses larmes. C'est Maxence qui répondit finalement:

— On voulait... voulait juste... lui faire... une bla... blague.

— C'est quoi, votre *maudite* blague?

Marc-André tenta de nouveau de calmer Marie-Laure en posant sa main sur son épaule, mais elle le repoussa sèchement et la rage qu'il lut dans ses yeux le fit déglutir. Il ne reconnaissait plus sa femme dans cette furie au visage blême et au corps tendu. Elle s'était avancée près du lit, les deux mains appuyées contre le matelas. Les enfants reculèrent jusqu'au mur avant de murmurer :

— Bien... On a... fermé... fermé la lu... lumière et quand... Jul... Jules est entré... on a jeté... un... une... petite... couve... erte sur lui.

— C'était pour... rire, compléta l'autre jumeau.

— Pour rire, *gang* d'innocents ! Il a l'air de rire, mon gars ? Hein ?

Marie-Laure serrait maintenant son fils contre elle et pointait un doigt accusateur vers les trois autres enfants.

— Que je vous voie plus vous approcher de mon gars parce que...

— Marie-Laure ! Franchement !

La voix outrée de Roseline Lamothe s'interposa derrière Marc-André, qui n'arrivait pas à analyser ce qui se passait dans la chambre d'enfants. Sa femme avait l'air d'une lionne devant un troupeau de gazelles. Ses yeux à moitié fermés, ses poings crispés derrière le dos de son fils et son menton tremblant montraient la colère qui l'animait. Sa vieille robe en jeans qu'elle avait revêtue quelques minutes avant leur départ, était fripée. Elle avait enfilé des bas blancs jusqu'aux genoux et glissé ses pieds dans ses vieilles bottes de pluie. Marc-André aurait voulu lui suggérer de s'habiller un peu mieux, mais la vue du visage fermé de son épouse l'en avait dissuadé. Au rez-de-chaussée, les voix s'étaient tues, en constatant la crise qui sévissait à l'étage. Les invités tendaient l'oreille, sans même faire preuve de discrétion.

Edmond vint pour questionner les gens présents, mais matante Minou lui fit signe de n'en rien faire. Il serait toujours temps de lui expliquer la situation concernant Jules. Pour l'instant, ce n'était pas le moment, alors que Gaspard, son grand-père, avait les yeux remplis de larmes. Depuis sa discussion de l'été avec sa bru, le pauvre homme avait bien compris qu'elle le tenait à l'écart le plus possible. Même s'ils habitaient les uns en face des autres, de part et d'autre du chemin du Quai d'en-Haut, il avait été rare que Marie-Laure lui demande un coup de main, comme elle le faisait auparavant. Alors il ne savait plus trop quoi faire pour aider son fils et sa femme si ce n'était d'écouter les craintes de Marc-André et de tenter de le rassurer de son mieux. Dans la chambre, Roseline, d'ordinaire rieuse et empathique, s'avança à son tour vers ses jumeaux pour les protéger de l'attaque en règle que leur livrait Marie-Laure. Il y avait toujours bien des limites à s'en prendre à des enfants, surtout aux siens ! Elle marmonna d'un ton acerbe :

— C'est pas parce que ton gars est pas normal que tu vas t'en prendre à tous ceux qui le sont !

Blêmissant encore davantage, comme si une telle chose avait été possible, Marie-Laure prit son fils dans ses bras sans dire un mot et descendit l'escalier de bois franc. Elle s'éloigna dans le corridor étroit pour sortir de la maison des Lamothe-Fraser. Elle n'y remettrait plus jamais les pieds.

Le départ de Marie-Laure et de Jules jeta un froid sur l'ambiance de la fête pendant quelques instants. Marc-André hésitait sur ce qu'il devait faire, mais après avoir parlé avec Gaspard, il prit la décision de ne pas retourner à la maison tout de suite.

— De toute manière, lui précisa son père, je pense que ta femme est trop fâchée pour être capable de discuter franchement de la situation. Puis, je t'avais dit que je lui parlerais… J'ai essayé, mon gars, mais elle m'a reviré de bord aussitôt que j'ai tenté d'aborder l'état de Jules. Je pense qu'il va falloir que tu fasses des démarches malgré son refus. Il en va de son bien-être et de celui de ta famille, mon Marc-André. Ta femme est en train de crever à petit feu… Elle voit plus clair dans la situation. Mais en attendant, pour ce soir, je pense pas que tu peux rien y faire.

〜

Le lendemain de la fête gâchée, alors que Philippe et Paul revenaient de chez les Castonguay, où ils avaient donné un coup de main pour rentrer les sacs de pommes de terre que la famille s'entêtait à cultiver, ils furent accueillis par une Marjolaine en pleurs. Ils riaient encore du jeune Justin, qui avait confondu les sacs de patates qu'on conservait pour les animaux et ceux pour la famille. Quand sa mère avait ouvert la poche destinée aux siens, elle avait reculé devant l'odeur de pourriture qui s'en était échappée. En peu de temps, la grosse femme avait réalisé l'erreur de son fils et l'avait vivement retourné dans la porcherie pour récupérer les tubercules bien dodus avant que les cochons ne les engouffrent goulûment.

— Une chance que madame Castonguay s'en est… Bien voyons donc, Marjolaine, qu'est-ce qui se passe?

La jeune femme était assise devant le téléviseur, qu'elle avait ouvert pour la première fois de la semaine. Paul sentit son cœur tomber dans ses talons devant le visage ravagé de sa fille. Il s'empressa de se rendre à ses côtés avant même que son gendre ne puisse réagir. Le père prit les mains glacées de la jeune femme entre les siennes. Son petit minois cramoisi et ses yeux bouffis lui faisaient craindre le pire. Mais les deux hommes ne comprenaient rien tant Marjolaine sanglotait :

— ...puis... Tahiti... Joe... ohh... j'ai trop... triste...

— Hein ? Quoi, Joe ?

Philippe jeta un regard sur son chien brun avachi aux côtés de sa femme avant de prendre son menton et de le relever vers lui. Il prévint d'un ton sévère :

— Marjolaine ! Tu nous fais peur, là ! Peux-tu aligner plus que deux mots ? Qu'est-ce qui se passe ?

Sa femme pointa le téléviseur. À l'écran, le journaliste Bernard Derome avait la mine sombre. En haut, à gauche de l'écran, était diffusée une photographie du chanteur Joe Dassin. Philippe se leva pour aller monter le son :

Le chanteur de 41 ans, mort d'une crise cardiaque, mercredi le 20 août, sur l'île de Tahiti, laisse dans le deuil des millions de fans, sa famille...

— Ohhh...

Marjolaine enfouit son visage larmoyant contre l'épaule de son mari, désespérée d'apprendre cette nouvelle quatre jours en retard. Elle n'aurait jamais fait la fête, la veille chez Roseline, si elle avait su. Elle réalisait tout à coup les conséquences que représentait le fait d'être isolée sur l'île. À Québec, tous les soirs avant de se coucher, le couple regardait et commentait les nouvelles à Télé-Métropole. Ici, sauf en période hivernale, les Verdoyants n'allumaient guère leur téléviseur. Paul fixait sa fille d'un air sévère. Il n'était toujours pas retourné sur le continent et gardait sa paire de lunettes brisées qui lui donnaient un air un peu benêt. Pourtant, le ton de sa voix démentit le côté naïf de son apparence.

— Franchement, Marjolaine! Tu t'imagines ce que j'ai pensé en te voyant de même! Réfléchis un peu, c'est toujours juste bien un chanteur de pomme, pas un membre de ta famille qui est mort! S'il vous arrivait quelque chose, à toi ou à Sophie, je survivrais pas.

Les paroles claquèrent dans la pièce avant que l'homme âgé ne tourne les talons pour sortir de la maison et rejoindre son chalet. En voyant sa fille dans un tel état, il avait craint le pire. Il n'avait plus eu d'autres nouvelles de Sophie et avait réalisé, en voyant l'allure de sa cadette, que personne dans l'entourage de son aînée ne savait où le trouver si par malheur il survenait un nouveau drame dans la famille. Philippe, quant à lui, retenait un rire devant la mine désespérée de sa femme. Il toussa dans sa main et tenta de la serrer contre lui. Ses beaux yeux verts fixaient le mur de la cuisine pendant que Marjolaine se calmait un peu.

— J'ai même pas... pas... eu le temps... de le... le voir en spectacle!

Et elle repartit de plus belle. Son mari réussit à garder son sérieux jusqu'à ce que Marjolaine sèche complètement ses larmes. Et au moment où elle se leva pour déposer un «long jeu» sur leur tourne-disque, il se dit que c'était maintenant à son tour de verser toutes les larmes de son corps.

Tu sais
Je n'ai jamais été aussi heureux que ce matin-là (...)
La-la-la

La-la-la-la-la-la-la-la-la...[9]

Il savait maintenant qu'au cours des prochaines semaines, il serait condamné à écouter en boucle tous les disques jamais enregistrés par le chanteur français jusqu'au jour de sa mort. À son tour, le pauvre Philippe voulait mourir! Il remercia le ciel d'avoir eu quatre jours de répit avant d'apprendre le décès tant pleuré! Au moins, ils avaient pu participer à l'anniversaire chez Roseline, même si la soirée avait mal tourné. Après le départ de Marie-Laure et de Jules, les invités avaient inconsciemment baissé le ton et les discussions s'étaient poursuivies sur des propos plus sérieux. La pauvre fêtée avait reniflé longtemps, avant que son Edmond ne réussisse à la faire sourire avec une danse savamment exécutée sur la chanson de Village People, *YMCA*. Vêtu d'un casque de plumes, l'homme trapu s'était déhanché jusqu'à déclencher les fous rires de tous les invités. Au moins, la soirée s'était terminée sur une bonne note! C'était assuré, pensa Philippe, en regardant sa femme bouger langoureusement au son de la voix suave, il allait périr d'ennui avant le début de l'hiver à cause de cette mièvre musique! Il resta quelques secondes à la regarder, appuyé contre le mur près du salon avant de se racler la gorge et d'annoncer:

— Heu... Marjolaine, je vais aller faire une partie de *cribble* avec ton père.

— Hum...

Les yeux fermés, la jolie brune tanguait au son de la voix chaleureuse de son chanteur préféré. Elle tournoyait dans le salon, pieds nus, sans égard pour son mari, qui plissait le visage pour tenter de comprendre l'attrait que le Français exerçait sur son

---

9 *L'été indien*, paroles: Vito Pallavicini et Graham Stuart Johnson, musique: Salvatore Cutugno et Pasquale Losito, adaptation française: Pierre Delanoë et Claude Lemesle, 1975.

épouse. Par moments, des flots de larmes roulaient sur les joues de Marjolaine et elle ne prenait même pas la peine de les essuyer. Sans délicatesse, elle reniflait avant de se remettre à chantonner.

— Marjolaine ?

Elle ouvrit un œil bouffi et fit signe qu'elle avait compris. De toute manière, elle voulait rester seule avec sa peine, que son père et son mari ne comprendraient jamais. Quand la porte à moustiquaire claqua derrière Philippe, Joe – le chien – se glissa près de son maître, dépité. Lui aussi en avait assez de cette ambiance ennuyante ! Le duo s'éloigna vers le chalet, alors que le son du tourne-disque était monté au maximum. Le barbu secoua sa tête bouclée avant de marmonner en flattant la tête brune de son labrador :

— Toi aussi, tu te sauves, hein, mon Joe ? Je comprends ça ! Puis si j'étais à ta place, je demanderais un changement de nom. Parce que là, chaque fois qu'elle va t'appeler, ta maîtresse va brailler en pensant à son *crooner* !

⤙

— Ta femme s'est remise de sa peine ? demanda Marc-André à son cousin en souriant.

— Bof... Un matin sur deux, je déjeune au son de *L'Été indien* ou des *Champs Élysées*, mais sinon, elle devrait s'en remettre.

Après quelques jours à traîner son accablement dans la grande maison rouge, Marjolaine avait compris qu'elle devait se secouer, surtout qu'elle n'avait aucun soutien des deux hommes de sa famille. Son mari riait sous cape, son père l'ignorait ostensiblement. Elle avait été contente d'avoir des clients au gîte pendant deux nuits. Cela lui avait permis de se changer les idées.

Le silence reprit sa place entre les deux cousins, occupés à remettre en état l'extérieur du poulailler. Depuis quelques minutes, Marc-André se mordait la lèvre inférieure, cherchant comment annoncer sa nouvelle. Mis devant le fait accompli, il n'avait pas eu son mot à dire. Il s'inquiétait de savoir comment les insulaires réagiraient à cette révélation. Las de tourner autour du pot, il prit appui sur la clôture du poulailler et lança, sans regarder Philippe :

— Marie-Laure a décidé de pas envoyer Jules à l'école cette année !

Marc-André espérait que son ton banal signe la fin de la discussion. Philippe et lui étaient en train de sabler les murs du petit bâtiment. Avec les années et l'air salin, la cabane avait perdu son lustre et, à certains endroits, les planches avaient noirci considérablement. Comme Marjolaine projetait de faire prochainement l'acquisition de quelques poules pour consommer des œufs frais tous les matins, elle avait mandaté son mari et son père afin de créer un plus bel environnement pour ses futures volailles. Paul avait aussitôt sauté sur l'occasion d'utiliser Gaston, alors que son mari s'était étonné :

— Plus beau ? avait-il questionné, interloqué. Ce sont des poules que tu veux avoir, pas des reines de beauté !

— Ça fait rien. J'ai lu que les animaux appréciaient autant que les humains avoir un espace propre et salubre. Si on veut des gros œufs…

— …me semble qu'un bon ménage du poulailler, ça ferait l'affaire. Pas besoin de tout remettre à neuf, non ?

Marjolaine avait avancé son corps délicat et mis son doigt pointu sur le torse de son grand mari. Sévèrement, elle avait répondu :

— Non seulement on va faire le ménage, mais en plus, je veux que tu le peintures de la même couleur que la maison.

— Pardon?

— Es-tu devenu sourd, mon amour? Un poulailler rouge et blanc. Voilà ce que je te demande de faire, c'est pas bien bien compliqué!

Incapable de résister au petit sourire angélique qu'esquissait sa perle, Philippe avait soupiré à fendre l'âme, lui qui détestait les tâches de peinture. Mais l'idée d'avoir son beau-père dans les pattes pour cette nouvelle rénovation étant au-dessus de ses forces, il avait mandaté son oncle Gaspard pour qu'il accapare Paul ailleurs. Deux jours plus tôt, Philippe avait tendu le téléphone à son beau-père d'un air innocent. Il avait écouté la conversation entre son oncle et lui, les doigts croisés derrière le dos.

— Mon aide? Pour transplanter ton arbre... Ouin... ça adonne mal... C'est juste que... j'avais promis à Philippe... Quoi? Attends une minute, Gaspard.

Paul avait caché le récepteur dans son cou avant d'écouter le mensonge savoureux de son gendre:

— Je vais essayer de m'arranger, le beau-père. C'est sûr que ça va être plus long, mais...

Le ton était piteux, les yeux verts presque larmoyants. Marjolaine, qui n'était pas dupe, lui avait donné une taloche sur la fesse. Paul avait hésité, frottant sa cicatrice sur le front comme il le faisait toujours lorsqu'il était embarrassé.

— Tu es certain, Philippe? Parce que je sais que la peinture et toi... Attends, je vais essayer de voir si Gaspard peut changer son...

— Non, non! avait presque crié Philippe alors que Paul sursautait. Je veux dire, je voudrais pas que mon oncle soit pris tout seul pour déplacer son arbre. On sait tous qu'il a une tête dure. Puis il m'a avoué être pas mal fatigué depuis qu'il a remplacé Conrad Dionne sur le chaland, mentit-il de nouveau sans vergogne. Je pense que s'il vous le demande, c'est qu'il est vraiment épuisé…

C'est donc un peu à contrecœur que Paul avait quitté la maison le matin même pour aller aider son ami, qui avait prévu en avoir au moins pour une journée à déterrer, à tirer et à replanter son gros saule pleureur. Avant de partir, il avait donné ses conseils judicieux à son gendre en lui promettant de revenir le plus vite possible pour l'aider.

— Pas de presse, le beau-père. Prenez votre temps, vous avez plus vingt ans. Au pire, je vais accrocher le jeune Castonguay au détour d'une livraison. C'est pas une lumière, mais j'imagine qu'il est capable de tenir un pinceau !

« Puis ça pourrait pas être pire que la fois où vous avez mis le pied dans ma *pan* de peinture jaune pour en mettre à la grandeur de la salle de bain avant de vous en apercevoir ! », pensa Philippe en plaquant un sourire innocent sur son beau visage basané. Il s'était souvent demandé, d'ailleurs, comment un homme aussi consciencieux, compétent et minutieux que Paul dans le cadre de son travail de détective pouvait être aussi médiocre dans les tâches demandant un certain talent manuel. Sa femme lui avait expliqué avec moult détails qu'il y avait une sérieuse différence entre remplir des formulaires, prendre des photos et des notes précises et viser la tête d'un clou avec un marteau. Mais Philippe demeurait sceptique et se demandait parfois si son beau-père n'en mettait pas un peu, dans sa gaucherie, pour faire rire… Depuis leur arrivée sur l'Île Verte, le grand barbu passait ses journées au grand air et resplendissait de santé. Au contraire de son épouse, qui se lamentait que rien ne pouvait l'aider à bronzer, pas même l'huile de bébé ou une plaque en aluminium, Philippe, lui, avait un teint d'Indien! Paul s'en était donc allé après avoir donné plusieurs conseils à son gendre.

— Parfait, le beau-père! Si j'ai de la misère, de toute manière, je sais où vous joindre, avait dit Philippe d'un ton rieur.

Pourtant, lorsque Justin était passé devant leur entrée vers neuf heures, le barbu avait renoncé à l'interpeller. Il n'avait pas envie de répéter dix fois de suite ses instructions. Chaque fois qu'il assistait à une conversation entre le jeune de dix-sept ans et un autre insulaire, Philippe se demandait où les gens puisaient cette dose de patience nécessaire pour discuter avec un tel niais. Le gros brun vous regardait d'un œil vide en hochant mécaniquement la tête, même lorsqu'il n'avait rien compris à ce que vous tentiez de lui expliquer.

— Aussi bien faire ça tout seul qu'encombré de cet idiot, songea-t-il en laissant son regard errer sur le tout-terrain orange qui s'éloignait à toute vitesse sur le chemin de l'Île, laissant derrière lui un nuage de poussière grise.

Une heure plus tard, toutefois, Philippe avait été content de voir son cousin Marc-André s'arrêter chez lui. Il était allé porter des caisses d'agrumes au magasin général Dionne et, plutôt que de retourner à la maison jaune, il avait préféré arrêter sa route au gîte. De plus en plus, il se rendait compte que toute excuse était bonne pour ne pas retourner trop vite auprès de sa famille. Depuis l'anniversaire de Roseline et la crise de Jules, sa femme ne le laissait quasiment plus s'approcher de son fils. Elle lui en voulait encore de ne pas avoir pris sa défense, ce soir-là.

— Toi non plus, tu le comprends pas, avait-elle argumenté un matin, alors que le garçonnet refusait les crêpes que son père avait cuisinées pour ses trois enfants. Déçu plus que fâché, Marc-André s'était agenouillé devant son Jules pour lui demander de faire un effort. Très vite, l'enfant s'était mis à s'agiter et, lorsque Marie-Laure était arrivée dans la cuisine, la brosse à dents encore dans la bouche, elle avait rugi que son mari venait de gâcher sa journée avec son garçon.

— On sait bien, toi, tu t'en vas au quai, puis c'est pas toi qui vas être pris pour le calmer.

— Mais…

— Mais rien!

Marie-Laure avait déposé sa brosse à dents sur le comptoir encombré de vaisselle avant de prendre son fils contre elle. Marion et Éloi avaient l'habitude de passer en dernier et ne semblaient pas s'apercevoir que le lien entre leur mère et leur frère était de plus en plus malsain. Marc-André, lui, le ressentait au plus profond de son être. Il avait jeté un regard désespéré sur le corps aminci de son épouse, qui ne prenait même plus la peine de peigner ses longs cheveux châtains qui lui retombaient dans les yeux. Et c'est alors qu'elle lui avait annoncé sa décision, sans qu'il puisse y objecter quelque argument que ce soit. Comme son fils aurait cinq ans le 22 septembre, soit huit jours avant la date limite pour commencer l'école, Marie-Laure considérait que ce serait à son avantage d'attendre une autre année avant de l'y inscrire au lieu qu'il soit le bébé de la classe. De toute manière, les responsables de la commission scolaire ne mettaient presque jamais les pieds sur l'île. Elle pouvait donc bien choisir de garder son fils avec elle une année supplémentaire. Le gros blond se rendit compte qu'il s'était plongé dans ses pensées et que son cousin avait arrêté de sabler la planche devant lui. Philippe avait un drôle d'air.

— Comment ça, il ira pas à l'école? Il en aura l'âge, non?

— Bien oui… mais, à peine! justifia-t-il. Marie-Laure pense que ce serait mieux d'attendre un an.

— Voyons donc, c'est obligatoire l'école, elle peut pas faire ça !

Philippe posa sa main sur le bras costaud de son cousin pour le forcer à le regarder. Le regard perdu de Marc-André le peina et il se reprocha son manque d'empathie.

— Excuse-moi, Marc-André. Dans le fond, j'ai pas d'enfant, je connais rien à ça, l'école. Mais… vous avez le droit de le garder à la maison ?

L'autre haussa ses larges épaules avant de confirmer :

— Ça a l'air que c'est pas obligatoire, la maternelle*.

— Ah bon ! C'est plate, me semble que c'est la seule année le *fun* à l'école. En tout cas, moi j'aurais aimé ça, je suis sûr !

Ce n'était un secret pour personne que Philippe avait détesté son parcours scolaire. Toujours dans la lune, il lui était fréquemment arrivé de manquer de grandes parties des leçons enseignées pour ne s'en rendre compte que le jour des examens. Il tombait alors des nues en voyant des questions sur des sujets dont il n'avait jamais entendu parler. Marc-André avait repris sa tâche pour oublier les soucis que sa vie de famille lui faisait vivre.

— En plus, depuis que la nouvelle maîtresse d'école est arrivée, Marie-Laure est encore moins rassurée. Elle dit qu'avec sœur Claudette, elle savait à quoi s'attendre, vu qu'elle nous avait enseigné. Je te jure, elle prend presque personnel le fait que la congrégation ait décidé de rapatrier les deux religieuses qui étaient sur l'île depuis trente ans.

— C'est sûr que Juliette Hurtubise a pas trop trop la même allure que sœur Claudette, rigola Philippe.

Deux semaines plus tôt, à la surprise de tous, le chaland de Conrad Dionne avait débarqué une femme plantureuse à l'allure avenante. Sans préavis, la commission scolaire du Bas-du-Fleuve avait décidé de mandater une enseignante de Rivière-du-Loup pour faire l'école aux jeunes de l'île. La femme, qui avait la tête de Clémence DesRochers sur le corps de Dolly Parton, avait jasé durant toute la traversée avec le commerçant, qui était à bout de patience une fois qu'il eut déposé la femme à la petite école bleue. Il avait croisé le maire et son fils un peu plus tard et les avait avertis :

— Je vous dis que la nouvelle maîtresse est un vrai moulin à paroles ! J'ai jamais vu ça, quelqu'un parler sans arrêt de même ! C'est à peine si j'ai réussi à lui dire bonjour quand elle a grimpé dans le chaland. Et puis, elle a toute une devanture, si vous voyez ce que je veux dire !

Conrad avait éclaté de rire en mimant avec ses mains rêches une énorme poitrine sur une taille fine. Marie-Laure, qui avait déjà d'importantes inquiétudes par rapport à l'entrée à l'école de son cadet, n'avait pu retenir ses larmes lorsque Marc-André lui avait fait part de la nouvelle. Le pauvre était resté estomaqué avant de faire remarquer :

— Mais... Marie, tu m'as toujours dit que sœur Claudette était méchante et trop sévère.

— Oui... m... mais... au moins... Jul... Jules la connaiss... ssait.

Philippe haussa les épaules avant de se reculer pour vérifier l'état du mur qu'ils venaient de sabler. Satisfait, il se mit à brasser son gallon de peinture rouge avant de reconnaître :

— Dans le fond, c'est pas fou ce que Marie-Laure dit. Ton petit bonhomme va gagner en maturité durant l'année, puis en septembre prochain, il sera toujours bien temps de l'enfermer dans une école pour les quinze années suivantes ! Tant qu'à moi, le plus tard un enfant entre dans cet engrenage-là, le mieux il s'en porte !

Satisfait de la réception de sa nouvelle par son cousin et son acceptation sans jugement, Marc-André poussa un long soupir de soulagement. Il espérait qu'il en serait ainsi pour le reste des insulaires. Pourtant, il doutait que les Verdoyants soient aussi posés que Philippe dans leurs réactions. Sur l'île, l'étape de l'entrée scolaire représentait tout un événement dans la vie des enfants et des familles. Année après année, les habitants voyaient le nombre d'élèves diminuer dans les deux écoles de l'Île Verte. La troisième, l'école du Milieu, avait déjà fermé ses portes depuis plusieurs années. Un jour, tous craignaient de devoir envoyer les petits en pension sur le continent avant même d'avoir entrepris leurs études secondaires. Alors qu'une mère choisisse volontairement d'empêcher son fils de commencer sa scolarité ferait jaser. Encore ! pensa le pauvre homme avec découragement.

CHAPITRE 17

Rentrée scolaire mouvementée

Lorsque l'enseignante Juliette Hurtubise fit sonner joyeusement la cloche de l'école, le mardi 2 septembre, pour signifier
le début de l'année scolaire, les enfants arrivaient sur le chemin
de terre en courant. En fait, les plus âgés traînaient de la patte,
eux qui anticipaient la fin de leur liberté pour les prochains
mois.

— Dépêchez, les M&M, cria Véronique en tirant sa cadette
par la main.

— Oui, dépêchez, répéta l'autre en courant de toutes ses
forces.

Les jumeaux se lamentaient depuis la veille. Ils commençaient leur quatrième année et n'avaient aucune ambition scolaire! Hélène faisait mine d'être aussi blasée que les autres et
pourtant… Pourtant, la jolie brunette aux deux nattes parfaitement tressées adorait l'école. Assoiffée d'apprendre, elle buvait
les paroles de sœur Claudette, même lorsque celle-ci était d'un
ennui mortel. Quand elle avait su qu'une nouvelle enseignante
arrivait à l'école à temps pour entamer sa sixième année, Hélène
avait jubilé à un point tel que sa mère lui avait dit de se calmer
«C'est rien qu'une prof, reviens-en!», avait affirmé Roseline.
Les quelques mères, qui suivaient leur progéniture, étaient tout

autant excitées, heureuses de savoir qu'elles auraient ENFIN du temps pour papoter entre elles. Dès leur arrivée en face de l'école bleue, les Verdoyantes remarquèrent trois choses :

1) l'étrange accoutrement de la nouvelle maîtresse : pantalon blanc, chemisier rouge aux larges épaulettes et espadrilles Adidas turquoise. Entre ses énormes seins était suspendu un large pendentif en forme d'œil bleu inspiré de l'Antiquité grecque. Ses bouclettes blondes étaient remontées très haut sur sa tête, alors que de chaque côté, au-dessus des oreilles, Juliette Hurtubise avait lissé sa chevelure et y avait glissé deux peignes qui retenaient le tout. Sur le bout de son nez étroit, elle portait une énorme paire de lunettes rondes à monture rose, que les plus petits fixaient avec les yeux écarquillés.

2) Jules, assis sur le vélo vert de sa mère, qui ne donnait pas l'impression de suivre les autres élèves. Toutes se jetèrent un coup d'œil interrogateur, mais pas une n'osa approcher Marie-Laure, qui avait le visage fermé et le regard fixé sur l'école. Roseline, qui se tenait non loin d'elle, dut se retenir de toutes ses forces pour ne pas s'enquérir auprès de son ancienne amie des raisons justifiant la non-participation de Jules à cette première journée de classe. Elle le demanderait plutôt à Hélène à son retour au dîner.

3) Marion, qui avait entre les mains un sac de papier brun qui tenait lieu de sac d'école.

— Maman, mon sac d'école est brisé ! avait crié Marion, le matin même. L'adolescente, heureuse de ce retour en classe, fourrait ses vieux cahiers et crayons dans son sac de cuir bleu marine. Dépitée, elle s'était aperçue que le fond était percé, et que ses effets scolaires s'en échappaient.

Après l'examen du sac récalcitrant, Marie-Laure l'avait jeté à la poubelle avec un haussement d'épaules.

— Tant pis!

— Bien, je fais quoi d'abord? Tu vas m'en prêter un autre?

Dans sa petite robe soleil sur laquelle elle avait passé une veste trop longue, Marion avait tourné son visage rempli d'espoir vers sa mère. Peut-être que cette dernière avait prévu un petit cadeau pour cette première journée d'école? Avant que son frère Jules ne devienne aussi insupportable, sa maman leur préparait toujours une surprise, à Éloi et elle, à la rentrée: un déjeuner gargantuesque avec tout ce qu'ils préféraient: pain doré, crème au chocolat, omelette au fromage... Ce matin, cependant, elle avait eu droit à un simple bol de céréales, comme tous les autres matins. Déçue, elle avait regardé derrière sa mère sur le comptoir en espérant y voir la suite d'un repas de fête. Pourtant, elle aurait dû savoir que Marie-Laure ne ferait rien de spécial. Depuis un an, son frère la fatiguait tellement qu'elle n'avait plus jamais de temps pour ses plus vieux. En voyant son sac d'école à la poubelle, Marion avait eu un moment d'espoir, toutefois vite anéanti par le regard las de Marie-Laure qui lui avait répondu:

— J'en ai pas d'autres. Tu prendras un sac brun.

— Comment ça, un sac brun? Maman, c'est pour les lunchs de papa!

— Arrête de m'achaler, on ira t'en acheter un quand on ira de l'autre bord.

— Je suis pas pour aller à l'école avec mes cahiers dans un sac en papier, *maudit*! Tout le monde va rire de moi!

— Marion! Arrête de chialer, puis va t'habiller.

L'adolescente aux yeux si semblables à ceux de sa mère avait lancé un regard enragé à cette dernière, qui l'avait ignorée. Ses longs cheveux blonds bien séparés par une raie étaient pincés au-dessus de l'oreille par une barrette rose. Cette année, Marion serait une des plus vieilles de l'école, avec Hélène et l'agaçant

Antonin Dionne. Mais lui, il ne comptait pas, il reprenait sa sixième année pour la troisième fois, comme Roseline autrefois ! Alors elle savait bien, la pauvre enfant, que les autres ricaneraient derrière son dos en disant que les Caron n'avaient même pas assez d'argent pour acheter un sac d'école à leur fille. Même si c'était faux... Sur l'île, les enfants qui fréquentaient l'école étaient de moins en moins nombreux et, en ce début de septembre 1980, le groupe d'élèves de Juliette Hurtubise compterait vingt-deux enfants âgés de six à quatorze ans. Les jeunes venaient d'un bout à l'autre de l'île. C'est donc la mort dans l'âme que la pauvre Marion avait parcouru la route entre sa maison jaune et l'école du Bout d'en-Haut, en tentant de cacher son « sac d'école » dans sa veste de jeans. Même Hélène l'avait regardée bizarrement quand elle s'était rendu compte du manque.

— Il est où, ton sac bleu ? avait demandé l'adolescente dégourdie qui avait défait ses tresses aussitôt que sa mère s'était éloignée sur la route de terre. Les cheveux attachés, c'était pour les bébés. D'un regard sévère, elle avait fait comprendre à ses frères et sœurs qu'ils n'avaient pas intérêt à la *stooler*, sinon...

— Brisé, avait soufflé son amie, le regard triste.

Marion avait toujours adoré la première journée d'école. Pour elle, c'était la fête dans son cœur : finies les tâches ménagères, le nettoyage des stalles des animaux et du poulailler. Elle pouvait enfin redevenir une écolière normale. Puis là, à cause de sa mère, son entrée glorieuse était gâchée. En plus, la maîtresse passerait sûrement une remarque sur son *maudit* frère, qui ne viendrait pas à l'école cette année ! Mais elle n'avait qu'à bien se tenir, la Juliette Hurtubise, Marion la rembarrerait subito presto !

— Pas grave, mon amie. C'est juste un sac d'école ! l'avait encouragée Hélène en l'entourant avec ses bras. Les filles se sourirent et Marion se prit à espérer que personne d'autre ne remarquerait la situation pour le moins humiliante qu'elle vivait. Mais c'était sans compter Antonin Dionne et sa bande de moutons, qui se firent un plaisir de se moquer d'elle dès qu'elle grimpa les marches de l'école. Passant devant la nouvelle maîtresse au visage éclairé d'un large sourire, le jeune adolescent l'avait saluée en disant :

— J'espère que vous lui en voudrez pas, à la pauvre Marion Caron. C'est pas de sa faute si elle traîne ses affaires dans un sac brun. Qu'est-ce que vous voulez, tout le monde a pas la chance d'avoir un vrai sac d'école pour transporter ses cahiers. Oh... bien dans le fond, avait-il continué une fois à l'intérieur de l'unique salle de classe, c'est juste cette nounoune qui utilise un sac de papier !

Antonin avait éclaté de rire alors que Marion le foudroyait du regard. N'eût été son père qui insistait pour qu'il finisse au moins son primaire, l'adolescent aurait depuis longtemps délaissé les bancs d'école. Hélène, qui avait de la peine pour sa meilleure amie, s'était approchée de l'imbécile en crachant entre ses lèvres serrées :

— Ferme ta gueule, sinon je vais te la péter !

D'abord stupéfait, Antonin Dionne avait éclaté de rire, suivi par sa bande qui se renouvelait chaque année. L'entrée dans la classe de la nouvelle maîtresse, qui dandinait ses fesses bombées dans son pantalon blanc à travers lequel les gamins apercevaient une culotte fleurie, stoppa la chicane. Temporairement.

— Bien hâte de voir si la maîtresse de la grande ville est meilleure que sœur Claudette, marmonna Hélène.

— Ça peut pas être pire ! Puis juste à lui voir le sourire niaiseux dans la face, on sait tout de suite qu'elle nous donnera pas de coups de règle sur les mains, au moins !

À la fin de cette première journée d'école, quand les jeunes sortirent du sauna qu'avait été leur salle de classe en cette chaude journée de septembre, Hélène courut derrière Antonin pour le frapper de toutes ses forces.

— Voyons donc !

Surpris, le garçon se retourna pour éclater de rire en voyant la petite furie qui le martelait de ses poings fermés pendant que Marion lui criait d'arrêter.

— Hé, les gars, je pense que je me fais piquer par un maringouin, ricana le garçon, alors qu'Hélène déployait toute son énergie dans un ultime coup de poing.

Éberlué, le gringalet s'écrasa sur le chemin de terre, les lèvres en sang. Ses cheveux raides et blonds ramassèrent quelques brindilles qu'il s'empressa de retirer en se relevant difficilement.

— *Maudite* folle, regarde ce que tu m'as fait !

— Moi ? Je pense que tu te trompes. Tu as dû te faire piquer par une abeille, grand niaiseux !

Marion retenait un fou rire en tenant contre son corps mince son sac de papier à moitié déchiré. Toute la journée, Antonin s'était amusé à le picosser du bout de son crayon si bien que lorsque la cloche avait sonné, signifiant la fin des classes, elle n'avait plus qu'un lambeau de papier à rapporter à la maison. Les deux filles quittèrent le terrain de l'école en courant pour éviter les représailles du jeune Dionne. Les trois amis d'Antonin le regardaient pour savoir ce qu'ils devaient faire. Mais comme leur professeure sortait de l'école, le petit groupe se dispersa sans demander son reste. Il serait toujours temps de se venger dans les prochains jours, grogna le gringalet. À bout de souffle, Hélène et son amie grimpèrent l'escalier de sa maison pour aller profiter de la collation que Roseline n'aurait pas manqué de préparer pour fêter le retour en classe de ses cinq enfants. Retour qui signifiait pour la femme et les autres mères de l'île des journées complètes de paix.

— Vite, ferme la porte avant qu'il se montre le bout du nez! ricana Hélène.

Marion claqua la lourde porte de bois et le bruit fit sortir la mère de son amie du salon adjacent. Les jumeaux et les cadettes de Roseline traînaient toujours en chemin et prendraient une éternité avant de mettre les pieds dans la maison. La blonde frisée avait son sourire inquisiteur lorsqu'elle pointa l'assiette de sucre à la crème qui trônait au milieu de sa grande table.

— Puis, la nouvelle maîtresse? demanda-t-elle en se remémorant avec jalousie la plantureuse quarantenaire qui venait de prendre la place de la vieille sœur Claudette. Ici, sur l'Île Verte, Roseline avait toujours été la femme pourvue de la poitrine la plus appétissante. Peu de choses la rendaient fière, la mère Lamothe, mais les regards lubriques que lançaient les hommes sur ses seins généreux depuis qu'elle avait l'âge de quinze ans la ravissaient toujours autant.

— Pas pire, marmonna Marion les yeux fermés, pour savourer la douceur qu'elle laissait fondre sur sa langue. Depuis que sa mère avait cessé de préparer des desserts, elle préférait venir chez son amie Hélène où, malgré les fins de mois difficiles, Roseline trouvait toujours moyen de confectionner une petite gâterie pour ravir les palais de ses enfants et de leurs amis. En ouvrant un œil, la fillette s'aperçut qu'elle devrait filer avant que sa mère ne la cherche. Depuis la chicane avec Roseline, Marie-Laure lui avait interdit de mettre les pieds dans la maison d'Hélène Fraser.

— Mais maman… avait voulu argumenter l'enfant, c'est mon amie préférée.

— Bien tu la verras ici ou à l'école, mais je veux pas que tu parles à cette bonne femme-là !

Or, Marion ne se sentait pas du tout mal de désobéir, consciente que Marie-Laure était bien trop accaparée par son frère Jules pour s'apercevoir que son aînée lui mentait lorsqu'elle disait avoir traîné en chemin ou être allée ramasser des branches au nord. Roseline allait questionner les adolescentes plus à fond sur Juliette Hurtubise lorsque la porte s'ouvrit vivement pour laisser entrer dans la cuisine ses deux garnements de dix ans. Les jumeaux étaient courts et trapus, comme leurs parents, avec une toison brune fournie et des joues rebondies au-dessus d'un éternel sourire.

— En tout cas, ma sœur, j'ai pas hâte de voir ce qui va t'arriver demain ! cria le premier en sautant sur la gourmandise sucrée qui lui faisait de l'œil.

— Ouin… Pour moi, Antonin va s'en souvenir ! répliqua son sosie en tendant à son tour une main gourmande.

— Bof, je m'en fous !

Roseline arrêta de brasser sa sauce au poisson pour s'intéresser à la conversation.

— De quoi ils parlent, tes frères, Hélène ? Dis-moi pas que tu t'es déjà mise dans le trouble la première journée d'école ? soupira la mère de famille en trottant pour prendre le menton de son aînée entre son pouce et son index. L'adolescente n'avait jamais eu la langue dans sa poche et, à plusieurs reprises, au cours des années, sœur Claudette l'avait mentionné lors des rencontres de parents pour les remises des bulletins. « Elle est brillante, votre Hélène, mais je vous dis qu'elle devrait apprendre à se taire un peu ! » Mais Roseline ne lui faisait pas de reproche, trop fière de voir les notes de sa fille qui, heureusement, ne tenait ni d'elle ni de son mari. Tous les deux avaient abandonné l'école en deuxième secondaire. Hélène grimaça et essaya de se dégager, mais peine perdue, sa mère attendait une réponse.

— ...J'... ai... y... la... eule.

— Quoi ?

Hélène fit un signe pour indiquer à sa mère qu'elle ne pouvait pas articuler avec la mâchoire ainsi coincée dans une poigne de fer. Hésitante, cette dernière la laissa aller en fronçant ses sourcils, de plus en plus épilés. La dernière fois, elle avait raté son coup et avait dû égaliser le deuxième pour les rendre à peu près identiques. Ce faisant, elle avait ôté beaucoup de poils et n'avait plus qu'une mince ligne brune au-dessus de ses yeux bleus qui lui donnait un air d'éternelle surprise. Elle avait essayé d'ajouter un trait de crayon, mais, à son avis, les Prismacolor ne devaient pas être le bon outil pour copier les sourcils des vedettes.

— J'ai dit : « Je lui ai pété la gueule ! », fanfaronna Hélène avant de recevoir une claque derrière la tête.

— Veux-tu bien me dire qui t'apprend à parler de même, ma petite gueuse ! Je vais t'en faire moi... des *pétages* de gueule. De quoi tu parles ?

Mal à l'aise d'être la cause de la dispute entre Hélène et Roseline, la pauvre Marion ne savait plus quoi faire. Elle décida d'avouer la vérité à la mère de son amie, qui prit aussitôt un air buté en entendant la raison pour laquelle Antonin et ses amis s'étaient moqués d'elle. Voir si une mère de famille digne de ce nom laisserait son enfant partir pour l'école avec un sac de papier ! Déterminée, elle ferma les yeux quelques secondes puis sauta sur ses courtes jambes pour grimper l'escalier.

— Attendez une minute. Je pense que...

Le reste du message se perdit dans un claquement de porte à l'étage et un froissement de papier. Très contente d'elle-même, la mère Lamothe redescendit dans la cuisine, où l'assiette de sucre à la crème était maintenant vide, avec une large besace grise et brune qui fermait sur le devant par deux courroies qui s'inséraient dans des boucles dorées.

— Tiens, ma *pitoune*! Je te le prête si tu le veux. C'était mon sac quand j'étais petite.

— Wow! maman, il est donc bien beau! murmura Hélène avec envie.

— Pour vrai? demanda Marion les joues enflammées. .

La pauvre enfant ne pouvait croire qu'elle devrait retourner à l'école tous les jours de la semaine avec un nouveau sac de papier. Surtout que Marie-Laure n'avait pas précisé à quel moment elles traverseraient de l'autre bord pour faire l'achat d'un sac neuf. Ses grands yeux fixaient Roseline, puis le sac, pour revenir à Roseline, qui bombait la poitrine avec satisfaction. Elle aimait Marion comme ses propres enfants. Ce n'était pas de sa faute à cette petite, si sa mère la laissait tomber! Elle mit sa main sur les boucles blondes avant de confirmer:

— Pour vrai, ma chouette!

— Merci, Roseline! Merci beaucoup.

Après avoir donné une longue caresse à la mère de son amie, qui avait les larmes aux yeux devant la joie de cette enfant délicate, Marion glissa le reste de sac brun dans son nouveau cadeau et fila sur la route en chantant doucement. L'école pouvait vraiment commencer maintenant, elle était prête!

⤸

Jusqu'à la fin du mois de septembre, le couple d'hôtes fut occupé par les clients qui s'installaient quelques jours à la fois *Au Chant des marées*. Heureusement, Paul prenait soin des commissions, des livraisons et des transports entre le quai, le magasin des

Dionne et la maison rouge. Après les émois des premières semaines, Marjolaine avait maintenant une routine qui lui permettait d'avoir un peu de temps libre pour monter dans son nouvel atelier, installé au grenier. Avec l'aide de Marc-André, Philippe avait élevé deux cloisons afin de fermer une petite pièce, percé une lucarne pour accueillir un peu de lumière et ajouté une longue tablette le long du mur près de la fenêtre. Marjolaine avait installé sa table basse et un tabouret, quelques crochets au mur pour ses tabliers de «créatrice» et une multitude de paniers sur la tablette. Pendant sa dernière année d'études au cégep Limoilou, la femme s'était mise à travailler l'émail sur cuivre avec une de ses tantes artistes. Avec le brouhaha du déménagement, des rénovations et de l'ouverture du gîte, elle avait mis cette activité de côté.

— Ça me détend tellement, avait-elle confié à Philippe. Je suis pas si bonne, mais je pense que je pourrais m'améliorer. Puis un jour, j'aimerais ça, vendre mes bijoux.

Son mari l'avait encouragée, fier de voir ses premiers dessins naïfs se concrétiser sur des broches pour femmes. Patiemment, il l'avait écoutée alors qu'elle lui avait expliqué toutes les étapes de la création de ces objets, quelques années plus tôt.

— Tu vois, après le dessin de mon modèle, je le trace sur ma feuille de cuivre, puis je la découpe délicatement.

Elle lui avait montré son modèle, une fillette qui tenait un cerf-volant, sur une pièce de cuivre qui mesurait deux pouces.

— Ensuite, tu appliques le contre-émail sur l'envers du cuivre pour éviter que ça se déforme, tu comprends?

Marjolaine l'avait regardé comme s'il avait eu deux ans et son mari avait retenu un fou rire avant de hocher la tête.

— Là, il faut faire cuire le bijou une première fois. Après, je tracerai les contours en noir avec un crayon spécial, puis je remettrai la pièce au four. Ensuite...

— Ma chérie, s'était alors impatienté Philippe, pourrais-tu me résumer les dernières étapes s'il te plaît ?

Insultée, Marjolaine avait boudé quelques secondes avant d'acquiescer sans sourire. La couleur, la cuisson, la finition, la cuisson... Ce que Philippe avait retenu de la leçon, c'était que sa femme n'aurait jamais la patience de s'adonner à cette activité très longtemps. Et pourtant, elle l'avait fait mentir, créant chaque année quelques dizaines de petits bijoux, qu'elle offrait ensuite en cadeau. Autour d'eux, personne n'avait échappé à la tornade brune. Poussin jaune pour la fille d'une amie ; logo du Canadien de Montréal pour un oncle passionné de hockey ; colombe blanche pour sa grand-mère et surtout, fleur de lys stylisée pour son mari, qui avait regardé longuement la petite broche avant de la féliciter :

— Heu... très joli, ma chérie.

— J'ai pensé que tu pourrais la mettre sur ton manteau en jeans vu que tu le portes souvent.

— Hum... Oui, bonne idée.

Bien que peu convaincu, Philippe n'avait pas eu le choix d'obtempérer à l'offre de sa douce devant le visage déterminé et plein d'anticipation de cette dernière. C'est ainsi que la broche bleue et blanche était accrochée au collet de sa veste depuis près d'un an, à la grande fierté de Marjolaine. Lors de son plus récent anniversaire, en avril dernier, sa famille et ses amis s'étaient cotisés pour lui acheter son propre four. Petit, d'une hauteur d'environ un pied par un pied de largeur, l'appareil vert de marque Schola avait grandement plu à la jeune femme. Voir son appareil enfin installé dans le coin de son atelier, sur une table en bois de chêne retrouvée au fond de la grange, la rendait folle de joie.

— Enfin ! murmura-t-elle assise sur son tabouret dans son petit studio.

C'était un après-midi frisquet et son mari lui avait promis de s'occuper de distraire leurs pensionnaires afin qu'elle puisse travailler en paix. Les cheveux retenus par un bandeau rouge, elle déposa devant elle une large feuille de cuivre dans laquelle elle entreprit de découper ce qui s'avérerait être ses premiers bijoux destinés à la vente. Victoire Dionne avait accepté que la jeune femme installe un petit présentoir avec ses créations, dans son magasin. Quand elle en avait informé Roseline, cette dernière avait fait la moue en se disant qu'elle aurait dû penser à fabriquer des bijoux elle aussi ! Roseline avait fait part de cette pensée à Hélène et sa fille s'était retenue de lui dire : « Des colliers en macaroni peut-être ? » Pendant ce temps, Philippe offrit aux deux familles qu'ils hébergeaient depuis la veille d'aller faire un tour au phare. Paul, à ses côtés, hochait la tête avec enthousiasme, tenant déjà les clés du camion.

— Vous pouvez même visiter l'endroit et le gardien vous racontera l'histoire de l'île. Vous verrez, c'est un spécialiste ! avait-il ajouté.

Le phare de l'île était une découverte en soi ! L'habitant actuel de l'endroit, Roch Bérubé, après avoir longuement hésité, s'était aperçu que la visite qu'il offrait aux quelques visiteurs de l'île leur plaisait et les amusait. C'est que l'homme était tout un personnage, avec sa longue moustache grise recourbée, sa casquette blanche collée sur sa tignasse poivre et sel et ses histoires grivoises à faire rougir les dames.

— Je vous dirai pas ce qui se passait dans le temps, quand les bateaux se faisaient rares. Le vieux Lindsay savait y faire avec sa douce pour qu'elle le rejoigne dans sa tour et fasse monter... sa tour à lui !

Il se claquait les cuisses pour donner plus d'entrain à ses paroles. Mais malgré ses propos parfois un peu trop... explicites, l'homme avait une grande connaissance de son environnement.

— Ici, c'est la cabane du *criard*. Aujourd'hui, elle est vide, mais dans le temps, on y rangeait les moteurs, les compresseurs à air et le *criard*.

Les deux garçonnets hébergés au gîte avec leurs parents voulurent en savoir plus.

— C'est quoi ça, un *criard* ?

— Ça, mon gars, c'est une espèce de grosse corne en métal dans laquelle on soufflait quand il y avait de la brume.

— C'est quoi, de la brume ?

— Coudonc, ça sait rien, ces enfants-là ! s'exclama le gardien en regardant sévèrement les parents.

Roch Bérubé entreprit d'expliquer la notion météorologique tout en montrant aux enfants les différents signaux de brume qui étaient utilisés autrefois pour éviter que les bateaux ne se fracassent sur les rochers entourant l'île. Après avoir laissé la petite famille, avec la promesse de revenir dans une heure, Paul retourna au *pick-up*. Il sourit en voyant des enfants s'ébrouer sur la plage de sable foncé, et tenter de mettre les jambes dans l'eau glaciale. Sa Marjolaine avait vite déchanté, à leur première visite à la plage du phare, au mois de juin. Croyant pouvoir nager dans les eaux du fleuve, elle avait ignoré les avertissements de son mari et de son père avant d'enlever sa courte robe pour courir en bikini sur le sable humide. Se tournant vers eux, appuyés sur une énorme roche, elle leur avait crié :

— Allez, les *pissous*, venez donc avec moi !

— Non, pas question ! avait crié son père. Moi, l'eau froide...

— On aime mieux te regarder, avait ricané son mari.

— *Pfff!*

Sans cesser de courir, Marjolaine avait foncé vers l'eau avant de s'arrêter lorsque celle-ci était arrivée à la hauteur de ses cuisses. Se retournant vers les deux hommes hilares, elle avait ouvert les yeux très grands avant de hurler:

— C'est gelé, *maudit*!

Philippe n'avait pas arrêté de rire malgré les coups que sa femme lui avait balancés tout au long de leur retour à la maison. Il avait fallu trente minutes avant que le sang ne se remette à circuler dans les longues jambes d'une Marjolaine frigorifiée.

— Tu sais, ma fille, on est pas au Club Med de la Martinique ici! s'était moqué Paul.

La jeune femme les avait ignorés, en espérant cesser de trembler de froid avant la fin de la journée. En voyant les bambins s'amuser, le vieil homme de la ville fit le constat suivant: il était heureux de sa nouvelle vie, de sa simplicité. Le cahier de réservations du gîte était presque plein jusqu'à la fin d'octobre, ce qui occuperait ses journées. Il pourrait ensuite profiter de l'hiver pour pêcher l'éperlan dans la cabane de Gaspard, faire de la raquette ou du ski de fond. Oui, la vie était belle. Il avait même fait réparer ses lunettes, enfin, lors d'une traverse sur le chaland de son ami le maire, une semaine plus tôt. Il ne manquait qu'une pièce au casse-tête à laquelle il pensait presque nuit et jour depuis quelques semaines. Le visage tourné vers l'embouchure du Saguenay, qu'on devinait au loin, l'homme prit sa décision. Il était serein et savait qu'il ne pouvait mourir sans faire la paix avec sa Sophie.

— Je la laisse venir sur l'île, décida Paul en pensant à sa fille aînée. On verra bien ensuite! J'ai toujours bien le droit de recevoir des gens chez moi!

Roseline et Marie-Laure ne s'adressaient plus la parole depuis la soirée dramatique du mois d'août. La première attendait des excuses et la seconde n'avait aucune envie de côtoyer l'autre. Heureusement pour Marion, sa mère était tellement épuisée par les crises de plus en plus fréquentes de son frère Jules qu'elle n'avait pas repensé à son sac d'école. Jusqu'à ce lundi de la fin de septembre lorsqu'elle vit sa fille grimper sur sa bicyclette, un sac de cuir en bandoulière. Descendant l'escalier de sa petite maison jaune, elle la questionna :

— Tiens, tu as trouvé ça où, ce sac-là ?

Figée par la culpabilité, Marion réfléchit à toute vitesse pour trouver un mensonge crédible.

— C'est Marjolaine qui l'avait.

— Ah bon ? Et elle te le prête ?

— Heu oui. Elle dit que c'est un vieux sac qui lui sert plus. Alors l'autre jour, quand j'étais chez elle pour l'aider dans son jardin, au lieu de le jeter, elle me l'a donné.

Marie-Laure esquissa un petit sourire attristé. Elle qui avait toujours pris grand soin de ses trois enfants, voilà que des étrangers s'occupaient des fournitures scolaires de sa fille. Envahie par le remords, la grande châtaine s'approcha de son écolière et l'entoura de ses bras. Elle lui baisa le dessus de la tête, les yeux pleins de larmes. Son cœur était déchiré par la culpabilité. Pour la première fois depuis des lustres, elle se rendait compte que son aînée avait pris presque six pouces au cours des derniers mois et qu'elle n'avait pas renouvelé sa garde-robe. Ce qui fait que la pauvre adolescente en était quitte pour continuer à porter des shorts le plus longtemps possible, puisque ses pantalons lui arrivaient tous à mi-mollet.

— Je suis désolée, ma puce. J'avais oublié.

— C'est pas grave, maman.

La mère de famille regarda aussi la poitrine de Marion et sourit affectueusement.

— Puis, qu'est-ce que tu dirais qu'on traverse en fin de semaine pour aller te chercher un ou deux soutiens-gorge ?

Marion rougit. Depuis quelques mois, elle portait des chandails trop grands pour éviter les regards des garçons sur ses seins.

— J'aimerais ça, chuchota-t-elle timidement avant de mettre son sac sur son dos.

Marie-Laure voulut la serrer encore lorsqu'un cri de Jules parvenant de la cuisine la tendit comme un arc. Vitement, elle tapota l'épaule de sa fille et s'éloigna vers l'escalier en s'exclamant :

— Tu me feras penser de remercier Marjolaine !

— Heu… oui, maman.

À son tour, Marion grimaça et se dépêcha d'enfourcher sa bécane en se disant qu'elle devrait sans tarder avouer son mensonge à la belle de la ville.

⌐

Embêtée d'être prise dans la dispute entre Marie-Laure et Roseline, Marjolaine avait espéré calmer les esprits, un après-midi, lorsqu'elle avait été invitée chez les Lamothe pour cueillir des pommes dans leur petit verger. Avisée de la situation concernant le sac d'école, Marjolaine avait promis à Marion de ne rien dire à sa mère pour éviter que celle-ci ne la réprimande parce qu'elle avait accepté un cadeau de Roseline. Mais au fond d'elle-même, l'hôtelière trouvait que la chicane aurait avantage à se régler. Sur un territoire aussi petit, c'était toujours malaisant de devoir changer de côté ou de faire mine de s'ignorer sur l'unique chemin. Installée sous les pommiers, à l'arrière de la grande maison blanche des Lamothe, elle s'apprêtait à aborder la question lorsque Roseline apostropha sa fille :

— Hélène, va chercher un panier pour Marjolaine. On va en ramasser pour Adrien si ça te dérange pas.

— Heu…

— Ça va faire les chicanes entre vous deux, Marjolaine ! C'est toujours bien juste un vieux bonhomme qui a des idées bien arrêtées ! Tu sais, il y a goûté, le pauvre, dans la vie ! D'abord, un de ses frères et sa sœur sont morts de la tuberculose avant d'avoir cinq ans ; puis son départ pour la guerre en 1940 d'où il est revenu *magané* en *tabarnouche* ! Les docteurs lui avaient dit que plus jamais il marcherait, mais tu connais son caractère ? Sa femme et lui ont jamais abandonné. Ma mère me disait que tous les matins pendant six mois, sa Monique le forçait à sortir pour marcher dans le chemin de l'Île. Beau temps mauvais temps. Puis là, quand il a enfin pu laisser tomber les béquilles, ça a été pour la voir mourir d'un cancer de l'utérus deux ans plus tard. Elle a tout juste eu le temps de mettre son fils au monde, la pauvre. Puis… continua Roseline en baissant le ton, réalisant tout à coup qu'elles étaient dehors et que, sur l'île, les vents portaient les paroles… Puis son fils unique qui s'est tué, à Rivière-du-Loup, le jour de ses dix-huit ans… poursuivit-elle à voix encore plus basse. Non, il est pas méchant, juste usé par la vie !

Marjolaine pinça ses lèvres charnues avant de se lancer à son tour dans un long monologue sur les difficultés que tous vivaient un jour ou l'autre. Elle faisait de son mieux pour ne pas divulguer trop d'informations sur sa propre famille, même si ses épreuves à elle pouvaient certainement rivaliser avec celles vécues par le vieil homme.

— C'est pas parce qu'il a vécu des malheurs qu'il doit en vouloir à la Terre entière. Moi aussi...

Roseline eut aussitôt tous les sens en alerte. En apprendrait-elle un peu plus sur la belle de la ville? Penchant son corps trapu vers l'avant pour se rapprocher de son amie, elle attendit que Marjolaine poursuive. Mais celle-ci s'était reprise à temps. Pas question de parler de son passé à la mère Lamothe. Elle était bien fine, la Roseline, mais après le long discours qu'elle venait de lui servir sur la vie d'Adrien Ouimet, la brune savait que rien de ce qu'elle dirait ne resterait secret. Marjolaine allait continuer en jurant que jamais elle ne mettrait les pieds chez lui, lorsque Hélène arriva en courant dans le verger, tout essoufflée et embarrassée. Son petit minois était tout crispé, ce qui fit dire à sa mère:

— Voyons, ma fille, qu'est-ce que tu as à faire cette face-là?

— Il y a du monde en avant.

— Du monde?

— Bien...

L'adolescente, qui avait la peau plus hâlée qu'une Indienne en cette fin d'été, pointa un trio d'hommes qui semblaient discuter près du poteau au coin de l'entrée de la maison. Roseline mit sa main au-dessus de ses yeux avant de sourire ironiquement à son amie:

— Tiens, en parlant du loup. Viens, on va aller le voir. Vous pourrez essayer de faire la paix.

— Non. J'y tiens pas, Roseline. C'est à lui à s'excuser. Moi, j'ai rien fait. Il y a toujours bien des limites à craindre les gens de l'extérieur! Puis tant qu'à parler d'excuses, me semble que tu devrais...

— Hum... maman, chuchota Hélène, faisant taire Marjolaine, qui tendit l'oreille.

— Quoi?

Hélène se dandinait de manière inconfortable en jetant des regards désolés vers Marjolaine, des œillades qui mirent la puce à l'oreille de la jeune femme. Elle déposa le panier sur la table à pique-nique derrière Roseline. En ce début d'automne, les champs étaient flamboyants sur l'Île Verte et, avec la dizaine d'arbres gorgés de fruits rouges, la vue était un pur régal. Mais pour l'instant, Marjolaine posait ses yeux sur l'adolescente, qui ne savait plus où se mettre.

— Je pense que ça serait mieux que vous... que Marjolaine reste ici.

Juste cette petite phrase fut assez pour réveiller la colère de l'hôtelière. Qu'avait-il encore inventé, le vieux croûton, pour la faire enrager? D'un pas déterminé, elle s'avança sur le côté de la maison vers Adrien, Lionel Vézina et un troisième homme de leur âge qu'elle n'avait jamais vu.

— Le club de l'âge d'or de l'île! se moqua-t-elle à voix basse.

Elle entendit Hélène chuchoter de nouveau à l'oreille de sa mère. Puis, la course rapide de Roseline derrière elle, accompagnée de son souffle court, lui fit soupçonner le pire. Comme Marjolaine n'était plus qu'à quelques pieds des têtes blanches et grises, Adrien Ouimet releva la sienne et son visage fripé grimaça en l'apercevant. Il tenta de se redresser dignement, mais tous s'aperçurent du rictus de douleur qui accompagna son mouvement. La jambe gauche tendue, il marmonna ironiquement:

— Tiens, si c'est pas la petite voleuse!

— Vous faites quoi, là? Je peux voir? demanda Marjolaine en ignorant le commentaire.

Elle constatait bien que les deux autres hommes étaient mal à l'aise et que Lionel tentait maladroitement de cacher un papier qu'il tenait à la main.

— On fait juste jaser un peu. C'est encore permis, sur notre île ? répondit Adrien sur un ton innocent.

Le vieux avait la barbe emmêlée, tout comme sa chevelure d'ailleurs. Il fixait la brune de son regard sévère. Dans ce regard, Marjolaine sentit la crainte qui habitait l'homme. Pendant un moment, elle compatit avec la détresse qui semblait le hanter et, faisant contre mauvaise fortune bon cœur, se dit qu'elle devrait faire la paix avec le doyen, comme son père et son mari le lui suggéraient depuis le début de cette dispute. Après tout, elle serait alors la plus mature des deux, malgré les cinquante ans qui les séparaient. Usant de tout son charme, elle avança la main tendue avec un sourire radieux.

— Monsieur Ouimet, qu'est-ce que vous penseriez de mettre notre différend de côté, vous et moi ? Je suis bien prête à oublier vos affronts si vous en faites autant. Qu'est-ce que vous en dites ?

Autour du duo qui se faisait face sous le soleil franc du matin, les autres avaient cessé de respirer. Les insulaires connaissaient bien le caractère entêté d'Adrien et soupçonnaient qu'il faudrait plus qu'un sourire charmant pour l'amadouer. Roseline et Hélène avaient la bouche ouverte dans une expression si semblable que l'adolescente serait dévastée de savoir qu'une telle ressemblance existait entre les deux. Le vieux réfléchit avant de secouer la tête et de poser ses yeux bleu pâle sur la jeune citadine :

— Pas si vite, la jeune ! Je pense pas que je vais jamais pouvoir accepter qu'on vende mon île… Désolé, mais tu as besoin de plus qu'un beau sourire pour me faire changer d'idée ! Ici, on…

— Oh…

Incapable de prononcer une seule parole décente sous l'affront, Marjolaine se pencha et arracha le papier que le pauvre Lionel Vézina tentait de cacher dans sa main gauche :

Pour tous ceux qui désirent garder notre île sans touristes, rendez-vous à la réunion au phare, le samedi 4 octobre à 9 h. Nous prendrons une série de mesures pour nous assurer que NOTRE île demeure NOTRE île.
Le comité de protection de l'Île Verte

La face de Marjolaine blanchit et elle chiffonna le papier d'un geste rageur. Pointant un doigt accusateur devant le visage sérieux qui lui faisait face, elle eut presque envie de donner un coup de pied sur la canne qui aidait le vieux à se déplacer en sécurité. S'il pouvait s'étaler une fois pour toutes, elle aurait peut-être la possibilité d'apprécier son gîte sans craindre des représailles.

— Vous là, vous… Puis vous, Lionel, je peux pas croire que vous embarquez dans ces niaiseries-là ! Puis… vous que je connais pas… Bien j'ai pas envie de vous connaître !

Roseline porta la main à ses boucles défrisées et tira son chandail vert sur ses gros seins. Pour une rare fois, elle était bouche bée et ses cadettes, qui arrivaient en courant, lui permirent de reprendre ses esprits. Elle voulut prendre le bras de Marjolaine pour la ramener vers l'arrière de la maison, mais cette dernière se secoua vivement :

— Sais-tu quoi, Roseline ? Je vais laisser faire les pommes pour aujourd'hui. Ma rencontre avec ces trois concombres a été assez de jardinage pour la journée !

Sur cette répartie qui aurait fait rire les enfants si l'ambiance n'avait pas été aussi lourde, Marjolaine tourna les talons, prit son vélo rose appuyé contre la clôture de bois et s'éloigna en vitesse dans le chemin poussiéreux. Elle n'avait jamais détesté un homme à ce point!

CHAPITRE 18

Il faut bien parler!

S ophie prit place, le dos bien droit, sur la chaise de bois de la petite cuisine de l'appartement et inspira profondément. Elle avait déjà trop attendu. Étirant ses longs doigts fins, elle tourna la roulette du téléphone pour composer le numéro de son père, qu'elle connaissait par cœur. Tant de fois depuis son retour, elle avait tenté de le joindre avant de se dépêcher à raccrocher.

— Pas aujourd'hui, Sophie!

Les battements de son cœur devaient être visibles, elle en était certaine, sous son chandail vert fluo un brin trop serré! De tous les membres de sa famille, Paul était le seul qui semblait comprendre sa fougue et sa fureur de vivre. Leur mère, comme Stéphane, était une femme sage et réservée, alors que leur père, dans son jeune temps, avait été lui aussi quelque peu fantasque. Lorsque venait le temps de la disputer, il se revoyait au même âge, alors qu'il avait traversé le Canada d'un bout à l'autre en auto-stop. Cette envie de voir le monde, de vivre le moment présent qu'avait sa fille aînée, c'était de lui qu'elle la tenait. Paul avait cru qu'avec le temps, comme lui, Sophie se serait assagie. Mais les morts qui avaient décimé la famille avaient changé cette perspective.

— Allo?

— Papa?

— Sophie! C'est toi, Sophie?

Sitôt, la belle se mit à pleurer toutes les larmes de son corps, la tête appuyée sur son avant-bras pendant que, de l'autre main, elle tenait le récepteur contre son oreille pour se rapprocher de son père. Incapable de prononcer la moindre parole, Sophie attendit. Puis le son de cette voix qui lui avait tant manqué se fit de nouveau entendre:

— Oh... ma Sophie, si tu savais comme je suis heureux!

— Papa... je veux... je veux... te... voir.

— Alors viens, ma chérie. Je t'attends. Je t'attends depuis cinq ans.

À mots chuchotés, le duo reconnecta après la longue absence. Paul avait les yeux fixés sur les eaux du fleuve, qui valsaient lentement au gré du vent. Il remerciait la vie de lui offrir une autre chance de reprendre contact avec cette enfant fragile qu'il n'avait pas su protéger. La détresse qu'il avait éprouvée après la mort de sa femme lui avait fait égoïstement oublier que trois êtres dépendaient de lui. Il ne pouvait changer le destin de Stéphane, mais personne ne pourrait l'empêcher de modifier celui de Sophie. Après un long échange, enfin, les deux en vinrent à une entente. Marjolaine devrait s'y faire, sa sœur Sophie arriverait bientôt sur l'Île Verte. Paul raccrocha, le sourire aux lèvres. Il bourra une pipe de son meilleur tabac et, malgré les contre-indications de son médecin de Québec, qui lui avait conseillé de cesser de fumer, quelques années plus tôt, il s'installa dans sa chaise berçante et tira une longue bouffée avec un plaisir manifeste. Tant pis pour ses poumons, son bonheur était trop grand!

Le samedi 11 octobre, les derniers clients de la saison du gîte arrivèrent enfin au quai. C'est Philippe qui alla les accueillir, puisque Marjolaine mettait la dernière touche à son gros ragoût de bœuf et que Paul était alité depuis la veille avec une vilaine grippe. Énervée, la jeune brune s'était levée à l'aube, trop heureuse de savoir qu'après ces trois nuits-là, le *Chant des marées* serait tout à eux pour quelques mois. En croisant Roch Bérubé, hilare, tout près du chaland de Gaspard, Philippe sentit quant à lui une légère appréhension l'envahir. Bonne chance! lui cria le moustachu en lissant les poils au-dessus de ses lèvres pour les faire encore plus friser.

— Bonne chance pour quoi? cria-t-il au gardien du phare, qui zieutait sans aucune gêne la maîtresse d'école venue chercher une amie qui la visitait pour la fin de semaine.

L'homme à la moustache grise ne fit que pointer le bateau amarré en riant de plus belle. Philippe s'avança lentement. Les nouveaux venus étaient penchés vers l'avant pour tendre l'oreille aux propos de Conrad, qui gesticulait comme une girouette sur le quai de terre. Quand le barbu s'approcha pour se présenter, le marchand responsable de la traverse leva les yeux au ciel et marmonna:

— *Ciboire*, ils comprennent rien!

Philippe découvrit rapidement que les messieurs et les dames avaient décidé de venir sur l'Île Verte sur un coup de tête, après avoir visité la ville de Québec. Pour la première fois de leur vie, ces Français originaires de la Normandie se trouvaient dans la Belle Province pour deux mois et ils avaient bien l'intention d'en visiter tous les recoins les plus pittoresques.

— C'est donc pour cela, narra un des hommes, que nous avons accueilli avec grand plaisir la possibilité offerte par notre hôtel de Québec de réserver quelques nuits sur votre île.

— Bien sûr, répondit niaisement Philippe, les bras pendant le long du corps. Il savait que sa femme serait folle de joie, elle qui pourrait discuter en long et en large de ses chanteurs préférés. D'ailleurs, à bien y penser, songea l'homme, il se pourrait que Marjolaine lui ait caché l'origine de leurs clients pour éviter sa mauvaise humeur. Le préjugé selon lequel certains Français croyaient que les «*pauvres Québécois étaient en fait des Français retenus en otage dans un pays anglais*» l'horripilait au plus haut point. Philippe se plaqua donc un sourire de circonstance sur les lèvres et fit un signe de la main à ses nouveaux clients. Derrière le groupe, Conrad et Roch Bérubé, guillerets, se cognaient l'index sur la tempe en mimant un coup de fusil.

— Alors donc, votre voiture se trouve…

— Juste *icitte*! cria Justin Castonguay, qui ricanait autant que les deux autres.

Une grande femme mince au pantalon beige bien repassé plissa son nez avant de sourire.

— Alors, nous vous suivons. Quel endroit majestueux. N'est-ce pas, mes amis?

Les trois autres acquiescèrent, alors que Conrad, Philippe et Justin empoignaient leurs nombreuses valises pour les lancer dans la boîte du camion. Désemparé, Philippe s'aperçut bien vite que les quatre touristes lui faisaient répéter tout ce qu'il disait et ne cessaient de sourire d'un air complice:

— Venez donc, ma blonde vous attend pour souper.

— Votre blonde, pour souper! Quelles belles expressions vous avez!

L'une des femmes, plus pointilleuse, avait la bouche pincée et se tournait à tout bout de champ vers son époux pour murmurer:

— Je ne comprends rien, ma foi! Tu ne m'avais pas dit qu'ils parlaient français ici aussi?

Dès lors, le pauvre Philippe s'efforça de prononcer toutes les syllabes de chacun des mots qui sortaient de sa bouche et c'est épuisé et la sueur perlant au front qu'il fit enfin tourner son vieux camion dans l'entrée du gîte. Il avait bien hâte de demander à Marjolaine de s'occuper de ces étrangers ! À la vue de la maison rouge au toit en fer-blanc, les touristes se turent enfin avant de s'extasier :

— De toute beauté !

— Quel charme unique !

— On se croirait revenus des siècles en arrière...

Même si ce n'était pas la première fois que Philippe côtoyait des Français, c'était la première fois qu'ils s'installaient chez lui ! En général, au restaurant où sa femme et lui travaillaient dans leur ancienne vie, les serveurs aimaient bien se moquer de ces cousins d'outre-mer, qui ne se gênaient pas pour critiquer le service et les plats proposés. C'est donc avec un soupir de découragement qu'il déposa les bagages des visiteurs dans la cuisine avant de faire signe à sa femme de le suivre sur la galerie.

— Les voilà, nos nouveaux clients ! annonça Philippe, désarçonné. Ce sont des vrais Français.

Marjolaine jeta un coup d'œil au quatuor qui s'avançait dans les hautes herbes près du chalet en levant les pieds bien haut pour ne pas trébucher. Puis elle reposa son regard sur son époux.

— Des Français ?

— Oui, puis je pense qu'ils nous comprendraient mieux si on parlait en anglais !

— C'est donc bien l'*fun*, ça ! Puis tu exagères ! Je suis certaine qu'ils sont très gentils !

— Oh... gentils ? Sûrement. Mais pas sûr que tu vas aimer répéter par exemple !

Avant que Marjolaine ne puisse s'informer davantage, les deux couples de sexagénaires s'avancèrent en trottinant dans le foin qui valsait au vent. Marjolaine descendit les quelques marches pour s'avancer, la main tendue. Derrière elle, la voix profonde de Jacques Brel fit sourire les touristes d'un air satisfait. Quelle fierté d'entendre ce grand chanteur en Amérique!

— Bienvenue chez nous! Je m'appelle Marjolaine.

— Bonjour!

— Je peux vous inviter à venir vous installer?

Marjolaine tripota nerveusement les boutons de sa blouse paysanne avant de se tourner pour pointer la maison. Elle espérait faire bonne impression sur ces quatre visiteurs. Après tout, peut-être avaient-ils déjà aperçu Joe Dassin en vrai? Philippe s'approcha d'elle pour lui embrasser la nuque avant de sortir une cigarette de sa poche de chemise de chasse.

— Bon, moi je vais réparer la chaufferette du *truck,* chuchota-t-il. Je pense que nos invités vont vouloir du chauffage dans le camion! Tout le long du chemin, ils m'ont affirmé que la neige tomberait sûrement bientôt. Tu essayeras de les convaincre qu'on risque pas un blizzard d'ici lundi matin!

Il envoya la main à sa femme, qui sentait son cœur battre à tout rompre en pensant à cette belle visite. Impressionnée par ces gens venus de si loin, elle en perdait ses mots. Elle s'avança vers l'escalier de la maison en espérant qu'ils la suivent. À leur entrée dans la cuisine chaleureuse, au centre de laquelle se trouvait la belle table ronde au dessus de céramique, leur visage épanoui ravit Marjolaine.

— Oh!

— C'est parfait! Juste parfait!

— Heu, je vous sers un petit café? s'informa la brune le corps tendu.

— Oh, ça ne serait pas de refus ! Un expresso, si vous en avez.

La pauvre Marjolaine avala péniblement sa salive en jetant un regard à son pot de café instantané. L'homme qui venait de parler suivit son regard et fit une moue déçue, tout en posant sa main sur le poignet délicat de son hôtesse.

— Ça ira, ne vous en faites pas, on commence à être habitués. Disons que votre café et vos fromages ne sont pas votre force…

— …mais la gentillesse et l'amabilité des Québécois compensent amplement, ajouta une des femmes en s'assoyant sur une des chaises de bois.

Le séjour des Français fit parler sur l'île pendant des semaines. Dès le lendemain matin, à l'aube, les quatre Européens étaient retournés au quai pour assister à la pêche à la fascine. Le pauvre Philippe s'en voulait tellement d'avoir mentionné cette sortie la veille au soir qu'il n'en avait presque pas dormi de la nuit.

— Tu imagines comment je vais faire rire de moi de les traîner au quai ? s'était-il lamenté auprès de son épouse.

Alors au déjeuner, il avait tenté de dénigrer l'activité – ça puait, c'était gluant, les insulaires étaient bruyants… – jusqu'à ce que Marjolaine lui donne un coup dans les côtes en le chicanant du regard.

— Vous verrez, rassura-t-elle ses clients en souriant, c'est une très belle expérience. Remarquez, moi, le poisson…

— Oui ?

— Bien… j'aime pas ça.

— Ah bon ? Et vous vivez sur une île. Étrange.

Philippe se frotta la barbe avant de se pencher au-dessus de sa petite épouse, assise à la table :

— En effet, elle est étrange, ma blonde !

Au bout d'un long moment, il marmonna, à bout d'idées :

— Si vous êtes prêts, on pourrait partir bientôt! Marjolaine va nous faire un lunch pour le dîner...

— Le dîner? Un lunch?

— Heu... le dî-ner... un lun-ch... répéta Philippe d'un ton emprunté.

Marjolaine expliqua que le dîner était en fait le déjeuner pour eux et qu'un lunch était un repas à emporter. Satisfaits, les Français attendirent leur nourriture debout dans la cuisine. Leur hôtesse se hâta vers son comptoir sur lequel elle avait empilé des fromages, des tranches de pain et toutes sortes d'autres produits.

— Je vous fais des sandwichs? J'ai du Paris-Pâté ou des cretons.

— Qu'est-ce que c'est?

Philippe soupira avant de sortir en criant:

— Bon, je vous attends dans le *truck*. On part d'ici dix minutes.

~

La présence des quatre Français au quai à la marée basse permit aux insulaires présents de tester leur patience. Lorsque l'un d'eux posait une question, chaque fois le Verdoyant devait expliquer sa réponse.

— *Sacrament*, grogna Lionel Vézina, ils veulent tout savoir en plus! Puis quand je leur explique, ils comprennent rien!

— Peut-être que tu parles pas assez clairement, mon cher! ricana Gaspard en donnant une claque amicale sur le bras du doyen.

Ce dernier leva la tête et, en remarquant un des Français qui s'avançait vers lui la main levée, pour le questionner, il se dépêcha de grimper à bord de sa chaloupe pour s'éloigner du quai.

— Je reviens… cria-t-il… quand vous serez plus là… continua-t-il tout bas.

Enfin, lorsque midi sonna, Philippe se rendit chez Gaspard pour passer un coup de fil à sa femme. C'était une belle matinée fraîche d'automne. Malgré le vent qui soufflait sans relâche, certains insulaires se déplaçaient encore en chandail léger. Les touristes, eux, étaient vêtus chaudement de la tête aux pieds. Par la fenêtre de la cuisine, le barbu jeta un regard amusé à Adrien et Roseline, qui parlaient avec les Français. Après quelques instants, le vieil homme recula en levant sa canne de manière brusque et Roseline sembla chercher à le calmer. Philippe se dépêcha de clore sa discussion avec sa femme pour aller rejoindre ses clients.

— Je vais les amener au phare pour pique-niquer. À tantôt.

— Parfait, répondit l'hôtelière. Moi, je vais passer voir mon père. Il veut pas qu'on y aille parce qu'il se dit contagieux, mais le pauvre, je suis pas pour le laisser s'arranger tout seul. Je viens juste de finir ma vaisselle… Je t'aime, bye!

Lorsque la porte s'était refermée sur les visiteurs, Marjolaine s'était écroulée dans le *papasan*, épuisée, alors que la journée ne faisait pourtant que commencer. Se forcer à bien parler, c'était éreintant! Elle avait prévu une randonnée au nord afin de vérifier si quelques lactaires se cachaient encore dans leur champ. Même si la saison était pratiquement terminée, la femme espérait mettre la main sur quelques-uns de ces champignons qui produisaient un lait abondant. Elle avait pris au moins une heure à se remettre de son déjeuner, mais attendait avec impatience de revoir le quatuor pour le souper. Malgré les caprices alimentaires dont ils faisaient preuve, la jeune femme avait bien l'intention de gâter ses invités plus que tous les autres.

— C'est pas tous les jours que je reçois des concitoyens de mon beau Joe Dassin ! J'ai tellement hâte de savoir s'ils l'ont déjà vu en spectacle, songea Marjolaine en passant ses mains dans la douce fourrure de son animal. Bon, une petite marche au nord, ça te dit, mon ami ? Mais avant, on va voir si mon papounet survit à sa grippe d'homme !

Comprenant qu'une randonnée lui était proposée, le labrador se dirigea aussitôt vers la porte et patienta le temps que Marjolaine enfile ses bottes de pluie et son coupe-vent K-Way. Pratique, elle utilisait la poche du devant pour y glisser son petit couteau de cueillette. Le chien et sa maîtresse apprécièrent tous les deux les doux rayons du soleil d'octobre qui caressaient leur corps. Comme d'habitude, la femme laissa la porte de la maison déverrouillée. Ici, sur l'île, personne ne craignait les vols. Où se cacheraient les voleurs ? Se dirigeant vers le chalet, elle inspira profondément en jetant un coup d'œil vers les agneaux qui broutaient au loin sur le bord du fleuve. Elle admira le paysage, avec les bêtes blanches laineuses qui paissaient paresseusement avant de finir en gigot dans les assiettes des plus grands restaurants du Québec. Ce qui l'amena à penser à Conrad Dionne. Parce qu'en plus du magasin, de ses terres et de ses traverses, le marchand avait été le premier à se dire que si la terre de l'Île Verte fournissait peu d'aliments rentables pour la revente, lui ne se contenterait pas d'une ou deux vaches pour le lait, et de quelques poules pour les œufs. Depuis deux ans, l'homme avait donc ajouté de la viande d'agneau de pré salé à sa liste de denrées proposées. Les autres insulaires s'étaient d'abord moqués du visionnaire :

— De quoi tu parles, Conrad ? Veux-tu nous faire croire que ta viande est meilleure parce que tes bêtes mangent sur le bord du fleuve ?

— Riez, mais vous saurez qu'il y a eu un reportage au canal 10 sur ce type d'élevage qui existe dans la baie du Mont-Saint-Michel, en France, depuis le Moyen Âge. Ils ont dit qu'il y a pas meilleure viande que ça! Alors moi aussi, je vais faire brouter de l'herbe salée à mes moutons, puis vous m'en donnerez des nouvelles! avait répliqué le commerçant.

Rapidement, la chair subtile et délicate des bêtes de Conrad Dionne avait fait ses preuves. De sujet de raillerie, il avait acquis le statut de visionnaire en l'espace d'un seul été. À présent, tous les matins, du Bout d'en-Haut au Bout d'en-Bas, d'autres insulaires dirigeaient leurs agneaux* vers les prés en bordure du fleuve, où ils paissaient environ sept heures chaque jour pendant deux mois. D'abord sceptiques, Paul et le couple avaient adopté cette viande dès après leur premier essai. Lorsque Marjolaine cuisinait l'agneau, Philippe en avait presque les larmes aux yeux de bonheur, lui, le fervent carnivore! La fraîcheur de cette matinée d'automne enveloppa la femme dès qu'elle descendit l'escalier de bois de sa belle maison rouge. Les fenêtres étaient à présent fermées pour la saison froide, sauf celle de leur chambre.

— Moi, j'aime ça dormir à la fraîche, martelait Marjolaine lorsque son mari maugréait qu'ils allaient bientôt se transformer en glaçons.

— Moi, j'aime pas ça! répliquait aussitôt Philippe. Alors tous les soirs, depuis quelques semaines, le dernier endormi gagnait la bataille du courant d'air. Malheureusement pour le barbu, il se mettait à ronfler la tête à peine posée sur l'oreiller, alors que son épouse avait l'habitude de lire durant au moins trente minutes avant de se laisser glisser dans les bras de Morphée.

Les cailloux grinçaient sous les bottillons de Marjolaine, qui remonta son foulard noir nouvellement tricoté pour couvrir le bas de son visage. Le capuchon de son coupe-vent était enfoncé jusqu'à ses sourcils et, lorsqu'elle pénétra dans la maison sur-chauffée de son père, elle marmonna :

— Mon Dieu, qu'est-ce que tu fais dans un tel sauna, papa ?

Une grosse toux grasse lui répondit et la jeune femme se dépêcha de se délester de ses vêtements pour grimper dans la chambre à l'étage. Le pauvre Paul était enfoui sous une épaisse douillette vert foncé, les yeux fiévreux et la peau rougie par les quintes de toux qui ne lui avaient donné aucun répit depuis deux jours. Posant sa main délicate sur le front humide, Marjolaine fronça les sourcils avec inquiétude.

— Je pense que je vais faire venir l'infirmière papa, j'aime pas ça.

— Non…

Mais le vieux ne put poursuivre et sa fille ne le laissa pas décider. Descendant lentement pour ne pas trébucher dans l'es-calier, beaucoup trop à pic à son avis, elle souleva le téléphone accroché près de la porte pour composer le numéro du dispen-saire. L'infirmière promit à la femme inquiète de venir dans les prochaines minutes, juste le temps de se vêtir chaudement. Marjolaine la remercia et allait retourner à l'étage lorsqu'une feuille mauve dépassant du bol de fruits sur le comptoir attira son attention. Elle se pencha et son cœur ne fit qu'un tour lorsqu'elle vit la signature sur le papier :

Ta Sophie

— Quoi ? Ah bien *maudit* !

Sans plus de retenue, la brune s'empara de la lettre de sa sœur et, au fur et à mesure qu'elle lisait, la rage envahit son visage jusqu'à l'enlaidir. Les yeux à demi fermés, elle imagina Sophie mettant les pieds sur SON île, et elle se mit à haleter de déses-poir. Sa sœur ne pouvait venir gâcher sa nouvelle vie. Elle avait tellement espéré que cet éloignement signifierait enfin la fin du calvaire qu'elle avait traversé, que son aînée s'établirait pour toujours dans l'Ouest ou aux États-Unis... peu importe, Marjolaine s'en foutait royalement. Tant que Sophie restait loin d'elle, de son père, sa vie était parfaite. En de rares occasions, lorsque la brunette songeait aux rires et aux confidences qu'elles avaient échangées enfants, elle s'empressait de faire un saut dans le temps pour remplacer ce doux souvenir par les fuites répétées de Sophie devant les épreuves qui les accablaient. Remettant son foulard et son coupe-vent, elle chiffonna le papier avant de le lancer sur le comptoir et grimpa l'escalier en courant pour dire à son père que...

— Jamais, tu m'entends, papa? Jamais elle viendra chez moi! Si tu acceptes de la recevoir sur l'île, sache que pour les jours ou les semaines qu'elle sera ici, tu seras pas le bienvenu dans ma maison. Sur ce, j'entends la voiture de l'infirmière. Je vais lui ouvrir.

Paul lança un regard de détresse à sa cadette en tentant de comprendre comment elle avait su que Sophie annonçait sa visite. Mais avant qu'il ne puisse la questionner, l'infirmière de l'île était à ses côtés et avait plongé un thermomètre dans sa bouche sèche. Fermant les yeux d'épuisement, le vieil homme ne vit pas les larmes couler sur les joues pâles de sa fille, qui s'éclipsa, sachant son père entre de bonnes mains. Elle attendrait les nouvelles dans sa maison.

⤺

Pendant ce temps, au phare, Roch Bérubé s'en donnait à cœur joie avec les invités français du gîte. Quand il avait vu les quatre clients s'avancer en trottinant rapidement vers lui, il avait soupiré avant de décider de s'amuser un peu. Philippe lui avait lancé un regard d'avertissement en entendant le ton pointu qu'il empruntait. Les touristes étaient peut-être épuisants avec leurs interrogations, mais il n'avait pas envie qu'ils pensent que les insulaires se moquaient d'eux. Alors à quelques pas derrière les Français, le barbu faisait des signes sévères à l'ancien gardien. Celui-ci fit mine de ne pas le voir et continua sur le même ton :

— Mesdames, messieurs, puis-je vous offrir humblement de faire la visite du plus vieux phare du fleuve Saint-Laurent ? Quoique nous ne soyons que de pauvres insulaires reclus plusieurs mois par année, sachez, chères gens...

Philippe s'éloigna du groupe en se disant que si les touristes ne se rendaient pas compte que Roch Bérubé se moquait d'eux, eh bien, c'était tant pis.

— Ça leur apprendra à penser que notre uniforme officiel, c'est une ceinture fléchée et des raquettes en babiche, marmonna-t-il en repensant aux commentaires sur son habillement émis par une des touristes, la veille au soir. Bientôt, ils vont me dire qu'ils sont surpris de pas encore avoir rencontré d'ours ou d'orignal en allant au dépanneur !

Distraitement, il entendit le ton du moustachu monter d'un cran pour répondre à la question ridicule d'une des touristes :

— Dites-moi, monsieur, il est vrai que vous assassinez les bébés phoques par ici ? Notre grande ambassadrice de la cause des animaux, Brigitte Bardot, en a parlé à la télévision avant notre départ... C'est quand même cruel, non ?

Philippe alluma sa cigarette et attendit la réponse de Roch Bérubé, qui fourra sa pipe dans sa bouche en grommelant :

— C'est pas une actrice érotique, Brigitte Bardot ?

Le barbu retint un fou rire devant l'air indigné de la Française, qui s'éloigna du malotru. Souriant avec légèreté, Philippe en profita pour se diriger vers la table de bois installée sur les rochers, qui surplombait le fleuve sur une centaine de pieds. De là, il avait une vue imprenable sur la plage de sable, les galets qui la recouvraient en quelques endroits, mais surtout, sur les eaux sombres devenues mer à cette hauteur. Du phare de l'île, en regardant vers le large, nulle terre visible à perte de vue. L'homme savoura sa cigarette, les deux pieds bien ancrés dans le sol. L'air frais était vivifiant, il se sentait aussitôt ragaillardi, dès qu'il se trouvait près de l'eau. Pendant de longues minutes, Philippe ferma les yeux, profitant de l'embrun projeté par la marée montante. Il entendait vaguement, au loin, Roch Bérubé vanter la longévité du phare grâce à sa solide construction à base de pierres et de mortier. Avec les quatre touristes, il se dirigeait à présent vers la maison du gardien, construite en 1959. Philippe tourna la tête en entendant des exclamations excitées. Le moustachu grisonnant faisait des signes de la main pour expliquer à quoi servaient les autres bâtiments dans l'environnement du site. La bonne entente semblait être revenue dans le groupe.

— Oublie pas la cabane à pétrole et la canonnière! cria le grand noir en riant aux éclats.

Roch lui fit un geste vulgaire derrière le dos des visiteurs, ce qui ne fit qu'amplifier les rires de Philippe. Finalement, après une bonne trentaine de minutes, le groupe s'approcha de lui. Comme il allait leur mentionner qu'ils pourraient manger le repas froid préparé par Marjolaine sur la table avant de quitter, une des femmes poussa un grand cri aigu:

— HIIIiiiiiiiiiiiiiii!

La touriste minuscule, auparavant si distinguée, grimpa sur le banc près de Philippe pour pointer le large. Aussitôt, les autres regardèrent en direction de son doigt qui tremblait. C'est Roch qui le vit en premier:

— Wow! Un beau rorqual! Vous êtes chanceux, les Français!

— Un deuxième !

— Où ça ?

— Juste derrière !

Philippe et Roch entreprirent d'expliquer aux visiteurs qu'il s'agissait d'une baleine d'environ sept mètres de long. Quand l'un des hommes sortit un appareil photo pour capter l'animal, le gardien le regarda avec découragement, les bras croisés sur son gros ventre.

— À mon avis, il va avoir un paquet de photos du fleuve. Juste de la belle eau grise ! ricana Roch à voix basse en secouant sa tête hirsute. Je comprends pas, me semble que le père Fruget est moins niaiseux, non ?

— Je le connais pas vraiment. Je l'ai vu une couple de fois seulement. Mais oublie pas qu'il est arrivé sur l'île il y a trente ans. On a eu le temps de déteindre sur lui ! rigola Philippe. Je pense à ça, je pourrais peut-être arrêter chez lui pour le présenter à mes touristes ? Ils seraient contents de voir qu'on l'a pas encore mangé !

— Grandiose, fantastique ! criaient les touristes en courant le long de la côte pour tenter de suivre les deux baleines. Vous mangez cette bête ? demanda un des hommes sans attendre la réponse.

Les deux insulaires étaient appuyés contre la table de pique-nique et ne cherchèrent même pas à renchérir.

— Je pense même que ce sont des communs, pas des petits rorquals ! J'espère qu'ils réalisent leur chance, tes *gnochons* ! marmonna Roch.

— Voyons, mon Roch, tu les trouvais si comiques il y a pas une heure !

— Ouin, avant qu'ils me prennent pour un sauvage qui mange tout ce qui passe devant lui !

Philippe éclata de rire et balança un coup de poing sur l'épaule du costaud, qui grimaça avant de s'éloigner.

— Bon, je m'en vais dîner. Je te laisse avec tes marsouins! ironisa l'homme.

À la fin de la deuxième journée de visite des Français, une mauvaise surprise attendait Marjolaine. Déjà éprouvée par la nouvelle de l'arrivée projetée de sa sœur aînée, la brunette eut envie de pleurer lorsque l'une des femmes se mit à déblatérer sur le non-civisme d'un des insulaires lorsqu'ils s'étaient arrêtés pour photographier sa maison.

— Je vous demande pardon? interrogea Marjolaine en tendant un bol de crème de carottes à l'un des clients.

— Il m'a dit: «Crissez votre camp chez vous!», répéta la Française d'un ton pointu.

— Qui?

— Un vieux. Je crois bien que ce doit être l'ermite de l'île, n'est-ce pas, mon chéri?

Le chéri en question préférait ne pas se mêler à la discussion. Il laissait sa femme se dépêtrer, trop occupé qu'il était à repousser la truffe de Joe, qui ne cessait de se glisser entre ses jambes. Dans le salon, la voix roucoulante de Nana Mouskouri chantait le bonheur de «vivre au soleil entre une guitare et l'oiseau bleu». Philippe plissait les yeux chaque fois que le ton de la chanteuse franco-grecque montait. De tous les disques de sa femme, celui-ci était assurément le pire. La Française continua à décrire l'événement fortuit survenu au cours de l'après-midi et le barbu se concentra sur son assiette de ragoût d'agneau.

— A-t-il une longue barbe blanche? s'informa Marjolaine de ce ton pincé qu'elle utilisait depuis deux jours pour parler à ses invités.

— En effet!

363

— Puis-je savoir si sa maison est grise et se situe en face du cimetière ?

— En effet !

Alors Marjolaine comprit qu'Adrien Ouimet s'en était pris à ses visiteurs. Elle posa sa main sur celle de la touriste plus bavarde et lui fit un sourire rassurant alors qu'en dedans, elle bouillait de colère. Déjà outrée de sa découverte de la veille chez son père, il n'en fallut pas plus pour qu'elle prenne une décision impulsive. Elle allait régler ça vite fait ! Son mari l'observait maintenant en souriant devant les efforts de sa femme pour bien « perler » :

— N'ayez crainte… heu… Je vais… arranger… l'affai… heu régler la situation ! assura-t-elle en balayant l'air de sa main gauche. Une bonne claque…

— Une gifle, vraiment ?

— Oui… c'est ça… Une bonne gifle et ce sera…

— Ça me semble un peu extrême, non ? demanda l'un des hommes en déposant son morceau de fromage cheddar sur le bord de son assiette en grimaçant.

— Ouin, ma blonde, me semble que tu exagères un peu, là !

Philippe sentit monter une inquiétude. Comme d'habitude, il voulait prendre le temps d'analyser la situation. Sa femme marchait maintenant autour de la cuisine, les bras croisés sur sa poitrine menue. Elle pinçait ses lèvres de toutes ses forces pour éviter d'éclater de rage. Finalement au bout de quelques minutes, Philippe arrêta la tigresse en colère :

— Heu, ma chérie, je pense qu'on va laisser faire la claque, Ok ? proposa-t-il, sa tasse de café à la main.

— Moi le vieux croûton de Ouimet, je vais lui dire ma façon de penser. S'il pense qu'il peut engueuler nos clients comme ça, bien je vais lui apprendre à vivre, le *maudit* !

Les quatre Français suivaient la conversation avec intérêt. Marjolaine, insultée de ne pas avoir gardé son accent, tenta de se reprendre :

— Ce que je dis, mon mari, c'est que je vais m'assurer de bien faire comprendre à ce cher Adrien que le respect de nos invités de marque est essentiel. Nous ne sommes point… pas… des sauvages, n'est-ce pas ?

Soupirant avec découragement une fois de plus devant le caractère bouillant de sa douce moitié, Philippe se releva et avança vers la fenêtre donnant sur la galerie. Il tassa le rideau à carreaux pour fixer le chalet où Paul récupérait tranquillement. L'infirmière avait été claire la veille lorsque Marjolaine était allée la voir au dispensaire :

— Votre père a besoin de repos. De beaucoup de repos. Il fait une bronchite et si on veut pas que ça dégénère en pneumonie, il faut qu'il cesse de s'agiter. De plus, je crois pas que la pipe soit une bonne idée dans son cas…

La femme lui avait laissé une boîte de pilules rouges avec des instructions claires, qui ne l'étaient plus du tout dès qu'elle eut franchi le seuil de la maison. À présent, Philippe aurait bien aimé que son beau-père soit auprès d'eux pour tempérer les ardeurs de sa fille. Avant que le barbu ne puisse la retenir, Marjolaine, survoltée, frotta sa tête échevelée et agrippa son coupe-vent d'automne qui traînait sur une chaise. Les pieds dans ses espadrilles, elle enfonça son béret sur ses boucles et prit les clés de la camionnette au crochet du mur. Les touristes suivaient la petite femme du regard, alors qu'elle tourbillonnait autour d'eux. Ils écoutèrent d'une oreille attentive la discussion entre les époux en « traduisant » à voix basse.

— Où tu t'en vas de même ?

— Il lui demande où elle s'en va.

— Qu'est-ce que tu penses ? Je m'en vais dire ma façon de penser à Adrien Ouimet ! Parce que c'est bien évident qu'il y a juste lui qui soit capable de faire quelque chose d'aussi épais ! Il se trouve bien drôle, le nono !

— Elle répond qu'elle va parler à un Adrien… quelque chose. Il a un truc épais… Je n'ai pas compris, en fait !

Avant qu'elle ne puisse sortir, son mari l'agrippa rudement.

— Minute, Marjolaine ! Tu vas pas aller accuser quelqu'un sans preuve. Demande donc à madame d'aller avec toi.

— Pour qu'il puisse l'insulter encore ? Devant le cimetière, une maison grise… C'est évident !

Philippe secouait la tête pendant que sa femme expliquait à ses clients d'un ton hautain : « Ne soyez pas inquiets, je m'assure de régler la situation ! » La main sur la porte, Marjolaine fixa son mari :

— Tu sais bien qu'il veut qu'on arrête d'accueillir du monde au gîte. Il cherche par tous les moyens de faire cesser nos opérations. Tu es au courant de leur petit escadron « Pas touche à notre île », de leurs rencontres officielles, puis madame a dit que l'homme avait les cheveux longs et blancs avec une barbe… argumenta Marjolaine. Non j'y vais, tu m'arrêteras pas !

Avant que Philippe ne puisse lui proposer d'attendre au lendemain, sa femme avait sauté en bas de l'escalier, les clés du *pick-up* à la main. Les deux milles à parcourir jusqu'à la maison grise lui parurent une éternité, alors que sa fureur augmentait au fur et à mesure qu'elle se rapprochait de chez Adrien Ouimet. Stationnant sur le bas-côté, à moitié dans le chemin, elle courut jusqu'à la porte écaillée sur laquelle elle s'empressa de frapper à deux mains.

— Ouvrez la porte, je le sais que vous êtes là ! Je partirai pas tant que vous…

— Tiens, l'hôtelière de l'île, rigola le solitaire en entrouvrant vivement la porte.

Son geste fut si soudain que Marjolaine tomba vers l'avant. N'eût été la poigne solide du vieux sur son fin poignet, elle se serait retrouvée les quatre fers en l'air, humiliée en plus d'être enragée. Il demanda d'un ton sérieux en la fixant sévèrement :

— Que puis-je pour vous, madame ? Vous êtes lasse de parler avec des « frais chiés » ?

Inspirant pour éviter de lui sauter au cou pour arracher ses longs cheveux blancs un par un, Marjolaine cracha :

— Je sais pas ce qui vous a pris d'engueuler mes clients, mais vous avez besoin de venir vous excuser tout de suite !

D'abord abasourdi, le bonhomme éclata d'un gros rire, qui se termina par une quinte de toux interminable. Même si la jeune femme ressentit un certain malaise devant l'inconfort de son adversaire, elle ne tenta rien pour le soulager, trop choquée pour y penser.

— Tu rêves en… arggghh… couleurs… ma belle. Tes *bonyennes* de Français étaient rendus au milieu de mon jardin. Ça fait que certain que je leur ai dit de *crisser leur camp* ! Puis la prochaine fois, je vais leur donner un coup de pied au derrière, c'est clair ? Tu peux oublier mes excuses, mais dis-leur que je vais attendre les leurs !

Adrien recommença à rire en se claquant les cuisses. Il riait tant qu'il dut s'asseoir sur une chaise, qui traînait près de la porte. Sentant la rage monter en elle, Marjolaine eut envie d'étrangler le maigrichon pour qu'enfin il se taise.

— Vous avez créé un comité pour nous surveiller, vous voulez à tout prix qu'on ferme notre gîte sur l'île… Je vois bien que vous êtes prêt à tout. Mais franchement, il y a des limites !

L'homme ne répondit pas, lui jetant plutôt un regard grave, puis il rétorqua :

— Bon, c'était pas mal comique, la jeune, mais tu sauras que jamais j'accepterai que du monde vienne marcher dans mes plates-bandes. Non seulement ils ont pris des photos dans mon jardin, mais ils sont même entrés dans mon poulailler ! Puis je veux pas faire fermer ton gîte à tout prix, je veux juste m'assurer que tes clients dépassent pas les bornes. Sur ce, bonne soirée !

Adrien se releva lentement en se tenant le bas des reins et, sans un mot de plus, retourna dans sa maison en claquant la porte blanche devant la face cramoisie de Marjolaine. L'insulte était si grande que la femme avait de la difficulté à respirer.

— *Ostie* que je l'haïs ! cria-t-elle en essuyant des larmes de colère sans réaliser qu'elle était de mauvaise foi. La règle avait pourtant été bien claire lorsqu'on leur avait accordé leur permis : pas d'intrusion sur les terres des insulaires.

La nuit était tombée depuis une heure déjà et les étoiles éclairaient le ciel de leur lumière dorée. L'Île Verte n'était jamais aussi paisible que lorsque la noirceur l'englobait. Parfois, les nouveaux insulaires s'installaient sur leur balcon jusqu'aux petites heures du matin, emmaillotés dans une large couverture molletonnée, juste pour regarder les milliers d'étoiles. Grande Ourse, Petite Ourse, Bélier et autres constellations n'avaient plus de secrets pour le jeune couple. Marjolaine avait toutefois été fort déçue de constater que la Chevelure de Bérénice n'avait de grandiose que son nom, puisque les quelques étoiles qui la composaient étaient de faible luminosité, tandis que la « chevelure » en question n'était en fait qu'une poussière d'étoiles visibles seulement lorsque la luminosité était parfaite. Mais pour le moment, la jeune femme ne remarquait pas la douceur de la soirée. Remontant en vitesse dans son camion, elle fit demi-tour en faisant crisser ses pneus et jura tout le long du chemin jusque chez elle. En mettant le pied à terre, elle vit son père, qui trottait dans l'entrée de leur maison, le dos plus voûté qu'à l'habitude, lui semblait-il.

— Veux-tu bien me dire ce que tu fais là, papa? demanda-t-elle.

Paul releva ses yeux pâles et, sous la pleine lune, il devina la colère de sa fille. Ne désirant pas aborder le sujet de la venue prochaine de Sophie, il prit sur lui de retourner tranquillement vers son chalet d'où il n'était pas sorti depuis quelques jours.

— Je prenais l'air. Puis là, je vais me recoucher. Bonne nuit, Marjolaine.

Sa voix était différente. La femme resta quelques instants à regarder la silhouette fragile de son père s'éloigner vers le fleuve. Elle découvrait à quel point son paternel avait vieilli en l'espace d'une semaine et un étau lui serra la gorge. S'il venait à mourir, elle n'y survivrait pas.

— Bonne nuit, mon papounet.

CHAPITRE 19

La sécurité d'Adrien

Les deux couples de Français restèrent trois nuits au *Chant des marées*. Enchantés par leur séjour «au pays des Indiens», ils assurèrent à Marjolaine et Philippe qu'ils feraient la promotion de leur gîte auprès de tous leurs amis, une fois de retour dans leur pays. Gaspard, qui devait les traverser sur le continent, attendait patiemment, ignorant à quel point son vieux manteau de ski violet ferait parler les touristes. Quand il eut fini de transborder les multiples bagages du quatuor sur le pont de son chaland, il fit signe à Philippe de presser ses clients. La marée baissait et, sous peu, le bateau ne pourrait plus traverser.

— Remarquez, vous seriez pris pour rester une autre nuit au gîte, c'est tout!

Il éclata de rire avant de faire un clin d'œil à Philippe, qui fit un sourire-grimace à son oncle. Après avoir subi les discussions sans fin sur les meilleurs chanteurs de la francophonie, le pauvre voulait se cacher dans un trou pour écouter en paix ses groupes de rock tellement plus méritants! Ce départ signifiait enfin le retour au calme dans la grande maison rouge. Le chaland qui s'éloignait vers le continent signait la fin de la saison touristique chez les Caron-Lalonde. Les deux pieds ancrés sur le quai, les quelques insulaires qui traînaient levèrent la main pour saluer les

Français, qui les remerciaient de ce si bel accueil. Le père Fruget, venu porter une lettre à Gaspard, avait soupiré en revoyant les touristes qu'il avait croisés au magasin, l'avant-veille.

— *Maudits* Français! avait-il grogné avant de les ignorer.

— *Maudits* Français? avait rigolé Philippe, qui connaissait peu l'homme, mais assez pour savoir qu'il était de la même origine que ses clients.

Le grand sec s'était penché avant de déclarer, le plus sérieusement du monde:

— Moi, je suis Québécois, le jeune, tu sauras! Puis j'ai pas envie de les voir arriver ici en grappes! Il y a pas plus chialeux que des Français!

Lorsqu'enfin, le chaland fut assez loin pour que Philippe soit certain qu'il ne reviendrait pas, son visage s'éclaira d'un large sourire.

— Au revoir, cria-t-il en saluant les touristes d'une main énergique levée dans les airs.

— Merci, merci! criaient les Français les yeux remplis d'eau. Personne ne quittait l'Île Verte sans un brin de nostalgie. Les quatre Européens ne faisaient pas exception.

Philippe était fort satisfait de leur première saison touristique, à Marjolaine et lui. Le gîte avait été occupé presque chaque fin de semaine depuis la mi-août. L'année prochaine promettait d'être encore plus profitable. Mais pour l'instant, l'homme remonta la côte pour se rendre à son camion, stationné un peu plus haut.

— Pas que je les aime pas, nos clients, murmura Philippe pour lui-même en grimpant dans son véhicule, mais c'est à l'usage qu'on s'aperçoit des problèmes de notre maison!

De fait, le duo hôtelier avait vite réalisé que la plomberie de la salle de bain du deuxième étage méritait assurément une cure de

Jouvence. Lorsque Marjolaine en avait parlé à son père, elle avait été étonnée de ne pas le voir proposer son aide avec Gaston. Mais ce qu'elle ignorait, c'était que Paul était obnubilé par l'arrivée prochaine de son aînée.

— C'est pas normal, une toilette qui bouche une fois sur trois ! s'était plainte Marjolaine en tendant le siphon en caoutchouc à son époux, la semaine précédente.

Et puis, la laveuse dans la cave de terre n'était pas assez performante pour les brassées répétitives de serviettes, de draps et de douillettes qu'entraînait la tenue du gîte. La brune avait été claire en montrant à son amoureux la mousse qui avait débordé lorsqu'elle avait tenté de nettoyer le couvre-lit fuchsia de la chambre numéro 3.

— Je suis toujours bien pas pour laver ça à la main ! On sait jamais ce qui s'est fait sur ces couvertes-là ! avait-elle grimacé.

Alors les mois à venir devraient permettre au jeune couple et à Paul d'effectuer les améliorations nécessaires en vue de la prochaine saison de location. Surtout que le cahier de réservations ne risquait pas de rester vide très longtemps, s'ils se fiaient aux nombreux appels qu'ils avaient reçus depuis leur ouverture. Philippe traversa l'île lentement, en prenant le temps de respirer à fond, les fenêtres grandes ouvertes. Dieu que cette île l'émerveillait ! Il salua les insulaires qu'il croisait d'un coup de klaxon et d'un geste de la main. De retour chez lui, le barbu soupira en retrouvant sa maison calme. Il appréciait ces journées sans touristes et espérait que la dispute entre sa femme et le vieux Ouimet n'aurait pas de conséquences sur l'avenir de leur gîte.

— Tu vas finir par nous attirer des ennuis, Marjolaine, l'avait-il sermonnée lorsqu'elle lui avait relaté sa dernière rencontre avec Adrien. C'est un des anciens de l'île et son opinion est très respectée. Si tu continues, il va réussir à faire changer la décision du conseil sous un prétexte quelconque! Il nous a donné son accord sous condition. C'est une affaire de rien que de nous le retirer! Puis c'est un fait que les Français sont entrés sur son terrain sans permission. Espérons qu'il garde ça pour lui…

Le lendemain, les craintes de Philippe s'avérèrent malheureusement fondées. Alors que le trio entrait dans la salle communautaire pour assister à une représentation théâtrale des jeunes de l'école à laquelle ils avaient été conviés par Marc-André, Gaspard et Lionel les attendaient en jasant près de la porte.

— On peut vous parler? les arrêta le maire d'un ton trop sérieux pour plaire à Philippe.

Gaspard pointa discrètement la sortie de la salle. À ses côtés, Lionel affichait un air gêné. Adrien Ouimet, qui se tenait près de son éternelle fenêtre, avait un visage impénétrable. Sentant l'inconfort l'envahir, Philippe lança un regard d'avertissement à Marjolaine, qui lui répondit par un hochement de tête.

— Va t'asseoir avec Marc-André et Marie-Laure, papa, on revient tout de suite, lança la jeune femme d'un ton frondeur.

Le quatuor descendit les marches extérieures et s'installa près de la clôture du cimetière. Gaspard se racla la gorge:

— Hum… J'ai entendu dire qu'il y avait eu un problème avec tes derniers clients, commença calmement le maire. Même s'il aimait beaucoup son neveu et sa femme, le pauvre homme devait remplir ses fonctions de magistrat, qui consistaient aussi à faire respecter l'ordre sur l'île en l'absence d'un réel service de police.

— Pas vraiment un problème, s'empressa de se défendre Marjolaine, avant que son mari ne puisse ouvrir la bouche. Monsieur Ouimet a exagéré!

Elle remonta sur son nez ses lunettes noires qu'elle avait achetées à New York l'année précédente et qui ne lui servaient que d'accessoire de mode. Elle avait une vision parfaite, mais était tombée amoureuse de la forme étirée sur les tempes de la monture en plastique.

— Marjolaine! sermonna son mari en levant les mains en signe d'impuissance.

Lionel les observa silencieusement pendant quelques instants avant de se tourner vers la jeune femme et de demander:

— Ils sont pas entrés chez lui sans permission?

— Bien... heu en fait...

— En fait, oui, répondit Philippe à sa place. Ils ont voulu prendre des photos et ont omis de lui demander son accord.

— C'est pas la fin du monde, me semble... marmonna Marjolaine les bras croisés sur sa petite poitrine.

Gaspard frottait sa tête chauve et son regard embarrassé errait sans cesse de Philippe à Marjolaine. Il était las, ce soir, le pauvre homme, et il commençait à se dire que toutes ces situations lui pesaient. Après tout, il était d'abord dentiste. Qui donc avait décidé qu'il devrait aussi jouer à la police? Mais pour l'instant, il n'avait pas le choix d'intervenir, puisque Adrien Ouimet avait produit une déclaration en bonne et due forme, dans laquelle il disait presque craindre pour sa sécurité. Selon le vieux, Marjolaine l'avait interpellé comme une furie la veille et il s'était senti menacé.

— Sa sécurité? Menacé? Me niaises-tu, Gaspard? cria Marjolaine. Il a peur que je lui lance une couple de framboises peut-être!

La jeune hôtelière était tellement fâchée que son regard s'assombrit. Les deux bras serrés sur sa veste à pois, elle fixait le sol pour essayer de rester polie avec l'oncle de son mari. Mais il y avait toujours bien des limites!

— Pourquoi vous demandez pas à monsieur Ouimet de nous rejoindre pour éclaircir la situation ? interrogea-t-elle sèchement.

Marjolaine était convaincue que l'homme n'oserait pas mentir en face de ses amis. Désireuse de faire comprendre son point de vue, elle allait insister lorsque Philippe s'interposa :

— Arrête, Marjolaine ! coupa-t-il d'un ton sec.

Frustrée, la jeune femme recula avant de revenir sur le porche et d'ouvrir la porte pour retourner à l'intérieur. Juste avant, toutefois, elle lança :

— En tout cas, si un bonhomme qui a fait la guerre a peur d'une femme qui mesure pas cinq pieds…

— La question est pas là, Marjolaine. J'aimerais juste qu'à l'avenir, tu me préviennes quand une situation semblable se produit, l'avisa le maire.

— Parce que si on reçoit trop de plaintes, poursuivit Lionel, qui n'était toujours pas très à l'aise avec l'idée du gîte, et même si, dans les faits, la première saison s'est bien déroulée, il faudra reconsidérer…

La femme plissa le nez puis ouvrit la bouche, mais un coup d'œil de son mari la découragea de parler. Son regard sérieux la mit mal à l'aise et elle consentit à contrecœur à s'excuser auprès du vieux Ouimet.

— Bon, c'est bien parfait, l'affaire est donc réglée.

Satisfait, le doyen de l'île replaça son casque brodé sur sa tête fournie, alors que Marjolaine voulait mourir d'humiliation.

— Oui, mais peut-être qu'avant…

— Non, Marjolaine. On va le faire et on en parle plus, coupa son mari d'un ton intraitable avant de tendre la main au maire et au conseiller.

Mais Marjolaine ne l'écoutait pas, le regard fixé par la porte entrouverte sur Adrien Ouimet, qui la dévisageait alors qu'elle se liquéfiait sur le balcon, à quelques pieds de lui. Elle ne s'était jamais sentie aussi pitoyable qu'en ce moment. Le ciel venait de lui tomber sur la tête! Elle entra dans la salle enfumée et sentit l'œil amusé du vieil homme sur son dos courbé par la honte. Elle se retint de nouveau pour lui dire sa façon de penser.

— Puis il trouve ça drôle!

Lorsque son mari, le maire et le conseiller revinrent dans la salle, quelques minutes plus tard, elle voulut hurler en voyant Philippe s'approcher d'Adrien Ouimet et dialoguer cinq minutes avec lui avant de lui tendre la main, que l'autre s'empressa de serrer tout en lançant une œillade malicieuse à la brune qui trépignait de rage.

— Pourquoi il rit, le vieux *câline*? demanda-t-elle en respirant bruyamment.

— Marjolaine, laisse tomber. Reconnais tes torts une fois pour toutes. L'homme est pas méchant, il veut protéger l'île de l'invasion de touristes. Essaie de te mettre à sa place, puis sois donc raisonnable, va t'excuser.

— Mais…

— Bon, plus tard, le spectacle commence. Tu es sauvée par la cloche! se moqua Philippe en la serrant contre lui et en baisant le dessus de sa tête.

La mine basse, Marjolaine réfréna son envie de poursuivre la discussion. Philippe salua Marie-Laure et Marc-André, qui prenaient place quelques rangées en avant d'eux, et tenta de reporter son attention sur le lourd rideau noir qui venait de s'écarter pour laisser place aux élèves de la classe de Juliette Hurtubise. La pulpeuse maîtresse d'école avait tellement chaud que, sous ses seins généreux, deux larges lignes se dessinaient déjà sur son chemisier. Ses cheveux blonds touchaient ses épaules, qu'elle avait couvertes d'un foulard fleuri. Mais le plus surprenant était la jupe boule vert fluo qui lui arrivait au milieu des cuisses qu'elle avait fort dodues. Cette tenue pour le moins excentrique ne semblait pas déplaire au gardien du phare, qui fixait l'institutrice la bouche étirée vers l'avant, dans un semblant de baiser qui fit rougir la femme. Dès la deuxième journée d'école, Juliette Hurtubise avait planifié avec ses élèves de donner quatre spectacles dans l'année.

— Un pour chaque saison, avait-elle expliqué, alors que les plus jeunes s'exclamaient de plaisir.

— Pour faire quoi? avait grogné Antonin Dionne.

— Heu… pour avoir un projet en commun, puis permettre à tout le monde de montrer ses talents.

— C'est parce qu'il en a pas de talent, lui! avait ricané Hélène en pointant l'adolescent.

Depuis leur dispute, lors de la première journée de classe, le jeune Dionne s'était tenu tranquille. Il se disait que la petite *squaw*, comme il l'appelait, ne perdait rien pour attendre! Au fur et à mesure que les semaines passèrent, la plupart des enfants se laissèrent prendre au jeu et s'amusèrent à se costumer et à apprendre des textes par cœur. La veille de la représentation, certains avaient eu mal au cœur, alors que d'autres n'avaient pas dormi de la nuit. Sur l'estrade, la maîtresse d'école repoussa ses énormes lunettes de plastique sur son petit nez en sueur et débuta sa présentation, d'une voix forte:

— Mesdames et messieurs, je suis bien contente de vous voir ici ce soir. Vos enfants ont travaillé très fort…

Dépitée, Roseline constata que sa blonde compétitrice savait fort bien se tirer d'affaire. Elle parlait devant l'auditoire sans hésiter. La mère de famille bomba la poitrine pour bien mettre en évidence ce qu'elle considérait comme son meilleur atout.

En même temps, elle se surprit à apprécier le style vestimentaire à la mode de l'enseignante de ses enfants.

— Je pense que ça me ferait bien, une jupe de même, songea Roseline en zieutant les grosses cuisses de Juliette. Je vais regarder dans le catalogue Sears en arrivant.

Marjolaine, elle, perdit le fil du discours de la maîtresse d'école pour poser son attention sur Jules, qui jouait près du mur avec un personnage Lego. Perdu dans son monde, il posait ses yeux bleus sur tout un chacun sans s'arrêter, même lorsque son frère aîné fit son apparition sur la petite scène improvisée. Marie-Laure se tourna alors vers lui pour pointer Éloi, mais Jules n'eut aucune réaction. Sa mère se leva et, avant que Marc-André ne puisse réagir, elle agrippa son fils sous les aisselles pour l'amener s'asseoir à leurs côtés. Roseline se tenait au bout de la rangée et ignorait ostensiblement la grande châtaine. Mais personne n'était dupe, ses coups d'œil fréquents vers la rangée devant elle démontraient l'intérêt qu'elle avait toujours pour la famille de Marion. Déçue de ne pas avoir Marjolaine à ses côtés, elle se recula dans sa chaise droite pour lui faire un signe amical. Mais la brunette ne répondit pas, trop occupée à retenir son souffle, convaincue que l'enfant de Marc-André et Marie-Laure ferait une crise de colère d'être ainsi contraint à rester sur la chaise entre ses parents. Elle voyait les muscles des épaules de Marc-André tendus par l'angoisse d'assister à un autre esclandre public de son cadet. Mais pour une rare fois, Jules accepta l'exigence sans réagir.

— Regarde, murmura sa mère, c'est au tour de ton frère.

Comme souvent lors des spectacles d'enfants, certains adultes présents bâillaient à s'en décrocher la mâchoire devant les répliques oubliées ou maladroites et un soupir de soulagement collectif se fit entendre à la fin de la représentation, une heure plus tard. En moins de dix minutes, toutes les chaises furent empilées le long du mur et la salle communautaire bien rangée. Les insulaires, épuisés par les longues journées sur le fleuve ou dans les champs, ne restèrent pas pour jaser bien longtemps, pressés de gagner leur lit. La mort dans l'âme, Marjolaine s'avança près de l'homme à la barbe blanche, les deux mains serrées l'une contre l'autre.

— Hum… monsieur Ouimet ?

— Oui ?

— Je veux…

Fermant les yeux très fort pour trouver la force de faire son mea-culpa, la brunette soupira en soufflant entre ses lèvres peintes en rouge vif :

— Je tenais à vous dire que je suis désolée de vous avoir… fait peur !

Elle retint un ricanement en comparant leur taille respective d'un coup d'œil. Le vieux grincheux comprit rapidement que les excuses de Marjolaine étaient aussi fausses que sa plainte à lui l'était ! Évidemment que l'insulaire n'avait pas craint pour sa sécurité, mais il avait eu envie de donner une bonne leçon à la petite citadine ! Il se pencha en mettant sa pipe dans sa poche de chemise à moitié déchirée.

— Tu vois, la jeune, c'est pas si pire que ça ! Bon, merci pour tes excuses et bonne nuit, petite voleuse, murmura Adrien Ouimet d'un ton rieur alors que Marjolaine se détournait dignement pour s'éloigner vers la porte.

La femme s'arrêta et tourna son regard vers le vieux, qui jetait son gros chandail de laine gris sur ses épaules. Après tout, il n'avait qu'à traverser le chemin pour arriver chez lui, pas besoin de s'emmitoufler ! Elle allait lui dire sa façon de penser lorsqu'un hurlement se fit entendre.

— Nonnnnnnnnn!

Autour d'elle, des murmures s'élevèrent dans la salle. La nuit était déjà tombée et les néons dégageaient une lumière artificielle blafarde. Reconnaissant la voix de Jules, Marjolaine et Philippe retournèrent près de leurs amis. Paul était déjà sorti et fut rejoint par Adrien, qui lui pointait les derniers vestiges de son jardin. Les deux insulaires traversèrent le chemin de terre jusqu'à la maison grise. Le père de Marjolaine se doutait bien que sa fille serait fâchée de son copinage avec son ennemi, mais depuis quelque temps, l'homme avait décidé que sa cadette devrait apprendre à pardonner. Le contraste entre les deux hommes du même âge était frappant : Adrien avait la maigreur d'un malade, les veines de son cou bien apparentes malgré ses longues mèches de cheveux blancs qui pendaient de chaque côté de sa tête. Sa tenue vestimentaire débraillée jurait avec l'allure propre de son vis-à-vis. Paul privilégiait toujours cette tenue urbaine qui faisait sourire les gens : pantalon à carreaux noirs et bleus, veste noire en laine par-dessus une chemise blanche fraîchement repassée, qui aurait mieux mérité sa place au cœur de l'Assemblée nationale que sur les chemins de l'Île Verte. Peu importe, les deux hommes discutaient avec candeur. Était-ce l'âge, l'envie de faire rager Marjolaine, les épreuves semblables qui les rapprochaient ainsi ?

— Il reste juste mes betteraves, puis mes patates. Après, il va falloir que je revire ma terre pour l'été prochain.

— Moi, je connais rien dans le jardinage même si j'aime bien ça. Une fois, quand je filais un couple de suspects dans une querelle de voisins, j'ai découvert qu'ils enterraient les crottes de leur chat sous les plants de tomates de la voisine d'à côté. Ils voulaient s'assurer que la vieille grincheuse mette les mains dans la merde chaque fois qu'elle s'agenouillait pour jardiner.

Mais j'ai su, cet été-là, que la crotte faisait un excellent engrais, car elle a jamais eu de si belles tomates de sa vie !

Adrien éclata de son rire si caractéristique en assénant une claque dans le dos de l'autre vieux. Les bonshommes continuèrent à jaser durant quelques minutes, puis Paul décida de retourner chercher son gendre et sa fille à l'intérieur du centre communautaire lorsqu'un second hurlement les figea sur place.

— Noooonnnnnnnn !

Le cri de Jules interrompit le geste de Paul et les deux vieux se tournèrent vers l'édifice, dont la porte venait de s'ouvrir. Agenouillé au sol, le garçonnet tenait une chaise contre lui, alors que Marc-André était penché à ses côtés, lui murmurant des mots à l'oreille. Or, l'enfant fixait le plancher en secouant vigoureusement la tête de gauche à droite. Découragé, son père leva les yeux vers les quelques insulaires curieux qui s'agglutinaient autour d'eux. Dieu qu'il détestait cet endroit en ce moment, où le manque d'action amenait les Verdoyants à savourer les malheurs des voisins ! Vous avez rien d'autre à faire ? avait-il envie de leur crier. La main sur l'épaule de son fils en crise, Marc-André sentait son visage rougir sous la honte. Gaspard revivait les pires années de sa vie lorsque les insulaires ramenaient son frère chez lui, après qu'ils l'eurent trouvé à moitié nu sur la grève ou au quai. Marie-Laure, quant à elle, semblait inerte, les bras pendant le long de sa salopette noire, ses yeux bleus à demi fermés. Pâle et vacillante, elle recula jusqu'à la porte et Marjolaine la suivit pour la réconforter. La mère de l'enfant ne prenait même pas la peine d'essuyer les larmes qui roulaient sur ses joues et son amie le fit pour elle.

— Il veut pas partir ? demanda Philippe à son cousin.

— Non. Il a perdu la tête de son bonhomme Lego. Il dit juste Lego, Lego, Lego…

La plupart des insulaires avaient connu le frère et le père de Gaspard plusieurs décennies auparavant. Tissée serré, la petite communauté s'était liguée autour des grands-parents Caron lorsqu'ils prirent la décision de faire interner leur fils. Puis, quand le vieux avait à son tour perdu la boule, tous s'étaient attristés pour la mère, qui vivait cette nouvelle épreuve. Au début, les gens étaient compréhensifs lorsqu'ils trouvaient Jacques Caron sur leur perron à clouer sans relâche une planche déjà bien solide ou dans leur poulailler à retirer les œufs des nids pour les mettre en rang par terre devant la porte. Mais au bout d'un moment, lorsque le père de Gaspard se mit à crier après eux, à donner des coups de pied sur leur voiture, ils en eurent peur. S'il n'était pas mort d'une crise cardiaque, il aurait probablement suivi le même chemin que son fils, le frère de Gaspard. Depuis quelque temps, des rumeurs couraient dans l'île :

— J'ai comme l'impression que le petit gars de Marie-Laure et Marc-André a les mêmes gènes que son grand-oncle puis son arrière-grand-père…

— As-tu vu comment il a l'air dans son monde, le petit Jules ? J'espère qu'il va se dégourdir bientôt, pauvres eux autres !

— Arrêtez donc, il est peut-être juste un peu lent, c'est tout…

Mal à l'aise devant les regards de pitié qui se tournaient vers eux, le père tenta de nouveau de relever l'enfant, mais cette fois-ci, ils eurent droit à une violente réaction. Jules faisait des bruits d'animal blessé tout en donnant des coups de pied à gauche et à droite sans se préoccuper des gens qui se déplaçaient dans la salle. Conrad, Philippe et les grands-parents du gamin rouquin tentèrent à leur tour de le persuader de coopérer.

— Grand-maman va t'acheter un autre bonhomme, mon amour ! offrit la mère timide de Marie-Laure.

— Arrête de faire ton capricieux, mon homme ! argua Gaspard, qui sentait un étau lui serrer la gorge en constatant la similitude de comportements entre son petit-fils et son frère hospitalisé.

Incapable d'y faire face, il sortit en vitesse de la salle et passa en trombe devant Marjolaine et Marie-Laure. Il s'arrêta brusquement devant sa bru et fixa cette dernière quelques secondes avant de lancer :

— Il veut rien savoir, ton gars ! Si ça continue de même, vous allez coucher ici ! Il serait temps que tu entendes raison, ma fille ! Ton fils a besoin d'aide, puis vous autres aussi !

Gaspard entreprit de marcher sur le chemin de l'Île vers le Bout d'en-Haut. Il ignora le geste de la main de Paul. La distance de deux milles ne faisait pas peur au grand-père, qui laissa couler ses larmes de détresse dès que la nuit l'engloutit. Lui qui s'était inquiété toute sa vie pour enfin respirer lorsqu'il s'était aperçu que ses propres enfants ne présentaient pas de signes de maladie mentale sentait une chape de plomb faire ployer ses épaules. La vision du cauchemar qui attendait la famille de son fils fit sangloter le sexagénaire, qui pleurait aussi son frère, qui avait un jour été son confident. La douleur ne disparaîtrait jamais.

⤳

L'épisode avec Jules dans la salle paroissiale fit jaser la petite communauté. Une fois les pêches démontées pour l'hiver, les insulaires se préparèrent à s'encabaner pour les longs mois enneigés. Tous avaient bien remarqué l'air hagard de Marie-Laure, qui s'était détournée de son fils pour regarder par la fenêtre entrouverte. Lorsque Marjolaine alla au quai le lendemain du spectacle pour embarquer dans le chaland de Gaspard, elle entendit deux femmes discuter et n'eut guère de difficulté à se faire une idée du sujet de leur conversation.

— Pauvre eux autres! Il avait l'air d'un vrai démon, leur petit gars!

— J'espère que leurs deux autres enfants vont pas *pogner* cette maladie-là!

Marjolaine jeta un regard d'avertissement vers les commères pour leur signifier l'arrivée de Gaspard. L'homme accueillit la femme de son neveu avec son large sourire bienveillant habituel. La carrure du maire impressionnait encore plus alors qu'il avait revêtu un épais manteau matelassé vert foncé. Avec ses grosses bottes qui lui allaient jusqu'aux genoux et ses gants de cuir usés, il était fin prêt pour la fraîche traversée. Sur le fleuve, le vent qui soufflait en cette journée d'octobre finirait par frigorifier le plus chaleureux des hommes!

— Qu'est-ce que tu fais ici, toi? demanda-t-il en détachant sa lourde corde accrochée au quai.

— Il faut que j'aille à la banque.

— Ok. Embarque, on part dans dix minutes.

Lorsque le bateau fila vers la terre ferme, Marjolaine savoura l'air frais qui s'éleva aussitôt. Il n'était pas encore dix heures du matin et le soleil tentait timidement une percée derrière les gros nuages gris qui s'amoncelaient dans le ciel. Depuis l'aube, c'était la troisième sortie en mer pour Gaspard, qui profitait de ces journées où la marée de jour lui permettait de faire plus d'allers-retours. Parfois, il ne faisait qu'un voyage le matin et un le soir. Pas très payant pour le marin, qui ne demandait que 75 cents par personne. La veille, Marjolaine et Philippe étaient demeurés près de Marc-André et Marie-Laure jusqu'à ce que l'enfant retrouve enfin la tête de son bonhomme, qu'il avait enfouie dans le fond de sa poche de manteau. En quelques secondes, il avait lâché sa chaise et s'était docilement levé, prêt à suivre son père.

Avant de s'endormir, Marjolaine avait tenté une nouvelle fois d'amadouer son époux. Elle lui caressait le bras en le regardant de ses grands yeux bruns.

— Pourquoi tu irais pas à la banque, toi, demain ? Ça me tente pas, Philippe ! avait larmoyé Marjolaine.

Depuis leur arrivée sur l'île, elle avait pris le bateau moins de cinq fois. Chaque passage lui était apparu comme une obligation non désirée. Philippe et elle s'obstinaient régulièrement pour déterminer lequel des deux devrait traverser pour aller passer une commande chez Steinberg ou pour faire la file à la caisse populaire...

— C'est à ton tour, Marjolaine, lui avait rétorqué son mari, la veille au soir, sans succomber à la caresse de plus en plus osée de sa douce.

Alors elle s'était résignée, la mort dans l'âme. Tellement de temps perdu qui aurait autrement pu lui servir à fabriquer sa nouvelle collection de bijoux ! Victoire avait réitéré son offre pour le printemps : elle vendrait les émaux sur cuivre de Marjolaine. La jeune femme resserra sa grosse veste de laine sur ses délicates épaules. Elle frissonna en sentant l'embrun sur ses joues déjà glacées.

— Pour moi, on va encore avoir de la pluie, prédit un vieil insulaire appuyé sur le bord du bateau.

Il n'attendit pas une réponse de Marjolaine, qui ferma les yeux pour apprécier la traversée. L'homme marmonna avant d'allumer sa pipe, les yeux fixés sur l'Île Verte. En débarquant au quai des Vases, la passagère regretta de ne pas avoir pris son imperméable vert et son foulard. Plongeant la main dans son sac de cuir, Marjolaine en sortit son *walkman* et ses écouteurs, déterminée à faire de cette sortie une balade agréable. Avant de s'éloigner, elle cria à Gaspard :

— À quelle heure tu repars ?

— 11h15. Puis manque-le pas parce que tu vas rester ici jusqu'au soir.

Avec Joe Dassin dans les oreilles, Marjolaine s'avança sur la rue du Quai d'un pas rapide. Depuis la mort du chanteur, elle multipliait les écoutes de ses chansons au grand malheur de Philippe qui n'avait plus aucun contrôle sur le tourne-disque familial. Marjolaine et son père n'avaient jamais reparlé de sa crise de larmes qui avait suivi le décès du Français. Il aurait fallu, pour cela, que la jeune femme admette qu'un autre membre de sa famille existait ailleurs sur la planète !

— J'espère que je vais avoir le temps de passer au marché ! Conrad et Victoire sont bien fins, mais je commence à être tannée d'utiliser du papier sablé en guise de papier de toilette ! se moqua la jeune femme. C'est bien beau l'économie, mais il y a toujours bien des limites !

La caisse populaire était située juste un peu plus loin, au coin de la rue Saint-Jean-Baptiste. Marjolaine accéléra le pas en passant près de la maison Robertine-Barry, cette femme célèbre pour avoir été la première journaliste féminine au Canada*. C'est alors qu'elle vit son amie Roseline qui s'éloignait en vitesse en regardant autour d'elle.

— Roseline, Roseline ? cria la brune en se mettant à courir.

Estomaquée, elle s'aperçut que son amie accélérait le pas dans le sens opposé. L'avait-elle entendue ? À moins que ce ne fût pas elle ? Pourtant, personne d'autre n'oserait se promener avec des jeans d'un blanc douteux engoncés dans des bas trois quarts. Et puis, ce manteau de pluie transparent qu'elle portait avec fierté était reconnaissable entre tous! Où donc allait Roseline en ce matin d'automne?

CHAPITRE 20

Le secret de Roseline

Sur le chaland du retour, Marjolaine réfléchissait en plissant les yeux. Elle revenait les mains vides, ayant tout juste eu le temps de se précipiter à la caisse pour faire un dépôt avant de courir jusqu'au quai. Lorsqu'elle pensait à ce qu'elle avait vu, son cœur se serrait dans sa poitrine.

— Deux minutes de plus, puis tu restais sur le continent, Marjolaine ! grogna Gaspard en lui faisant signe de se dépêcher.

— Excuse-moi, il y avait tellement de monde à la caisse ! mentit la femme avec aplomb. Tu pars tout de suite ?

— Oui.

Marjolaine tourna la tête pour tenter de voir si son amie arrivait. Devait-elle avertir Gaspard que Roseline manquerait la marée ? Elle allait le faire lorsque la courtaude apparut au bout du chemin. Tenant de gros sacs de papier brun, les bras en l'air, la pauvre femme courait du plus vite qu'elle le pouvait en hurlant :

— Attends-moi ! Attends-moi !

Si la situation n'avait pas été aussi gênante, Marjolaine se serait esclaffée. Mais elle était certaine que son amie ne serait pas très heureuse de constater sa présence à bord du chaland. En effet, lorsque la blonde embarqua lourdement et à bout de souffle dans le petit bateau, elle sursauta en voyant la passagère.

— Oh! Marjolaine!

— Bonjour, Roseline.

— Bonjour.

Pour une rare fois, la blonde se tut. Elle n'avait pas envie d'entamer le dialogue et son cerveau roulait à cent milles à l'heure pour tenter de se figurer si Marjolaine l'avait aperçue entrer dans les bureaux de l'organisme Centraidons de la rue Louis-Bertrand.

— Tu es allée où, Marjolaine?

En posant la question, la curieuse se flagella! Évidemment que l'autre lui répondrait pour ensuite s'informer à son tour. Mais avant qu'elle ne puisse changer de sujet, une Marjolaine mal à l'aise lui répondit:

— Oh, juste à la caisse. C'est tout. Pas plus loin.

Roseline devina aussitôt que son amie de la ville avait compris que les sacs qu'elle tenait devant elle contenaient des vêtements donnés par l'organisme de charité. Complètement bouleversée, la pauvre Verdoyante se tut, avant de laisser son regard errer sur le fleuve devant elles. Le chaland s'était éloigné du quai dès que la femme s'était assise. Elle ne pouvait donc prétexter un oubli pour se sortir de cette position délicate et retourner sur le continent. Fermant ses yeux las, Roseline prit sur elle et se tourna pour faire face à Marjolaine. Elle grimaça devant le joli visage aux grands yeux bruns. Tout dans cette image lui renvoyait la différence qui existait entre elles: les cheveux bien relevés de la citadine malgré le temps maussade; les yeux et les lèvres légèrement maquillés alors qu'elle avait à peine pris le temps de se brosser les dents. La belle veste de laine épaisse et les longues bottes de pluie ajustées à sa pointure faisaient contraste avec les vieilles chaussures usées de Roseline. Malgré sa gêne, la femme affronta la situation avec le plus de grâce possible:

— Ouin… moi, je suis allée…

— J'ai pas besoin de…

— Laisse faire, ma belle, je crois bien que tu devines, chuchota Roseline. Tu sais qu'avoir autant de bouches à nourrir, c'est pas toujours facile sur l'île! Puis toi, tu connais pas ça, des enfants, mais quand ça se met à grandir, ça arrête plus! Oublie pas en plus qu'avec ton gîte fermé pour l'hiver, ça me fait un revenu de moins. Avec mon chéri qui a voulu me faire une belle surprise et qui a pris quelques jours de congé non prévus, bien disons que je suis un peu mal prise.

Alors qu'elle prononçait ces paroles, les yeux de Roseline s'emplirent de larmes. Marjolaine sentit son cœur fondre d'affection pour la costaude au grand cœur. Elle enlaça la femme en lui chuchotant:

— Ma belle amie, tu es la mère la plus aimante que je connaisse. Ce que tu dois faire pour prendre soin de ta petite famille, ça regarde personne.

— Mais…

— Et rien changera mon opinion, même pas un pantalon donné! Puis je pense à ça, dis donc à Hélène de passer me voir. On fait à peu près la même taille elle et moi. J'ai plein de linge que je mets plus; elle pourra piger dedans. Si ça te dérange pas que ta fille ressemble à une citadine, bien sûr!

Marjolaine fit un clin d'œil à l'autre, qui rougit. Depuis l'ouverture de l'organisme de charité de l'autre bord, c'était la première fois qu'elle avait recours à ses services. Roseline avait jonglé avec l'idée pendant quelques semaines. Mais les factures s'accumulaient et les enfants grandissaient. Elle ne voulait pas embêter son Edmond avec des demandes d'argent. Surtout qu'à sa venue, en août, il lui avait chuchoté à l'oreille:

— J'espère qu'on sera pas trop dans le trouble vu que mon salaire va être coupé !

Roseline avait rassuré son époux avec conviction, tout en sachant qu'ils étaient déjà dans le trouble ! Elle fit promettre à son amie Marjolaine de ne jamais mentionner sa visite humiliante à qui que ce soit. L'autre la regarda, offusquée :

— Voyons, pour qui tu me prends ? C'est pas de mes affaires où tu achètes ton linge !

— Oui, je sais bien... mais tu sais, il y a tellement de commères sur l'île...

Marjolaine retint un rire avant de plaquer un bec sonore sur la joue de la Verdoyante. La crise avait été désamorcée !

∽

Assis sur le bout de sa chaise, Paul fixait l'horloge sur son mur de bois. L'homme au visage doux retenait des larmes depuis si longtemps. Il avait refait quatre fois le tour de sa petite maison pour s'assurer que tout était en ordre. Il regrettait de ne pas pouvoir partager sa fébrilité avec sa cadette, mais Philippe avait secoué tristement la tête lorsqu'il lui avait demandé si Marjolaine avait changé d'idée concernant une réconciliation avec sa sœur.

— Je doute qu'elle lui pardonne un jour, mon pauvre Paul !

— Tant pis ! Je vais pas me priver de voir mon enfant, ça fait déjà trop longtemps. Tu sais, mon gars, il fut un moment dans leur vie où mes filles ont été complices. On dirait pas, vu de même, mais Marjolaine suivait Sophie partout jusqu'à la mort de mon épouse. Elle copiait sa façon de se vêtir, de se maquiller... puis je te dis que ma grande était pas mal patiente. Mais ça, Marjo veut pas s'en souvenir...

Philippe avait souri à son beau-père en souhaitant qu'un jour sa femme pardonne à sa sœur pour que l'harmonie revienne au sein de cette famille. Et puis enfin, le moment tant désiré, tant attendu était arrivé. Sophie mettrait les pieds sur l'Île Verte sous peu. Le barbu était quand même assez curieux vis-à-vis de cette autre Lalonde. Il avait bien vu quelques photos d'elle chez Paul, à la sauvette, mais plusieurs années avaient passé depuis qu'elles avaient été prises et il se prit à espérer qu'elle ne soit plus aussi belle que ce que laissaient présager les images dans les albums de son beau-père. Paul, lui, savait que son aînée exercerait encore cette fascination sur les gens. Depuis toujours, Sophie était charismatique.

— Encore une heure, pensa l'homme en se relevant pour soulever son rideau gris et regarder vers le fleuve.

Ses traits las démontraient le manque de sommeil de la nuit précédente.

— Je vais bientôt revoir ma Sophie!

Le vieux n'avait toujours pas prévenu Marjolaine de l'arrivée de sa sœur sur le chaland de midi. Lâchement, il avait dit à Philippe un peu plus tôt dans la semaine:

— Si tu en as envie, tu peux lui dire que Sophie sera ici vendredi prochain.

— Heu… je suis obligé?

— Non, mais ça prendra pas de temps qu'elle va se rendre compte de son arrivée. On sait bien tous les deux qu'une nouvelle de même restera pas secrète bien longtemps. Je suis toujours bien pas pour la mettre dans un sac chaque fois qu'elle va sortir du chalet! Oh, puis laisse faire, c'est à moi de le lui dire. C'est chez moi qu'elle habitera, après tout.

Sentant un étau lui serrer le cœur à la pensée anticipée de la colère de Marjolaine, Paul avait presque envie de ne pas s'en mêler et de laisser les deux sœurs se débrouiller avec leur querelle.

— Mais ce serait faible de ma part. J'ai pas le choix d'avertir Marjolaine.

Paul inspira profondément, et, pour la première fois depuis son arrivée sur l'Île Verte, sentit son âge au moment où il se leva pour aller voir sa cadette. Ses jambes étaient lourdes, son âme était trouble. Il craignait que ses retrouvailles avec Sophie ne signifient des adieux déchirants avec Marjolaine. Lentement, il repoussa sa chaise contre sa table ronde avant de s'avancer pour prendre son coupe-vent et sa casquette accrochés près de la porte. Il faisait froid en ce vendredi 24 octobre. Un regard à son thermomètre près de la fenêtre lui indiqua 2 degrés.

— J'espère qu'elle a des vêtements chauds, pensa le père, de plus en plus fébrile. Il l'aimait tant, cette enfant troublée. Il souhaitait de tout son cœur que sa venue sur l'Île Verte signifie la fin de sa fuite.

La vue du camion gris près de la maison rouge le rassura un peu. Marjolaine n'était pas seule. Il pourrait donc peut-être compter sur le soutien de son gendre dans la confrontation qui s'annonçait. Le pied pesant, il grimpa les marches lentement. Quand il referma la porte de la véranda, il attendit quelques secondes avant de cogner à la porte de la maison de sa fille. La nouvelle ferait mal, sans aucun doute.

— Pardon ? demanda la voix choquée de Marjolaine quelques minutes plus tard.

La jeune femme se tourna vivement vers son père. Elle avait les mains plongées dans l'évier de cuisine. Toujours en pyjama, malgré l'heure avancée, elle était chaussée de grosses pantoufles de Phentex que lui avait tricotées Anémone Vézina, dont c'était là la seule occupation. Chaque personne qui s'arrêtait chez le doyen de l'île repartait de la maison avec une paire de chaussons confectionnés par la femme.

— J'ai dit que Soph...

— J'ai compris. Ce que je veux savoir, c'est pourquoi?

— Elle a envie de nous revoir.

Un rictus sarcastique enlaidit momentanément le visage de la belle, qui essuya ses mains sur le linge à carreaux déposé sur son épaule. Son cœur battait à un rythme infernal, alors qu'elle respirait par petits coups saccadés. Elle s'avança près de son père, toujours sur le seuil de la porte. Paul fit un geste apaisant de sa main ridée en lorgnant derrière elle en espérant voir son gendre. Il pointa le salon.

— Veux-tu qu'on s'assoie pour en parler?

— Non. Je veux pas la voir ici.

— Elle viendra au chalet.

— Qui est aussi chez moi. Je veux pas la voir ici, répéta Marjolaine alors que Philippe, à mi-chemin dans l'escalier, finissait d'attacher sa chemise en jeans. Sa barbe noire était encore humide après la douche et, sans s'apercevoir immédiatement de la froideur du ton entre le père et la fille, il s'avança en souriant.

— Salut, Paul. Il reste du café, Marjolaine?

— Non.

— Heu... vas-tu en refaire?

Le regard furieux de sa femme se posa sur lui et il figea instantanément.

— Non.

— Ok... puis tout va bien ici?

Alors la rage que retenait Marjolaine depuis l'annonce de son père éclata comme un coup de tonnerre. Depuis la découverte de la lettre de sa sœur dans la cuisine de Paul, la femme savait que sa plénitude tirait à sa fin. Elle avait compris au cours des derniers jours, à cause de la froideur de son père à son égard, que sa « préférée », comme elle l'avait toujours ressenti, viendrait de nouveau chambouler son existence. Esquissant un sourire méchant sur son minois étroit, elle se tourna vers Paul qui se trouvait toujours sur le tapis de l'entrée et tenait la poignée de la porte.

— Oh oui, tout va bien, hein, mon cher papa? Parce qu'imagine-toi donc qu'il a fait venir Sophie sur notre île…

— Sophie? demanda Philippe en observant tout à la fois sa femme et son beau-père blême.

En quatre ans de fréquentations, c'était une des rares fois que Marjolaine prononçait ce prénom tellement haï. Généralement, c'était « la sœur » ou « elle ». Jamais Sophie. Le visage dépouillé de maquillage, ses boucles brunes un peu longues qui retombaient sur son front et ses oreilles et son petit nez couvert de taches de rousseur présentaient aux deux hommes l'image d'une femme tout juste sortie de l'adolescence. Pourtant la rancœur que recelaient ses paroles leur rappela qu'elle n'était plus une enfant. Le ton glacial et la colère qui défigurait ses traits firent tressaillir son époux, qui voulut l'entourer de ses bras. Mais Marjolaine n'était pas prête à recevoir cette attention. Elle repoussa son mari vivement et s'avança à quelques pas de Paul.

— Pourquoi, papa? Pourquoi veux-tu la revoir après tout ce qu'elle a fait? On est bien ici. On a reconstruit notre vie. Sans elle. *Maudit* que je l'haïs! Chaque fois que je pense en être débarrassée, elle refait surface avec les mauvais souvenirs qu'elle traîne avec elle. As-tu vraiment envie de reparler de cette nuit-là?

La voix de Marjolaine se brisa en repensant au drame. Paul s'avança à son tour pour la prendre contre lui. Il pleurait lorsqu'il lui souffla à l'oreille qu'il ne pouvait mourir sans revoir son enfant. Elle ferma les yeux en sentant cette odeur particulière d'eau de rasage que son père utilisait depuis qu'elle était toute petite. Sa barbe naissante lui piqua le front lorsqu'il l'embrassa affectueusement. Philippe retint un soupir de découragement. Leur sérénité serait sérieusement compromise, il n'avait qu'à voir les deux visages défaits pour en prendre pleinement conscience.

— Marjolaine, Sophie est ma fille aussi, même si tu aimerais mieux l'oublier.

— Ta préférée, je sais...

— Marjolaine! Jamais, tu m'entends, jamais j'ai éprouvé plus d'amour pour l'un ou l'autre de mes enfants. Un amour différent, oui. Mais autant pour chacun d'entre vous. Sophie a fait une erreur il y a cinq ans, je pense qu'elle a assez payé, tu penses pas?

La bouche charnue de la brune ne devint qu'une fine ligne avant qu'elle ne crache:

— Une erreur? Elle a tué Stéphane avec son inconscience! Tu trouves que c'est une erreur qui mérite d'être pardonnée? As-tu oublié ton fils, papa? Te rappelles-tu les blessures, le sang, les machines? La soirée et la nuit passées à espérer le meilleur, à craindre le pire. Elle, pendant ce temps-là, allait au bar voir ses amis sous prétexte qu'elle détestait les hôpitaux. As-tu oublié, *tabarnak*?

Sans attendre de réponse, Marjolaine lança son linge sur la table et grimpa l'escalier deux marches à la fois, la rage au cœur. Philippe et Paul restèrent longtemps à fixer le mur avant que l'aîné ne murmure:

— Je vais aller au quai. Je peux prendre le camion?

— Bien sûr. Je pourrais...

— Non, reste avec elle, ça vaut mieux.

S'apprêtant à sortir, Paul tourna sa tête blanche vers son gendre.

— Je dois l'accueillir, Philippe. Tu comprends ? C'est ma fille aussi. J'ai déjà perdu un enfant. Toi, prends soin de Marjolaine.

En montant à bord du *pick-up*, Paul ne remarqua pas le visage fin qui l'observait du deuxième étage. Un visage tendu par la colère et par les souvenirs de cette soirée d'horreur. Il était lui aussi perdu dans ses pensées, se rappelant le soir du 10 juillet 1975 lorsque la sonnette de sa maison à Québec avait résonné, porteuse de malheur.

— Bonsoir.

— Monsieur Lalonde ?

Deux agents de police. Deux hommes désolés qui venaient lui annoncer que sa fille et son fils avaient eu un accident de moto sur la rue Saint-Jean. Ils se trouvaient à l'Hôtel-Dieu, où la vie de son garçon ne tenait qu'à un fil. Les circonstances floues de l'accident avaient été expliquées par les policiers dans la voiture jusqu'à l'hôpital.

— Il semblerait que votre fille ait perdu le contrôle de sa moto et, malheureusement, avec la vitesse à laquelle elle roulait, elle a pas pu arrêter et l'engin a frappé le parapet sur le boulevard…

— Je comprends pas, Stéphane a horreur de la vitesse… avait murmuré Paul en tenant la main de Marjolaine à ses côtés. Comment ça se fait qu'il ait embarqué avec Sophie ?

Cette soirée à l'hôpital de Québec durant laquelle Stéphane avait poussé son dernier souffle avait détruit pour toujours les liens entre les deux sœurs. À présent, leur père tenterait de les reconstruire, si c'était la dernière chose qu'il pouvait faire avant de mourir. Lorsque Paul arriva au quai, il s'avança aussitôt vers Lionel et sa femme, qui embarquaient dans leur chaloupe à moteur amarrée à la plage de galets. Le couple d'aînés se disputait gentiment, comme cela arrivait souvent lorsque Anémone était dans une bonne journée. L'homme voulait aller à l'est, sa femme à l'ouest. Perplexe, Paul fronça les sourcils en voyant l'habillement excentrique de la vieille. Ce matin, la femme de Lionel portait une salopette en jeans défraîchie aux larges jambes, sur laquelle elle avait enfilé une paire de bas noirs et une paire de bas de laine gris. Son manteau brun était déchiré aux deux coudes et sa tuque de la même couleur était percée d'un gros trou sur le dessus de l'oreille gauche, un trou qu'elle avait rapiécé avec de la laine orange. Il observa le duo encore quelques minutes avant de rejoindre Gaspard, hilare. Il pointa le couple âgé qui s'éloignait de la rive.

— Je te dis que je vivrais pas dans la même maison qu'eux autres !

— Où est-ce qu'ils vont ? demanda Gaspard.

— Entre l'est et l'ouest ! rigola Paul en relatant l'obstination à laquelle il venait d'assister. Ils veulent ramasser du bois de grève pour leurs cabanes, mais ne s'entendent pas sur le lieu où aller le chercher !

Gaspard sourit à son tour. Les deux vieux construisaient des cabanes d'oiseaux et des boîtes aux lettres fort originales avec les restes de bois échoué sur les plages de l'île. Colorées, stylisées, les œuvres de ces artistes en herbe faisaient jaser même sur la terre ferme, où elles étaient vendues au marché des artisans. C'est d'ailleurs à Lionel que Marjolaine avait commandé leur enseigne pour le gîte... qu'elle attendait toujours d'ailleurs. Il faut dire que les épisodes d'absence mentale d'Anémone devenaient de plus en plus fréquents. Dans ces moments-là, pas question de fabriquer des cabanes, elle préférait tricoter !

— Embarques-tu, Paul ? questionna Gaspard, déjà aux commandes de son chaland.

— Heu…

L'homme hésitait. Devrait-il aller accueillir Sophie de l'autre côté de la rive ou l'attendre ici, sur l'île?

Il choisit d'attendre. Il ferma les yeux en voyant le chaland s'éloigner et, avant même que le bateau ne soit revenu au quai, une heure plus tard, Paul pleurait. Il la voyait, dans toute sa fragilité, sa belle Sophie. La jeune femme semblait si frêle, debout à l'arrière du chaland. Ses longs cheveux noirs étaient tressés sur le côté de son visage allongé. Elle avait les yeux fixés sur son père et pleurait les mêmes larmes que lui. Dans son imperméable poncho rouge, elle semblait perdue, comme une enfant déguisée portant la robe de sa maman. C'est en courant qu'elle sortit du bateau pour se jeter dans ses bras grands ouverts.

— Sophie!

— Papa!

Ils restèrent longtemps à se regarder, à s'observer. Ils sanglotaient tous les deux sous les regards curieux de Justin Castonguay, qui tentait de se rappeler ce que Victoire Dionne lui avait demandé de venir chercher au quai. Le lambin se mordait les lèvres et se tordait les doigts. «Va donc attendre le chaland, puis demande à Gaspard s'il lui reste des…»

— Des quoi, *maudite marde*? marmonnait le grassouillet en admirant le visage et le port de tête de la femme blottie dans les bras de monsieur Lalonde.

N'arrivant pas à se souvenir de sa mission, il soupira avant de remonter sur son trois-roues pour retourner au magasin. Tant pis! En passant près du couple enlacé, il dit innocemment:

— Est pas mal belle votre nouvelle femme, monsieur Paul!

Avant qu'un des deux ne puisse énoncer la vérité, le tout-terrain avait grimpé la route à toute vitesse pour tourner sur le chemin de l'Île.

— Eh bien, mon papa, ici, on te pense encore capable de te taper une petite jeune! chuchota Sophie en riant au travers de ses larmes de joie.

— Laisse-moi te regarder, ma Sophie.

— Je fais dur.

— Si tu savais comme tu es belle! Le portrait craché de ta mère au même âge.

Paul la fixait par-dessus ses demi-lunes posées sur le bout de son nez. Ses yeux bleus comme la mer étaient encore embués, mais un large sourire flottait sur son doux visage. Toute la tension dans son corps âgé s'était atténuée malgré l'épreuve qui suivrait.

— Elle est belle, ton île, papa.

— Oui.

Sophie déposa sa petite valise recouverte de cuirette beige sur le sol à ses pieds. Elle mordillait sa lèvre inférieure en regardant au loin.

— Tu es venu...

— ...seul. Oui. Pour l'instant...

— ...elle m'en veut encore à mort et souhaite pas me voir?

Paul hocha doucement sa tête fournie en la prenant de nouveau contre lui. Sur le visage de son aînée, pour la première fois de sa vie, le père constatait une souffrance qu'elle aurait cachée autrefois.

— Je suis désolée, ma chérie. Un jour prochain, sûrement.

Un rictus lui répondit. Sophie avait repris un visage neutre.

— J'en doute. Eh bien tant pis. Je serai au moins auprès de toi.

Un bruit de tracteur fit lever la tête au père et à la fille. Roseline Lamothe se tenait fièrement au volant du gros engin orange, ses jumeaux assis de chaque côté d'elle. Hélène courait derrière, suivie de près par ses deux sœurs. Paul ferma les yeux en grimaçant et en disant :

— Je pense qu'on devrait y aller, ma…

— Tiens, tiens, tiens. Qui c'est ça, cette belle visite-là ?

La mère Lamothe, dans toute sa splendeur, descendit prestement de son trône pour s'approcher du duo en se dandinant sur ses jambes courtaudes. Le trois-roues qu'elle utilisait d'habitude avait refusé de démarrer. En sacrant, la femme s'était résignée à sortir le tracteur pour aller au quai. Sophie posa ses iris noirs sur la drôle de bonne femme à la tuque en crochet mauve. Paul se passa la réflexion qu'il s'agissait sûrement de la couleur préférée de Roseline, comme il l'avait constaté lors de sa soirée d'anniversaire gâchée. Sur sa face épatée, elle affichait un sourire de louve. Roseline tendit une main salie par les essais de réparation de l'engin tout-terrain :

— Vous là, vous êtes sûrement la sœur de mon amie Marjolaine, hein ?

— Heu… oui.

Sophie lança un regard interloqué à son père, pendant que sa vis-à-vis se lançait dans un long monologue sur l'amitié qui la liait à sa sœur et tous les services qu'elles s'échangeaient, les discussions qu'elles partageaient et surtout…

— On a les mêmes, mêmes intérêts, elle et moi !

Hélène, à demi cachée par l'imposant derrière de sa mère, observait attentivement la sœur de Marjolaine. Cette femme était aussi belle que l'autre, et même plus. C'est ce qu'elle annonça à Marion, quelques heures plus tard, à leur souper du vendredi soir, une permission de nouveau accordée par sa mère depuis deux semaines. Après avoir écouté les derniers potins concernant le petit frère agité de Marion, le grand cœur de Roseline n'avait pu résister à la prière de sa fille aînée, qui arguait que sa visite faisait toujours du bien dans la famille, car elle réussissait souvent à faire rire le petit Jules. Après un moment de réflexion, la blonde avait acquiescé à la demande d'Hélène, en se disant que: « Ça doit être dur *en maudit* pour mon amie Marie-Laure d'avoir un petit gars *poqué* de même. Mais je l'excuse pas quand même, tu sauras! » Les paroles de sa mère avaient tellement ravi Hélène que pour une rare fois, elle lui avait sauté dans les bras pour lui dire qu'elle avait la meilleure maman du monde!

— C'est drôle, quand même, que Marjolaine m'ait pas parlé de votre visite. Hein, Hélène, toi, étais-tu au courant?

L'adolescente, devenue timide tout d'un coup, secoua sa tête en tentant un sourire. Elle avait d'abord été mortifiée d'apprendre que sa mère avait accepté que Marjolaine lui donne des vêtements. D'un autre côté, lorsque Hélène avait vu la montagne de tenues sur le lit de la citadine qui lui avait dit distraitement: « Sers-toi, ma belle, je mets plus rien de ça! », la fillette avait failli s'évanouir de bonheur! Depuis, elle paradait sur l'île avec confiance, portant ici un justaucorps noir, là une tunique verte… le tout sans répondre aux questions des curieuses. Pas de leurs affaires d'où elle sortait ces nouveaux vêtements!

Sophie se pencha pour saisir sa valise. Elle avait rapidement compris qu'elle se trouvait en face d'une franche commère et, si la belle détestait quelque chose, c'était bien les potineuses qui l'avaient toujours dénigrée, la trouvant bien trop jolie pour se trouver dans l'environnement de leurs maris. Il faut dire que les maris, Sophie n'en faisait qu'une bouchée lorsqu'ils lui plaisaient un peu. Paul lui prit le bras en disant:

— Disons que c'est une surprise, Roseline. Bon, viens, ma chérie.

— Ah oui ? Moi je me dem… Franchement, ils ont pas trop de savoir-vivre, ce monde-là ! grogna la mère Lamothe, alors que le couple la dépassait sans plus se préoccuper d'elle.

Les yeux fixés sur le camion gris, elle se pencha vers ses enfants, qui tournaient en riant autour d'elle.

— Je m'en vais en avoir le cœur net ! Venez-vous-en, j'ai des téléphones à faire !

— Mais maman, il faut donner l'agneau à monsieur le maire !

— Bien oui toi ! Une chance que tu es là, ma fille, parce qu'avec tout ce qui me trotte dans la tête, j'étais bien près d'oublier.

Hélène jeta un regard désolé autour d'elle pour s'apercevoir avec soulagement que personne d'autre ne devait traverser. Elle se dépêcha donc d'aller aider sa mère à faire descendre la bête attachée à l'arrière du gros tracteur.

— C'est Dupuis qui va venir chercher l'agneau, expliqua Roseline au maire impatient. Il me l'a acheté, puis il doit te donner l'argent. Ok, mon Gaspard ?

— Pas de problème, je te rapporte ça.

L'animal apeuré se mit à hurler d'effroi lorsque Gaspard et Marc-André se mirent en frais de l'embarquer à bord du chaland. Hélène souffla un baiser à la bête, qu'elle avait pris l'habitude de caresser tous les jours depuis sa naissance, le printemps dernier.

— Mais maman, pourquoi tu vends Peanut ? avait pleurniché l'adolescente lorsque sa mère l'avait informée du départ prochain de l'agneau.

— De quoi tu parles, Peanut ?

— C'est comme ça que je l'ai appelé… avait marmonné Hélène en sachant qu'elle avait trop parlé.

Comme de fait, sa mère s'était approchée, un peigne accroché dans son toupet qu'elle tentait de raidir. Il lui faudrait retourner voir la coiffeuse Victoire, mais le manque d'argent l'empêchait de le faire. Alors en attendant, la pauvre Roseline tentait différentes techniques pour garder une tête potable. L'étirage du toupet était la dernière en lice et elle n'était pas la plus réussie, comme le constatait Hélène.

— Combien de fois je t'ai dit de pas t'attacher aux bêtes qu'on a, ma fille, hein ?

— Je le sais, maman. C'est juste que Peanut…

— Bien Peanut s'en va à l'abattoir ! C'est ça où tu manges du beurre de *peanuts* pour le restant du mois !

Bien fière de sa répartie, Roseline avait clos la discussion en claquant un bec sur la joue de sa fille, avant de se diriger vers la grange. Il fallait toujours bien qu'elle trouve de l'argent pour les nourrir ses enfants ! En plus, avec l'anniversaire de sa cadette Valérie, qui aurait huit ans dans quelques jours, puis Noël, dans deux mois, la femme savait que les dépenses seraient plus élevées que les rentrées d'argent. Ce n'était pas les dix tartes qu'elle avait vendues à Marjolaine en septembre qui lui permettraient de tenir le coup jusqu'à la fin de l'année !

CHAPITRE 21

Sophie

Dans le camion gris, le père et la fille ne parlaient pas. Sophie observait le nouvel environnement dans lequel évoluait dorénavant sa famille : les maisons colorées sur un fond de nuages blancs, le fleuve agité qu'elle voyait des deux côtés de l'île, les moutons paresseux qui avançaient lentement dans les prés, près de la rive. Pointant une haute croix de bois, elle demanda :

— C'est la deuxième que je vois, ils sont si pratiquants ici ?

— Il y en a trois en tout sur l'île. Ça date d'il y a longtemps. Celle-ci, tu vois, en fait, on peut plus l'appeler une croix !

La structure de bois peinte en noir avait une extrémité à motif rond. Depuis plusieurs années déjà, la traverse et le décor de l'axe avaient disparu. Ne restait plus qu'un long poteau noir entouré d'une clôture de bois peint en blanc. Paul lança un regard de biais à sa fille, ne se lassant pas d'admirer son profil délicat. Elle avait toujours fait preuve d'une certaine froideur afin de tenir les gens à l'écart. Mais l'homme savait percer cette carapace comme nul autre.

— J'aurais voulu avoir le temps de te concocter une couple de repas de l'île, mais j'ai été malade pendant quelques jours et...

— Malade, papa ?

L'œil inquiet, la femme mordit sa lèvre pulpeuse. Son visage sans fard avait la jeunesse d'une adolescente, mais la tristesse d'une vieille âme. Paul tapota sa main.

— Inquiète-toi pas, rien de bien grave. Quant à ta sœur, attends-toi pas à… Oh, il faut que je m'arrête deux minutes… Allo, Adrien…

Le chauffeur arrêta la camionnette aux côtés du vieil homme, qui déambulait lentement près de sa clôture. Il vérifiait chaque poteau avant l'hiver. Une année, il avait négligé de le faire et, le printemps venu, la neige avait emporté la moitié des morceaux de bois. Cessant son manège, il se retourna vers l'arrivant:

— Salut, Paul. Tiens donc, une autre pareille comme la voleuse!

— Adrien, s'il te plaît, arrête de l'appeler comme ça! implora Paul en soupirant.

— Ok, pour toi, je m'en vais me restreindre un peu.

— Je voulais juste te dire que j'ai fait une crème de betteraves avec les légumes que tu m'as donnés. Si tu veux, je vais venir t'en porter un bol, continua le conducteur.

— Non, non, j'aime pas ça, des betteraves.

— Heu… pourquoi tu en fais pousser d'abord?

Adrien haussa les épaules sans répondre. Il reporta son attention sur Sophie, qui l'observait de son regard de velours.

— En tout cas, tu peux pas nier qu'elle est de la même graine que ta Marjolaine, celle-là! ajouta-t-il sérieusement. Adrien craignait de voir une autre citadine venir s'établir sur son île. S'il fallait qu'il en gère une autre comme la voleuse…

— Bonjour, monsieur, je m'appelle Sophie et je suis la fille aînée de Paul. La sœur de Marjolaine.

Incapable de résister à la perspective de charmer les hommes, Sophie lui décocha son plus joli sourire qui, généralement, faisait fondre le moindre cœur glacé. Pendant quelques secondes, Adrien fronça ses sourcils en broussaille sous sa casquette de laine avant de secouer ses couettes. Une main dans sa barbe, il marmonna :

— Pas besoin de grimacer de même, ma belle. Moi, ça fait longtemps que ça me fait plus d'effet, des simagrées dans le genre ! Salut à vous deux.

Le sourire enjôleur disparut aussitôt et fut remplacé par un juron bien senti au moment au Paul redémarrait :

— *Câlisse*, veux-tu bien me dire c'est qui, cet épouvantail-là ?

— Sophie, s'il te plaît !

— Excuse-moi, papa.

— Lui, c'est Adrien. Disons que ta sœur et lui ont pas trop d'atomes crochus !

— Oh, alors ça veut dire qu'on devrait bien s'entendre, lui et moi ! ricana Sophie tandis que Paul se dépêchait de remonter la fenêtre pour conserver le peu de chaleur que la chaufferette déficiente laissait filtrer.

— Sophie ! fut la seule parole que Paul prononça.

Alors la belle éclata de son rire de gorge qui charmait les hommes et irritait les femmes. Pour la première fois depuis cinq ans, elle avait l'impression de pouvoir remettre sa vie sur les rails. Même si Marjolaine ne voulait pas l'entendre, un jour, elle lui avouerait la vérité sur cette soirée horrible. Sophie voulait la convaincre que malgré tous ses défauts, elle n'avait voulu que les protéger, son père et elle.

Quelques heures plus tard, l'aînée des filles Lalonde se tenait face à la fenêtre de la cuisine du chalet, les mains sur les hanches et les yeux fixant le fleuve. La marée descendante laissait monter des effluves marins qui dérangeaient certains visiteurs, mais pas la belle noire de vingt-neuf ans. Avec ses yeux charbonneux et ses longs cheveux d'ébène, elle attirait les regards admiratifs. Son teint pâle et son corps athlétique séduisaient la plupart des hommes, même Philippe, qui ne put s'empêcher de remarquer la poitrine de sa belle-sœur, bien mise en valeur par un chandail fuchsia à manches courtes une taille ou deux trop petit!

— Bonjour, moi, c'est Phili...

— Oh! Le fameux mari de ma sœur! Je te félicite pour ton courage! rigola Sophie en allongeant son cou. Elle déposa son verre d'eau sur la table avant de s'avancer pour faire la bise à son beau-frère.

Derrière sa courte barbe, l'homme sentit le rouge lui monter aux joues et recula, sous le regard amusé de Sophie. Paul leva les yeux au ciel en se disant qu'il devrait aviser son aînée d'arrêter ces petits jeux-là! Ici, sur l'île, les femmes la jetteraient en pâture aux baleines si elle tentait de séduire leurs maris. Philippe ne prit pas la peine d'enlever ses bottes, lui qui venait juste déposer un chargement de bûches pour le poêle de son beau-père.

— Je vais vider ça sur le côté, Paul, puis demain matin, Marc-André et moi, on va vous corder ça dans le temps de le dire.

— Je peux vous aider... commença le vieux.

Sophie mit sa main manucurée sur l'épaule de son père avant de secouer sa tête.

— Toi non, mais moi, je vous donnerai un coup de main. Je suis là maintenant, tu pourras te reposer.

— Heu...

Philippe vint pour dire à Sophie que sa taille minuscule ne leur serait pas très pratique, mais le regard sérieux qu'elle posa sur lui l'en empêcha. Après tout, si elle voulait se sentir utile... L'homme salua le duo et, en refermant la porte du chalet, inspira l'air frais pour se donner le courage de retourner à la maison rouge. Il avait senti le regard brûlant de sa femme sur son dos lorsqu'il avait marché vers le chalet, un peu plus tôt. Même si Marjolaine n'avait pas mentionné l'arrivée de sa sœur, même si elle faisait mine de ne pas s'en préoccuper outre mesure, Philippe la connaissait assez pour savoir qu'elle ne pensait qu'à ça. Les deux premiers jours suivant l'arrivée de Sophie, sa sœur fit tout pour l'éviter. Lorsqu'elle faisait la vaisselle, elle tentait de ne pas fixer la maisonnette blanche et rouge un peu plus loin. Mais son regard était constamment attiré vers le chalet. Lorsqu'elle pliait son linge dans la salle de bain du deuxième, elle se penchait légèrement pour avoir un meilleur aperçu de la petite maison. Quand elle étendait sa brassée sur la corde, elle se tournait dans sa direction. Philippe, qui avait bien remarqué ses simagrées, osa donc lui dire un matin au déjeuner :

— Va donc lui dire bonjour !

— Jamais !

Une telle arrivée n'était pas restée longtemps secrète sur cette terre minuscule. Déjà que les insulaires s'attardaient à tous les faits et gestes des propriétaires du *Chant des marées*. Surtout ceux de Marjolaine, qui les mystifiait avec ses tenues vestimentaires et ses séances de course tôt le matin. Les femmes avaient tenté au début de copier sa coupe de cheveux, sa tenue vestimentaire, son maquillage... pour s'apercevoir que, sur elles, tout ça semblait ridicule. Alors quelques-unes s'étaient contentées d'acheter un de ses bijoux chez Victoire. Les broches d'anges, de chatons et d'étoiles en cuivre ornaient à présent les vieilles vestes et manteaux des Verdoyantes. Marjolaine en avait tiré une grande fierté et s'était ouverte à Philippe :

— Je pense qu'ils commencent à nous aimer !

La venue de la deuxième fille de Paul Lalonde intéressait donc les habitants de l'Île Verte au plus haut point. Surtout que Justin Castonguay avait avisé tous les insulaires que la sœur de madame Marjolaine était « belle comme la nuit ». À Roch Bérubé qui lui demandait ce qu'il y avait de beau à la nuit, le jeune innocent avait répondu :

— Le mystère ! La nuit est magnifique de mystères.

L'ancien gardien du phare avait éclaté de rire avant de faire claquer la porte du magasin général derrière lui. Depuis, il s'amusait ferme à répéter à tous que Sophie Lalonde avait fait de Justin Castonguay le nouveau poète de l'Île Verte. Au bout de quelques jours, Paul finit par se convaincre qu'il pouvait accueillir sa fille chez lui, sans que ce soit le drame anticipé. Mais c'était sans compter la propension de certains insulaires à ne pas se mêler de leurs affaires. En arrivant au magasin, le troisième matin de la visite de sa sœur, Marjolaine fut apostrophée dès son entrée par une Roseline toute souriante.

— *Câline*, je suis contente de te voir, toi ! Je pensais qu'avec ta visite, on te verrait plus la binette avant la fin de l'automne !

Marjolaine fouilla dans le panier à l'entrée pour trouver une brosse à cheveux qui pourrait l'aider à discipliner ses boucles trop longues. Elle avait bien pensé visiter Victoire pour les faire couper, mais à la vue de la nouvelle coupe de Roseline, elle avait reporté sa décision à une date ultérieure.

— Je pense que je vais attendre de retourner à Québec pour me faire faire une belle coupe, avait-elle susurré à Philippe, le matin même, alors qu'elle contemplait sa crinière, un peu désespérée. Elle avait donc choisi de les attacher avec des barrettes tout en les cachant sous sa tuque fuchsia dès qu'elle mettait les pieds hors de chez elle. Satisfaite de sa trouvaille, une brosse en bois à 99 cents, elle releva son visage souriant vers la mère Lamothe qui attendait à ses côtés, ravie de la rencontre.

— Pardon, je t'ai pas écoutée, Roseline.

— Ta visite ? Tu dois être contente de voir ta sœur en *mau*...

Marjolaine se releva bien droite, les épaules rejetées vers l'arrière. Son manteau gris élimé ne la dérangeait même plus, elle qui n'aurait jamais osé se déplacer vêtue ainsi à Québec. Ses yeux noisette si grands en temps normal ne formaient plus qu'une mince ligne.

— Tu l'as rencontrée ?

— Heu... bien pas vraiment. Mais vu qu'elle pense rester ici...

La pauvre femme n'eut pas le temps de finir sa phrase que la brosse à cheveux atterrit à ses pieds, tandis que la porte de bois cogna avec fracas après la sortie colérique de son amie. Conrad et Victoire Dionne n'eurent même pas le temps de saluer Marjolaine avant qu'elle ne remonte dans le *pick-up* pour faire demi-tour sur le chemin. Roseline avait les yeux pleins de larmes. Sa bouche tremblotait lorsqu'elle demanda :

— Voulez-vous bien me dire ce que j'ai fait encore ?

Quand elle tourna dans son entrée, la fureur envahissait le corps entier de Marjolaine, qui ne prit pas la peine de fermer la porte du camion avant de courir jusqu'au chalet rouge et blanc. Rapidement, elle ouvrit la porte de la maison, sans prendre la peine de cogner.

— Ça va faire ! C'est mon île !

En prononçant ces paroles, la jeune femme ne réalisait pas qu'elle copiait les propos qu'elle avait tant dénigrés à peine quelques mois auparavant. Ses yeux brillaient d'une rare intensité lorsqu'elle les posa sur Paul, qui sirotait son deuxième café de la journée. Il sursauta en se retournant et ne dit pas un mot, avant de remettre ses lunettes sur son nez. Puis, se levant doucement, il chaussa ses pantoufles de cuir pour s'approcher de sa fille.

— Marjolaine...

— Quoi, Marjolaine? Quoi, *sacrament*? C'est vrai qu'elle veut rester ici?

— Peux-tu t'asseoir un instant?

— Pourquoi, papa? Hein? demanda la brune en pleurant à gros sanglots. Pourquoi tu voud... voudrais que... que je...

— J'ai besoin de t'expliquer.

— ...Je... je veux rien...

Un bruit dans l'escalier derrière Marjolaine la fit figer sur place. Tendue, la jeune femme serra de toutes ses forces le bout de ses doigts sur ses cuisses. Au travers de son jeans gris, elle sentait ses ongles pénétrer sa peau. Quand Paul voulut lui toucher le bras, elle le repoussa rageusement en se reculant vivement.

— Marjolaine, dit Sophie, une main sur la hanche. Je suis conten...

— Pas moi! Va-t'en! Tu as pas d'affaire ici. Va-t'en! hurla de nouveau la cadette en regardant enfin celle qu'elle espérait pourtant ne plus jamais revoir.

Les deux sœurs avaient toujours entretenu une certaine rivalité. D'abord, pour l'amour de leur père, que chacune tentait de s'approprier lorsqu'elles étaient enfants. Puis pour l'attention de Stéphane, qui espérait toujours ne jamais déplaire à l'une ni à l'autre. Marjolaine, encore une fois, constata la beauté de son aînée. Cette beauté chavirante, qui amenait les hommes à faire des folies pour elle. Même sans la moindre trace de maquillage au réveil, Sophie pouvait faire craquer toute la gent masculine, comme son père avait l'habitude de le rappeler en se moquant. Ses cheveux de jais qui lui arrivaient presque à la taille, son visage étroit et altier, ses grands yeux foncés un peu ironiques, tout dans son être agaçait la cadette, qui enfouit sa tuque encore plus profondément sur son front.

— Marjolaine, s'il te plaît, reste ici. Il faut parler... commença bravement son père qui paraissait pour une rare fois l'âge qu'il avait. La guerre que se livraient ses filles le minait depuis si longtemps.

— Non !

Marjolaine avait les bras croisés sur son manteau et les joues mouillées.

— Fais-le pas pour moi, argumenta sa sœur, qui adopta à son tour un ton glacial. Mais que ça te plaise ou pas, je vais rester ici une ou deux semaines. Peut-être plus.

— Tu es chez moi et...

— Non, elle est chez moi, coupa son père plus sèchement qu'il ne l'aurait voulu.

Blessée au plus profond d'elle-même, Marjolaine ouvrit la bouche pour riposter, mais la peine qu'elle lut dans les yeux de son père mit un frein au venin qu'elle avait songé cracher. Elle se mordit la lèvre avant de se tourner vers Paul en ignorant sa sœur, qui se tenait toujours au pied de l'escalier.

— Papa, tu sais que je t'aime. Tu peux donc venir à la maison quand tu veux. On y sera. Mais j'aimerais que ta visite se promène pas seule sur le terrain. Je veux pas la voir !

Sans attendre de réponse, la petite brune ressortit de la pièce comme elle y était entrée : avec rage.

Dans les jours qui suivirent la première altercation entre les sœurs, celles-ci s'ignorèrent ostensiblement. Lorsque Marjolaine voyait son aînée quitter le chalet pour s'aventurer sur le chemin de l'Île, elle abandonnait ses tâches au hangar, déposait son panier de linge à moitié accroché et retournait à l'intérieur de la maison rouge. De là, elle épiait sa grande sœur, qui trottait élégamment sur SA route. Les insulaires la saluaient lorsqu'ils la croisaient et, chaque fois, un pincement atteignait le cœur de Marjolaine.

— Va-t'en, rageait-elle, va-t'en de mon île !

Philippe avait voulu faire réaliser à sa douce qu'elle parlait exactement comme Adrien Ouimet, dont elle se moquait à son arrivée.

— C'est pas toi qui m'as dit que l'Île Verte appartenait à personne ? Que le vieux grognon et les autres l'avaient pas achetée ?

— Tais-toi ! Laisse-moi tranquille ! Tu peux pas comprendre.

Alors le grand noir observait de loin cette « femme fatale » en se disant que même en portant une vieille chemise de chasse rouge et noire et une vilaine tuque grise enfoncée sur la tête, Sophie Lalonde savait attirer bien des regards. Elle avait quelque chose dans son être tout entier qui donnait envie de la côtoyer. Même en sachant que s'approcher d'elle menait directement à l'enfer, la plupart des hommes choisissaient de la fréquenter. Philippe n'ignorait pas qu'un regard de trop posé sur la sœur et sa femme lui en voudrait pour la vie. De toute manière, malgré la beauté de Sophie, le beau barbu fondait plus que jamais pour sa délicate épouse bornée. L'amour entre les deux était à toute épreuve. Lors d'une longue marche jusqu'à la route à Clopha, son beau-père Paul et lui avaient décidé de ne plus tenter de forcer un rapprochement entre les deux sœurs.

— De toute manière, elle doit repartir par la marée de six heures, lundi prochain.

— Ah bon! Je croyais qu'elle voulait rester plus longtemps.

— Elle a son travail à Québec. Mais peut-être...

— Peut-être quoi?

— Non, rien.

⤳

Le samedi matin, Marjolaine se réveilla en maugréant, comme c'était souvent le cas depuis l'arrivée de Sophie sur l'île. Pourtant, elle aurait dû apprécier ces longues journées dont elle pouvait profiter juste pour elle, sans clients. Le matin, elle grimpait à son atelier, traçait, découpait, collait ses émaux sur cuivre. Souvent, l'après-midi, elle allait courir en espérant ne pas croiser l'objet de sa mauvaise humeur. À ses côtés, ce matin-là, Philippe, d'ordinaire très calme, ne put retenir un mouvement d'impatience en entendant sa femme *bourrasser* dans un coin de leur chambre.

— *Sacrament!*

— Bien voyons, qu'est-ce qui te prend, Philippe?

Les yeux encore brumeux de sommeil, son mari repoussa vivement la grosse douillette pour s'asseoir torse nu dans leur lit. La nuit, il n'attachait pas ses cheveux, ce qui lui donnait, pour l'instant, un petit air de Jésus-Christ qui aurait fait fondre Marjolaine si elle avait été dans un meilleur état d'esprit. Passant une main lasse sur sa figure, l'homme se plaignit:

— Ce qui me prend? Je suis plus capable de t'entendre *babouner* sans arrêt! Depuis que Soph...

— Arrête!

— Non, je vais le dire, tu as plus deux ans, *crisse*! Depuis que Sophie est arrivée sur l'île, tu as pas souri une fois. J'ai beau être patient, Marjolaine, tu sauras que si tu es pour avoir cette attitude-là tout l'hiver, bien ça fera pas! Moi, j'ai pas à endurer ta mauvaise humeur!

Figée, une chaussure à la main, Marjolaine releva son corps délicat. Toujours en soutien-gorge et en culotte noirs elle avait la petitesse d'une adolescente. Rares étaient les confrontations entre les époux, mais cette fois-ci, Philippe en avait assez supporté. Il continua:

— Je suis rendu que j'aime mieux aller passer la journée à aider Lionel Vézina que de rester ici avec toi. Pourtant, on avait tellement hâte de retrouver notre maison juste pour nous... On a pas fait l'amour une fois depuis son arrivée, on sort presque en courant pour éviter de la croiser... Tu trouves ça normal?

Sans répondre, Marjolaine le fusilla du regard avant de saisir ses vêtements et de sortir de la chambre en claquant la porte. Son homme se laissa retomber sur l'oreiller en secouant la tête. Dire qu'ils étaient si bien avant l'arrivée de la grande sœur!

⤶

Le soir même, Roseline demanda à sa fille de venir avec elle chez son amie Marjolaine. Malgré tous ses défauts, la grosse femme n'était pas rancunière. Après s'être promis de ne plus reparler à son amie à la suite de la rebuffade subie au magasin, elle avait finalement décidé de faire la paix.

— Heu... pourquoi? J'ai des dev...

— Niaise-moi pas, Hélène, tu as jamais ouvert un livre depuis que tu es rentrée à l'école primaire! Tu es la plus brillante de ta classe!

La voix de la femme claqua dans la pièce. Mais le regard fier qu'elle posa sur sa fille démentait la sécheresse du ton. En effet, l'adolescente avait une mémoire qui lui permettait de retenir les notions enseignées sans jamais avoir à les réviser, ce qui agaçait prodigieusement Antonin Dionne, qui ne se gênait pas pour la traiter de *bollée* à la moindre occasion. La jeune brune chercha une autre excuse pour éviter d'accompagner sa mère au gîte. Même si elle adorait observer les sœurs Lalonde, la comparaison entre sa génitrice et elles n'étant jamais à l'avantage de sa mère, elle préférait donc ne pas les voir ensemble.

— C'est pas trop poli, me semble… vu qu'elle a de la visite !

— Justement, sa visite la dérange. Je sais pas ce qui se passe au *Chant des marées*, mais mon amie a besoin de moi, j'en suis certaine !

La courtaude remonta les manches de son chandail de laine surdimensionné sur lequel étaient imprimés des motifs blancs sur fond rouge, puis posa ses mains sèches sur les épaules étroites d'Hélène.

— Ton amie Marion, tu aimes ça l'aider quand elle a de la peine, hein ?

— Hum… oui.

— Bien mon amie à moi est triste.

— Qu'est-ce qu'elle a ?

Hélène continua de colorier la face du lutin dessiné dans le cahier devant elle. L'adolescente et ses sœurs adoraient s'adonner à cette activité : d'abord tracer le contour des formes, puis les remplir d'une teinte plus pâle. Même si l'été s'en était allé, l'enfant avait gardé son teint foncé, ce qui, parfois, étonnait sa mère, qui avait la pâleur des blondes, tout comme son mari, qui tirait plus sur le roux.

— D'où est-ce qu'elle sort ça, cette face-là, je me demande bien ? disait-elle souvent.

Puis, elle faisait un clin d'œil à son Edmond : « Pour moi, ta grand-mère a fricoté avec des Indiens dans son temps, mon homme ! »

— Maman, murmura Valérie, la langue sortie sous l'effort de concentration, je veux qu'Hélène reste avec nous autres. J'aime pas ça quand on est toutes seules avec les M&M. Ils font toujours des niaiseries.

— Bien tu sauras, ma fille, que ce que tu veux, ça passe après. Puis vous deux, prévint Roseline en pointant un doigt sévère en direction de ses jumeaux, vous avez d'affaire à finir vos devoirs puis à pas *achaler* les filles. On va revenir dans trente minutes.

Les garçons promirent d'être respectueux des consignes de leur mère, tout en se jurant, dès son départ, de sortir leur paquet de cartes pour jouer une partie de huit. Les enfants étaient habitués d'être seuls dans la maison. Sur l'île, personne ne craignait de laisser les petits dès un jeune âge. Après tout, que pouvait-il arriver sur une terre inaccessible par la route ? Mais la femme revint sur ses pas alors qu'elle avait le pied dans l'escalier pour monter à sa chambre.

— Puis que je vous voie pas toucher au poêle, mes *tabarnouches* !

— Jamais, maman !

Hélène, qui boudait toujours, tenta une ultime manœuvre de persuasion :

— Mais pourquoi tu as besoin que j'y aille, maman ? Il fait froid dehors, puis j'ai pas le goût de sortir, larmoya Hélène, qui sentait la chaleur du gros poêle à bois lui chatouiller agréablement le bas du dos. Assises à la table de cuisine, les trois sœurs appréciaient ces instants de calme, lorsque les jumeaux complétaient leurs devoirs de mathématiques. C'était la seule matière dans laquelle Maxence et Maxime réussissaient assez bien. Ils ne se lamentaient donc pas sur le ridicule des participes passés ou l'inutilité de savoir chercher dans un dictionnaire, comme c'était le cas quand ils devaient travailler le français!

— Parce que je pense que j'ai besoin de lunettes, je vois plus grand-chose le soir, *astheure*. Ça fait que je veux que tu conduises le trois-roues. Il va falloir que je traverse de l'autre bord pour aller voir l'optris...

Roseline fit la moue en cherchant le terme exact.

— L'optométriste?

— En plein ça, Hélène! Tu vois quand je te dis que tu es brillante!

Déchirée entre l'envie de rester au chaud et le désir de conduire l'engin motorisé, l'adolescente soupira avant de glisser en bas de la chaise de bois.

— Je vais aller m'habi...

— Pas besoin, ma grande. Regarde, même moi je vais garder ma jaquette par-dessus mon pantalon.

— Bien non, maman!

Dépitée, la jeune fille secoua sa tête aux longs cheveux emmêlés. Sa mère avait déjà enfilé un chandail de laine sur sa jaquette fleurie, puis voilà qu'elle voulait aussi porter un pantalon mou en dessous. Or, il en fallait plus pour déranger Roseline, qui fit signe à son aînée de se dépêcher de remettre son pantalon de la journée. La mort dans l'âme, la pauvre Hélène soupira en enfilant son vêtement sous sa grande jaquette en flanelle. Elle prit quand même la peine de la rentrer dans la ceinture de son jeans, espérant voir sa mère l'imiter. Mais Roseline se contenta de donner ses consignes à ses quatre autres enfants, en les menaçant de représailles s'ils bougeaient de la cuisine le temps de son absence.

— Bien là, maman, on peut même pas aller à la toilette? questionna un des jumeaux d'une voix moqueuse.

— Toi, mon petit *maudit*, niaise-moi pas! Tu sais ce que je veux dire!

Lorsque la mère et la fille arrivèrent dans l'entrée du gîte, une dizaine de minutes plus tard, seule la lumière extérieure était allumée. Les joues gelées et la morve au nez, Hélène se retourna vers sa mère:

— Pour moi, ils sont couchés, maman! annonça-t-elle d'un ton qu'elle espérait déçu.

— Voyons donc, il est juste huit heures moins quart. C'est sûr que non. Descends, puis aide-moi un peu, veux-tu?

Pensive, le menton sur sa poitrine, la jeune tenta une alternative:

— Tu seras pas longue, j'imagine, je vais t'attendre...

— *Tsss, tsss, tsss...* mais non! Tu vas attraper ton coup de mort. Ça commence à sentir la neige, tu vas venir avec moi. Puis grouille, je veux pas laisser tes frères trop longtemps tout seuls. Ils vont trouver une niaiserie à faire.

Résignée, Hélène glissa ses petites bottes brunes sur le sol et suivit sa mère, la mort dans l'âme.

❧

La veille de son retour pour Québec, Sophie décida de marcher au nord une dernière fois. Elle qui avait espéré renouer avec sa cadette en avait été pour ses frais. En plus d'une semaine, les deux femmes ne s'étaient adressé la parole qu'une seule fois, au moment de la colère de Marjolaine.

— Tant pis! murmura-t-elle en inspirant profondément.

Ce ressourcement sur une si belle terre commençait à chambouler la citadine. N'eût été son emploi à Québec qu'elle devait réintégrer à la fin de la semaine, elle aurait bien aimé prolonger son séjour. Dans le sentier, ses espadrilles grises faisaient crisser les cailloux et fuir les oiseaux, qui s'envolaient en pépiant leur désagrément. La fraîcheur de cette matinée d'automne était réchauffée par les rayons du soleil. Sans même s'en rendre compte, la femme laissa monter en elle une émotion qu'elle cherchait si souvent à refouler : la peine. Celle d'avoir proposé à Stéphane, cinq ans plus tôt :

— Viens donc faire un tour sur ma moto !

Comme elle avait regretté de l'avoir poussé à accepter ! C'était facile, son jeune frère l'admirait tellement. Pourtant, elle savait que Stéphane avait peur de la vitesse, qu'il préférait lire que courir, aller au théâtre que fréquenter les *partys*. Fragile, discret, son cadet aimait la vie tranquille et se dirigeait vers une carrière de bibliothécaire. C'est ainsi que Sophie l'avait convaincu, en ce soir fatidique de juillet 1975 :

— Lâche tes livres un peu, puis arrête de faire ton *pissou* ! Tu es un homme oui ou non ? Monte avec moi, puis tiens-toi bien ! Les femmes aiment ça, les motos, tu pourras me l'emprunter pour les épater !

Elle avait pourtant bien perçu le regard hésitant de son frère. Sa bouche charnue qui voulait refuser, mais sous son insistance, qui avait malheureusement dit oui. D'abord craintif, il s'était mis à rire après une vingtaine de milles. Il lui avait crié de s'arrêter, après cinquante. Il voulait lui demander quelque chose. Depuis, pas une journée ne passait sans que Sophie regrette d'avoir accepté de s'immobiliser. Si elle avait dit non. Si seulement elle avait refusé. Puis la chute, l'accident, la mort qui s'était ensuivie.

— Mais c'était pas entièrement de ma faute... chuchota Sophie pour elle-même. Si tu savais la vérité, Marjolaine, peut-être que...

Pourtant, après sa fuite de l'hôpital, la noire avait refusé de repenser à cette soirée funeste. Elle savait que peu importe les excuses, sa sœur lui en voudrait pour toujours. La croirait-elle jamais, de toute manière, si elle avouait ce qui s'était vraiment passé ? Essuyant une larme, une seule, qui glissait furtivement sur sa joue bronzée, Sophie soupira devant la beauté du fleuve qui s'exposait dès sa sortie du sentier. Elle voulut enlever ses chaussures et ses chaussettes pour se glisser entre les crans, mais le vent qui soufflait sur la rive l'en dissuada. Prenant appui sur un arbre échoué, la femme sauta sur les roches pour s'avancer le plus près possible de l'eau claire. Sophie ramassa un morceau de bois, qu'elle lança au bout de ses bras. Sereine dans cette nature en éveil, elle avait les joues joliment rougies par la marche, les lèvres encore couvertes de rouge à lèvres rose avec une légère touche de mascara.

— Je veux vivre ici, moi aussi ! lança-t-elle à la mer.

CHAPITRE 22

Paul à la chasse

Inconsciente de tous ces bouleversements qui avaient lieu à quelques milles de chez elle, Marie-Laure tentait de son côté de reprendre le contrôle de sa famille. Au début, après avoir reçu l'aide de Roseline pour remettre sa maisonnée sur les rails, les semaines s'étaient avérées encourageantes pour la grande châtaine. La rentrée scolaire s'était amorcée, lui laissant du temps pour observer son cadet et tenter de le « soigner ». Avec le retour en classe de ses deux plus vieux, elle s'était dit qu'elle utiliserait tous les moments libres pour enseigner à Jules à parler « comme du monde ». Marjolaine avait voulu respecter sa promesse de la soutenir, mais la seule fois où elle s'était jointe au duo pour aider Marie-Laure avec son fils, un malaise l'avait envahie en observant son amie.

— Peut-être qu'on pourrait arrêter un peu ? lui avait-elle proposé après une heure de labeur.

— Non. Il est capable de demander du lait.

Marie-Laure avait continué de répéter les paroles désirées comme un leitmotiv sans fin. Au bout d'un moment, Marjolaine avait trouvé une excuse pour s'éclipser, désireuse de faire part de ses inquiétudes à son mari. Elle s'était aussi confiée à son amie Isabelle. Comme cette dernière ne connaissait pas Jules et sa mère, elle pourrait peut-être poser un regard neuf sur la situation?

— Je te le dis, Isa, la relation entre les deux devient de plus en plus toxique. On dirait qu'il y a juste Jules qui existe pour Marie-Laure.

— Les autres insulaires en pensent quoi? avait interrogé son amie.

— *Pfff*, ici, on s'en mêle pas! Tout le monde a son opinion, mais préfère la garder pour soi. Ce qui se passe dans les maisons, on fait mine de rien voir. Ça m'enrage! Même Marc-André fait semblant que tout va bien.

En fait, le père de famille n'adressait quasiment plus la parole à son fils, conscient que son aide n'était pas désirée. Le plus souvent possible, le pauvre homme fuyait au quai ou chez un voisin pour aider à différentes tâches. Marie-Laure, elle, poursuivait son combat sans relâche. Épuisée par les nuits entrecoupées que lui faisait subir son gamin, elle ne prenait même plus la peine de se vêtir. C'est tout juste si elle prenait sa douche une fois par semaine. Mais tous les matins, elle s'installait avec son petit, dès le départ de ses deux plus vieux pour l'école:

— On va y arriver, mon petit homme, tu vas voir! Bientôt, tu vas pouvoir aller à l'école comme ton frère et ta sœur.

Pourtant, après quelques séances, la mère avait senti un énorme découragement l'envahir devant l'indifférence de son enfant. Il chantonnait des paroles incompréhensibles et fixait le mur en faisant bouger ses lèvres pendant des heures sans répondre. Parfois, lorsque son regard naïf se posait sur sa mère, cette dernière avait l'espoir d'établir un contact avec lui. Puis, comme il était venu, ce regard disparaissait derrière un voile d'indifférence.

— *Tabarnak*, Jules, me semble que c'est pas dur ! Tu fais même pas un effort pour parler.

Les gens autour s'apercevaient bien que le mutisme de l'enfant n'était que la pointe de l'iceberg. De plus en plus, Jules se repliait sur lui-même. Parfois, il n'était même plus propre et Marie-Laure en était réduite à laver ses vêtements souillés, avant que Marc-André n'arrive, pour garder le secret. Elle avait tellement peur qu'on lui retire la garde de son garçon qu'elle minimisait les difficultés qu'il éprouvait, sans comprendre le côté malsain de cette attitude. Un matin, toutefois, Marc-André alla rejoindre Jules dans sa chambre avant le réveil de sa femme. Pour une rare fois, il voulait tenter de recréer un lien avec son enfant. Quand il ouvrit doucement la porte, il fut étonné de voir son garçonnet assis en silence dans son lit.

— Déjà réveillé, mon bonhomme ? chuchota-t-il avec affection. Car il l'aimait, cet enfant différent, quoi que puisse en penser sa femme. Il en avait honte parfois, pour son plus grand malheur, mais le plus souvent, l'envie de le protéger prenait le dessus. Dernièrement, il commençait à se demander si ce n'était pas de sa propre mère qu'il devrait protéger son fils. Mais à qui donc pouvait-il faire part de ses inquiétudes ? Son père n'avait qu'une proposition à la bouche : l'hôpital. Son cousin et sa femme n'osaient pas donner leur opinion, appréhendant de se mettre à dos leurs amis les plus proches. Quant aux autres insulaires, Marc-André craignait plus que tout leur jugement, leurs souvenirs de ce qu'avaient été les comportements de son oncle Arthur avant son départ. Alors, il se taisait, le pauvre homme.

S'avançant pour s'asseoir près de son fils, le gros blond plissa le nez.

— Ça pue dans ta chambre, mon Jules! se plaignit-il en regardant le sol autour de lui. Aurais-tu fait un pet? rigola-t-il avec l'index levé faisant mine d'être fâché.

Seul un petit chantonnement répondit à son commentaire. Alors Marc-André s'avança dans la pénombre et…

— Voyons donc, qu'est-ce que c'est ça?

Se dépêchant d'ouvrir la lumière, le père de famille constata qu'il avait mis le pied dans une petite culotte remplie de selle fraîche. Le blond grimaça de dégoût avant de regarder son fils.

— Bien voyons donc, Jules! Tu as fait caca dans tes culottes? Qu'est-ce qui te prend, *maudit*?

Marc-André allongea le bras pour agripper la boîte de mouchoirs sur le bureau de pin et s'assit aux côtés de son garçon pour nettoyer son pied. Il continua de grogner:

— Franchement, tu as plus deux ans, c'est quoi cette affaire-là? Viens pas me dire que tu vas chier partout *astheure*? Il y a toujours bien des…

La porte qui s'ouvrit avec fracas l'empêcha de poursuivre son discours. L'enfant mit les mains sur ses oreilles aussitôt que sa mère pénétra dans la chambre.

— Qu'est-ce que tu fais ici? demanda Marie-Laure sèchement sans sembler remarquer l'odeur qui en émanait.

Marc-André leva ses yeux doux sur celle qu'il aimait tant. Il la trouvait encore si belle, sa Marie-Laure, avec ses tresses un peu défaites, ses paupières encore lourdes de sommeil et son corps voluptueux caché par un long et vieux chandail qui lui appartenait.

— Je voulais voir mon gars avant de partir au quai. Il a fait caca dans ses culottes!

— Bon matin, mon Jules, lança Marie-Laure en s'avançant pour enlever les mains de son enfant sur ses oreilles.

— Marie ? Tu as entendu, il a fait…

— J'ai entendu. Puis ça ?

Estomaqué, Marc-André ouvrit la bouche, mais il comprit à la mine que prenait sa femme que ce n'était pas la première fois.

— Bien voyons donc, Marie-Laure, il faut faire quelque chose, ça a plus de bon sens !

— Tu veux faire quoi ? Le faire enfermer comme ton oncle, peut-être ? Jamais, tu m'entends, jamais mon fils finira dans un asile de fous !

La voix de la grande châtaine claqua dans la chambre d'enfant, où les affiches de Goldorak côtoyaient les constructions de vaisseaux en blocs Lego et les bonshommes *Transformers*. Désireux de fuir cette ambiance malsaine, Marc-André se leva et se planta devant son épouse.

— C'est toujours bien mon fils à moi aussi, Marie-Laure, puis c'est pas vrai que je vais accepter de le voir régresser comme ça sans essayer de comprendre ce qui se passe dans son cerveau. Ça fait que fais-toi à l'idée, je veux l'amener à l'hôpital avant le début de l'hiver !

⤷

L'arrivée de novembre signa le début d'une longue période d'hibernation pour les insulaires permanents de l'Île Verte. Les visiteurs d'un jour ne venaient plus, les fumoirs ne fumaient plus, les pêcheurs ne pêchaient plus. Paul attendait avec impatience le moment de pouvoir faire traverser sa vieille voiture. Gaspard lui avait promis qu'en janvier, la glace serait suffisamment ferme et qu'il l'accompagnerait sur le pont de glace. Philippe et sa femme passaient la plupart de leurs journées à jouer au Rummy, un jeu pour lequel la brunette n'était pas très douée. Il faut dire qu'elle passait plus de temps à chantonner les airs qu'elle alignait sur son tourne-disque qu'à tenter de développer une stratégie pour battre son mari! Un matin, alors qu'elle avait perdu la partie pour la troisième fois de suite, elle fit la moue en repoussant son jeu.

— On a pas grand-chose à faire, en tout cas! se lamenta-t-elle. Je commence à trouver le temps long! Ça me sert à rien de faire des bijoux, en plus, il y a plus un touriste qui va au magasin. Victoire m'a dit que le présentoir se vidait pas, qu'elle en reprendrait d'autres juste au printemps!

Depuis que Sophie était repartie, la femme avait retrouvé son sourire, même si elle restait sur ses gardes en présence de Paul. Ce dernier avait embrassé son aînée en lui faisant promettre de revenir.

— Même si ta sœur l'ignore, un jour, son cœur s'ouvrira de nouveau, j'en suis convaincu, avait-il dit à Sophie avant de la serrer dans ses bras.

Alors la femme avait promis de revenir lorsque l'hiver serait fini. Personne ne l'attendait ailleurs. Pendant son séjour d'une dizaine de jours sur l'Île Verte, Sophie avait eu l'occasion de faire plusieurs rencontres: Roseline, Adrien Ouimet, Gaspard, Marc-André, Marie-Laure… Les insulaires avaient bien constaté la tension entre les sœurs. Évidemment, après sa rencontre avec Marjolaine au magasin, Roseline s'était empressée d'aller à la recherche d'informations. Un matin, alors que le magasin général ne désemplissait pas, elle avait fait le point.

— Bon, je veux pas faire ma commère, vous savez, mais ça a bien l'air que mon amie et sa sœur… sont en froid! Puis un gros à part ça! J'ai pas trop compris…

En fait, ce que Roseline n'avait pas dit, c'est que Paul l'avait « revirée de bord » lorsqu'elle avait tenté de connaître la raison qui motivait la scission entre ses filles.

— C'est pas de vos affaires, ça, ma chère Roseline. De toute manière, je pense que vous comprenez que c'est une histoire de famille, hein ?

Alors la pauvre commère avait retenu un geste de dépit et avait souri faiblement. Comment voulait-il qu'elle aide son amie si elle ne connaissait pas la source du problème ? Même le soir de sa visite au gîte, avec Hélène, n'avait pas apporté de réponses. Marjolaine lui avait affirmé que tout allait très bien.

Philippe regarda sa femme un peu découragé.

— Tu sais que l'hiver est même pas commencé, ma perle ? Si tu trouves le temps long maintenant…

La moue de Philippe fit réagir Marjolaine, qui s'empressa de piger de nouvelles plaquettes du jeu de Rummy.

— Je disais ça de même. Demain, je vais aller voir Marie-Laure de toute manière. Je vais apporter ma cassette d'aérobie. Je pense que ça lui ferait du bien de bouger un peu, répondit la femme en regardant son chien qui avait presque atteint sa taille maximale. Depuis quelque temps, elle avait des doutes sur les origines de la bête. Tu trouves pas que Joe ressemble pas tellement à un labrador en vieillissant ?

— Heu… je connais pas vraiment ça. Mais Justin nous a dit que c'en était un, non ?

Marjolaine lança un regard ironique vers son mari. Le jeune Castonguay était loin d'être une référence en matière canine ! Elle se pencha pour prendre la tête de son animal :

— Non, mais sérieusement, regarde son poil bouclé. Tu en connais beaucoup, toi, des labradors frisés ?

Joe, qui semblait comprendre que la discussion le concernait, se releva prestement en jappant. Il avait une belle couleur café, avec la tête un peu plus claire. Ses grands yeux sombres fixaient sa maîtresse dans l'espoir de recevoir... une gâterie peut-être? Marjolaine l'observa encore quelques secondes avant de marmonner:

— Il va bien falloir que je demande au père Castonguay.

Philippe haussa ses épaules avant de claquer tendrement le flanc de la bête. Peu importe sa race, ce chien-là avait pris une grande importance dans la vie du jeune couple, même s'il avait une prédilection pour les chaussettes de laine qu'il grugeait avidement en baissant la tête lorsque les humains le disputaient en découvrant un trou sur le bout d'un orteil ou au talon.

꒷

— On va à la chasse demain, ça te tente?

Gaspard regarda par la fenêtre en pointant le ciel bas. La fin de l'été signifiait pour lui le début des visites de ses concitoyens pour soigner des problèmes de dents qu'ils avaient endurés. Maintenant que les pêches étaient rentrées, et que les confitures et les marinades étaient empotées, les insulaires prenaient soin de leur santé buccale. Alors le maire-dentiste voulait profiter d'une petite journée de répit pour aller chasser une dernière fois avant l'hiver. Il jeta un regard vers son bon ami Paul, qui ne lui avait pas répondu.

— Il devrait pas neiger avant la fin de la semaine, ça nous laisse un peu de chance. On risque pas de voir beaucoup de bêtes à ce temps-ci, mais tout d'un coup! Qu'est-ce que tu en penses, Paul?

— Hum...

Le père de Marjolaine et de Sophie fit semblant de compter son jeu tout en cherchant une excuse appropriée pour éviter d'accompagner son ami à cette activité qu'il considérait comme barbare.

— Tu sais, moi... Une fois, je suivais un couple d'amoureux parce que les parents de la fille voulaient s'assurer qu'ils... consommeraient pas l'acte avant le mariage...

— Et...?

— Bien, ils étaient partis à la chasse dans le bois, en haut de Val-d'Or.

— Et...?

Gaspard fit un signe de la main pour enjoindre Paul à accélérer le rythme de narration de son histoire.

— Bien, ils se sont installés dans un beau petit *shack* en rondins, pendant que monsieur, ici, était *pogné* dehors. Ils sont restés deux nuits et deux jours sans sortir du *maudit* chalet.

— Heu... Je vois pas le rapport avec notre partie de chasse.

Gaspard déposa son jeu sur la table d'un air victorieux.

— 15-2, 15-4, 15-6, 2 pour une paire de 4, 1-2-3-4-5-6, plus le valet! Tu es cuit, mon ami!

Le chauve avança son pion sur la longue planche de bois pour réclamer son dû. Paul haussa ses épaules en lançant son jeu avec dépit. Pas sa journée! C'était la troisième victoire de suite que le divorcé lui ravissait.

— Le rapport avec notre partie de chasse, c'est que je me suis fait manger de la tête aux pieds par les mouches noires, les maringouins et les mouches à chevreuil. Quand je suis sorti du bois, après trois jours, j'avais l'air d'un bourgeon ambulant! ricana Paul.

— Mais ça, mon ami, ça risque pas de se reproduire, parce que rendu en novembre, à part le froid, il y a rien qui va t'attaquer. Alors qu'est-ce que tu en penses ? J'en ai déjà parlé à Marc-André et Philippe, et ils sont partants !

— Ouin… mais mon permis ?

— Quoi, ton permis ?

— Bien j'en ai pas !

— Moi non plus, rigola Gaspard. Ici, sur l'île, personne se préoccupe de ces niaiseries bureaucratiques-là ! De toute manière, c'est pas comme si on tuait cent bêtes par année ! Moi j'en veux juste une ! Tu sauras que ça fait vingt ans que je reviens avec un orignal chaque automne. Je détiens le record du meilleur chasseur de l'Île Verte et c'est pas cette année que j'ai l'intention de le perdre ! Le seul qui me talonne de près, c'est Conrad Dionne.

Paul eut beau chercher une autre excuse que la vérité – tuer des bêtes pour le plaisir ne l'amusait pas –, il dut se résigner à accepter l'invitation de son vieil ami. Le lendemain, lorsque le père et le fils arrivèrent au chalet, à 5 heures du matin, l'homme attendait avec son gendre, qui n'arrêtait plus de rire.

— Le beau-père… c'est quoi ça, cette affaire-là ? s'était exclamé Philippe lorsque Paul avait ouvert la porte du chalet, un chapeau accompagné d'un filet sur la tête. Le plus âgé, très sérieux, avait relevé la jupette en moustiquaire qui encerclait le chapeau vert forêt.

— Tu peux bien rire, mais tu vas voir, quand on va se faire attaquer…

— Attaquer par quoi ? avait rigolé Philippe.

Paul n'avait pas daigné répondre et avait enfilé ses hautes bottes vertes dans lesquelles il avait plongé son pantalon. Enfilant sa veste de chasse de la même couleur, il avait serré la ceinture de cuir sur son ventre avant de déclarer :

— Je suis prêt !

Depuis, Philippe n'avait pas arrêté de rire. Quand il vit la tête de Gaspard et Marc-André à la vue de leur ami, il recommença à se moquer, si bien que son beau-père marmonna :

— Si tu continues, c'est pas un chevreuil qui va se faire tirer !

Philippe pinça ses lèvres du plus fort qu'il put avant de grimper à l'arrière du camion. En route pour le Bout d'en-Bas ! De mémoire d'insulaire, jamais journée de chasse n'aura été aussi ratée que celle du quatuor d'amis. Lorsqu'ils mirent le cap vers le phare, pourtant, la bonne humeur régnait et les rires fusaient malgré l'heure matinale. Parcourir le chemin de l'Île, à l'aube, était une féerie pure. La brume sur le fleuve ; les cris des oiseaux de nuit qui laissaient la place aux animaux diurnes ; le soleil qui émergeait tranquillement au-dessus de l'île Ronde. Tout était magique. Les hommes avaient gardé le silence pour apprécier le moment, puis Marc-André avait lancé :

— Vous allez voir les bons ragoûts que ma Marie-Laure va nous fricoter avec nos viandes ! même s'il tentait d'oublier que sa femme ne cuisinait plus depuis des lustres.

— Puis du rôti d'orignal, il y a rien de meilleur ! avait rajouté Gaspard en se léchant les babines.

— Qui dépèce votre animal ici ? avait naïvement demandé Philippe, qui n'avait jamais chassé et espérait rapporter un panache à sa douce.

— De quoi tu parles, le citadin ? Chaque homme s'occupe de sa bête !

— Oh… hum… puis moi ?

Marc-André s'était retourné pour le fixer de son regard bleu, sa grosse face ravie de la journée à venir :

— Toi quoi ?

— Bien, je sais pas trop comment !

— Inquiète-toi pas, la *femmelette*, on va t'aider !

435

Au retour, après six heures passées dans les bois, le sourire de Marc-André avait disparu et Gaspard fixait la route sans dire un mot. Gêné par le silence, Paul se racla la gorge avant de dire :

— Je veux encore m'excuser, les gars... Je pensais pas que mon fusil était chargé !

— Bien non, parce que tout le monde sait que c'est mieux de pas avoir de balles dans un fusil quand on va à la chasse, grogna le gros blond.

Paul reporta son regard sur la route de terre en haussant les épaules. Ce n'était pas de sa faute, il voulait juste s'assurer que la détente n'était pas bloquée. Quand Gaspard lui avait mis l'arme à la longue crosse de bois entre les mains, Paul avait eu un rictus.

— Ça part pas tout seul, inquiète-toi pas !

— Tant mieux !

Alors après une heure, lorsque le groupe avait enfin atteint un plateau ouvert où un troupeau de quelques bêtes paissaient paresseusement, le vieux avait relevé sa jupette de moustiquaire, pour faire semblant d'en tirer une. Puis le coup était parti, Paul était tombé à la renverse en lâchant un gros cri et les six orignaux avaient déguerpi dans le temps de le dire.

— *Tabarnark*, Paul, qu'est-ce que vous faites ? avait crié Marc-André ulcéré.

— Bien... je faisais semblant. Puis... Gaspard avait dit que c'était pas fragile !

— Si tu pèses assez fort, le coup part, voyons ! Tu es pas un enfant, *calvaire* !

Troublé, Paul avait mis quelques minutes à replacer ses idées. Les trois autres l'avaient aidé à se relever en lui pardonnant sa bévue... jusqu'à ce qu'il se mette à crier, une heure plus tard, au moment où Marc-André avait une belle femelle dans sa ligne de mire.

— Nonn!

— *Tabarnak!* avait répété Marc-André en voyant la bête galoper hors de leur portée.

Il s'était retourné vers Paul, qui frottait son menton rugueux d'un air innocent.

— Paul, voulez-vous bien me dire…? commença Philippe, qui ne trouvait plus son beau-père comique.

Le chasseur néophyte pointa l'endroit où s'était enfui le chevreuil:

— Bien, c'était une mère.

— Une mère? Puis ça?

Paul avait secoué la tête d'un air outré. Il avait fixé les trois autres de son regard pâle avant d'énoncer l'évidence:

— On peut pas tuer une mère. Ses petits, eux autres?

— On les tuera l'année prochaine! Qu'est-ce que tu racontes, *sacrament*? s'était exclamé Gaspard exaspéré.

Le gros maire avait ragé en entendant les explications nébuleuses de l'autre concernant la vie des bêtes, leurs droits et la responsabilité des chasseurs jusqu'à ce qu'il propose à Philippe:

— Sais-tu, mon neveu, je pense que pour le reste de la journée, on va se séparer. Toi puis le défenseur des animaux d'un côté, puis moi et Marc-André, on va aller par là!

Philippe, un peu déçu, accepta néanmoins la proposition. C'était ça, où ils revenaient à trois, parce qu'avec ses niaiseries, son beau-père voyait probablement sa vie menacée! Si bien qu'il dut se résigner à déposer son fusil pour écouter pendant les deux heures suivantes la complainte de Paul concernant les hommes qui se croyaient tout permis.

— Me semble qu'on tue en masse de vaches, de poules puis de cochons! On pourrait laisser les autres tranquilles, non?

Philippe ne prit pas la peine de répondre. Il devint de plus en plus taciturne et, lorsqu'une petite bruine déplaisante se mit à tomber, il se retint pour ne pas assommer son beau-père quand il lui demanda :

— Avoue que tu l'aimes mon chapeau *astheure*, hein ?

Dans la voiture, sur le chemin du retour, personne ne parlait, les hommes étant emmurés chacun dans sa colère. Finalement, lorsque Philippe gravit l'escalier menant à la maison rouge, sa femme sortit en courant, son poncho en laine beige et gris à peine enfilé par-dessus sa tête. Elle pencha la tête pour voir la voiture de Gaspard s'éloigner et interrogea :

— Puis, il est où, votre panache ?

⌣

— Il y a un fou qui a tiré sur John Lennon !

La voix éteinte de Philippe accueillit Marjolaine, qui rentrait d'une de ses dernières courses extérieures avant l'hiver. Novembre s'en était allé et, bientôt, il ferait trop froid pour le jogging matinal. Atterré, son mari fixait leur téléviseur, qui annonçait la nouvelle aux quatre chaînes disponibles :

« Bonjour mesdames et messieurs. Ici Marc Dorval et les informations de midi quinze. À la suite du décès de John Lennon, c'est la consternation partout sur la planète. Le chanteur a été abattu hier soir vers 23 heures à l'extérieur de son immeuble new-yorkais. Il a été tué par un homme de 25 ans, Mark David Chapman, originaire de Forth Worth au Texas. Le chanteur a reçu quatre balles et a succombé à ses blessures. Il laisse… »

— Oh mon Dieu !

Marjolaine prit place devant la table du salon, trop choquée pour penser. Au fur et à mesure que le journaliste expliquait les circonstances du drame, ses yeux se remplissaient de larmes, qu'elle laissa couler sur son visage rougi par le froid. Elle tourna sa tête vers son mari, pour s'apercevoir que lui aussi avait le regard embué. Ils se prirent la main au-dessus de leur chien qui, sentant la tristesse dans la pièce, s'était faufilé près de son maître. Cette nouvelle qui touchait le monde de la musique fit oublier à la femme son ennui de ses amis et de l'effervescence d'une grande ville. Depuis quelques semaines, Marjolaine regrettait par moments leur idée de s'exiler ainsi sur une île perdue. Elle avait tenté d'expliquer d'abord à Marie-Laure, puis à Roseline, le manque qu'elle ressentait, mais les deux femmes ne comprenaient pas. Ni l'une ni l'autre n'aspirait à se retrouver dans le trafic, dans la cohue d'une ville. À la télévision étaient présentées en boucle les images des Beatles, le célèbre groupe de musique ayant lancé la carrière de John Lennon.

— Pareil comme mon Joe, chuchota la brunette, en posant sa main sur sa bouche. Le chien, croyant qu'elle lui parlait, leva la tête vers sa maîtresse.

— Pas pareil pantoute! marmonna Philippe. John, lui, c'était un grand musicien!

Pendant près d'une heure, le couple resta assis devant le poste de télévision, qui diffusait les dernières nouvelles concernant l'assassinat de l'un des plus grands chanteurs des dernières décennies. Finalement, vers la fin de l'après-midi, elle tenta de se secouer un peu, elle qui s'était promis de cuisiner toute la journée.

— J'ai pas... pas trop le goût de faire à manger. Si seulement on pouvait se faire livrer une bonne pizza ou du poulet!

Peu de choses manquaient au jeune couple depuis son installation sur l'Île Verte. Pourtant, à l'occasion, les tourtereaux réalisaient que leur éloignement comportait certains désagréments. Regardant avec désintérêt sa poche de pommes de terre qu'elle devait peler pour ajouter à son gros ragoût de boulettes, la brune ferma les yeux de dépit durant quelques secondes.

— Je pense qu'on va se faire des *grilled cheese*...

Le lendemain matin, au magasin Dionne, la nouvelle du meurtre annoncée la veille était sur toutes les lèvres. Les Verdoyants avaient beau être coupés du reste du monde plusieurs mois par année, ils conservaient une place spéciale pour la musique dans leur vie. Lorsque Lionel et Anémone pénétrèrent dans la pièce chaude, la pauvre vieille s'avança vers le comptoir de service, posa la main sur le bras de Victoire et marmonna, à l'étonnement général :

— Mes condoléances !

La commerçante ouvrit grands les yeux pour questionner la vieille, mais Lionel la devança en secouant sa tête blanche :

— Pour ton père, tu sais ?

— Mon père ?

— Quand je pense qu'un fou l'a tiré en pleine rue ! se lamenta Anémone, les larmes remplissant ses yeux vides d'expression.

Roch Bérubé, Marc-André et Paul éclatèrent de rire ! La face de la pauvre Victoire valait son pesant d'or, elle qui avait perdu son père près de trente ans auparavant d'une longue maladie. La rondelette commerçante se pencha vers son congélateur pour éviter de riposter. Mais Adrien Ouimet, lui, ne put retenir ses paroles comiques, assis sur un tonneau de bière dans le coin.

— J'espère que tu as eu le temps de l'embrasser avant ! rigola-t-il, alors que Victoire le fusillait du regard.

Un nouvel éclat de rire général suivit la blague, auquel même Lionel se joignit. Après tout, sa pauvre vieille ne se rendait plus compte depuis longtemps des aberrations qui sortaient de sa bouche. La femme s'était assise sur le bout d'un des bancs de bois et fixait maintenant l'horloge au-dessus de la porte avec un sourire béat. Elle était retournée dans son monde et les conversations qui fusaient autour d'elle ne l'atteignaient pas. La vie était douce au royaume de sa vieillesse...

Alors que tous s'entendaient pour dire que la mort violente d'un homme dans la fleur de l'âge comme John Lennon était tragique, le décès de Jean Lesage quelques jours plus tard n'eut pas la même portée dans tous les foyers. Homme politique, premier ministre du Québec de 1960 à 1966, cet avocat de formation était considéré par plusieurs Québécois comme le père de la Révolution tranquille*. Regroupés comme tous les vendredis à la salle communautaire pour danser, les insulaires commentaient la nouvelle.

— Un bien grand homme, se lamentèrent Conrad et Gaspard, les yeux fixés sur l'écran du téléviseur dans la grande salle, qui diffusait des images de l'homme politique décédé.

Philippe ouvrit la bouche pour appuyer modestement le duo.

— C'est vrai que pour un libéral, il était pas pire. Puis je veux bien...

— Pas pire ? Le meilleur, tu veux dire !

Le barbu jeta un coup d'œil à Marjolaine, qui lui faisait discrètement signe de ne pas poursuivre cette confrontation. Car les deux insulaires plus âgés s'étaient retournés vers Philippe, la larme à l'œil et les traits crispés, proclamant qu'ils venaient de perdre l'homme qui avait changé le peuple québécois.

— Sans lui, mon gars, ça fait longtemps qu'on serait devenus des Anglais !

— Puis que notre électricité nous appartiendrait plus!

— En plus, ton René Lévesque aurait pas réussi grand-chose s'il avait pas d'abord été ministre libéral sous Jean Lesage!

Philippe écarquilla les yeux devant cette avalanche d'éloges avant de lever les mains bien haut:

— Ok, Ok, les mononcles, j'allais juste ajouter qu'au moins, lui, il avait compris qu'il fallait arrêter d'être menés par le petit Jésus*!

Sur ces paroles bien senties, le barbu se retourna pour voir que cette fois, c'était son beau-père très croyant qui le toisait sévèrement. Il comprit alors qu'il ne gagnerait pas la bataille et préféra s'éloigner vers son épouse hilare!

CHAPITRE 23

L'ennui sur l'île

Appréhendant le temps des fêtes qu'elle devrait passer loin de ses amis, Marjolaine décida d'organiser un gros *party* le soir du 24 décembre. Les insulaires invités se faisaient une joie de casser la monotonie de l'hiver par une telle fête. Tous supposaient qu'une veillée chez les citadins n'aurait pas la même saveur que toutes celles qu'ils avaient connues auparavant. Même la neige qui tombait dru depuis trois jours ne pourrait arrêter les Verdoyants invités.

— *Maudit* que tu es belle, ma Roseline! louangea Edmond Fraser, enfin de retour sur l'île avec sa famille.

Le trapu agrippa amoureusement une fesse rebondie de son épouse, alors qu'Hélène levait les yeux au ciel en grimaçant. Elle aurait préféré que ses parents amoureux réfrènent un peu leurs ardeurs... surtout devant eux! Le soir, à l'occasion, elle devait enfouir sa tête sous son oreiller pour ne rien entendre de ce qui se déroulait dans la chambre en face de la sienne. Un jour, le mois dernier, elle avait vaguement abordé la question avec son amie Marion.

— Tes parents, eux, est-ce qu'ils te dérangent parfois le soir?

— Me dérangent?

Hélène avait rougi en se tortillant sur le long billot sur lequel elles étaient assises au Bout d'en-Haut. Elle avait fait bouger son index dans un rond formé par son pouce et son autre index.

— Bien tu sais, te déranger avec ça !

Marion avait secoué ses boucles blondes qui émergeaient de sa tuque. Le nez rougi par le froid et les lèvres à peine mobiles, elle avait murmuré :

— Oh, moi, mes parents ils se parlent pas trop, alors je pense qu'ils font plus… ça.

Hélène lissa sa courte jupe noire en corolle que lui avait donnée Marjolaine pour son anniversaire, en septembre, en reportant son attention sur son père, qui avait revêtu son habit de noce pour l'occasion. Comme il avait gagné beaucoup de poids depuis vingt ans, sa chemise blanche lui collait au corps et son veston bleu et gris ne fermait plus. Sa femme le regarda de haut en bas en grimaçant un peu.

— Va falloir que tu fasses attention, mon homme, tu as pris de la bedaine !

— Hein ? De quoi tu parles, de la bedaine ? Pantoute, c'est juste du muscle, tu sauras !

Et pour faire rire ses cinq enfants, Edmond plia ses bras comme un culturiste et rentra son ventre bien dodu, puis se mit à marcher de long en large dans la cuisine, les fesses serrées. Les trois filles et les deux garçons riaient en pensant à la soirée qu'ils allaient vivre, aux cadeaux qu'ils allaient recevoir et à la chance qu'ils avaient d'avoir un papa qui ne les grondait jamais.

— Grouillez-vous, les enfants, j'aimerais ça qu'on arrive en premier. Peut-être bien que mon amie a besoin d'un coup de main ?

— Qu'est-ce que j'ai fait au Bon Dieu pour avoir une femme fine de même, moi ?

La blonde rougit un peu avant de rétorquer :

— C'est normal ! La jeune a beau tenir un hôtel, elle a quand même invité presque trente personnes, c'est pas rien !

— Mais maman, argumenta Hélène, tu as passé tous tes après-midi là depuis deux semaines ! Me semble que Marjolaine doit être prête là !

— Tsss, tsss, tsss... on sait jamais. Ça fait que vite, embrayez !

— Sa sœur va être là, à Marjolaine ? demanda Hélène d'un ton qu'elle souhaitait indifférent. Parce que si sa mère se doutait du trop grand intérêt qu'elle portait à la belle femme de la ville, elle s'arrangerait pour couper court à leurs rencontres assez vite.

— Voyons, tu sais bien que les deux se parlent pas !

— Et puis ! C'est la fille à monsieur Paul quand même. Il a pas le goût de voir Sophie, lui ?

Elle n'aurait pas cru si bien dire, la belle Hélène ! Le père de Marjolaine avait bien tenté d'inviter son aînée à lui rendre visite pour le temps des fêtes, il aurait même payé sa traversée en hélicoptère. Mais Sophie, à qui il parlait au moins une fois par semaine depuis son retour à Québec, avait refusé.

— Pas question que tu doives te séparer en deux pour Noël, papa. Quand je reviendrai, au printemps, on aura l'occasion de passer du bon temps ensemble, je te le promets. De toute manière, avait-elle menti, c'est la période la plus achalandée au salon et je travaille presque nuit et jour.

Déçu et soulagé à la fois, Paul lui avait promis un appel le soir du 24 décembre. Roseline allait répondre à la question d'Hélène, mais dans le fond, elle s'aperçut qu'elle ne savait pas quoi répliquer. Comme les autres insulaires, la mère Lamothe ignorait tout de la cause de la chicane des sœurs Lalonde. Mais elle ne voulait pas montrer son ignorance à sa fille, alors elle répondit :

— On a pas le temps de parler de ça, il faut partir si on veut être les premiers arrivés, répéta Roseline en poussant son petit troupeau dans le corridor de sa grande maison.

Pourtant, au moment où Roseline exprimait ce souhait, des invités arrivaient déjà à la maison rouge. Marc-André, Marie-Laure et leur petite famille furent en effet les premiers à poser leurs pénates dans la grande garde-robe de l'entrée. L'horloge au-dessus de l'arche du salon indiquait tout juste dix-neuf heures. Philippe et Paul s'empressèrent d'aller déposer les bottes dans le bain. Depuis l'incident du spectacle, Jules n'avait pas refait de crise publique. Par contre, les cernes sous les yeux de Marie-Laure et les quelques commentaires déprimés qu'elle avait formulés laissaient croire que la situation ne s'améliorait guère.

— Enlève ton *suit*, Jules, insista Marc-André auprès du gamin roux, qui ne fit que secouer la tête avant de s'avancer dans la cuisine pour aller flatter Joe, couché sous la table. Sa tuque était encore attachée sous son menton et son habit de neige une pièce était à peine détaché au cou.

— Laisse-le faire, c'est vrai qu'il fait un peu frais dans la maison, avec la porte qui s'ouvre sans arrêt, offrit Philippe, en remarquant le regard désemparé de son cousin.

Le blond le remercia silencieusement avant de retirer sa grosse parka vert armée. Il regarda son fils cadet sous la table, qui avait maintenant au moins enlevé sa tuque pour coller ses bouclettes contre la fourrure du chien, qui savourait les caresses les yeux fermés. Éloi, quant à lui, ne s'intéressait pas à l'animal, plus préoccupé par l'état de sa carte de hockey, qu'il tenait à la main. La neige qui tombait en avait mouillé un coin. Il vint pour en informer sa mère et se plaindre un peu, mais le regard vide que celle-ci laissait errer dans la cuisine le fit changer d'avis.

Il connaissait cet air-là, il ne servirait à rien de lui parler des dégâts que les flocons avaient causés.

— Tiens donc, qu'est-ce que tu as dans les mains ? demanda Philippe au jeune garçon pour faire diversion et diminuer la tension dans la pièce.

— Une carte de hockey.

— Oui, je vois bien ça, mais c'est une carte de qui ?

Éloi regarda longuement l'homme avant de décider qu'il valait la peine de partager ses connaissances. Comme son père, il adorait les Nordiques. L'année précédente, cette franchise de la Ligue nationale de hockey avait commencé à évoluer entre les murs du Colisée. La rivalité qui s'était aussitôt installée entre cette équipe et les Canadiens de Montréal avait créé des dissensions jusque sur l'île.

— C'est Peter Stastny, annonça le blondinet dodu, la main tendue vers Philippe.

Ce dernier observa la carte du joueur préféré de l'enfant. Il se releva en haussant les épaules.

— C'est un bon joueur, mais je préfère Mario Tremblay, déclara-t-il pour se moquer gentiment du jeune alors que lui aussi ne jurait que par les Nordiques.

Le visage de l'enfant se plissa pour afficher son dédain, et il se retourna vers son père en se désolant :

— Philippe aime les Canadiens.

— *Pfff,* il sait pas de quoi il parle, hein, Éloi ?

Le père et le fils hochèrent la tête de concert, démontrant de nouveau leur complicité. Cette si belle entente qui faisait sourire les autres dérangeait grandement Marie-Laure, qui savait bien que jamais Jules et son père ne vivraient cette connivence. Philippe et Marjolaine éclatèrent de rire en voyant Éloi ranger la carte dans la poche de son jeans sans plus un regard pour le pauvre homme qui ne connaissait rien au sport national. Seul Gaspard aperçut le regard attristé de Marie-Laure. Il s'approcha pour lui serrer gentiment la main. Comment lui faire réaliser qu'il comprenait sa détresse? Sa bru s'enfonçait sans demander d'aide et il aurait tant voulu alléger sa peine.

— *Toc, toc, toc...* on est arrivés!

Les gens entrèrent à tour de rôle dans la grande cuisine sans même sonner. Sur l'île, les portes n'étaient jamais barrées. Lorsque Roseline, Edmond et leurs enfants grimpèrent l'escalier, la pauvre femme ne put retenir un grognement de dépit:

— Zut!

— Hein?

— Bien on est pas les premiers, tu vois bien!

En effet, le chemin dégagé durant l'après-midi par un Paul jubilant au volant du tracteur de Gaspard était déjà rempli de vieux *bazous*, de motoneiges et de trois-roues. Au même moment, un nouveau duo formé depuis le soir du spectacle, la maîtresse d'école Juliette Hurtubise et Roch Bérubé, descendit d'une rutilante motoneige bleue, main dans la main. Roseline se dépêcha de faire entrer sa progéniture pour ne pas avoir à jaser avec celle qu'elle considérait comme sa compétitrice. Chaque fois qu'elle croisait la maîtresse de ses enfants, la pauvre cherchait à mieux exhiber sa poitrine, en espérant que tous remarquent qu'elle n'avait rien à envier à la blonde artificielle aux grosses lunettes. D'ailleurs, elle ne s'était pas gênée pour critiquer le nouveau couple, en mentionnant que la place d'une enseignante était dans une salle de classe, pas sur un plancher de danse tous les vendredis soir à se trémousser au son de la musique disco! Si l'ancien gardien du phare ne voyait pas de problème avec une telle preuve de dévergondage, c'est que c'est lui qui avait un problème! Marjolaine avait tenté de tempérer son amie en disant que les soirées étaient bien longues quand on était seul sur l'Île Verte, mais l'autre avait renchéri en disant qu'Adrien et matante Minou vivaient bien en solitaire, eux aussi, et que, pourtant, on ne les retrouvait pas en train de se dandiner à la salle communautaire toutes les semaines ! Cela avait clos la discussion, Marjolaine comprenant qu'elle n'aurait pas le dessus dans cet échange.

— Entrez, entrez, cria Philippe la tête dans la glacière, où il gardait au frais des dizaines de bouteilles de bière.

Quand le nouveau couple entra dans la maison rouge, tous les yeux convergèrent vers lui. Alors que Roch Bérubé pavanait avec fierté, Juliette Hurtubise, elle, rougissait comme une adolescente. En ôtant son long manteau de renard argenté, elle sourit à Philippe, qui ne put se retenir de fixer le haut de sa poitrine bien à la vue, dans sa robe verte qui la boudinait comme une saucisse. La femme était tout en courbes et juste à voir les regards gourmands de son amoureux, peu entretenaient de doutes sur les pensées grivoises qui occupaient l'esprit du moustachu. Un peu plus et il se lécherait les babines en ronronnant. Du moins, c'est ce que Roseline répondit à Marjolaine lorsque celle-ci s'approcha pour les pointer.

— Sont *cutes*, tu trouves pas ? murmura la brune à l'oreille de son amie.

— Pas mal indécents, si tu veux mon avis ! As-tu vu comment sa robe la serre ? Elle est supposée donner l'exemple, quand même ! Imagines-tu sœur Claudette arrangée de même ? En tout cas, ils devraient s'en aller tout de suite au motel au lieu de se donner en spectacle, répondit sèchement Roseline sous l'œil éberlué de la pauvre Marjolaine, qui n'osa pas lui demander de quel motel elle parlait !

Philippe mit une Labatt Bleue entre les mains de son cousin pour ensuite accaparer le tourne-disque avant que sa femme ne leur fasse subir sa longue litanie de chanteurs européens. Elle avait en effet collé sur le mur au-dessus du meuble une feuille sur laquelle figuraient les noms des interprètes, selon l'ordre dans lequel elle voulait qu'ils soient entendus tout au long de la soirée :

1. Jacques Brel
2. Joe Dassin
3. Michel Delpech
4. Nicole Croisille
5. Joe Dassin
6. Yves Duteil
7. …

En voyant la liste, Philippe avait d'ailleurs fait remarquer qu'une erreur s'y était glissée.

— Hein ? Où ça ?

— Bien tu as écrit deux fois Joe Dassin, avait expliqué l'homme en levant un crayon pour biffer une occurrence.

La claque de sa femme sur sa main tendue l'avait fait sursauter.

— Es-tu malade ? avait-il crié en la foudroyant du regard.

— Pas du tout ! Et c'est pas une erreur, tu sauras. Joe mérite d'être entendu deux fois au moins dans la soirée. De toute manière, j'ai tous ses disques alors j'ai le choix en masse…

Le barbu s'empressa donc de sortir le disque de Pink Floyd de sa pochette et de le glisser sur la plate-forme avant que la reine de la soirée n'impose sa musique. Marjolaine leva les yeux au ciel en se dirigeant vers Conrad et Victoire, qui faisaient aussi leur entrée avec matante Minou.

— Tu perds rien pour attendre ! cria-t-elle à Philippe à travers la pièce.

Ce dernier lui souffla un baiser en tapant dans la main de Marc-André, qui n'était pas non plus très friand des chansons françaises. En l'espace de trente minutes, une vingtaine d'invités supplémentaires arrivèrent au *Chant des marées*. En cette période festive, l'île s'apprêtait à s'isoler du reste du monde pour les prochaines semaines. Jusqu'à ce que l'eau du fleuve ne gèle afin de former le pont de glace.

— On en a encore pour une couple de semaines avant de pouvoir traverser, disait justement Conrad à Roch Bérubé. Ça gèle, ça dégèle, il serait bien temps que la nature se branche, pour qu'on puisse baliser le pont, grogna-t-il en laissant son regard gourmand glisser sur la table invitante.

Ce lien de communication routier, inexistant ailleurs dans la province, permettait aux insulaires de traverser lorsque les chalands étaient remisés. De décembre à mars, le pont était érigé progressivement entre l'île et Cacouna. À marée montante, les fines couches de glace qui se formaient lorsque le fleuve était à son plus bas se détachaient pour s'accumuler en blocs. La neige et le frasil, transportés par les grands vents, s'aggloméraient avec ces blocs, permettant ainsi aux insulaires de traverser sur la rive sud*. Pour l'instant, tous espéraient qu'aucun incident n'oblige un Verdoyant à utiliser l'hélicoptère, le seul moyen de transport pour se rendre de l'autre bord entre les deux saisons.

— Tu vas encore t'occuper du traçage cet hiver, Lionel ? demanda Roch assis bien droit sur une chaise de cuisine, une main de propriétaire posée sur la cuisse de sa blonde, qui la repoussait doucement. Après tout, certains de ses élèves lui jetaient des œillades goguenardes, surtout les garçons les plus âgés. Pour eux, l'arrivée de cette maîtresse tout en rondeurs leur avait permis de rêver un peu plus pendant les leçons auxquelles ils ne comprenaient rien !

Lionel Vézina jeta un regard hésitant vers sa femme Anémone, qui regardait le film *Le Noël de Charlie Brown* sans vraiment suivre les péripéties du personnage principal, désireux de retrouver le vrai esprit de cette fête. Assise sur le divan du salon avec les enfants, la vieille n'avait pas touché à son verre de punch. Le doyen essaya de reprendre le contrôle de ses mains tremblantes avant de répondre d'un ton hésitant en pointant son épouse, qui fixait l'écran avec un sourire niais.

— En principe, je pense bien! Remarque que c'est certain que je peux pas la laisser trop longtemps...

— Je t'ai dit que je vais m'en occuper quand tu peux pas, chuchota matante Minou en regardant son ancienne copine d'école. Chaque fois qu'elle voyait Anémone, elle réfléchissait au sens de la vie. Pourquoi passer toutes ces années à travailler, à élever des enfants, pour un jour devenir inutile? Les larmes montaient aux yeux de la sensible Hermine lorsqu'elle les posait sur la femme aux longs cheveux gris tressés maladroitement par Lionel.

— À moins que le conseil m'enlève la *job,* murmura le vieux en hésitant.

Il lança un regard inquisiteur vers Gaspard, qui n'entendit pas la remarque ou fit mine de ne pas la percevoir. Sa belle-fille Marie-Laure lui jeta un coup d'œil avant de répondre d'un ton affirmé à la place du maire.

— Je vois pas pourquoi tu t'en occuperais pas, Lionel! Tu as toujours fait un travail parfait.

Marc-André tourna la tête pour ne pas montrer son expression ennuyée face au commentaire de sa femme. Pourquoi se mêlait-elle de la politique de l'île? eut-il envie de lui demander. Depuis dix ans, Lionel Vézina était le traceur désigné pour le pont de glace. Il devait vérifier l'état de la glace et baliser le trajet avec des épinettes. Le travail d'entretien était essentiel pour s'assurer qu'aucun accident désastreux ne se produise.

— Ouin… j'en ai échappé une l'année passée, mais…

— Une fois est pas coutume! le coupa Marie-Laure d'un ton catégorique.

Son beau-père leva sa tête chauve pour la dévisager. Devait-il rappeler à sa bru que la motoneige de monsieur Lafrance, du Bout d'en-Bas, avait glissé dans le fleuve parce que le vieux Vézina avait négligé de modifier le tracé du pont de glace à la suite d'une grande mer? Roseline entreprit de raconter à Marjolaine l'anecdote de l'hiver précédent:

— Le bonhomme Lafrance s'en allait reconduire son gars au village, au début de janvier, chuchota-t-elle en se cachant derrière son verre de boisson gazeuse. Il était parti vers quatre heures avec son garçon et un agneau mort dans le *trailer*, pour le donner au monsieur chez qui le fils était en pension.

Marjolaine observait la tension entre Gaspard et sa bru tout en écoutant attentivement le potin croustillant qui filtrait jusqu'à son oreille. Tout dans le corps de Marie-Laure démontrait l'état de nervosité dans lequel elle se trouvait. Sa mâchoire était tendue, ses épaules bien droites rejetées vers l'arrière, ses poings légèrement crispés, ses yeux bleus à moitié fermés.

— Il traversait vers le « su », à l'endroit où c'est le plus étroit.

— Où? demanda distraitement Marjolaine.

— Au « su ».

— Au quoi?

— Bien voyons, toi! Au..

— Oh… au sud! Excuse-moi, j'avais pas compris.

Roseline lui tapota la main pour lui pardonner. D'habitude, la courtaude faisait attention de ne pas utiliser de patois de l'île lorsqu'elle s'adressait à son amie de la ville. Mais avec un petit verre dans le corps, c'était un peu plus difficile !

— Trois heures plus tard, le pauvre homme a téléphoné à sa femme, morte d'inquiétude de pas voir son époux revenir. Il s'était enligné vers une masse sombre, croyant que c'était le continent, mais la motoneige a commencé à s'enfoncer dans le fleuve. Heureusement, le bonhomme est pas un « deux de pique » parce qu'il s'est dépêché de descendre avec son fils de l'engin meurtrier…

— …heu…

Marjolaine voulut rétorquer que le terme était fort, mais le ton dramatique n'avait d'égal que la tension qui se lisait dans le visage rond de sa vis-à-vis. L'hôtesse choisit donc de se taire et d'écouter la fin de l'histoire. C'est alors qu'elle remarqua la chanson qui rugissait dans la maison. Ses yeux foncés se fixèrent sur son mari et elle lui fit un signe discret de la main. Mais le grand barbu fit mine de ne rien voir, heureux d'entendre la voix de Roger Waters hurler les paroles d'*Another Brick in the Wall*.

— …pour reculer dans l'eau glacée qu'ils avaient jusqu'aux genoux. Si le père Vézina avait fait sa *job* comme il faut, le chemin aurait été balisé comme du monde !

Marjolaine regarda Roseline, qui finit son histoire avec un claquement de langue. Ses yeux outrageusement maquillés se posèrent sur Marie-Laure, qui avait maintenant retrouvé le stoïcisme habituel qui ne la quittait plus depuis quelque temps. Depuis l'incident avec Jules lors de l'anniversaire de la mère Lamothe, la relation entre les deux femmes ne s'était guère améliorée. Quant à son beau-père, Marie-Laure n'avait pas encore digéré son ingérence dans sa vie. Il n'avait pas à se mêler de la façon dont son mari et elle choisissaient d'élever leurs enfants !

Gaspard vint pour ajouter quelque chose lorsque Marc-André s'avança vers sa femme pour tenter d'alléger l'atmosphère :

— Marie-Laure, veux-tu une bière? Ou un verre de punch?

La châtaine plissa ses yeux pour répliquer, mais l'air suppliant qu'elle lut sur le visage de son mari l'en empêcha. Elle le suivit plutôt vers le comptoir sur lequel des caisses de bière ouvertes les attendaient. Fébrile et excitée, Marjolaine, quant à elle, se déplaçait maintenant entre ses invités en leur offrant un verre de punch «pas piqué des vers». Les femmes s'étaient vêtues de leurs plus beaux atours. Même Marie-Laure avait fait un effort vestimentaire en enfilant une robe dorée avec une ceinture nouée autour de ses hanches de plus en plus étroites. Ses cheveux châtains étaient raides, mais propres et lustrés. Marjolaine se glissa à ses côtés pour lui faire une accolade en soufflant :

— Tu es de toute beauté, mon amie! Tu as pas mal maigri, toi! Manges-tu, au moins?

La mère de famille donna un quignon de pain à Jules, qui jouait à ses pieds, avant de répondre sans regarder celle qui lui parlait :

— Inquiète-toi pas pour moi! J'ai des réserves en masse. Toi aussi, tu es belle!

Marjolaine sourit coquettement, sachant fort bien que sa robe bustier noire à rayures blanches ceinturée de rouge se mariait parfaitement à la couleur de son rouge à lèvres. D'ailleurs, son mari avait tenté à quelques reprises de lui enlever sa tenue avant l'arrivée des invités. À chaque tentative, Marjolaine s'était écartée en riant et en le traitant d'obsédé. À la fin, déçu, Philippe lui avait mordillé l'oreille en murmurant :

— Vous perdez rien pour attendre, madame Lalonde!

Les membres de la famille Castonguay furent les derniers à arriver. Justin et ses grandes sœurs se présentèrent sans leurs parents ni leur grand-mère. Ceux-ci avaient décidé que c'était un *party* pour les jeunes. Justin était énervé sans bon sens, lui qui espérait de tout cœur participer à la partie de cachette que les plus jeunes avaient prévu de faire à l'extérieur quand leurs parents seraient bien réchauffés.

— J'espère qu'ils vont m'attendre pour commencer le jeu! s'était-il exclamé en jetant un autre coup d'œil à sa montre. Mais il avait eu beau bien écouter, il était tout mélangé. Marie-Noëlle, c'est la petite ou la grande aiguille qui me dit l'heure? avait-il demandé pour la troisième fois depuis leur départ.

Sa sœur Marie-Noëlle n'avait pas répliqué, se concentrant sur la route enneigée. Comme tout le monde sur l'île, son cœur vibrait d'affection pour ce jeune homme balourd qui venait de fêter son dix-huitième anniversaire. Justin était grassouillet, court sur pattes, sans réelle beauté. Pourtant, il était apprécié de tous. Dans le fond, pensait sa sœur, s'il est content de jouer à la cachette, c'est bien correct! Pour l'ensemble des insulaires, Justin était peut-être le *ti-coune* de l'île, mais pour elle, c'était un *ti-coune* attachant et loyal!

⌇

— Bon, tout le monde est là, qu'est-ce que vous diriez de manger? s'informa Marjolaine d'une voix excitée.

— Ma délicieuse épouse vous a préparé tout un festin, vous allez voir! ajouta Philippe.

Roseline tiqua un peu en entendant le barbu. Il aurait été agréable que son nom soit mentionné, puisqu'elle avait travaillé très fort à la préparation de ce buffet royal. Sandwichs sans croûte, salade de patates et bacon, petits œufs farcis saupoudrés de paprika, tranches de *baloney* et de mortadelle roulées, deux

pâtés à la viande, du ragoût de boulettes, des marinades, des ket-
chups aux tomates vertes, un pain sandwich de trois étages, des
céleris fourrés au Cheez Whiz et la grosse dinde dodue qui trônait au centre de la table dans la belle assiette plaquée d'argent
qui venait de chez elle. En posant les yeux sur la pièce de résistance, Marjolaine pointa son amie taciturne au bout de la table
et affirma d'une voix haut perchée :

— J'ai pas fait ça toute seule ! Sans notre chère Roseline, vous
auriez pas mal juste une dinde à manger !

— Voyons donc, toi ! rougit l'interpellée, alors que tous les
invités se tournaient vers elle.

— À la plus belle ! rugit son mari en levant sa bouteille de
bière bien haut, le visage rouge d'émotion, sans remarquer la
mimique ironique de sa voisine d'à côté, Marie-Laure.

— Santé !

— À nos deux fantastiques cuisinières !

— Bon, allez-y, mes amis, servez-vous, je vais mettre un peu
de...

— ...oh non, mon gars, tu vas pas nous bombarder de tes
musiques de malade. On va s'en tenir à ma liste !

Marjolaine se leva en chancelant un peu, elle qui n'avait pas
lésiné sur le punch depuis le début de la soirée. Elle avait eu
l'impression qu'une tonne de briques était tombée de ses épaules
au fur et à mesure que les invités étaient arrivés et que l'ambiance festive s'était installée. La soirée serait réussie ! À la suite
de la visite de Sophie, en octobre, Paul et elle ne s'étaient pas
reparlé des projets futurs de sa sœur. Même si son père avait
voulu aborder la question, il ne désirait pas pour autant s'aliéner
sa cadette, sur laquelle il comptait tant. Il commençait à trouver
pénible de ne pas pouvoir mentionner les appels de Sophie, les
anecdotes qu'elle lui racontait avec brio concernant les clients du

salon de bronzage où elle travaillait ou même juste le salut d'un tel ou d'une telle que son aînée lui transmettait.

— J'ai l'impression de toujours devoir me censurer ou penser dix minutes avant de parler pour être certain de pas mentionner d'où je tiens certaines nouvelles du continent, s'était-il confié à Gaspard.

— Je te dis que nos enfants nous laissent pas trop de répit, avait marmonné son ami en soupirant. Moi qui pensais qu'avec l'âge viendrait la sainte paix…

Philippe aussi avait les yeux brillants de bonheur. Sa barbe bien taillée, sa belle chemise blanche aux manches roulées, portée sur un jeans vraiment serré, il souleva sa femme pour l'embrasser à pleine bouche.

— Wo, les amoureux ! ricanèrent les invités avant de se mettre en file devant la tablée et de prendre une assiette en carton.

— On va pouvoir fêter au lieu de faire de la vaisselle jusqu'à demain ! avait insisté Philippe en achetant les assiettes jetables sur le continent la semaine précédente.

Marjolaine avait hésité, trouvant que ce type de vaisselle ne faisait pas assez chic. Mais en voyant la bonne humeur générale, elle sourit à son tour. Les invités étaient beaux, le buffet somptueux et la musique parfaite ! La jolie brune fredonna au même rythme que Dalida, avant de sourire à Marie-Laure qui tanguait, légèrement appuyée contre le comptoir encombré. Seul Paul paraissait un peu taciturne. Marjolaine, tout à son euphorie, ne semblait pas remarquer les coups d'œil fréquents que son père jetait à l'horloge. Gaspard, lui, l'agaça un peu :

— Coudonc, mon Paul, ça fait dix fois que tu regardes l'heure depuis que je suis arrivé ! As-tu hâte qu'on sacre notre camp ? le taquina le maire.

— Hein… ? Non, non.

Le chuchotement de l'autre fit froncer les sourcils du gros chauve. Il hésita à le questionner de nouveau lorsque son ami mit son index sur ses lèvres pour lui faire signe de ne pas insister. Il lui expliquerait plus tard ce qui en était. Jetant un regard légèrement inquiet vers Jules, Marie-Laure soupira de soulagement en constatant qu'il était assis entre son grand-père et son père, et qu'il grignotait un morceau de pain sandwich, les pieds posés sur Joe, qui l'avait adopté. Le gros chien s'était enfin calmé. Au début de la soirée, à l'arrivée de chaque groupe d'invités, l'animal avait jappé, malgré les ordres répétés de ses maîtres. Il courait partout dans la maison et Marjolaine l'avait finalement laissé sortir, lasse de l'entendre aboyer! Satisfaite, Marie-Laure regarda son ex-amie Roseline, déjà passablement réchauffée par l'alcool, même si la soirée était jeune, et son Edmond, qui la serrait amoureusement. Puis son regard se posa sur son mari, dont le ventre prenait de plus en plus d'expansion avec les années. Elle ne ressentait rien envers lui. Pourtant, elle l'aimait, avant. Elle adorait glisser les doigts dans ses belles boucles blondes si semblables à celles de ses deux aînés. Maintenant, chaque fois qu'il posait la main sur son corps, Marie-Laure esquissait un geste pour s'éloigner. Toutes les excuses étaient bonnes :

— Je suis crevée; la journée a été longue; on se lève tôt demain; Jules pleure…

Depuis quelques mois, Marc-André avait abdiqué, ne désirant plus vivre ce rejet. Les anciens amants vivaient en colocation. Une boule d'émotion se forma dans la gorge de Marie-Laure, qui avait l'impression de ne plus rien éprouver d'autre que de l'angoisse depuis qu'elle s'était rendu compte que son fils n'était pas normal. Toutes les autres sphères de sa vie avaient été mises au rancart. Finies les journées à cuisiner, les matinées à tricoter, les après-midi à bavarder au marché Dionne ou au quai. Quand ses deux plus vieux étaient à l'école, elle restait assise dans son salon, son fils à ses côtés, prévenant les crises. Seule Marjolaine réussissait encore à la faire sortir de sa réserve.

— Je m'en fous que ton garçon se choque ou crie, Marie. Tu vas pas t'empêcher de vivre pour ça. Allez, on va au nord.

Marie-Laure remerciait alors son amie du regard avant de la suivre dans ses promenades, qui les menaient du Bout d'en-Bas au Bout d'en-Haut en passant par le phare, pour que le gamin puisse jouer sur la plage. La châtaine continua son balayage visuel de la grande cuisine surchauffée. Lionel donnait la becquée à son épouse, dont le cou était ceint d'un linge à vaisselle qui tenait le rôle de *bavette*. Docilement, la vieille ouvrait la bouche et mâchait la nourriture sans quitter le téléviseur du regard. L'affection avec laquelle Lionel Vézina prenait soin de sa femme était visible pour tous. Marie-Laure fronça les sourcils en voyant sa grande fille rire aux éclats devant les simagrées d'Antonin Dionne, le petit garnement. Depuis quand sa Marion appréciait-elle sa compagnie ? Le couple formé de l'ancien gardien et de la maîtresse d'école avait disparu depuis quelques minutes et, lorsque Marjolaine vit les tourtereaux redescendre dans l'escalier, elle comprit qu'une pièce du haut avait été témoin de leurs rapprochements amoureux. Elle plissa son nez en se penchant vers son mari :

— J'espère qu'ils ont pas fait ça dans notre chambre au moins ! grogna-t-elle en les pointant du menton.

Juliette avait les pommettes rouges, les grosses lunettes un peu penchées, ce qui lui donnait un air de sapin de Noël, étant donné le vert écarlate de sa tenue de soirée. Le gardien, fier de ses exploits, la suivait pas à pas, la cigarette à la bouche.

— Pour moi, on va aller aux noces bientôt, ricana Philippe.

La soirée était bien avancée lorsqu'un coup retentit à la porte de la maison. La table avait été tassée dans un coin et toute la nourriture rangée dans le réfrigérateur pour laisser place aux bols remplis de croustilles et d'arachides. Depuis que Philippe avait ouvert les sacs de *crottes* de fromage, tous les enfants se tenaient près de la table. Les petites mains s'élevaient à intervalles réguliers, les bouches « s'orangeaient » de plus en plus. Les garçons et les filles en profitaient puisque leurs parents, bien avinés, ne s'intéressaient plus guère à eux ! La musique battait son plein. Du rock, du disco, jusqu'à *Ne me quitte pas* de Jacques Brel, même si tous les hommes présents avaient hué les choix de disques de Marjolaine.

— Vous connaissez rien à la musique ! avait ricané la brune en chantant à tue-tête toutes les paroles, alors que ses invités se moquaient gentiment d'elle. L'hôtesse étirait les bras devant son mari, affalé au fond du *papasan* en hurlant les mots de cette chanson destinée à faire pleurer. Pourtant, Marjolaine riait aux éclats. Elle n'avait pas remarqué que son père Paul s'était éclipsé plus d'une heure auparavant pour filer vers son chalet. Sophie l'avait appelé à 10 heures pile. Hélène, Marion, Antonin et son meilleur ami Robert avaient aussi disparu, bien à l'abri dans la fausse cave de la maison, où ils jouaient à « vérités ou conséquences », malgré les réticences de Marion, qui trouvait les deux garçons idiots.

— Allez, *pissoune*, avait lancé Antonin en poussant son amie de l'épaule et en riant d'un air grivois.

— Bof, c'est niaiseux, ce jeu-là !

— Tu aimes mieux faire des Lego avec Éloi puis le *ti-coune* Castonguay ? On te retient pas, remarque, avait ajouté Robert, un garçon de treize ans qui ne s'était pas encore débarrassé de sa graisse de bébé.

Alors la blonde avait suivi le trio, qui s'était faufilé en prétextant partir marcher un peu pour digérer ! Assis sur des vieilles chaises de camping dans la cave en terre battue, les quatre adolescents se partageaient une bouteille de Coke, dans laquelle Antonin avait ajouté un peu de rhum. Après une première gorgée avalée à contrecœur, Marion trouvait bon le liquide qui réchauffait son corps et la faisait rire plus que d'habitude. Elle accepta donc la cigarette que lui tendait le jeune Dionne, sans remarquer le regard énamouré que celui-ci lui lançait. Depuis le début de l'année scolaire, les seins de la jeune fille avaient bourgeonné et dessinaient maintenant un léger renflement dans sa belle robe de satin bleu, que le garçon ne quittait pas du regard. Il déglutit avec une émotion nouvelle lorsque Marion posa ses yeux pâles sur son visage empourpré.

— Ça va, Antonin ?

— Hum… Oui, oui. Je suis juste…

Les coups qui se répétèrent à la porte de la maison rouge lui évitèrent de dire un mensonge. Il posa son doigt sur sa bouche en pointant l'extérieur.

— *Chuut…*

Dans la grande cuisine, Éloi, assis près de la porte, ouvrit au nouvel arrivant. Sur le seuil de la maison, Adrien Ouimet regardait d'un air désemparé les insulaires qui riaient, dansaient, buvaient et hurlaient parfois. Il resta pantois pendant quelques secondes avant que Gaspard ne l'aperçoive.

— Adrrriennn !

Le maire s'avança vers le visiteur, qui regarda derrière. Il avait presque envie de s'en retourner chez lui. Mais les invités avaient cessé de danser et tous le fixaient avec bonne humeur. En l'espace de peu de temps, les voix se turent et les têtes se tournèrent vers l'entrée. Dans la cuisine chaleureuse, où on s'amusait ferme, la fête fit place à l'étonnement.

— Tiens donc, l'ermite que voilà ! se moqua Roch, assis par terre, aux pieds de sa douce.

— Roch, bébé, arrête… marmonna Juliette en riant aux éclats.

Éloi, qui connaissait sa maîtresse en pleine possession de ses moyens, l'observa avec les yeux plissés. Il ne reconnaissait guère la femme qui lui enseignait dans cette personne dépeignée, dont la robe fripée remontait maintenant sur ses grosses cuisses. Philippe s'avança en titubant légèrement, la main tendue.

— Adr… Adrien, reste pas là, voyons ! Entre !

L'homme, engoncé dans son gros manteau d'hiver, semblait frigorifié. Malgré l'invitation qu'il avait reçue de Philippe et de Paul, à l'insu de Marjolaine, il n'avait pas eu l'intention de se rendre à cette soirée de Noël. Pourtant, lorsque la musique avait commencé, le volume qui avait augmenté au fur et à mesure que les heures avançaient l'avait convaincu de ne pas s'isoler en cette soirée de festivités. Ses souvenirs lui jouaient de mauvais tours. Il avait les joues écarlates, les cils pleins de glace et il prit quelques secondes pour se réchauffer.

— Hum… Je sais pas si…

— Oui, oui… tu… vous… tu restes ! coupa Philippe en lui donnant une grande claque sur l'épaule. Il lança du même coup un regard vers sa douce qui n'avait pas dit un mot, froissée de comprendre que l'homme qu'elle n'aimait guère avait été invité par les « traîtres ». Mais en voyant la fragilité qui émanait du vieil ermite, en se souvenant que le temps des fêtes était l'occasion de pardonner, elle lui fit un geste de la main et un sourire amical.

Soulagés, les invités reprirent leurs discussions sous la musique entraînante de *Cold As Ice* du groupe new-yorkais Foreigner. Les enfants, eux, avaient maintenant hâte de recevoir leurs cadeaux. Les quatre adolescents profitèrent de cette diversion pour revenir à l'intérieur, au chaud.

— Donne-moi juste une dernière gorgée de «Coke», rigola Marion dans l'escalier extérieur en tentant d'arracher la bouteille des mains d'Antonin, qui fit mine de la retenir.

— Un bec puis je te la donne, fanfaronna-t-il alors que Robert et Hélène couraient dans la maison.

Marion posa son regard légèrement embrouillé sur les lèvres rouges de son ennemi de toujours. Puis, elle contempla la bouteille, dont le liquide lui faisait tellement de bien. Debout dans les marches enneigées de la maison, ils entendaient les hurlements des adultes à l'intérieur et, voulant oublier l'ambiance qui prévaudrait lorsqu'elle reviendrait chez elle, Marion tendit de nouveau la main.

— Allez, arrête de niaiser, Antonin!

— Un bec puis c'est à toi.

Marion n'hésita plus. Elle ferma les yeux très fort en avançant ses lèvres glacées. Elle visait la joue du grand échalas, mais ce dernier avait prévu le coup et il referma maladroitement ses babines sur la bouche en cœur de l'adolescente, qui sentit son cœur battre à tout rompre dans sa poitrine. Un cri plus fort que les autres dans la maison fit sursauter les deux jeunes, qui rougirent aussitôt en s'écartant vivement. La porte de la maison s'ouvrit pour laisser passer la tête échevelée d'Hélène, qui hurla:

— Coudonc, vous arrivez? On va ouvrir les cadeaux!

CHAPITRE 24

Hiver à apprivoiser

Après avoir passé des semaines à éplucher le catalogue de Distribution aux consommateurs, les plus jeunes espéraient que leur message au père Noël avait été bien reçu. Justin Castonguay, de plus en plus intoxiqué, sautait partout au rythme des chansons, sous les regards attendris de tous.

— Je… je vais… avoir… ma cal… calculatri… ce Commodore… disait-il à tout un chacun.

— Pourquoi tu veux une calculatrice, Justin? Tu vas même plus à l'école!

— Pis… pis ça? Je… je veux aider… Vic… Victoire. Hein, Vic… toire? cria-t-il, alors que la commerçante approuvait en riant.

Devant cette ambiance survoltée, Adrien n'avait pas regretté sa décision. La nuit était froide, une vingtaine de degrés sous zéro, et seul dans sa maison, il ressassait inlassablement les tourments du passé. Au moins, ici, ses démons le laisseraient peut-être en paix.

— Tiens, prends une bière…

Avant qu'il ne puisse refuser, Marc-André avait glissé une bouteille entre les mains de l'invité, qui resta figé. Il chercha où déposer l'objet sans pour autant attirer l'attention sur lui.

Le plus discrètement possible, il s'avança vers le comptoir et remit la bouteille dans la caisse à moitié vide. Puis, il s'assit sur une chaise contre le mur de la salle de bain adjacente à la cuisine et il contempla la scène qui se déroulait sous ses yeux. À presque minuit, les plus jeunes dormaient sur les manteaux, dans la petite chambre à côté du salon. Juliette était assise sur son amoureux, qui avait la main glissée peu discrètement sous la robe verte à moitié relevée.

— *Check* la maîtresse, ricana Antonin en poussant des lamentations vulgaires.

— Je pense qu'elle fait notre éducation sexuelle! renchérit Robert en fixant la main du gardien de phare avec convoitise.

Un groupe d'invités plus âgés et enivrés dansaient en gigotant de façon plus ou moins réussie. Marjolaine et Marie-Laure y allaient d'un rock and roll endiablé, même si la chanson *Stayin' Alive* des Bee Gees ne s'y prêtait pas du tout. Mais elles riaient tellement qu'elles finirent assises sur le sol sans pouvoir reprendre leur souffle.

— *Maudit* que ça fait du bien, hein, Marie?

— Moui… Au moins, il s'est endormi.

Marjolaine ne demanda pas de qui son amie parlait. La vie de Marie-Laure tournait autour d'une seule personne, de toute manière. Le son des haut-parleurs était poussé au maximum et même le maire et les conseillers présents, pas mal pompettes, n'en avaient cure. S'il y avait bien un privilège de vivre dans un endroit aussi isolé, c'était celui de pouvoir s'amuser sans craindre les foudres de quiconque. Assis bien droit, Adrien avait sur le visage un air d'apaisement qu'il affichait rarement. Minuit sonna enfin et aussitôt, Éloi se leva en hurlant:

— C'est l'heure!!!!

Il n'en fallut pas plus pour que les plus jeunes s'agglutinent près du foyer, convaincus que le père Noël en sortirait d'ici quelques minutes. Les adultes, tous très saouls, se regardèrent avec des airs idiots sur le visage. Marjolaine prit les choses en main... enfin presque.

— *Where... Santa*? articula-t-elle péniblement. *You? Heu... put a... "cuestum" of the Santa, Ok*[10]*?* demanda-t-elle à Conrad, qui haussa les sourcils.

— *Heu... no. Me...* heu... *trop... not big*[11]*!*

L'homme mince ricana en pointant plutôt Gaspard et son ventre proéminent. Mais le grand-papa eut un bon point en précisant que ses petits-enfants auraient tôt fait de se rendre compte de son absence. Après un court conciliabule auquel les enfants ne comprenaient rien, Roch fut désigné. L'homme à la longue moustache s'esclaffait d'un rire d'ivrogne et, avec l'aide de Juliette, Marjolaine et Marie-Laure, s'affaira à enfiler le costume de père Noël que les Caron avaient apporté. Pour faire diversion, le niais Justin improvisa un spectacle de Bowie, son chanteur préféré. Sans pudeur, il se déhanchait et se tortillait en passant les mains partout sur son corps sous l'œil hilare des adultes et le visage fasciné des petits. Roch put ainsi se glisser dans un coin de la véranda où les trois femmes et lui eurent toute la misère du monde à réussir la tâche. Puis, au moment où il se pencha pour prendre la poche remplie de cadeaux pour les enfants...

Cracccccc...

— Oh *shit*[12]*!*

— Hahahahahaha!

---

10 Où est le père Noël? Toi? Mettre le costume du père Noël, Ok?
11 Non, moi être pas assez gros!
12 Merde!

Le fond du pantalon rouge venait de se déchirer. D'abord estomaquées, les trois femmes s'esclaffèrent tellement la vue du sous-vêtement blanc avec un trou sur une fesse était comique. C'est Philippe qui mit fin à l'hilarité en ouvrant délicatement la porte.

— Ça arrive, votre affaire? Pas évident de faire tenir les enfants plus longtemps.

— Oui, oui! s'écria Marjolaine, le maquillage dégoulinant sur ses joues humides.

Enfin, le père Noël se glissa hors de la maison, alors que les trois femmes pénétraient dans la cuisine. Près de la table, les fillettes Fraser tenaient un verre de lait et une assiette de biscuits au chocolat. Lorsqu'un gros coup de poing fut donné à la porte d'en avant, l'énervement monta d'un cran.

— Ho ho ho! Est-ce qu'il y a des enfants sages ici? questionna la grosse voix transformée de Roch Bérubé.

— Oui! Oui!

— Tiens, père Noël, des biscuits! offrit Véronique en s'avançant timidement.

— …et du lait… murmura Valérie cachée derrière sa sœur.

Jules, qui sortit de sous une pile de manteaux dans le salon, fixait le bonhomme vêtu de rouge avec intérêt. Quand il se pencha pour prendre son sac et s'avancer vers le *papasan,* où il se laissa tomber sans aucune grâce, Marie-Laure se mit à rire tellement fort qu'elle bascula assise dans la glacière ouverte derrière elle. Jamais sur l'Île Verte une soirée de Noël n'avait été aussi mémorable avec un invité aussi grivois!

— Ho ho ho! ma belle poulette appétissante, viens donc t'asseoir sur les genoux du père Noël, rugit le gardien en tirant la blonde maîtresse d'école sur lui.

Les fous rires reprirent de plus belle dans la grande maison chaleureuse. La distribution de cadeaux promettait d'être pour le moins intéressante. Même Paul, revenu en douce, savourait cette première nuit de Noël qui serait la dernière sans avoir ses deux filles auprès de lui, se promit-il…

⌒

— *Maudit* que je suis tannée!

Marjolaine tapotait le comptoir en fixant le fleuve gelé. Son visage délicat montrait son ennui. Le paysage semblait figé par l'hiver. Le toit rouge du chalet était tapissé de flocons qui rendaient l'habitation quasiment invisible. Murs blancs, toit blanc perdus dans un champ couvert de neige. Son beau jardin n'était plus qu'un souvenir! Marjolaine soupira de nouveau en flattant distraitement Joe, qui attendait sagement à ses côtés que sa maîtresse échappe un morceau de viande. Pour l'instant, il n'était guère chanceux, les cubes de bœuf demeuraient soigneusement enfarinés dans le gros bol en céramique devant Marjolaine. Le vieux Castonguay avait confirmé à la jeune femme que son labrador n'était en fait pas un chien de race pure. Quand elle lui avait demandé avec quelle autre race son chien avait été croisé, l'homme avait ricané en répondant: un caniche. Depuis, pas une journée ne passait sans que Philippe ne se moque de la pauvre bête de plus en plus frisée: viens ici, mon «labraniche»; tu es beau, mon «canidor»… les jeux de mots avec les deux races ne semblant pas avoir de fin chez le barbu. Chaque fois, Marjolaine soupirait en levant les yeux au ciel. Philippe déposa son journal sur la table pour suivre le regard de sa femme.

— Tu le savais, Marjolaine, je t'avais avertie que ça serait pas facile!

— Ouin, bien entre le savoir et le vivre, il y a toute une différence.

Délaissant sa lecture, Philippe s'approcha sournoisement de sa douce pour la prendre par la taille.

— C'est pour ça que les bébés de l'île naissent tous à l'automne. À part l'amour en janvier et février, il y a rien à faire ici!

Il éclata de rire avant de prendre les petits seins de sa femme dans ses larges mains. Marjolaine frissonna de désir, mais secoua vivement la tête. Elle s'appuya tout de même contre le torse nu de son mari. Même en plein hiver, son homme ne portait pas souvent de chandail. La chaleur que dégageait leur poêle était assez pour qu'il refuse de se vêtir un peu plus.

— Laisse faire les bébés, toi! Tu sais que je veux rien savoir! Ça t'apporte juste des problèmes, ces petites bêtes-là. Tu as juste à regarder Marie-Laure. Depuis notre arrivée sur l'île, j'ai l'impression qu'elle a vieilli de vingt ans!

Philippe songea à la femme de son cousin avant de se retourner vers la sienne.

— Bien moi, c'est pas le bébé que je veux, c'est une bonne pratique avec ma petite gonzesse préférée! dit-il en imitant la voix d'un cow-boy.

Depuis la fin de décembre, l'Île Verte s'était lentement engourdie au rythme des tempêtes. Même si le chemin principal était déblayé quotidiennement par des insulaires volontaires, les déplacements se faisaient rares. Les gens restaient chez eux, à tenir des petites veillées tranquilles au coin du feu et devant le téléviseur. La vingtaine d'enfants d'âge scolaire étaient à peu près les seuls à sillonner le chemin pour se rendre dans la classe de Juliette Hurtubise, qui profitait d'une chambre à l'étage de l'école. Comme un lion en cage, Marjolaine commençait à trouver le temps bien long, même si sa collection d'émaux sur cuivre l'occupait quelques heures par jour. Mais le besoin de bouger, de s'activer la démangeait et en ce samedi matin, 21 février, elle enfila son épais collant, son pantalon de jogging Adidas, sa grosse tuque avec des protège-oreilles d'aviateur, son blouson d'hiver court et se pointa devant son mari, qui réparait la fuite d'eau dans le bain qui l'agaçait depuis quelque temps. Il leva ses yeux doux sur l'énergumène qui venait d'apparaître dans la pièce avant d'éclater de rire.

— Qu'est-ce que tu fais là, ma perle?

— M'en vais courir, marmonna Marjolaine à travers son foulard, qui lui couvrait une partie du visage.

— Courir! Es-tu malade? Il doit faire moins quarante!

— *Pfff,* exagère pas, pépère! À la météo, ils ont parlé de moins dix. C'est pas la fin du monde, je suis habillée comme un ours puis je vais virer folle si je reste ici!

— Moins dix sans le vent, ma Marjolaine! Tu le sais ce que ça fait, ici, sur l'île, quand les bourrasques se mettent de la partie!

Marjolaine, qui était bien décidée à n'en faire qu'à sa tête, lui donna un bec sur le nez avant de glisser ses pieds dans ses vieilles espadrilles pour éviter d'endommager ses plus récentes. Inconfortable dans sa multitude de couches de vêtements, elle ôta le blouson puis le remplaça par son coupe-vent d'automne, beaucoup plus léger! En mettant le pied sur sa galerie, elle frissonna légèrement. Le fleuve glacé s'étalait devant elle dans toute sa blancheur. Marjolaine voyait bien le pont de glace au loin, avec le chemin tracé par les rangées d'épinettes que le vieux Lionel Vézina et deux autres bénévoles avaient plantées. Une motoneige s'éloignait d'ailleurs vers la terre ferme à grande vitesse. Marjolaine eut presque envie de retourner à l'intérieur demander à son mari d'aller se promener de l'autre bord, mais il lui répondrait :

— Qu'est-ce que tu veux qu'on aille faire là ? Tout est fermé, comme ici !

Alors elle descendit plutôt les marches pour s'éloigner dans son entrée glacée. Son père avait enfin fait traverser sa vieille Impala deux semaines plus tôt. Les trois jours suivants, il avait sillonné l'île d'un bout à l'autre à plusieurs reprises malgré les avertissements de son gendre :

— Attention, le beau-père, vous allez manquer de gaz…

— Bien non, tu connais rien aux bons chars !

Évidemment, l'avant-veille, il était tombé en panne près de chez Gaspard. La mine basse, il avait marmonné que «son aiguille de gaz s'était mise à baisser d'une traite». Depuis, la voiture reposait sous une épaisse couche de neige en attendant que Paul se rende chez Gadbois, de l'autre bord, pour acheter de l'essence. Marjolaine devait courir sur la pointe des pieds pour éviter de tomber et c'est en ronchonnant qu'elle se mit en branle sur le chemin de l'Île. Le ciel bas annonçait de nouveaux flocons sous peu, mais pour l'instant, les rafales du nord-est la fouettaient violemment et, n'eût été son orgueil, elle serait rentrée se recroqueviller devant le téléviseur ! Ce ne fut pas long avant que le froid ne s'imprègne sous son léger manteau et Marjolaine accéléra le pas afin de se réchauffer. Peine perdue : ses cuisses, ses fesses, ses pieds, ses mains… toutes les parties de son corps, même celles qui étaient bien cachées sous les vêtements, gelèrent sans pitié. Ses yeux et son nez coulaient dans son foulard enroulé autour de son visage cramoisi. Quand elle vit de la fumée sortir de la cheminée du centre communautaire, Marjolaine augmenta sa cadence, malgré l'impression tenace d'avoir deux pieds bots ! Elle grimpa péniblement l'escalier, ouvrit vivement la porte et s'écroula sur la première chaise de bois qu'elle croisa en lâchant une plainte puissante.

— Ahhhhhh! *Maudit* qu'il fait froid!

Hermine Lajoie, au fond de la salle, leva sa tête grise en la hochant légèrement.

— Cette idée, aussi, de sortir par moins vingt! Qu'est-ce que tu fais, Marjolaine? demanda-t-elle de sa voix douce en resserrant sa veste de laine sur son maigre corps.

— Il fait pas moins vingt! À la télévision, ils ont indiqué moins huit! répéta maussadement la coureuse, qui avait l'impression que ses paroles sortaient de sa bouche à retardement tellement elle avait les lèvres gelées.

— Bien sur l'île, ma grande, moins huit, ça existe pas, l'hiver, avec les vents!

— Coudonc, Philippe t'a téléphoné ou quoi? demanda la sportive de mauvaise foi.

Claquant encore des dents, Marjolaine glissa ses mains gantées entre ses cuisses tremblotantes.

— Ton mari aurait dû t'en empêcher.

Marjolaine se retint de dire que son mari ne l'empêcherait jamais de rien faire! Matante Minou profitait de ces journées d'hiver pour mettre à jour les comptes de la municipalité, en anticipant comme toujours les moments où elle devrait se rendre chez un voisin pour exiger le montant des taxes dues. Son rôle de trésorière du conseil l'obligeait à le faire et, chaque fois, la pauvre Hermine trottinait chez les récalcitrants le cœur lourd. Les insulaires ne roulaient pas sur l'or et, malgré leur orgueil, certains se voyaient contraints de demander un délai pour honorer leurs engagements. La trésorière n'arrivait jamais à récolter les sommes en souffrance et tous savaient que ses jours comme responsable des collectes tiraient à leur fin. Après une trentaine de minutes à jaser avec matante Minou, Marjolaine décida de parcourir de nouveau le chemin inverse en se disant qu'elle n'aurait de toute façon jamais le goût de repartir, même si elle attendait cent ans !

— Téléphone donc à ton mari pour qu'il vienne te chercher, proposa Hermine d'un ton bienveillant.

Elle déposa le téléphone noir sur le comptoir devant elle et souleva le récepteur pour le tendre à la jeune femme. Or, c'était mal connaître la brune, qui n'avouerait pas de sitôt à Philippe qu'elle avait dû s'abriter pour éviter de mourir de froid.

— Non, non, je suis bien correcte ! C'est juste une petite course de dix minutes.

— Comme tu veux. Je m'obstine pas ! Mais couvre-toi comme du monde !

Les deux femmes se saluèrent avant que Marjolaine ne retourne dans l'enfer hivernal. En descendant les quelques marches du centre, elle entendit un cri suivi d'un juron. Étonnée, la joggeuse cessa de bouger pour relever la tête. Il n'y avait personne sur le chemin de l'Île, bien dégagé par les hommes et leur charrue maison. Sous le ciel lourd, la jeune haussa les épaules, déterminée à ne pas geler plus longtemps, lorsqu'elle le vit, de l'autre côté de la rue. Adrien Ouimet était étalé de tout son long sur le dos, une main dans les airs pour appeler à l'aide. Figée sur place, Marjolaine regarda autour d'elle, espérant que quelqu'un d'autre se trouve dans les parages. Mais elle dut se résigner à trotter jusqu'à la maison grise, le foulard monté jusqu'aux yeux.

— Adrien ?

— *Ayoye, tabarnak !*

— Attendez, je vais vous aider.

Marjolaine se pencha vers le vieil homme, qui avait chuté dans son escalier et glissé jusqu'en bas. Il portait un habit de neige une pièce orange brûlé qui faisait rire l'ensemble des insulaires. Mais pour l'instant, la femme n'avait pas le goût de se moquer.

La jambe gauche du vieux avait pris une direction anormale et son visage tordu laissait paraître une grande douleur.

— Pouvez-vous vous redresser un peu?

— *Ouch!* Tu me fais mal!

Marjolaine recula, piquée au vif. Elle lança un nouveau regard désemparé autour d'elle, puis se résigna à retraverser le chemin en courant.

— Matante Minou? cria-t-elle en ouvrant la porte du centre communautaire à toute volée.

— Quoi?

— Monsieur Ouimet est tombé. Je suis pas capable de le redresser, puis j'ai bien peur qu'il se soit cassé une jambe!

— Oh non, j'arrive!

En vitesse, la délicate conseillère glissa son corps dans son long manteau usé et ses petits pieds dans d'énormes bottes de poils. Son visage étroit trahissait son inquiétude envers son vieil ami. Les deux retournèrent s'occuper du vieux, qui grimaçait à cause du mal et du froid qui pénétrait ses entrailles. Il gémit péniblement lorsque les femmes le soulevèrent.

— Lâchez-moi, *maudites* folles, vous me faites mal! marmonna-t-il en tentant de les repousser d'une main faible.

— Adrien, laisse-nous faire! ordonna Hermine, dont la voix venait de prendre un tout autre ton devant l'urgence de la situation. Tu vas mourir gelé, il faut te rentrer, puis mon ami, tu auras pas le choix de te rendre de l'autre bord, j'ai bien l'impression que...

— Pas question! cracha l'homme.

Ses longs cheveux, sa barbe blanche et son teint cireux lui donnaient l'allure d'un spectre. Malgré ses protestations, les femmes réussirent à le rentrer dans sa maison, où elles l'allongèrent sur un lit de camp qui se trouvait dans... la cuisine.

Marjolaine plissa le front en pointant toutes les autres portes fermées.

— Vous dormez dans la cuisine ? demanda-t-elle en hésitant.

— Qu'est-ce que... que... tu penses ? Que je... suis... ass... assez fou pour... pour chauffer... toute une maison ? C'est bien... corr... correct de même. Je... donne... pas... mon argent aux voleurs... d'Hydro. Bon... je... vais... m'arrang... ranger... Mer... mer... *ouch* !

Marjolaine plissa son petit nez en se retenant de lui demander quel était son problème avec le vol ! Mais Adrien avait de nouveau fermé les yeux et ses traits tirés la rendirent mal à l'aise. La jolie brune n'avait jamais été capable de tolérer la souffrance des autres. La longue maladie de sa mère y était sûrement pour quelque chose. Les traitements, les nausées, les faiblesses. Le corps décharné, les traits ravagés, le regard hagard. Mais surtout, les cris de douleur que sa pauvre maman poussait la nuit, lorsque les médicaments ne faisaient plus effet. Se secouant vivement pour chasser ces images qui refaisaient surface, Marjolaine s'approcha en douceur du vieux.

— Bon, bien... je vais...

— *Chut*, murmura la délicate conseillère en pointant les yeux fermés du blessé.

Hermine prit une chaise de bois pour l'apporter près de l'homme en secouant la tête de gauche à droite. Marjolaine se dandinait sur un pied et sur l'autre, ne sachant pas trop quoi faire. Elle n'avait qu'une envie : quitter cette maison dans laquelle elle n'avait pas été invitée... mais pas avant d'avoir jeté un coup d'œil indiscret sur tout ce qu'elle voyait. Accrochées aux fenêtres pendaient de longues ficelles au bout desquelles se trouvaient des fines herbes séchées. Sur le comptoir embourbé, des conserves et des bouteilles vides dénotaient la frugalité des repas du vieux.

La table de cuisine, fabriquée dans un bois foncé, supportait quant à elle des dizaines de journaux, où séchaient différentes viandes et des poissons. À voir les livres et les journaux qui encombraient l'unique pièce habitable de la maison grise, Marjolaine fut surprise, elle qui croyait Adrien Ouimet inculte. L'existence de l'homme semblait placée sous le signe de la modération, par choix ou par obligation. Elle reporta son attention sur le duo, qui se disputait encore.

— Je reste ici!

— Pas tout seul, mon gars!

— Je te dis que je suis… *ouch!*

— Ah oui, hein? Puis tu vas te faire à manger comment, avec une patte arrangée de même? Surtout que ton autre est déjà pas mal *maganée*.

L'ermite avait de moins en moins de force pour s'objecter et il avait fermé les yeux pour endormir sa douleur. Hermine se leva et fit signe à la jeune femme de la suivre.

— Je vais retourner au centre pour téléphoner au dispensaire, vu qu'Adrien a pas le téléphone…

— …Bell Canada, des vol…

La fin de la phrase du vieux s'étouffa dans une lamentation, alors que Marjolaine secouait sa tête avec découragement.

— …à mon avis, continua la conseillère soucieuse, on aura pas le choix, il va falloir le traverser.

— Mais…

Hermine Lajoie était déjà partie. Alors Marjolaine resta dans le corridor, les yeux fixés sur un unique cadre, où posait un Adrien Ouimet souriant, quarante ans plus tôt environ, le bras autour de la taille d'une femme rondelette qui semblait avenante. Elle avança son visage pour mieux détailler la photographie lorsqu'une plainte en provenance de la cuisine l'amena à y retourner. Elle pria silencieusement pour que l'infirmière arrive rapidement.

— Dès qu'elle arrive, je m'en vais… marmonna-t-elle pour elle-même, en cherchant un verre propre. Surtout qu'il me rend mal à l'aise, ce vieux-là ! Je sais jamais ce qu'il pense et ça m'énerve.

— Coudonc, la jeune, tu parles toute seule ! cracha la bouche crispée d'Adrien, qui tenta de se redresser sur le lit inconfortable sans ouvrir les yeux.

Heureusement pour lui, car il aurait reçu le regard meurtrier de la femme en plein cœur ! Marjolaine se tenait à présent debout à la tête du lit de camp, ses billes noisette fixées sur le vieux blafard. Elle ne pouvait contenir sa pitié et souhaitait de tout son cœur qu'il s'endorme. Enfin, au bout d'une quinzaine de minutes, la porte de la maison s'ouvrit, suivie d'un murmure précipité. Quand l'infirmière apparut, Marjolaine soupira de soulagement. Craignant de devoir rester encore plus longtemps, elle se dépêcha de quitter la maison grise après un léger salut.

⌒

— Pour une fois, déclara Marjolaine d'un ton ironique, le vieux Ouimet a pas pu faire à sa tête. Il a dû prendre l'hélicoptère pour se faire soigner à l'hôpital de Rivière-du-Loup. Hermine l'a accompagné. Ils devraient se mettre en couple ces deux-là, il y a juste elle pour l'endurer ! Elle revint prendre place à la table ronde un léger sourire aux lèvres. Philippe la regarda par en dessous, arrêtant de manger sa soupe aux pois durant quelques secondes.

— Le pauvre vieux ! Déjà qu'il avait l'autre jambe en mauvais état… Tu devrais avoir un peu de compassion, Marjolaine.

La jeune femme cessa de beurrer son pain et fronça ses sourcils avant de répondre sèchement :

— Vous auriez dû entendre comment il nous parlait, à matante Minou et moi !

— …il souffrait, me semble que c'était pas le temps pour lui de faire des minouches, Marjolaine ! répliqua Paul, qui ne put retenir un rictus de désagrément devant le commentaire de sa fille.

Il la regarda par-dessus ses demi-lunes en hésitant à poursuivre. Mais depuis l'automne et la visite de Sophie, l'homme n'arrivait plus à accepter l'intransigeance qu'il constatait chez sa cadette. Soit, sa sœur les avait abandonnés pour fuir après la mort de Stéphane. Mais était-ce si difficile pour Marjolaine de comprendre la vulnérabilité, la peine, la culpabilité qui avaient envahi son aînée ? Toute la douceur, la compassion que la plus jeune avait pour les gens disparaissaient au contact de Sophie. Et maintenant, il la voyait réagir de la même manière avec Adrien Ouimet. Pourtant, c'était facile de réaliser que l'homme cachait des blessures, des peines, derrière une façade de combattant. Tout le monde sur l'île le disait : le vieux Ouimet n'était pas méchant, juste déçu par la vie. La guerre, la mort de sa femme, de son fils unique. Il restait un homme fier, qui n'hésitait pas à donner un coup de main aux voisins malgré un corps de plus en plus fragilisé. Mais à cela, Marjolaine répondait qu'elle aussi avait connu de grandes pertes dans sa vie, ce qui n'en faisait pas une malotrue pour autant. Paul s'était retenu plusieurs fois de lui dire que sa façon de réagir, parfois, n'était guère mieux.

— C'est pas ça que j'ai dit !

Les yeux de la jeune femme s'assombrirent de colère et elle se pencha sans remarquer que le haut de son chandail rose et blanc plongeait dans son bol. Philippe voulut l'avertir, mais elle ne lui en laissa pas le temps.

— Depuis qu'on est arrivés sur l'île que vous le défendez chaque fois qu'il s'attaque à moi! J'en ai plus qu'assez, moi là!

Comme sa colère était venue, les larmes suivirent avec la même intensité. Depuis quelques jours, elle avait l'impression de pleurer pour un oui ou pour un non! Frustrée, elle voulut quitter la table, mais Philippe se leva pour l'enlacer en baisant sa nuque penchée.

— *Chut*, ma Marjolaine, je m'excuse. Tu as raison, c'est un vieux grognon. Je trouve juste qu'il fait pitié, seul sans personne pour l'aider.

— Imagine que ce soit moi... chuchota Paul avant de déposer sa serviette de table et de se lever. Je vais vous laisser, j'ai pas très faim ce soir de toute manière, puis j'attends un appel.

Avant que le couple ne puisse réagir, Paul avait posé sa toque de fourrure sur sa tête, enfilé sa pelisse noire et glissé ses pieds dans des grosses bottes de cuir pour s'éclipser dans la nuit noire.

— ...

Marjolaine fixa la porte refermée en hésitant entre la rage de savoir que son père entretenait toujours une relation avec sa sœur et l'envie de se faire pardonner ses paroles dures envers Adrien Ouimet. Elle essuya les perles claires qui roulaient sur ses joues avant d'esquisser un sourire piteux.

— Tu le sais que je suis la première à m'occuper du monde dans le besoin, Philippe, mais Adrien Ouimet, je le sais qu'il m'aime pas depuis que je lui ai pris trois framboises il y a sept mois. Je... je... sais même pas pourquoi je pleure.

Elle se remit à sangloter, la tête entre ses bras fins posés sur la table, comme une enfant. Philippe ne put retenir un doux sourire. Dieu qu'il aimait cette femme! Il avança une chaise près d'elle et lui parla à l'oreille. Joe s'était approché pour porter assistance à sa maîtresse en détresse.

— On pourrait peut-être essayer de crever l'abcès, qu'est-ce que tu en penses? À Noël, tu lui as parlé pourtant.

— À Noël, j'étais saoule! Je pense vraiment pas qu'il veut me voir dans sa maison…

Philippe éclata de rire en se souvenant du *party* de Noël, imité aussitôt par Marjolaine, qui avait retrouvé son sourire. Elle flattait le museau de son chien, posé sur ses genoux.

— Bon, bon… alors, qu'est-ce que tu proposes, cher homme? demanda-t-elle en reniflant un bon coup.

Philippe caressa à son tour la grosse bouille remplie d'espoir de son chien avant de suggérer:

— Si on allait passer quelques journées avec lui lorsqu'il reviendra? C'est pas comme si on était très occupés ces temps-ci!

Marjolaine ouvrit les yeux bien grands avant de réagir:

— Quelques heures, peut-être, mais pas question que je reste là toute une journée! Tu as pas vu où il vit, Philippe! On tient pas à trois dans la pièce! exagéra-t-elle.

— Voyons, ma belle, on ramassera un peu pour faire de la place, c'est tout. Ça lui fera plaisir, j'en suis certain.

Marjolaine tressaillit. Ne sachant comment répondre sans paraître sans-cœur, la brune repoussa doucement une mèche de cheveux qui retombait sur son front avant de murmurer:

— On va attendre qu'il revienne de Rivière-du-Loup de toute manière, non? On en parlera à ce moment, ok?

CHAPITRE 25

Un patient malcommode

Ce n'est que cinq jours plus tard que l'accidenté put enfin rentrer chez lui. Il aurait dû rester encore un peu à l'hôpital, mais à force d'insister auprès des infirmières et du médecin, Adrien Ouimet avait obtenu ce qu'il voulait et le personnel médical s'était rangé à ses arguments. Le docteur responsable de son dossier lui avait demandé de signer une décharge afin qu'il puisse quitter l'hôpital. Philippe revint de chez son cousin en fin d'après-midi le 26 février, annonçant à Marjolaine et à Marie-Laure:

— Gaspard vient de ramener le vieux Ouimet chez lui! Je vous dis qu'il en a sacré une *shot*! On l'entendait du chemin!

Indifférente, Marie-Laure profita de l'arrivée de Philippe pour se lever. Sous l'insistance de son amie, elle s'était arrêtée pour boire un café en revenant du dispensaire. Dès l'entrée de la grande châtaine dans la maison rouge, Marjolaine avait retenu un mouvement de recul devant son allure négligée.

— Mon doux, ça va, Marie-Laure? avait-elle demandé avant de se fustiger de son manque de délicatesse.

— Oui, pourquoi? avait répondu l'autre avec détachement.

Il y avait si longtemps qu'elle ne faisait plus attention à elle que l'insulaire n'était même pas consciente de l'image débraillée qu'elle projetait. De toute manière, depuis Noël, elle n'avait accepté aucune invitation, sauf celles de Marjolaine, et même encore avec parcimonie. Le bord de sa jupe paysanne était défait et le vêtement flottait sur ses hanches. Pour la faire tenir à sa taille, Marie-Laure avait glissé les pans d'une vieille chemise en jeans délavée à l'intérieur. Ses cheveux emmêlés étaient attachés sur le dessus de sa tête et, sous ses yeux, de larges cernes noirs dénotaient sa fatigue. Marjolaine l'avait serrée contre elle en sentant ses omoplates sous ses mains.

— Bonjour, ma belle!

— Marjolaine, je peux pas rester longtemps...

— Inquiète-toi pas, on va juste jaser un peu.

Mais l'état de Marie-Laure n'avait guère permis les confidences. De longs silences avaient ponctué les moments passés depuis son arrivée, alors qu'elle ne cessait de surveiller Jules, qui parlait seul dans le *papasan*, la tête de Joe sur son petit genou. Marjolaine avait éclaté d'un rire bref en les pointant:

— Savais-tu que finalement Joe est un croisement de labrador et de caniche?

Supposant que son amie trouverait la situation comique, elle avait cherché chez elle une réaction. Pourtant, la châtaine n'avait fait que hocher la tête. Mal à l'aise, la brune avait insisté:

— Je pense qu'entre ces deux-là, c'est l'amour fou!

— Hum...

— Tu as jamais pensé avoir un chien? Ça pourrait...

— Non. J'ai assez de travail comme ça avec les bêtes puis... lui. Je vais pas m'encombrer d'un chien en plus.

— Ah!

Marjolaine avait cherché d'autres sujets de conversation neutres et avait finalement sorti sa petite valise de bijoux. L'ouvrant sur la table, elle avait montré à son amie les nouvelles boucles d'oreilles sur lesquelles elle avait travaillé les semaines précédentes. Si elle s'était attendue à des exclamations et des compliments, elle en fut pour ses frais. Marie-Laure avait pris un bijou dans sa main d'un air ennuyé, l'avait regardé quelques secondes avant de le remettre dans la boîte.

— C'est joli. Mais je vois pas trop qui va porter des belles affaires de même sur notre île. Je pense que tu perds ton temps, mais on sait bien… du temps, toi, tu en as en masse !

En voyant arriver Philippe, Marie-Laure et Marjolaine avaient ressenti un grand soulagement. La première parce qu'elle pouvait enfin quitter la maison rouge sans que Marjolaine tente de la retenir. La seconde parce qu'elle avait épuisé toute sa banque de sujets de discussion. La mère de Jules déposa sa tasse sale dans l'évier avant de faire signe à son fils.

— Allez, Jules, on va chercher Éloi et Marion à l'école.

— Éloi… Éloi… sautilla le plus jeune en courant se jeter contre les jambes de Philippe, qui lui lança un regard amusé.

Philippe prit le bambin roux dans ses bras et Marjolaine se figea en voyant l'affection avec laquelle son mari murmurait à l'oreille de l'enfant. Depuis quelque temps, la relation que le barbu entretenait avec les petits de son cousin la perturbait. Auparavant, tout comme elle, Philippe jetait des regards dénués d'intérêt aux enfants des autres. Pourtant, avec ceux-là, son homme se découvrait une envie de jouer et de les faire rire aux éclats. Comme à présent, alors que Jules hurlait de plaisir pendant que l'adulte chatouillait son petit ventre dodu. Il se tortillait comme un ver dans les bras de Philippe, qui finit par le déposer sur le sol. Rarement avait-elle vu le petit garçon réagir avec autant de plaisir au contact d'un autre humain ! Profitant de sa distraction, Marie-Laure s'était agenouillée devant lui pour tenter de lui enfiler ses bottes d'hiver. Marjolaine s'approcha du trio doucement, une main sur le dossier de la chaise la plus proche. Voyant que l'enfant refusait d'obtempérer, elle s'avança pour aider Marie-Laure et Philippe lorsque Jules donna un grand coup de pied au visage de sa mère.

— *Ayoye,* mon petit *tabarnak*!

Le juron explosa dans la cuisine, alors que la châtaine empoignait son fils pour le secouer violemment. Méconnaissable, enlaidie, Marie-Laure tremblait de fureur. Marjolaine et Philippe restèrent figés quelques secondes sur place avant de crier à leur tour:

— Lâche-le, Marie-Laure! Marie-Laure, arrête, tu vas lui faire mal! Philippe, fais quelque chose! implorait Marjolaine en pleurant devant le spectacle désolant de la confrontation entre la mère déchaînée et le fils hurlant de rage.

Il ne fallut que quelques secondes à son mari pour prendre le contrôle de la situation. Il déposa sa cigarette dans le cendrier sur le comptoir et saisit son amie par les épaules. Marie-Laure tremblait comme une feuille, incapable de contrôler ses pleurs. Marjolaine amena le bambin sur le divan du salon et tenta de le calmer du mieux qu'elle le pouvait. Elle appela Joe, qui vint aussitôt se coucher aux pieds de l'enfant. Marie-Laure s'était reculée dans un coin de la cuisine pour se laisser glisser au sol et se balançait d'avant en arrière sans dire un mot. La tête de Philippe était appuyée contre la sienne et, du salon, Marjolaine ressentit un pincement de jalousie pour la première fois de sa vie de couple. L'intimité qu'elle apercevait entre son mari et sa copine fut comme un coup au cœur. Se pouvait-il que son homme soit attiré par son amie? Les cris de Jules ressemblaient maintenant à de petits sons d'animal pris au piège et la brunette tenta d'observer le duo de manière objective. Non, non, son mari d'amour était sans reproche.

— Marie, Marie, *chut*, ma belle… c'est correct.

La mère de famille tenait ses jambes pliées entre ses bras et son regard vide fixait devant elle. Elle ne sentait pas la main de Philippe appuyée contre son épaule ni son regard anxieux qui glissait sur son visage blême. Marie-Laure n'en pouvait plus. Elle désirait dormir des journées entières sans entendre ni voir son fils. Doucement, Marjolaine réussit à relever Jules. Les larmes avaient cessé de couler sur les joues pâles de l'enfant, qui la suivit docilement dans l'entrée. En passant, la brune fit un signe à son mari. Il se releva et Marjolaine s'approcha de lui pour chuchoter :

— On peut pas la laisser partir comme ça. Téléphone à Marc-André pour qu'il vienne la chercher.

Philippe acquiesça et monta à l'étage pour prendre l'appareil de leur chambre. Il redescendit quelques minutes plus tard, l'air soucieux. Mais un hochement de tête avertit Marjolaine que la situation était contrôlée. Quand Marc-André ouvrit la porte de la maison rouge, une quinzaine de minutes plus tard, Philippe pointa le salon où Marie-Laure était installée, sous une grosse couverture grise. Elle n'avait pas bougé depuis un long moment et ne réagit même pas en entendant la voix de son mari. Les murmures du trio ne l'atteignaient pas. Mis au courant de la crise, le grand blond se dirigea finalement vers elle après avoir enlevé ses bottes de *ski-doo*. Tout son corps penché vers l'avant démontrait la lourdeur, la peine qui l'envahissait.

— Marie-Laure, chuchota-t-il en s'agenouillant, viens, on s'en va à la maison.

La femme au visage exsangue tourna un regard absent vers son mari, qui déglutit avec peine. Il reconnaissait cet air perdu pour l'avoir vu à quelques reprises au cours de la dernière année. Lorsqu'elle tombait dans cet état catatonique, Marie-Laure pouvait y rester des heures sans que personne réussisse à l'en faire sortir. Marjolaine, qui était assise sur le divan non loin de son amie, regardait avec tristesse la mère qui semblait à moitié cinglée. Elle fit signe à Marc-André, qui se releva avec lassitude. Tous deux se dirigèrent vers la cuisine.

— Laisse-la ici, Marc-André. On ira la reconduire quand elle sera mieux.

— Mais...

Le blond regarda tour à tour ses deux amis avant d'éclater en larmes. Il plongea avec honte son visage rond dans ses mains usées par le travail. Étonnamment, ce fut Jules qui réagit le premier, délaissant le chien pour s'approcher de son père. Il tira la manche de manteau bleu en murmurant:

— Han, han, han?

— Oh... Jules! Qu'est-ce qu'on va faire, mon Jules? pleura Marc-André en le soulevant contre lui.

Inconfortable, le garçonnet se tortilla pour retourner sur le sol. Sa manifestation de compassion était terminée. Lorsque la porte de la cuisine se referma sur le père et le fils, qui s'était laissé habiller docilement, Philippe et Marjolaine se regardèrent avec hésitation. Que devaient-ils faire? Aller consoler Marie-Laure ou la laisser seule jusqu'à ce qu'elle retrouve ses esprits?

Ce n'est que bien plus tard, vers cinq heures et demie, que la châtaine sembla reprendre contact avec la réalité. Philippe lisait un vieil almanach assis dans le *papasan* avec Joe, alors que Marjolaine était montée au grenier pour travailler sur une pièce qu'elle voulait finir avant la fin de la semaine.

— J'ai faim!

— Oh, Marie-Laure... Tu... tu vas mieux?

Le regard triste et vide de la mère de famille se posa sur le visage soucieux du barbu. Elle haussa ses épaules en resserrant sa chemise en jeans sur sa poitrine. Encore une fois, Philippe ressentit une étrange émotion face à sa fragilité. Malgré le côté débraillé de sa tenue, le corps aminci avait des formes qui attiraient le regard. Il frotta sa barbe en souriant affectueusement.

— J'étais juste fatiguée. Bon, où est Jules, je dois aller chercher Éloi et Marion à… Quoi? Cinq heures et demie! Bien voyons donc, ils doivent m'attendre à la maison depuis au moins deux heures!

Marie-Laure se précipita dans la cuisine pour récupérer ses vêtements et elle apostropha Marjolaine qui descendait, contente d'avoir enfin entendu la voix de son amie.

— Pourquoi tu m'as laissée me reposer aussi longtemps, *maudit*? Il faut que…

Marchant sur des œufs, désireuse d'éviter une nouvelle crise, Marjolaine lui fit un sourire gentil avant de la rassurer:

— Inquiète-toi pas, ma chérie, ton mari s'en est occupé.

— Ah?

— Marc-André est passé tantôt. Philippe va aller te reconduire à la maison, toute ta petite famille doit t'y attendre, dit Marjolaine tendrement en passant son bras autour de la taille de la femme, qui la dépassait de plusieurs pouces. Marie-Laure, hésita son amie, tu devrais peut-être aller voir… le médecin de l'autre bord?

— Pour quoi faire?

— Hum… Tu as l'air épuisée et …

— Arrête donc! Je suis juste fatiguée! C'est normal, tu vas voir quand tu vas avoir des petits toujours dans tes pattes.

Elle enfonça sa tuque sur sa tête avec lassitude. Marjolaine tenait son manteau à carreaux. Quand la porte se referma sur le duo, la jeune hôtelière resta longtemps plongée dans la pénombre, les yeux fermés en repensant à l'horreur de cette journée. La femme n'arrivait pas à chasser une impression de malheur au fond d'elle. Les yeux, le visage de Marie-Laure revenaient la hanter en boucle.

— Qu'est-ce qui lui prend ? murmura-t-elle. Une bonne fois, elle va sacrer une claque de trop à Jules ! En même temps, je suis sûre que Philippe va dire que c'est pas de nos affaires.

Il faisait nuit lorsque le camion de son mari s'avança de nouveau dans l'entrée de la maison rouge. Philippe avait fait souper les trois gamins pendant que le blond, ému, était allé coucher sa femme comme une enfant. Cette journée d'hiver qui avait commencé sous le signe de la légèreté se terminait dans une humeur morose alors que tant chez les Caron-Marchand que chez les Caron-Lalonde, l'heure était au questionnement. Marie-Laure pouvait-elle encore rester seule avec son fils Jules ?

〜

Une semaine avait passé depuis la crise de Marie-Laure. Malgré une inquiétude grandissante face au comportement de sa femme envers son fils, Marc-André refusait de l'obliger à consulter une ressource médicale. Il affirmait pouvoir gérer la situation.

— Je suis toujours là, l'hiver. Puis c'est juste parce que c'est plus difficile en février sur l'île. Dès que le beau temps reviendra, les enfants joueront dehors et tout le monde retrouvera sa bonne humeur !

Mais Marjolaine en doutait. Elle sentait chez son amie une frustration évidente dès que Jules refusait de répondre à ses demandes. En ce samedi matin de mars, Marjolaine et Philippe se préparaient pour aller faire leur « bénévolat » chez le vieux malcommode.

— Je te garantis qu'il va être de mauvaise humeur! On aura même pas le temps de mettre le pied dans sa maison qu'il va nous demander de partir!

Elle jeta un regard rempli d'espoir vers Philippe, qui se relevait pour attacher son jeans noir. Son long corps mince avait gagné en muscles depuis son arrivée sur l'île, lui qui avait toujours eu davantage la silhouette d'un coureur de marathon que celle d'un joueur de hockey! Pas qu'il soit fameux, pourtant, ni dans l'un ni dans l'autre des deux sports! Elle plissa son nez fin pour s'avancer au bout du lit et tirer sur la chemise beige de son époux. Il se retourna et sourit en la voyant en sous-vêtements rouges.

— Ça me dérange pas tant, mais je doute que le vieux te jette dehors si tu es arrangée de même pour le visiter!

Il éclata de rire alors que Marjolaine lui lançait un oreiller en riant elle aussi. Mais elle reprit vite son sérieux pour s'allonger langoureusement dans leur lit, ses boucles brunes faisant contraste sur les draps blancs.

— Me semble qu'on aurait autre chose à faire, non?

Elle l'invita à la rejoindre, mais malgré son envie d'elle, Philippe refusa.

— On a dit à Hermine qu'elle pourrait prendre sa journée. Depuis qu'Adrien est revenu dans sa maison, elle y est nuit et jour. Allez, un petit effort et après, je te récompenserai, chuchota-t-il d'un air coquin.

Il finit de boutonner sa chemise, alors que la brunette s'extirpa du lit. Étirant la main, elle agrippa son legging noir sur lequel elle enfila une longue tunique grise et rose. Un bandeau foncé pour retenir ses cheveux trop longs, deux anneaux en or aux oreilles et elle fit un sourire forcé à Philippe, qui patientait près de la porte de la chambre.

— Je suis prête.

— Tu es une beauté ! Il va fondre, le vieux, j'ai aucun doute !

⟿

— Qu'est-ce que vous faites ici, vous deux ? demanda sèchement le blessé une vingtaine de minutes plus tard lorsque le couple s'avança dans la cuisine encombrée.

Marjolaine jeta un regard ironique à son mari.

— Il fond, en effet, murmura-t-elle avant de s'avancer vers Hermine.

— Bon, mon cher Adrien, je te laisse en bonne compagnie ! Je dois aller…

— Je veux pas d'une voleuse dans ma maison ! cracha-t-il avec mauvaise foi.

— Adrien, rétorqua vivement la conseillère, là, ça va faire !

La femme délicate avait élevé la voix et, étonné, le vieux ouvrit la bouche pour s'objecter. Mais à la vue de l'air buté qu'il lut sur le visage d'Hermine, il se renfrogna en croisant ses bras sur sa poitrine décharnée. Il connaissait son amie depuis si longtemps qu'il savait, à voir son air, qu'elle aurait le dernier mot.

— Pour le moment, tu es pas en état de faire des caprices. Philippe et Marjolaine ont gentiment accepté de me remplacer parce que je dois aller de l'autre bord avec Gaspard cet après-midi. Ça fait que tu te fermes la boîte, puis tu prends ton mal en patience ! Compris ?

L'homme à la chevelure emmêlée marmonna entre ses lèvres en se tournant comme un enfant boudeur pour regarder le mur lambrissé de l'autre côté. Il ne dépendait de personne depuis une éternité et le voilà maintenant obligé d'accepter de l'aide !

— Je veux pas qu'ils touchent à rien.

— …pas… touchent… rien… marmonna Marjolaine en l'imitant.

Dans la pièce, la chaleur générée par le four était presque insoutenable et Philippe eut tôt fait d'enlever sa chemise pour rester en t-shirt. Adrien Ouimet ne portait qu'un bas de pyjama coupé juste sous la fesse gauche afin de laisser de la place à son plâtre, qui couvrait toute sa jambe. Son torse nu était noueux comme le tronc d'un vieil arbre. Il était à moitié assis sur son lit de camp, avec une grosse couverture de laine beige sous lui. Philippe et Marjolaine accompagnèrent sa voisine à la porte et, pendant qu'elle revêtait son manteau usé et plaçait sa tuque sur ses cheveux gris, elle prit la peine de préciser :

— Il est assez marabout. Laissez-vous pas impressionner. Dans le fond, vous êtes là juste pour lui préparer le dîner et l'amener à la toilette au besoin.

L'infirmière bénévole ouvrit la porte de la maison et se retourna pour ajouter, avec un sourire dans la voix :

— Pour la toilette, il a pas d'eau. Il faut utiliser la chaudière à côté du comptoir et la vider dans le bol lorsqu'il a fini ses besoins.

Le claquement sonore de la porte d'entrée ne réussit pas à faire réagir le couple, qui resta figé sur place en comprenant la lourdeur de la tâche qui l'attendait. Et en effet, l'après-midi ne fut pas de tout repos. Les demandes d'Adrien Ouimet étaient nombreuses, comme s'il voulait s'assurer de faire rager Marjolaine encore plus. Celle-ci regardait son mari de temps à autre d'un air ironique : « Qu'est-ce que je t'avais dit ? », voulait-elle lui signifier. La voix rêche résonnait dans la cuisine sombre :

— Mets donc une autre bûche dans le poêle.

— Ma couverte est tombée par terre, donne-moi-la donc !

— J'ai faim !

— Faut que j'aille aux toilettes.

— Va falloir décrocher ma sauge puis la mettre dans des pots.

Philippe et Marjolaine tentaient de ne pas se regarder pour éviter d'éclater de rire ou se choquer selon leur état. La brune se contrôlait en se disant qu'elle faisait sa B.A. de l'année 1981. Vers deux heures, enfin, l'homme s'assoupit et le couple en profita pour pousser un soupir de soulagement commun.

— *Maudit* qu'il est capricieux! marmonna Marjolaine la tête posée sur la poitrine de son mari.

Dans la cuisine, outre la table et le lit de camp, il y avait un fauteuil qui devait dater de la Première Guerre mondiale. Ils s'y étaient effondrés, sentant les ressorts sous leurs fesses et dans leur dos. Mais peu importe, il n'y avait aucun autre endroit pour s'asseoir. Marjolaine se redressa en jetant un long regard à l'homme, qui dormait la bouche ouverte, ses longs cheveux pendant de chaque côté de son visage émacié.

— On devrait aller explorer le reste de sa maison… murmura-t-elle en prenant le menton de son mari dans sa petite main.

— Es-tu folle, toi?

— Bien quoi, as-tu déjà vu ça, toi, quelqu'un qui vit dans une seule pièce?

Philippe regarda autour de lui avec scepticisme. La cuisine d'Adrien était vaste et la salle de bain principale y était annexée. L'énorme poêle à bois occupait tout le mur du fond. Si l'on faisait abstraction des nombreux objets qui traînaient partout, la pièce lambrissée de bois pâle recelait une réelle chaleur. L'œil de Marjolaine revenait sans arrêt sur l'escalier à pic qui montait vers le deuxième étage. Une lourde trappe fermait celui-ci, afin de maintenir la chaleur ambiante. Se relevant en douceur, elle se dirigea vers le bas des marches en lançant un regard d'espoir vers son mari.

— Juste un coup d'œil, souffla-t-elle les yeux rivés sur le vieux pour ne pas être prise en flagrant délit d'indiscrétion.

Philippe secoua la tête vivement et lui fit signe de revenir s'asseoir. Mais Marjolaine n'en avait cure et l'envie de voir le haut de la maison était trop forte. Elle grimpa lentement les marches étroites en se tenant à la rampe de métal. De là où elle était, elle avait vue sur le lit de camp, la table et l'air réprobateur de son mari. Elle continua sa montée et s'apprêtait à soulever l'épaisse planche de bois lorsque la voix d'Adrien la figea sur place :

— Hé, la voleuse, viens donc me gratter en arrière de l'épaule !

Marjolaine sentit la rage monter en elle et descendit les quelques marches en moins de dix secondes. Philippe eut l'impression qu'elle les survolait tant la colère l'avait envahie. Avant qu'il ne puisse l'arrêter, Marjolaine se pointa devant le vieil homme, les mains sur ses hanches étroites et se pencha très proche de lui.

— Bon, là, écoutez-moi bien, Adrien Ouimet. Ça fait des mois que j'endure vos insultes. Voulez-vous bien vous mettre dans la tête que vos *maudites* framboises – pas si bonnes à part ça – je vous les ai remises par dizaines puis que si vous vous entêtez à m'appeler encore de même, je vous casse l'autre jambe !

Horrifié par les paroles de sa femme, Philippe voulut la saisir par le bras, mais l'éclat de rire qui jaillit du lit de camp changea ses plans. Ébahi, le couple vit le blessé crouler sous les hoquets et les rires. Il se tapait la cuisse valide et, chaque fois qu'il tentait de reprendre le contrôle de sa respiration, un coup d'œil au visage enflammé de Marjolaine le replongeait dans son hilarité. Désemparée, la jeune femme se mordilla les lèvres avant de retourner prendre place aux côtés de Philippe. Finalement, au bout de quelques minutes, le vieux essuya ses larmes de rire, et cracha les paroles que la jeune femme n'aurait jamais cru entendre :

— Bon, parle-moi de ça, du caractère de même ! Je me demandais bien combien de temps ça prendrait avant que tu me remettes à ma place ! Tu dois pas t'ennuyer, mon homme, avec une furie de même !

Marjolaine ouvrit la bouche, mais elle demeura indécise. Devait-elle en rajouter ou accepter ce qui ressemblait à des excuses ? Elle répondit avant que son mari ne puisse l'en empêcher :

— Ça fait que je veux plus entendre ce mot-là, on s'entend là-dessus ?

— Oui, mon capitaine !

— Puis notre gîte, continua-t-elle, en profitant de l'accalmie, bien il est là pour rester. C'est notre gagne-pain et nos clients ont été très respectueux, vous pouvez pas dire le contraire !

— Pas tes Français, en tout cas !

— Une exception !

Le vieux ferma les yeux un moment. Le couple pouvait presque voir les efforts qu'il déployait pour passer par-dessus ses réticences et ses préjugés. À la fin, il posa son regard délavé sur Marjolaine et tendit une main frêle, qu'elle prit entre les siennes. Adrien murmura :

— D'accord.

— D'accord ?

— D'accord.

Le couple échangea un regard ravi et la femme se releva pour s'éloigner un peu. Mais la voix rauque du vieux la stoppa :

— Mais tu m'as pas encore gratté, la jeune !

CHAPITRE 26

Marie-Laure et Jules

D'un commun accord pris avec Philippe, à la suite de cette première visite, Marjolaine commença à se présenter à la maison grise une journée sur trois. Victoire, Hermine et Roseline s'occupaient d'Adrien aux autres moments. Marie-Laure trouvait bien étrange cette nouvelle relation entre les deux ennemis d'autrefois. Elle en parlait d'ailleurs à son mari et ses parents venus souper pour la fête d'Éloi, qui venait d'avoir onze ans. Ce n'est qu'après moult supplications qu'elle avait accepté de recevoir des gens pour l'anniversaire de son fils. Ce dernier avait prié, pleuré, boudé jusqu'à ce que Marie-Laure finisse par acquiescer. Elle était si lasse que chaque geste dérogeant de sa routine l'épuisait. À l'idée de faire cuire un gâteau, nettoyer la cuisine, préparer un repas de fête, une boule d'angoisse s'était formée dans son estomac. Pourtant, Marc-André avait tenté de la rassurer en précisant qu'il s'occuperait de tout! La déception de son fils était suffisante pour le convaincre de se mettre au fourneau. Depuis quelque temps, outre le caractère changeant de sa femme, Marc-André était inquiet par le mutisme dans lequel s'enfermait Marion. Sa grande fille ne se mêlait plus aux conversations et paraissait de plus en plus taciturne. Lorsqu'il tenta d'en parler à sa femme, un soir, celle-ci le rabroua vivement.

— Commence pas à trouver des problèmes à nos autres enfants. C'est pas ta fille, le problème. Elle est bien normale, ELLE !

Alors Marc-André s'était tu, mais il avait observé son enfant se renfermer de plus en plus sur elle-même, surtout en présence de sa mère. Pour son anniversaire, à la mi-janvier, son aînée avait insisté, au contraire de son frère, pour ne pas être fêtée. Marie-Laure avait protesté pour la forme, mais avait été bien soulagée de ne pas avoir à organiser un souper spécial. Surtout qu'elle avait complètement oublié cette journée particulière. Même le père de Marion n'avait pas réussi à faire changer son adolescente d'idée, elle qui lui avait répondu : « Je suis pas un bébé, j'ai pas besoin de gâteau. » En cachette, la pauvre jeune fille avait pourtant pleuré toutes les larmes de son corps avant de s'endormir la tête enfouie sous son oreiller. Elle se souviendrait longtemps de sa fête de treize ans. Marc-André émergea de ses pensées en entendant le rire ironique de Marie-Laure, alors qu'elle qualifiait à sa façon la relation nouvelle entre Adrien Ouimet et son amie.

— Avant, ils s'haïssaient pour mourir, puis là, tout d'un coup, c'est l'amour fou ! Je comprends plus rien, moi !

Marie-Laure fourra une cuillère de pâté au poulet dans la bouche de Jules, en attendant une réponse des autres convives. Gaspard, malgré les tensions des derniers mois, sourit affectueusement à sa belle-fille. Il avait bien remarqué le nombre de verres de vin qu'avait consommés la châtaine, mais ne voulait pas rajouter à l'inquiétude de son fils en y portant trop attention. Il finit sa bouchée avant de répondre :

— J'avoue que c'est une drôle de relation qui s'établit entre ces deux-là. Marjolaine parle à Adrien comme si c'était sa mère ! Puis le pire, c'est qu'il se laisse faire !

Les autres éclatèrent de rire devant cette image. Marion sourit à peine, mais elle suivait la conversation attentivement. Tout ce qui concernait Marjolaine la fascinait, elle qui ne reconnaissait plus sa mère, qui n'était plus que l'ombre de la femme affectueuse qu'elle avait côtoyée pendant dix ans. Les rires fusaient lorsque Jules cogna sur la table avant de se laisser choir sur le sol sans un mot.

— Voyons, Jules, qu'est-ce que tu fais là? demanda Marc-André assis à ses côtés. Il essaya de le rattraper, mais le petit bras glissa dans sa main.

Le garçon était maintenant couché sous la table, la tête tournée vers le haut. Son père se pencha pour le tirer doucement afin de lui faire reprendre sa place. Les invités se jetèrent un regard inquiet alors que Marie-Laure fit comme si elle ne voyait rien de la situation. Marion donna un léger coup de pied à son frère. Elle savait que la colère de sa mère pouvait fuser à tout moment. Même si elle espérait que la visite calmerait la crise, la jeune blonde lança un coup d'œil vers sa mère, dont le rire lui paraissait de plus en plus feint. Depuis plusieurs mois, l'adolescente avait appris à décoder les traits du visage de cette dernière et parfois, elle réussissait à désamorcer la crise avant l'éclatement de celle-ci. Marc-André, démuni, se redressa.

— Il veut pas se rasseoir, marmonna le père de famille dépourvu. Craignant la réaction de sa femme, il posa sa main sur la sienne, mais elle la retira aussitôt, se relevant pour aller déposer l'assiette de son plus jeune sur le comptoir.

— Bon, je pense que c'est le temps, hein? demanda-t-elle d'un ton faussement joyeux sans se préoccuper des échanges de regards inquiets entre les autres adultes présents.

— Oui! cria Éloi, le visage rond rouge d'anticipation.

Sous la table, Jules s'était étendu, et avait mis les mains sous sa tête rousse. Depuis près d'un an, personne n'avait pu brosser ses longs cheveux. C'est à peine si les parents de l'enfant réussissaient à le laver une fois par semaine. Il chantonnait légèrement. Marc-André déglutit avec peine et sourit faiblement.

— Je vais fermer les lumières !

— Bonne fête, Éloi, bonne fête, Éloi, bonne fête, bonne fête, bonne fête, Éloi ! Hip hip hip… hourra ! entonnèrent les convives en souhaitant tous voir réapparaître la petite tête rousse à la table.

Pourtant, Marie-Laure apporta un gros gâteau au chocolat et entreprit de trancher de généreuses portions sans que Jules se décide à grimper sur sa chaise. Elle termina le service du dessert et reprit sa place, près d'Éloi, sans se préoccuper de l'enfant à ses pieds. Ses parents, son beau-père et son mari commencèrent à manger le gâteau, alors que la châtaine discutait normalement.

— Il faudrait bien qu'on aille faire un tour, nous autres aussi, Marc-André.

— Un tour où ? demanda son mari en frottant sa tignasse bouclée.

— Bien chez Adrien, voyons !

— Oh…

La mère de Marie-Laure se pencha à son tour sous la table pour regarder son petit-fils. Elle lui sourit gentiment avant d'offrir :

— Un morceau de gâteau, mon Jules ?

— Laisse-le tranquille ! claqua la voix sèche de sa fille.

La grand-mère sentit les larmes lui monter aux yeux et elle fixa son mari pour obtenir de l'aide.

— Voyons, Marie-Laure, ta mère veut juste te donner un coup de main! commença le petit homme en posant sa main sur l'avant-bras de sa fille.

— J'ai pas besoin de votre aide, cracha-t-elle. S'il veut rester sous la table, bien qu'il y reste!

Gaspard sentit à son tour un malaise l'envahir devant l'indifférence de sa belle-fille, qui jurait résolument avec ses réactions précédentes. Mais à bien y penser, le grand-père se dit que ça valait mieux que l'entêtement dont faisait preuve auparavant Marie-Laure devant le comportement inadéquat de Jules. Alors il posa ses mains sur son ventre, caché sous une large chemise à carreaux, et il sourit à la ronde.

— Il est bon en *tabarnouche*, ce gâteau-là! Hein, ma belle Marion?

— Hum…

L'enfant avait la gorge trop nouée pour avaler une seule bouchée du dessert. Elle sentait que la crise approchait et elle préféra quitter la table. Seul Éloi, tout heureux à l'idée de déballer le gros cadeau posé sur la table du salon, semblait indifférent à la tension qui régnait dans la cuisine. Alors que Marion s'éloignait pour monter à sa chambre, Éloi glissa à son tour sous la table pour rejoindre son frère. Marc-André tendit la main vers sa femme pour la remercier de ne pas avoir fait de cas du comportement de son cadet.

— Me semble qu'après un bon repas de même, il faudrait bien un petit digestif! Qu'est-ce que vous en pensez?

Les quatre adultes se dirigèrent vers le petit salon pour finir le repas avec un verre de crème de menthe. Dans sa chambre, Marion avait les yeux fixés sur l'affiche de Shaun Cassidy, son chanteur préféré. Sa mère ne s'était même pas aperçue de son départ avant même d'avoir goûté au gâteau.

— Pourtant elle le sait comment j'aime ça, du gâteau au chocolat, moi ! On dirait que j'existe plus ici !

Marion entendait les rires des adultes dans le salon, puis elle perçut le cri de joie de son frère Éloi devant la grosse boîte de Lego que ses grands-parents venaient de lui offrir. L'adolescente se tourna vers sa fenêtre pour regarder la neige tomber, en souhaitant plus que jamais retrouver la maman qu'elle avait avant la naissance de son frère Jules. Pendant plusieurs minutes, elle se concentra sur les bruits venant du rez-de-chaussée, en espérant percevoir les pas de sa mère. Mais lorsqu'elle s'endormit, à bout d'espoir, sa maman n'était plus en état de grimper l'escalier. Cependant, au moins, soupiraient les invités, elle avait oublié de harceler son plus jeune afin qu'il agisse « comme du monde ». Heureux, Marc-André referma la porte sur ses invités en croyant que le pire était derrière eux.

↬

En hiver, sur l'île, les gens organisaient des petites veillées pour réussir à passer au travers des longues soirées glaciales. Le magasin Dionne était souvent fermé, les traverses inexistantes. Il restait les randonnées en motoneige, appréciées par plusieurs insulaires, et les sports d'hiver, comme la raquette, le ski de fond et le patinage. Marjolaine avait essayé une fois de faire du ski et avait déclaré, la mine déconfite :

— C'est pas pour moi, cette affaire-là ! Je vais les mettre dans le feu !

Paul et Gaspard avaient pris l'habitude de se voir tous les deux jours afin de jouer aux cartes ou au *cribble*. Les deux vieux se remémoraient leurs souvenirs, et c'est avec émoi qu'un soir de mars, le nouvel insulaire confia à son ami :

— Aujourd'hui, mon fils Stéphane aurait eu 29 ans.

Un silence respectueux suivit son commentaire. Gaspard posa sa grosse main sur ·celle de son ami. Paul avait les yeux remplis de larmes.

— Ce que je trouve le plus difficile, c'est l'impossibilité d'en parler avec Marjolaine. C'est comme si mon fils avait jamais existé. Si je lui parle de Stéphane, elle s'enrage aussitôt contre Sophie. Mais tu sais, les deux filles ont pas toujours été en conflit. Quand les enfants étaient petits, on partait tous les étés à Hermit Island, dans le Maine. Puis même si la route prenait huit heures, les enfants s'amusaient comme des fous à chanter à tue-tête, à compter les autos jaunes, rouges... Je dis pas que les sœurs se tapaient pas sur les nerfs de temps en temps, mais les moments de bonheur étaient beaucoup plus nombreux que le contraire à cette époque. Disons que quand Emma est morte... ma Sophie a eu de la misère à supporter la réalité.

— ...

Paul se leva pour regarder le fleuve. Il tournait le dos à Gaspard, qui ressentait toute la peine de son vieil ami. Respectant son silence, il attendit.

— Est-ce que je t'ai déjà dit que mon fils voulait devenir bibliothécaire ? Ça faisait rire ses sœurs, qui l'appelaient l'intello. Il était tellement... tell...

Sa voix se cassa et le pauvre homme se mit à sangloter. Gaspard n'hésita qu'un moment avant de se lever pour s'approcher de son ami. Il l'entoura de son large bras et le laissa pleurer longtemps. Perdre un enfant était le drame le plus immense qu'un parent pouvait vivre. Il l'avait constaté plus d'une fois sur l'Île Verte au cours des années. Outre Adrien et son fils, deux autres familles avaient connu un tel malheur sans jamais se remettre de ces départs précoces.

Après l'épisode des skis, sachant que rien ne ferait changer Marjolaine d'avis, son mari avait décidé d'emprunter la moto-neige de son cousin pour faire une petite balade d'un bout à l'autre de l'île. Sa femme n'aimait pas ces engins motorisés, qui lui rappelaient trop la moto qui avait tué son frère. Mais à force de persuasion, il avait réussi à convaincre sa femme : « Je roulerai très lentement. » « J'arrêterai dès que tu le voudras. » « Il faut que tu t'habitues, tout d'un coup que tu devrais traverser au sud en hiver… » Alors Marjolaine avait abdiqué. Le début de mars n'avait guère adouci la température et la jeune femme commençait à être de plus en plus maussade. Même si la saison froide lui laissait beaucoup de temps pour créer de nouveaux bijoux, elle commençait à en avoir assez des longues journées à jaser de tout et surtout de rien avec la mère Lamothe. Quand Roseline se pointait au gîte, Philippe s'empressait d'aller visiter son beau-père en empruntant divers prétextes. Il avait rougi lorsque la courtaude l'avait scruté attentivement un après-midi de février avant de conclure :

— Coudonc, je commence à penser que tu te sauves chaque fois que j'arrive, Philippe !

— Hein… ? Non, non. C'est juste que…

L'homme pris en faute avait lancé un regard d'appel à l'aide vers Marjolaine, qui avait feint d'être occupée pour le laisser se débrouiller. Elle lui avait pourtant bien dit qu'une bonne fois, son amie réaliserait qu'il avait le réflexe de la fuite !

Paul et elle n'avaient plus jamais abordé le sujet « Sophie », mais elle se doutait que son père et son mari tenteraient de trouver une façon de l'amadouer. Or, jamais, s'était promis la jeune entêtée, jamais elle ne pardonnerait la mort de son frère à celle qui en était responsable, selon elle. Marjolaine n'avait donc qu'une hâte en cette fin d'hiver, celle de recevoir à nouveau des clients, afin que la vie reprenne au gîte. En attendant, elle fit contre mauvaise fortune bon cœur en acceptant une randonnée en motoneige en ce lundi matin. Quand elle sortit de la salle de bain, son mari eut un sourire épanoui :

— *Maudit* que j'ai marié un *pétard* !

Fière de son habit de neige une pièce blanc pur, ceinturé de noir, Marjolaine rougit en l'embrassant tendrement. Puis elle leva un index vers sa poitrine…

— Je t'avertis, j'aimerai pas ça, mon *chum* !

— Mon doux, tu es donc bien de mauvaise foi ! Attends donc, tout d'un coup que tu adorerais faire du *ski-doo* puis que tu voudrais en acheter un ensuite, hein ? Il faudra traverser de l'autre bord bientôt pour aller afficher nos annonces. Ça serait pas mal moins long qu'à pied !

Marjolaine grimaça en enfilant ses bottes noires. Quelques minutes plus tard, elle marmonnait derrière la visière de son casque, peu impressionnée par les exigences de ce «sport» !

— Oublie pas, len-te-ment… sinon, je me *pitche* en bas ! ricana la femme en se blottissant contre son mari.

Le vrombissement de la motoneige couvrit la réponse de Philippe. Après des premiers instants insécurisants, Marjolaine se sentit grisée par la vitesse de l'engin qui roulait vers le Bout d'en-Haut. Son mari, prudent, restait en plein milieu du chemin, évitant les bosses et les trous des côtés. Ils firent demi-tour à la route à Clopha, repassèrent devant le gîte sans s'arrêter. Au bout d'une dizaine de minutes, Marjolaine cria à son oreille :

— PLUS VITE !

Philippe appuya sur l'accélérateur en riant aux éclats. La vie était belle ! Même s'ils ne roulaient pas sur l'or, ils prévoyaient une bonne saison au gîte et espéraient que l'argent ainsi gagné leur permettrait de se payer des petites folies l'hiver prochain. En passant devant la maison grise en face du cimetière, Marjolaine tapa l'épaule de son mari :

— On pourrait arrêter voir comment va Adrien. Il est allé faire enlever son plâtre hier, avec Conrad et Victoire.

— En revenant ! hurla Philippe en passant à toute vitesse devant l'habitation du vieil ermite. La fumée sortant de la cheminée montait en volutes vers le ciel. Il faisait froid et leurs joues étaient gelées, mais l'ivresse de la vitesse faisait hurler de bonheur les deux amoureux.

En peu de temps, ils avaient traversé le chemin d'un bout à l'autre de l'île. Le paysage du Bout d'en-Bas à la pointe de l'île était à couper le souffle. Une faible neige s'était mise à tomber, rendant le panorama encore plus féerique. Marjolaine, qui avait refusé depuis le début de l'hiver de monter sur une motoneige, redécouvrait une nature à l'état sauvage qui l'enivrait. Les quelques maisons colorées, cachées derrière d'énormes bancs de neige, les toits tapissés de flocons, les glaçons qui s'accrochaient aux vieux bâtiments de ferme parfois délabrés rendaient la promenade magique. La jeune femme soupira d'aise, souriant malgré le froid. Après plus d'une heure, ils décidèrent de revenir sur leur route pour faire durer leur plaisir. Ils poursuivirent jusqu'à la maison jaune de Marie-Laure et Marc-André. Philippe ralentit en voyant un enfant assis dans l'escalier de la petite maison aux volets blancs. Du chemin où la motoneige s'était arrêtée, Marjolaine envoya la main à Jules, en sachant bien qu'elle ne recevrait pas de signe en retour. Son mari releva sa visière en tournant la tête vers elle.

— On arrête quelques minutes ? demanda-t-il.

— Envoye donc, je voulais les inviter à venir souper samedi !

Tournant dans l'entrée, Philippe stationna la motoneige noire aux pieds des marches et salua gentiment Jules, qui ne broncha pas, ses grands yeux bleus fixés sur le fleuve glacé, où les gros morceaux de glace circulaient lentement. Malgré le froid, il avait les mains et la tête nues.

— Maman et papa sont là, Jules? s'informa doucement Marjolaine. Il me semble que tu dois être gelé, mon minou, tu as même pas de mitaines! Viens, entre avec nous.

Docilement, l'enfant se releva. Philippe fronça les sourcils en constatant qu'il ne portait pas de pantalon de neige, juste un vieux manteau trop petit pour lui. Il cogna à la porte de la maison et y pénétra sans attendre, comme il en avait l'habitude. Des cris fusaient dans la maison. Des exclamations de rage, et Philippe et Marjolaine hésitèrent dans l'entrée avant que le barbu ne prenne la parole:

— Allo?

— Marie-Laure? Marc-André?

— J'ai mon *câlisse* de voyage de sa tête de mule! S'il veut pas mettre de mitaines bien qu'il en mette pas, c'est tout! hurlait la voix aiguë de Marie-Laure.

— C'est toi la mère, *sacrament*! C'est juste un enfant, lui! Puis tu penses qu'il sait ce qu'il y a de mieux pour lui? répondait Marc-André en s'avançant dans le corridor.

Il figea en voyant Marjolaine et Philippe accompagnés du garçonnet, indifférent aux cris. L'homme tenta un petit sourire en s'approchant du couple.

— Tiens, salut.

— Excuse-nous, Marc-André, on a cogné, mais…

— …mais on vous a pas entendus! Je sais pas pourquoi!

Mal à l'aise, le blond à la chevelure dépeignée se frotta la barbe. Les crises entre Marie-Laure et Jules étaient de plus en plus fréquentes et l'homme ne savait plus à quel saint se vouer. Il leva d'ailleurs un regard désespéré vers son cousin, alors que Marjolaine se penchait sur l'enfant pour lui chuchoter à l'oreille :

— Va jouer dans ta chambre, mon Jules.

Pour une rare fois obéissant, le garçonnet retira ses bottes en caoutchouc. Il trottina vers l'escalier et grimpa les marches en courant. Philippe ôta son casque avant de poser sa main sur le bras de Marc-André.

— On veut pas vous déranger, on venait juste vous faire un petit salut ! avoua-t-il. Je voulais te montrer qu'on prenait soin de ton *ski-doo*.

Marjolaine allait rajouter quelque chose lorsque Marie-Laure arriva à son tour dans la pièce, encore en jaquette malgré l'heure avancée. Elle avait le visage blême et les traits tirés. Se forçant à sourire, elle demanda :

— Tiens, qu'est-ce qui vous amène ici ? En motoneige en plus, wow ! Il me semblait que tu voulais rien savoir de monter là-dessus, mon amie ?

— Il y a juste les fous qui changent pas d'idée, hein ?

En prononçant ces paroles, Marjolaine déglutit en voyant la rage s'inscrire sur le visage tendu de Marie-Laure.

— Les fous, oui… il y en a pas mal dans notre famille de ça !

Sans plus un mot, elle tourna les talons et s'éclipsa, sans un regard pour Marion, qui s'avançait dans le corridor. Marc-André chuchota en frottant ses yeux las :

— Je sais plus quoi faire. C'est de pire en pire.

— Je pense que vous devriez traverser voir le docteur, Marc-André, murmura Philippe, alors que Marjolaine approuvait d'un hochement de tête. Elle hésita entre suivre son amie et risquer de recevoir des bêtises, ou rester dans l'entrée pour consoler le père qui regarda sa grande fille se vêtir pour sortir. Marion ne tourna pas la tête avant de lancer :

— Je m'en vais chez Hélène.

— Attends, je vais aller te reconduire, on gèle.

— Non, je vais prendre mon *bicycle*. Le chemin est tapé.

Avant que son père ne puisse réagir, la porte avait claqué et le gros blond secoua la tête. Il pointa la porte.

— Même ma fille est en train de s'enfoncer. En fait, il y a juste Éloi qui reste aussi relaxe qu'avant. Marion, elle dit plus un mot. On dirait que ma famille est en train d'éclater, puis je sais pas quoi faire !

L'homme se frotta le visage pour essuyer une larme. Les yeux rougis par le manque de sommeil et la tension des derniers mois, il soupira profondément avant de donner raison à son cousin et à sa femme :

— Je vais appeler l'hôpital de Rivière-du-Loup lundi prochain. Puis je vais la traîner, même s'il faut que je l'attache sur mon *ski-doo* !

— C'est la meilleure idée, mon *chum,* approuva Philippe.

Marjolaine se dandinait encore sans savoir si elle devait rejoindre son amie. Mais au moment où elle s'apprêtait à retirer ses bottes, la voix éteinte de Marie-Laure retentit dans la cuisine :

— Je vais me coucher. Tu t'occuperas de lui.

Gêné, Marc-André tenta de sourire lorsque son épouse passa près d'eux sans les regarder pour monter l'escalier. Le trio jasa encore quelques minutes, avant de ressortir sur la petite galerie enneigée. Marjolaine serra le pauvre père désemparé contre elle.

— Tu prends la bonne décision. Vous avez besoin d'aide.

L'euphorie qui l'envahissait à son arrivée chez leurs amis s'était envolée. La brune n'avait plus envie de continuer leur randonnée. En grimpant derrière Philippe, elle reconnut tristement :

— On fait un dernier arrêt chez Adrien, puis je pense qu'on pourrait rentrer chez nous. J'en aurais assez pour aujourd'hui.

Philippe, qui comprenait son état d'esprit, hocha la tête en guise d'assentiment. Dire qu'ils avaient eu tellement de plaisir quelque temps auparavant! En arrivant chez le vieux Ouimet, ils avaient retrouvé leur bonne humeur. Après tout, Marc-André avait choisi la bonne solution pour mettre fin à la crise qui frappait sa famille; tout se réglerait sous peu. C'est un Adrien fragile, mais déterminé, qui vint leur ouvrir la porte en s'appuyant sur ses béquilles.

— Tiens, qui va là? Si c'est pas ma vol... préférée! ricana-t-il avant de se ranger pour laisser entrer le duo.

— Attention, Adrien, sinon je vais vous casser l'autre jambe! ironisa à son tour la jeune femme en riant. Sans blague, comment ça va?

— Bof... presque comme un neuf! Un vieux neuf!

Le convalescent trotta dans le corridor sombre sur les béquilles prêtées par la pharmacie du village de L'Isle-Verte. C'est matante Minou qui avait assumé le coût de la location, le vieux refusant mordicus de payer pour des « *boutes* » *de bois*! Le couple, toujours debout dans l'entrée, se regarda en haussant les épaules jusqu'à ce qu'Adrien se retourne pour lancer:

— Bien, allez-vous rester là jusqu'à demain? Arrivez dans la cuisine!

Philippe et Marjolaine ôtèrent seulement leurs bottes, n'ayant pas l'intention de rester longtemps. Ils se dirigèrent vers la seule pièce chauffée de la maison et figèrent sur le seuil de la cuisine.

— Bonjour.

Matante Minou, installée dans le fauteuil près du four, leva une main fine pour les saluer. Ses joues rougirent alors qu'elle enfilait en vitesse sa veste de laine noire par-dessus sa blouse.

Marjolaine plissa ses yeux pour évaluer la situation et comprit, à voir la gêne de la femme, qu'ils dérangeaient.

— Heu... bonjour, Hermine.

Le vieux avait repris sa place sur son lit de camp et alluma une cigarette avant de tendre sa *rouleuse* à Philippe. Il ne semblait pas remarquer l'inconfort de sa vieille amie, qui avait croisé ses jambes délicates. En regardant la femme âgée, Marjolaine comprit l'amour que cette dernière ressentait pour l'homme aux cheveux blancs. Adrien se doutait-il du secret que cachait Hermine?

— Pendant qu'on jase, demanda l'ermite à Philippe, ça te tente-tu de m'en rouler une couple?

L'hiver, Adrien mettait sa pipe de côté pour varier les plaisirs. À Philippe, qui s'était étonné de cette habitude, le grincheux avait répondu:

— Un moment donné, tu viens tanné de siphonner un tuyau de bois!

Hermine délaissa sa tasse de café pour relever sa fine silhouette et se diriger vers la porte.

— Bon, je vais y aller, moi.

— Mais non, Hermine, on faisait juste passer. Il faut qu'on y aille! répondit aussitôt Marjolaine en poussant l'épaule de son mari.

— Hein? Déj...

— Oui, oui. Tu as oublié que je dois aller surveiller mon rosbif? Tu voudrais pas manger de la semelle de botte, hein, mon amour?

— Heu...

Les yeux de Marjolaine fixés sur son visage confus, Philippe haussa les épaules avant de remettre la *rouleuse* sur la table. Il se tourna vers le blessé en disant:

— Désolé, Adrien, le *boss*...

— Arrête tes niaiseries puis viens donc!

Pressée, Marjolaine sortit et attendit que son mari la rejoigne à l'extérieur pour lui raconter ce qu'elle avait deviné. La gentille Hermine avait le cœur rempli d'amour pour le têtu Adrien.

— Hein? Tu manques d'action, ma perle! Hermine a cent ans!

— Niaiseux! Je te le dis...

Marjolaine allait continuer lorsque la voix du vieux, atténuée par la porte fermée, les atteignit. Adrien chantait les paroles du dernier succès de Barbra Streisand, *Woman in love* à tue-tête.

Sur le balcon, le couple éclata de rire. L'hiver avait peut-être créé un nouveau couple.

CHAPITRE 27

Un diagnostic... enfin !

Enfin, le printemps arriva sur l'île, au grand plaisir de Marjolaine, qui pouvait sortir sans avoir besoin d'enfiler des pelures d'oignon. Malgré l'isolement, elle n'avait pas encore perdu l'habitude de porter ses jolis vêtements. Les tenues vestimentaires dont s'affublaient la plupart des insulaires féminines l'amusaient et elle appréciait les coups d'œil appréciateurs qu'elle recevait des autres hommes de l'île. À son mari qui se moquait de son *sex-appeal*, elle répondait :

— Tu sauras, mon homme, qu'avant que je me *graye* d'une salopette en jeans trois fois trop grande pour moi, il va pleuvoir des tomates !

Paul arriva à la maison rouge au moment où sa fille sortait de son véhicule. Elle revenait du magasin Dionne, les bras chargés de sacs de provisions.

— As-tu besoin d'aide, Marjolaine ?

— Non, j'ai juste ça ! Mais si tu pouvais m'ouvrir la porte...

Son père lui sourit avant de l'accompagner à l'intérieur. Autant sa fille avait eu de la difficulté à supporter l'ennui de ce premier hiver passé loin de la ville, autant lui avait apprécié le silence, les marches sous les flocons et les soirées à lire au coin du feu. Depuis la visite de Sophie, il lui avait parlé toutes les semaines au téléphone.

— Elle va bien, confirmait-il à Gaspard ou à Philippe. Je crois qu'elle viendra me voir bientôt. Puis cette fois, elle pense rester plus longtemps.

Philippe hochait la tête sans rien dire, sachant fort bien que cette visite signifierait à nouveau des sautes d'humeur chez sa douce. Paul avait souvent fixé la maison rouge pendant l'hiver, en cherchant le courage d'y foncer pour mettre les choses au clair. Pourtant, les discussions qu'il avait eues avec Philippe l'avaient dissuadé de tenter la chose. Il posa ses yeux doux sur le beau visage oval de sa cadette et lui caressa la joue affectueusement.

— Ton *chum* m'a dit que votre céramique avait décollé dans la salle de bain… commença-t-il.

— Heu… oui mais…

— Je suis là! Inquiète-toi pas!

Paul leva le bras en montrant son coffre à outils. Marjolaine grimaça en enlevant son béret et en glissant ses doigts ouverts dans ses boucles pour les remonter.

— Oh, tu as Gaston.

— Oui, ma fille. Crains pas, je vais vous arranger ça, tu vas voir! Puis ça sera pas long à part ça!

Philippe, qui descendait l'escalier une serviette à la main pour frotter ses longs cheveux frais lavés, leva les yeux vers le plafond en jurant silencieusement. Qu'est-ce qui lui avait pris de mentionner ce détail à son beau-père? Sa femme accrocha ses vêtements d'extérieur à la patère avant de s'avancer pour l'embrasser sur la joue.

— Tu vois, mon chéri, papa est prêt à réparer notre céramique, vu que tu lui en as glissé un mot.

— Heu… oui… oui.

Retenant un éclat de rire, Marjolaine grimpa les marches deux par deux pour aller se changer, puis monter au grenier pour terminer le bijou qu'elle voulait offrir à Marie-Laure pour son anniversaire, qui aurait lieu la semaine suivante à quelques jours de la sienne. Même si rien n'était prévu pour les trente et un ans de la femme, son amie avait bien l'intention de la gâter un peu. La mère de Jules avait finalement accepté d'aller à l'hôpital après maintes négociations. À force de se le faire conseiller par tous ses proches et en s'apercevant que son mari ne fléchirait pas, elle avait supposé que la meilleure manière de leur clore le bec à tous était d'acquiescer à la demande générale.

— De toute manière, s'était-elle dit, je ferai bien ce que je veux! C'est mon fils, après tout, et personne va me dire comment l'élever.

Roseline et elle ne s'étaient guère vues de l'hiver. À peine croisées au magasin, vers la fin de janvier, et Marie-Laure ne s'était pas gênée pour ignorer complètement la blonde rousse. Indignée, celle-ci s'était empressée d'en faire part à sa fille Hélène, d'abord, qui avait haussé les épaules, indifférente, puis à Marjolaine, qui avait mis les choses au clair.

— Oh non, Roseline! Je me mêle pas de vos chicanes! Vous avez juste à vous asseoir pour clarifier l'affaire. Il me semble que c'est simple comme bonjour. Puis tu sais que Marie-Laure est malheureuse de la situation avec son fils, je pense que toute son énergie est concentrée sur ce sujet. C'est pas qu'elle veut te mépriser comme tu penses, mais songe à ta réaction si un de tes enfants était pas... normal.

En disant ce dernier mot, Marjolaine fit taire sa culpabilité. Après tout, c'était devenu un secret de Polichinelle sur l'Île Verte : Jules Caron souffrait d'une maladie mentale.

— Oui, mais... avait recommencé la voix plaignarde de la costaude.

— Non, *chut... chut...* avait coupé Marjolaine, en mettant un doigt sur la bouche de son amie.

Alors la mésentente s'était poursuivie entre les deux au grand déplaisir de Marc-André, qui aimait bien le mari de Roseline, avec qui il avait fait les quatre cents coups dans son jeune temps. Lorsqu'il avait essayé de lui en glisser un mot, lors d'une soirée de pêche sur la glace, Edmond Fraser avait répondu :

— Moi, les affaires de bonnes femmes, je m'en mêle pas. Toi et moi, on a pas de problèmes, c'est ça qui compte. Pêche, *astheure* !

Soulagé, Marc-André avait décapsulé une bouteille de bière avant de marcher jusqu'au trou suivant pour vérifier l'état de leurs lignes. Depuis que sa femme avait accepté de voir le médecin pour Jules, il s'était permis d'espérer que tout redeviendrait comme avant.

⬭

En ce matin d'avril, très tôt, Marjolaine enfila sa jupe en patchwork et son long chandail noir à manches chauve-souris, et noua son foulard jaune dans ses cheveux. Elle enfila sa paire de ballerines noires à bout pointu. Philippe finissait de déjeuner, une cigarette fumant dans le cendrier devant lui. Il pointa sa cuillère sur les jambes dénudées de sa femme et lança :

— Un collant ça te tente pas, ma perle ?

— Es-tu malade, toi ? Je vais avoir l'air de quoi avec ma jupe puis des collants ? Non, non, je vais être bien correcte de même.

Philippe allait répliquer que le thermomètre n'indiquait toujours bien que douze degrés et que, sur l'eau, le mercure friserait le zéro, mais il fit une légère moue en haussant ses épaules. Replongeant la tête dans son *Journal de l'insulaire*, il laissa tomber. Connaissant trop bien l'entêtement de Marjolaine, il ne perdrait pas son temps à la dissuader de porter ce qui lui tentait, gardant ses forces pour la consoler à son retour lorsqu'elle aurait les cuisses et les fesses gelées bien dur! En sortant sur sa galerie, la brunette grimaça légèrement et se dépêcha de grimper dans le camion, dont elle poussa le chauffage au maximum. Un drôle de bruit lui annonça que l'état de la chaufferette laissait de nouveau à désirer.

— *Câline*, veux-tu bien me dire…?

Déterminée à ne pas perdre de temps, Marjolaine tourna le bouton de gauche à droite et de droite à gauche plusieurs fois jusqu'à ce qu'elle entende: *pffouff.*

— Bien voyons! J'ai mon voyage, la chaufferette vient de lâcher! Encore!

Avec le talon, Marjolaine donna un solide coup dans le tableau de bord pour aider au redémarrage de l'appareil… sans réaliser le caractère vain et ridicule de son geste. Enragée par le refus du dispositif de coopérer, elle démarra sur les chapeaux de roues sans plus tenter de réparer le chauffage. Résignée à geler, elle roula à grande vitesse sur le chemin de l'Île, ralentissant seulement en passant devant la maison grise, au cas où Adrien serait déjà sorti sur son terrain.

— Avec sa tête de cochon, ça me surprendrait pas qu'il ait déjà commencé son jardin, même si le médecin lui a formellement interdit de plier sa jambe pour encore trois semaines.

En descendant la côte menant au quai, Marjolaine sentit un bien-être l'envahir à la vue du fleuve ondulant dans son écrin. À reculons, elle stationna son véhicule pour sortir en vitesse. Elle voyait Gaspard et Marie-Laure sur le quai. Cette dernière tenait la main de Jules et, de là où elle était, Marjolaine n'arrivait pas à distinguer l'air sur le visage de son amie. Elle agrippa son sac à dos et courut sur le chemin de cailloux pour descendre près de la petite famille. Son amie lui fit un grand signe et un large sourire. Ravie de la voir de bonne humeur, Marjolaine reporta son attention sur le garçonnet roux. Jules était immobile aux côtés de sa mère, le regard hagard. Parfois, il levait la main pour faire des gestes étranges. Il remuait les doigts les uns après les autres pour ensuite les replonger dans sa poche.

— Salut, Marjo!

— Marie-Laure! Tu traverses aussi?

— Oui. Jules et moi, on s'en va à l'hôpital.

— Oh.

— Je porte ton beau collier, as-tu vu?

Marie-Laure pointa le cordon noir au bout duquel pendait un papillon jaune. Son amie sourit avec fierté: elle avait vraiment bien réussi les détails rouges et orangés sur les ailes. Elle reporta son regard sur la châtaine, qui était vêtue, elle, confortablement d'une grosse doudoune beige à la propreté douteuse et d'un vieux jeans noir qui devait appartenir à Marc-André. À la suite de la dernière crise familiale, Marjolaine avait été enchantée de constater que le gros blond avait pris un rendez-vous à l'hôpital de Rivière-du-Loup comme annoncé. Depuis un mois, environ, les parents se déplaçaient une fois par semaine pour consulter un spécialiste de l'enfance, qui les accompagnait dans l'évaluation des comportements atypiques de Jules.

— Mais ça devrait être la dernière fois, sourit Marie-Laure en regardant son enfant. Après, ils vont enfin pouvoir nous dire comment aider notre gars.

— *Cool!* Je suis contente pour vous autres.

— Moi aussi.

Pourtant, le regard de la mère semblait éteint lorsque cette fois elle le plongea dans celui de son amie. Marjolaine sentit un malaise inexplicable l'envahir, mais elle se secoua imperceptiblement pour s'en défaire. «Arrête donc de tout voir en noir!», pensa-t-elle en souriant à Jules, qui la regardait sans émotion.

— Tu as pas peur de geler? demanda Marie-Laure en pointant les jambes nues de Marjolaine.

— Oh non! Inquiète-toi pas!

Pourtant, Marjolaine regrettait déjà de ne pas avoir enfilé son pantalon imitation cuir, comme Olivia Newton-John dans *Grease*. Mais elle avait craint d'être éclaboussée une fois sur l'eau. Alors tout au long de la traversée, elle retint ses tremblements et ses claquements de dents pour éviter que Gaspard ne se moque d'elle. Il avait accepté de la traverser de l'autre côté dans sa chaloupe, puisque les chalands n'étaient pas encore sortis des hangars.

— Mais je t'avertis, la jeune, ça brasse pas mal plus!

— Pas grave, il faut que j'aille porter mes annonces. Si on veut que notre gîte fonctionne à plein régime dès le mois de mai, il faut toujours bien qu'on se fasse de la publicité. Mon cousin qui est venu l'été passé en a parlé pas mal à l'université et a placé quelques annonces, mais c'est pas assez.

— J'ai bien l'impression que tu vas geler habillée en vedette de même! ricana Gaspard.

— Bof, j'ai la couenne dure!

L'homme la regardait d'un œil hilare, lui qui portait un grand pantalon imperméable par-dessus sa salopette de jeans, ainsi qu'un lourd manteau gris hydrofuge. Jules et Marie-Laure avaient placé une grosse couverture à carreaux sur leur dos et c'est avec soulagement que Marjolaine y trouva une petite place. Rendue sur la terre ferme, la pauvre avait peine à tenir sur ses jambes transies, mais elle réussit tout de même à esquisser un pâle sourire.

— Tu montes avec nous autres? demanda Marie-Laure en pointant son vieux tacot rouillé stationné à côté de la cabane sur le quai.

Les insulaires possédaient souvent deux voitures. D'abord, une vieille guimbarde non immatriculée, qu'ils conservaient pour les déplacements sur l'île. Ces voitures, qui finissaient leur vie utile au milieu du fleuve, émettaient différents bruits non conformes qui faisaient ricaner les Verdoyants. Puis, au quai du village de L'Isle-Verte ou au quai des Vases, une autre voiture un peu plus récente leur permettait de se déplacer sur la côte sud entre Québec et Rivière-du-Loup. À l'occasion, lorsque les policiers du continent faisaient du zèle, ils venaient sillonner l'île durant une journée et les vieux tacots étaient remisés le temps de leur visite. Tous se déplaçaient alors à pied, en trois-roues ou en bicyclette pour éviter de recevoir une amende ou d'être contraints d'aller faire faire une mise au point mécanique au garage Gadbois de l'autre bord. Marjolaine, qui avait prévu sauter dans le bus pour se rendre en ville, puisque son père avait maintenant traversé son Impala, suivit son amie avec joie.

— Je suis trop contente de pas avoir à me taper l'autobus jusqu'à Rivière-du-Loup. Vous revenez à quelle heure?

Marie-Laure fit une mimique sans répondre. Elle jeta un coup d'œil derrière elle et grimaça en voyant Jules tenir encore ses mains devant son visage. Parfois, elle avait envie de lui passer des menottes, des vraies, juste pour qu'il arrête de faire de telles simagrées!

— Mon rendez-vous est à dix heures. En principe, vers midi, ce sera fini. On se rejoint, si tu veux?

Satisfaite, Marjolaine ne remarqua pas le pli qui s'était formé aux confins des lèvres de son amie, alors que le garçonnet commença à chantonner d'un ton monotone en regardant par la fenêtre. Marie-Laure tourna le bouton de la radio au maximum pour enterrer les sons émis par son garçon.

～

— Un quoi?

— Trouble neuro… neurologique.

— Hum… C'est quoi?

Marc-André et Philippe ramassaient les souches de bois mort dans le champ du père de famille. C'était la troisième semaine d'avril, la neige avait presque disparu partout sur l'île et les parfums printaniers ravissaient les âmes. Si les hivers étaient pénibles pour la plupart des insulaires, l'arrivée de la belle saison donnait à tous un regain d'énergie. Philippe avait répondu avec chaleur à la demande de son cousin, qui avait besoin d'aide pour nettoyer le champ en face de sa maison pour permettre à sa dizaine de moutons de bénéficier de plus d'espace pour déambuler. Les mois froids et les tempêtes laissaient des traces sur les terres des Verdoyants. Les deux hommes s'étaient assis sur un tronc d'arbre cassé pour savourer une bière sortie d'une petite glacière.

— C'est une forme d'autisme*, ça a l'air…

Marc-André plongea son regard franc dans celui de son cousin. Marie-Laure et lui avaient rencontré le médecin quelques jours plus tôt pour connaître les résultats des tests concernant leur fils. Le choc de la nouvelle n'était pas encore assimilé, mais le blond avait besoin de s'épancher. Il fit défiler la liste des symptômes nommés par le spécialiste d'un ton monotone:

— C'est quelqu'un qui a une difficulté à comprendre les signes sociaux – tu sais, comme les émotions du monde, les saluts; qui peut pas partager ses pensées et ses sentiments; qui sait pas quand et comment se joindre à une conversation; qui arrive pas à établir un contact visuel avec les gens; qui...

Philippe leva la main en disant:

— Wo, wo, mon cousin... Reprends ton souffle. Je pense que j'ai compris. De toute manière, je sais ce que c'est, un autiste.

Marc-André ramassa une roche et la lança de toutes ses forces contre un grand pin fourni. Il tourna un visage atterré vers le barbu en murmurant:

— Parfois, ils sont déficients. Tu le savais, ça aussi...?

Enfouissant son visage rond dans ses grosses mains craquelées par le travail de la terre, il se mit à pleurer. Il chuchotait sans arrêt au travers de ses larmes...

— Tu le savais, ça? Tu savais que mon fils était attardé? Tu le savais...?

Désemparé, Philippe posa son bras autour de son cousin en souhaitant trouver les mots pour le consoler. En presque une année, les deux hommes avaient retrouvé leur complicité d'antan et le grand noir aurait tant voulu savoir comment réduire la peine de son parent.

— Mais... il peut guérir?

Philippe ferma ses poings en se traitant d'idiot. Quelle question imbécile! Il suivit des yeux le camion rouge de Lionel, qui roulait en laissant s'échapper une épaisse fumée noire. Après avoir salué le vieil homme, il se tourna de nouveau vers le gros blond à ses côtés, dont la réponse se faisait attendre. Marc-André prit une longue gorgée dans sa bouteille avant de la jeter à ses pieds. Elle rejoignait les trois autres qu'il avait déjà bues depuis le matin! D'ici un mois, Marc-André devrait s'exiler de l'autre bord pour occuper un emploi dans le domaine de la construction qui lui rapporterait assez d'argent pour survivre entre les mois d'octobre et d'avril prochains. Grâce à Philippe, il avait réussi à y échapper l'été précédent en s'occupant des travaux au gîte. Mais cette fois-ci, son patron, un contracteur de Rimouski, l'attendait pour l'été. Comme toujours, l'idée de quitter sa terre, son île et son fleuve le rendait taciturne. Mais en plus, cette année, la pensée de laisser Marie-Laure seule avec les trois enfants le rendait malade d'inquiétude.

— Non... c'est pas guérissable, ça a l'air. Le médecin a dit que pour Jules, ça se *ca-rac-té-ri-se* principalement par un trouble de la socialisation en plus d'un trouble de comportement. Puis ça, c'est sans parler de son trouble du langage! En tout cas, un paquet de mots longs de même! On a pas fini d'en baver. Il dit que notre gars parlera probablement jamais comme du monde, qu'il pourra pas aller...

La voix du père de famille se cassa et il ferma les yeux un moment, repensant aux explications du spécialiste.

— ...il pourra peut-être même pas aller à l'école. Qu'est-ce qu'on va... faire, Philippe? Qu'est-ce qu'on va faire ici, sur l'île, avec un enfant de même?

Sans dire un mot, le barbu replaça son bras autour de son cousin pour le laisser pleurer à sa guise. Depuis l'annonce du médecin, un étau enserrait son cœur. Chaque fois que ses yeux se posaient sur son fils ou sur sa femme, il voulait hurler de rage. Pourquoi sa famille était-elle éprouvée ainsi?

— Voyons, mon Marc-André, voyons... ça va s'arranger. Peut-être que le docteur se trompe?

La face ronde se contracta en un rictus de douleur avant que le blond ne secoue la tête.

— Pense pas. Tu le vois bien, toi aussi. Il y a juste Marie qui...

D'abord, Marie-Laure n'avait pas réagi à l'annonce du spécialiste à l'hôpital de Rivière-du-Loup. Puis, se relevant dignement, elle l'avait fixé froidement avant de cracher, le visage tordu par la rage :

— Bon, vous avez fini de traiter mon fils de fou et de débile ? De me traiter de mauvaise mère ? Parce que moi, j'en ai assez entendu. Viens, Marc-André, on s'en va chez nous. Je pense que vous devriez refaire vos devoirs. C'est pas parce qu'un petit garçon est un peu plus lent que les autres de son âge qu'il faut trouver des grands mots pour le traiter de malade !

Demeuré muet jusque-là, son mari s'était relevé en présentant un geste d'excuse au médecin. Mais ce dernier était habitué aux réactions indignées des parents éprouvés. Surtout des mères. Quand il leur annonçait les causes probables de l'autisme*, « que la littérature tournait autour de l'incapacité de la mère d'établir des liens avec son enfant, on parlait même de froideur, du refus de cet enfant par la mère », les femmes adoptaient le plus souvent une des deux réactions suivantes : culpabilité ou rage. Le médecin savait que Marie-Laure Marchand se rendrait bien compte qu'il n'avait dit que la vérité concernant la maladie de son fils. Pour le reste, les résultats de nouvelles recherches seraient éventuellement publiés, mettant en doute le rôle de la mère comme cause principale de l'autisme.

— Vous saurez, monsieur, avait bravement dit Marc-André avant de sortir de la petite salle d'examen, que ma femme est la mère la plus aimante que je connaisse sur mon île. Alors votre théorie tient pas la route. Puis votre proposition d'institu… tionnal… iser mon fils et de couper tous les liens avec sa mère…

Marc-André n'avait pu continuer. Il s'était éclipsé sans terminer sa pensée pour suivre sa femme. Mais il savait, lui, que le médecin avait raison : son fils n'établissait pas de contact avec eux, il avait un regard vide et, souvent, il devenait agacé ou irrité lorsque sa mère tentait de le solliciter. Pourtant, jamais Marc-André ne mettrait en doute l'amour que Marie-Laure portait à leur petit bonhomme.

— Le pire, murmura Marc-André, ce sont les crises de nuit. Parfois, j'ai l'impression de pas avoir dormi depuis mille ans!

— Comment ça? Me semble qu'une fois endormis vous devriez avoir la paix, non? demanda Philippe en lançant le caillou qu'il roulait dans sa main depuis le début de la conversation.

— La paix? ricana Marc-André. Jules fait des terreurs nocturnes incontrôlables. Puis ça, c'est sans compter son *ostie* de *lirage* à longueur de nuit. Non, je te le dis, je sais pas comment on va faire. C'est surtout pour Marie que je m'inquiète. Moi parti, elle va avoir à tout gérer seule, puis je sais pas si elle va être capable. Tu as bien vu, comme moi, qu'elle est pas loin de la dépression...

Les deux hommes, en bras de chemise, profitaient des rayons de soleil qui réchauffaient leurs corps pour faire le plein d'énergie. Tous les deux avaient en commun une sensibilité et un amour profond de leur famille. Les jambes étirées devant lui, Philippe cherchait quoi dire pour consoler son cousin. Marc-André inspira profondément avant de tourner son visage démonté vers l'autre:

— Marie-Laure dit que le médecin connaît rien et qu'elle va bien finir par le faire parler, son gars. Qu'il s'agit juste d'y mettre le temps!

— Ouf...

— Ouin. Ça fait que j'ai quelque chose de bien délicat à te demander, Philippe...

Marc-André laissa passer quelques secondes, ses yeux fixant une grosse corneille noire occupée à *picosser* une dépouille d'écureuil. Les champs jaunes s'étendaient à perte de vue et, n'eût été son inquiétude, l'insulaire se serait lancé dans une de ses tirades pour vanter la beauté de l'Île Verte. Philippe se pencha pour ramasser une autre roche et attendit patiemment que son cousin reprenne la parole.

— Quand je vais être de l'autre bord, commença doucement Marc-André, pourriez-vous vous occuper d'elle ?

— De Marie-Laure ? Heu… oui, mais…

— C'est juste que je suis inquiet, Philippe. Je te le dis, si je pouvais me passer de cette *job*-là, je resterais ici. Mais j'ai pas le choix.

— Ses parents vont pas vous aider ?

— *Pfff*, ses parents ! À part venir souper une fois tous les deux mois, ils ont jamais rien fait pour nous. Tu sais que mes enfants se sont jamais fait garder chez eux ?

— Ah ?

— Ma belle-mère se dit de santé trop *fragile* ! Puis le beau-père est pas mieux ! Ils auraient pas dû avoir d'enfants, eux autres. Quand les sœurs de Marie sont parties de l'autre bord, ils nous ont presque suggéré de faire pareil. Ça fait que si vous pouviez…

— Inquiète-toi pas, on va être là pour vous.

Marc-André lança un regard inquiet vers son cousin en ajoutant d'une voix lasse :

— Merci. Ça me rassure. Mon père m'a promis la même chose. Puis tu penses que Marion pourrait aller vous donner un coup de main au gîte de temps en temps ? Parce que ma grande…

Encore une fois, le blond dut cesser de parler, envahi par l'émotion. Sa fille n'était heureuse qu'à l'extérieur de la maison.

En présence de Marie-Laure, il la voyait se tendre comme un ressort et trouver un prétexte pour quitter la maison à peine ses devoirs, son repas et ses tâches terminés. Il la comprenait si bien, lui qui trouvait l'air irrespirable dans sa propre demeure. Le noir posa sa main sur le bras musclé de son cousin avant de hocher fermement la tête.

— Inquiète-toi pas, pars tranquille. Marjolaine et moi, on va prendre soin de ta petite famille!

Pour la première fois depuis le début de leur conversation, Marc-André sentit ses épaules s'alléger. Il savait qu'il pouvait compter sur le couple. En plus, avec son père Gaspard tout près, sa femme devrait arriver à s'en sortir. Il se releva en remontant ses bretelles. Ses jeans sales étaient enfouis dans des grosses bottes de caoutchouc, comme Philippe. Les terres étaient encore boueuses après les pluies diluviennes qui s'étaient abattues sur l'île au cours de la fin de semaine précédente.

— J'aimerais tellement ça que Marie-Laure accepte le diagnostic. Je le connais, mon gars, et je sais qu'il est différent. Pas méchant, différent.

— Qu'est-ce que vous allez faire pour l'école alors? s'informa Philippe en prenant la grosse pelle de métal.

— Je sais pas trop! Marie-Laure dit qu'il va réussir à parler avant la fin de l'été. Et c'est ça qui m'inquiète...

⤳

— *Chut*, regarde!

À moins de vingt pieds devant Roseline et Marjolaine se tenaient une maman chevreuil accompagnée de deux faons. Immobile au milieu du chemin, entourée par les pépiements d'oiseaux, Marjolaine entendait les souffles doux des bébés, qui se frottaient l'un contre l'autre. Les yeux écarquillés par autant de beauté, elle regretta de ne pas avoir un appareil photo sous la main pour pouvoir saisir sur pellicule ce moment magique. La chevrette avait encore son pelage brun gris d'hiver et ses grands yeux globuleux fixaient Marjolaine avec inquiétude.

— Wow...

Roseline croisa ses bras dodus sur sa grosse poitrine et regarda son amie avec contentement. Elle éprouvait une grande satisfaction chaque fois que Marjolaine, la petite femme de la ville, vivait une expérience nouvelle sur son île. Après quelques minutes, la femme blonde prit son amie par le coude pour poursuivre leur route. Mais c'était sans compter l'émotion qui envahissait Marjolaine. Cette dernière restait immobile, fascinée par tant de beauté, alors que les trois animaux reprenaient leur broutage tout en lorgnant les deux drôles de bêtes sur deux pattes qui les observaient sans bouger.

— Sont trop beaux... murmura Marjolaine avant de se remettre en marche.

Elle avait entendu parler de ces animaux, qui profitaient de la marée basse pour traverser le chenal, mais n'en avait jamais vu encore. Un sentiment de plénitude l'envahit et c'est en souriant paisiblement que les amies poursuivirent leur chemin jusqu'au nord. Au bout d'un moment, toutefois, la pauvre Roseline n'arriva plus à suivre.

— Pourrais-tu aller... aller moins vite, Marjolaine ? soufflat-elle en prenant une pause, appuyée sur un bâton de marche, qu'elle tenait contre son torse.

— Hein ? Oh...

Marjolaine éclata de rire en voyant l'allure échevelée de son amie. La femme n'était pas habituée de marcher autant. Surtout que la plus jeune avait insisté pour se déplacer jusqu'à la pointe ouest en bicyclette.

— En *bicycle*? avait demandé Roseline. Pourquoi? On va prendre le trois-roues, ça va aller bien plus vite!

— Non, non, Roseline. Ça va être bon pour notre santé.

— Santé, santé… Je suis pas montée sur une affaire de même depuis trente ans. Je risque de me *péter la yeule*…

À force d'arguments, Marjolaine avait réussi à convaincre son amie. Les deux étaient parties tout de suite après le déjeuner.

— Je m'en vais te montrer de quoi ont l'air les morilles noires, mon amie! avait dit Roseline, spécialiste des cueillettes sur l'île. Chaque saison, elle partait avec son sac brun pour quérir champignons, verdures et petits fruits. Apporte-toi un gros sac parce que moi, les talles, je les vide chaque fois que j'y vais!

C'est le cœur léger que Marjolaine traversa le chemin pour s'engouffrer dans le sentier accidenté. Les dernières neiges avaient fini de fondre une dizaine de jours auparavant dans la pinède. Roseline prenait le temps de se pencher sous les arbres pour trouver les morilles qui avaient déjà poussé.

— Hé, Roseline, t'avais pas dit que tu me montrerais comment les trouver? J'ai l'impression que tu veux les garder pour toi! rigola Marjolaine.

Pendant les longs mois d'hiver, outre ses bijoux, qu'elle comptait mettre en vente sur un présentoir au magasin de Victoire et Conrad, la jeune hôtelière s'était beaucoup intéressée aux différentes variétés de champignons qu'on retrouvait sur l'Île Verte. Elle savait que la morille serait la première à pouvoir être cueillie, vers la mi-avril. Un des champignons sauvages les plus réputés de la province, la morille avait une teinte terreuse, qui la rendait souvent difficile à distinguer. Marjolaine était donc bien heureuse de pouvoir compter sur une insulaire expérimentée pour la guider dans sa cueillette.

— Tiens, ma belle, gâte-toi!

Roseline se releva en grimaçant pour pointer une belle talle de ce champignon brunâtre de forme oblongue. Marjolaine sourit en s'avançant. Elle aimait bien l'odeur de ce légume, un parfum doux qui s'apparentait un peu à celui de la noisette.

— Si j'en trouve assez, murmura Marjolaine, je vais faire une bonne crème de champignons à mes prochains clients.

— Tu pourrais leur en glisser un magique, question de les faire halluciner un peu!

Fière de sa blague, la robuste Roseline se frappa les cuisses avant de se souvenir que la bicyclette et elle, ça faisait deux! Comme les morilles aimaient bien les terrains frais, elle se dirigea vers les frênes qui se trouvaient un peu plus bas sur le sentier. C'est avec un grand sourire que la femme vit une autre talle de champignons, qu'elle s'empressa de couper au ras de leurs pieds blanchâtres.

— Viens donc voir ça, Marjolaine! En plus, tu vas avoir plein de fraises sauvages! Regarde tous les petits plants qui sont cachés ici!

Satisfaite de sa récolte, Marjolaine repoussa son toupet, qui lui tombait à présent sur le front, pour rejoindre son amie au visage rouge coquelicot. Une bouffée d'affection envahit la plus jeune, qui continuait d'apprécier Roseline comme une femme au cœur grand comme la Terre. Pour s'éloigner des comportements de plus en plus explosifs de Marie-Laure, l'hôtelière prenait l'habitude de côtoyer la mère de famille, qui ressentait, elle, une grande fierté d'avoir une amie si *gracieuse*. Sereine dans cette nature en éveil, la brune avait les joues joliment rougies par la marche, les lèvres encore couvertes de rouge à lèvres rose pâle avec une légère touche de mascara. Depuis quelques mois, la coquette avait allégé le maquillage dont elle colorait son visage. Finis les grands traits d'*eye-liner* noirs qui lui donnaient des yeux de chat. Terminées les poudres colorées dont elle badigeonnait ses pommettes auparavant. Roseline, qui ne voulait pas être en reste, avait elle aussi choisi quelques couleurs «intéressantes» pour maquiller ses traits! Grimpant sur l'énorme roche qui surplombait le dernier droit du sentier, Marjolaine leva les bras au ciel en éclatant d'un rire heureux. Pourtant, le cri de Roseline à ses côtés lui vrilla le cœur.

— BIEN VOYONS DONC!

— Qu'est-ce qu'il y a? demanda Marjolaine en accourant à ses côtés.

Son amie respirait fortement en pointant le fleuve. C'était la marée basse et les mouettes s'en donnaient à cœur joie entre les crans. Plusieurs voliers de canards laissaient entendre leur cri et la femme mit sa main au-dessus de ses yeux pour voir ce qui perturbait autant l'autre.

— LÀ! TU VOIS PAS, LE PETIT DANS L'EAU?

Roseline se mit à courir sur ses jambes courtes avec une agilité surprenante pour une femme aussi costaude. Après quelques secondes, Marjolaine sentit son sang se figer dans ses veines en voyant une petite tête rousse sortir d'entre les rochers. Seul Jules avait cette chevelure flamboyante. Elle descendit de la roche en lançant son sac brun au sol pour suivre Roseline, qui débouchait au même moment sur le bord du fleuve.

— Juuullles… Juuullles! Viens me voir!

Mais le gamin n'écoutait rien, déterminé à se rendre sur le récif noir que les eaux basses laissaient apparaître. Marie-Laure était assoupie, le dos lové contre un gros rocher plus loin, sur la rive. Les relations étaient restées tendues entre Roseline et elle.

— Marie-Laure! Marie-Laure! hurla la mère Lamothe, ton gars est dans l'eau!

Roseline et Marjolaine se dépêchèrent de courir vers le fleuve pour rattraper le petit garçon, qui se démena comme un diable pour ne pas sortir de l'eau. Il pointait en hurlant le phoque noir qui se dorait au soleil sur un rocher. L'eau était pourtant si froide que les deux femmes avaient l'impression que des aiguilles transperçaient leur peau. Marjolaine laissa son amie s'occuper de l'enfant, alors qu'elle courait vers Marie-Laure, toujours endormie.

— MARIE-LAURE, *TABARNAK*! TON GARS AURAIT PU SE NOYER!

— Hein? Oh... Marjolaine...

Rompue de fatigue, la grande châtaine humecta ses lèvres sèches avec sa langue avant de tenter de se redresser. Elle plissa son front et passa une main dans ses longues boucles échevelées.

— Qu'est-ce que tu as à crier de même, Marjolaine?

— Ton gars!

— Quoi, mon gars? Il ramasse des roches en arrière!

Marie-Laure tira sur ses bas gris pour les remettre par-dessus son pantalon avant de pointer le lieu où son fils se trouvait un peu plus tôt. Marjolaine, en colère, pencha son corps tendu vers son amie avant de pointer à son tour le fleuve.

— Ton gars était dans l'eau, Marie. Dans l'eau jusqu'aux cuisses. Puis si Roseline l'avait pas vu...

Marjolaine frissonna en songeant au drame qui venait d'être évité.

— Qu'est-ce qui te prend, Marie-Laure, *sacrament*? Comment tu peux dormir pendant que ton fils...

— Arrête! cracha la châtaine en se relevant. Elle toisa son amie, qu'elle dépassait d'une bonne tête. Je me suis assoupie quelques secondes à peine, puis mon fils est pas fou, il serait pas allé bien loin. De toute manière, Marion est là.

Roseline s'avança, outrée elle aussi. Pour elle, la mère lionne, l'autre dépassait les bornes depuis quelques mois.

— Marion est à l'école. Es-tu vraiment si perdue que ça, *câline*?

— Elle filait pas ce matin, alors je l'ai gardée avec moi. Marion, Marion? cria sa mère le regard enflammé.

— En tout cas, moi, je vais te dire quelque chose, Marie-Laure: il est temps que tu recommences à t'occuper de tes enfants comme il faut. Parce que…

— Parce que rien. Mêle-toi de tes affaires, *maudite* commère!

Laissant l'autre sans mots, Marie-Laure s'avança vers Marjolaine et agrippa son fils avant de s'éloigner vers le sentier. Les deux autres se regardèrent avec tristesse. Le pire avait été évité, cette fois-ci!

CHAPITRE 28

La vie douce sur l'Île Verte

Marjolaine s'était bien rendu compte, depuis son arrivée sur l'île, que les femmes avaient conservé une habitude d'autrefois : toujours faire la grosse lessive le lundi. Au début, la citadine s'était moquée de ces usages anciens, mais peu à peu, elle avait ressenti une certaine gêne lorsque ses vêtements étaient les seuls à battre au vent une autre journée que le lundi. Ce qui fait que tranquillement, sans même s'en rendre compte, Marjolaine avait elle aussi commencé à faire son lavage en début de semaine. Déposant son panier en plastique sur le plancher de bois, elle referma le couvercle de son plat d'épingles à linge, que Philippe avait cloué sur la rampe. La jeune femme, encore en jaquette sous son épaisse robe de chambre, salua son père qui arrivait de sa marche.

— Je fais une omelette si ça te tente ! cria-t-elle avant de rentrer se réchauffer.

Au deuxième étage, Philippe leva les bras avec exaspération. Il ne lui restait que quelques jours avant de devoir accueillir leurs premiers clients de 1981 et la douche avait encore besoin de réparation. Il avait défendu à Marjolaine d'en parler à Paul, craignant de le voir arriver avec Gaston au petit matin.

— Je te rappelle que c'est lui qui a « réparé » la douche les deux dernières fois. Disons que je préfère m'en occuper, cette fois-ci, ma chérie !

Depuis deux semaines, la patience de l'homme était mise à rude épreuve. D'abord, tous les jours, sa femme se préparait à l'aube pour aller courir afin de dépenser un trop-plein d'énergie. Elle avait l'impression d'avoir engraissé et passait son temps à fixer sa silhouette dans le miroir derrière la porte.

— Je suis tellement énervée, tu peux pas savoir ! En plus, j'ai grossi !

— Énervée ? Grossi ?

Marjolaine avait regardé son mari comme s'il était sourd et elle avait répété en criant :

— J'AI GROSSI ET L'OUVERTURE DU GÎTE M'ÉNERVE. COMPRIS ?

Alors, elle se dépensait sans arrêt toute la journée entre randonnées, cueillettes et visites à Adrien, Roseline et Marie-Laure. En plus de ces sorties, elle lavait, cuisinait, frottait la maison, pourtant déjà bien propre. Épuisée, le soir venu, elle ne laissait pas le pauvre Philippe lui faire des câlins. Elle le repoussait plutôt en bâillant :

— Trop fatiguée, mon chéri, demain !

Mais le pire de tout était que le retour du beau temps signifiait le retour de la musique française, qui jouait de manière incessante dans la grande maison rouge, au point où tous les insulaires, du centre communautaire au Bout d'en-Haut, passèrent des remarques ironiques sur le choix de chansons que proposait le gîte.

— De quoi faire peur à ses clients ! ricanaient certains.

Pendant l'hiver, l'opposition au projet des jeunes citadins s'était essoufflée. Il faut dire qu'une fois l'harmonie installée entre Adrien Ouimet, le plus fervent contestataire, et la jeune Lalonde, les anciens avaient décidé de laisser aller les choses pour un second été. Si la situation dégénérait, il serait toujours temps de faire voter des lois plus sévères au conseil. Pour l'instant, ils avaient tout simplement noté certains faits :

Tout en favorisant l'ouverture, le goût de partager notre île, en considérant l'importance du tourisme, il faut éviter l'envahissement. Il faut gérer cette ouverture, le tourisme actuel et son développement*.

Pour y arriver, le conseil avait donc associé certaines actions à entreprendre pour respecter cette position :

— On pourrait faire prendre davantage conscience aux touristes que «l'île est privée», puis prévoir un code d'éthique et des règles écrites pour les touristes, avait suggéré Hermine.

— Peux-tu écrire en gros ÎLE PRIVÉE ? avait demandé sérieusement Adrien, même s'il savait que dans les faits, elle ne l'était pas vraiment.

Les conseillers et le maire étaient à présent satisfaits de leurs discussions. Adrien avait retrouvé l'usage de sa jambe avec un grand bonheur et passait toutes ses journées accroupi dans son jardin. Mais, en ce troisième jour de mai, il se releva en se tenant les reins, exaspéré. Dos au fleuve, il inspira profondément pour se calmer un peu.

— Je veux bien croire qu'elle aime la musique… mais là, elle exagère !

Après un début de relation pour le moins cahoteux, le vieux avait pris la petite citadine sous son aile. La maison grise se trouvait à moins de deux milles du gîte et le vent transportait les mélodies jusque chez lui. Il déposa sa petite pelle dans sa brouette rouillée, prit sa canne et se dirigea vers sa bicyclette, son moyen de transport sur l'île d'avril à décembre. Sauf pour aller au quai ou au phare, à cause des côtes qu'il devait gravir. Le docteur lui avait pourtant dit d'y aller *mollo*, maintenant qu'il avait retrouvé l'usage de sa jambe, un conseil que le vieux n'avait pas respecté. Alors il grimaça comme d'habitude, dès la première poussée sur les pédales. En quelques minutes, il fut chez Marjolaine et Philippe, de plus en plus irrité au fur et à mesure qu'il s'approchait de la « discothèque rouge » !

— Il y a toujours bien des limites à faire jouer ces *maudites* chansons, *bonyenne* ! ragea-t-il en appuyant sa monture contre la rampe du balcon. Comme il gravissait les marches, la musique cessa pour reprendre quelques secondes plus tard. « Hé, la voleuse ? Je peux te parler une minute », cria-t-il à travers la moustiquaire de sa porte, en sachant bien que l'appellation la ferait réagir.

Il avait beau hurler de toutes ses forces, Marjolaine ne l'entendait pas. Quand Adrien se décida à ouvrir la porte, cette dernière claqua contre le mur et fit sursauter l'hôtelière, assise dans l'escalier. Concentrée sur sa tâche de frottage, elle lança un regard interrogateur à son vieil ami.

— Adrien, qu'est-ce que tu fais ici ?

Depuis peu, le vieux avait insisté pour qu'elle le tutoie, même s'il avait l'impression d'avoir parfois cent ans de plus qu'elle ! Pendant quelque temps, Marjolaine avait mélangé le « vous » et le « tu » avant de finalement s'habituer à l'appellation plus familière.

— Quoi ? hurla l'autre en mettant sa main en cornet autour de son oreille.

L'ermite avait la bouche grande ouverte devant la tenue vestimentaire de sa jeune voisine, dont les vêtements présentaient toutes les couleurs de l'arc-en-ciel. Chandail orange serré à l'effigie de la chanteuse Pat Benatar, pantalon capri jaune serin, une chaussette verte et l'autre turquoise, et bandana mauve pour retenir ses cheveux. Croyant avoir la berlue, il ferma les yeux un moment, puis les rouvrit.

— *Bonyenne!* fut le seul mot qui sortit de la bouche du vieil homme.

Paul, qui arrivait sur les entrefaites, haussa les sourcils en entendant l'exclamation.

— Qu'est-ce qui se passe, mon Adrien?

L'homme aux cheveux blancs prit place dans la chaise de bois près de la porte pour soulager sa jambe, qu'il avait un peu fatiguée en roulant jusqu'à la maison rouge. Marjolaine lui apporta un verre d'eau en chantant les paroles de Johnny Hallyday à tue-tête:

Quand on fait l'amour
Comme d'autres font la guerre
Quand c'est moi le soldat
Qui meurt et qui la perd
Que je t'aime, que je t'aime, que je t'aime[13]*!*

La musique dans la maison était si forte que même Joe s'était caché au fond de la garde-robe de la chambre. Du moins, c'est ce que Philippe avait dit avant de partir aider Lionel pour sa pêche. Le barbu était vraiment heureux de pouvoir passer ses journées dehors et il ne s'en privait pas. À un moment donné, regarder la télévision et jouer aux cartes en grattant les dernières cents ramassées pendant l'été... ça a fait son temps!

— Ce qui se passe, Paul? As-tu entendu, bon sang?

Le père de Marjolaine jeta un regard sévère vers sa cadette, qui l'ignora, en continuant de chanter. Elle riait aux éclats, heureuse de l'arrivée de la belle saison. Paul lui avait dit qu'un des insulaires viendrait se plaindre que sa musique était trop forte.

---

13 *Que je t'aime,* paroles: Gilles (Lucien) Thibaut, musique: Jean Renard, 1969.

Arrivée près de son vieil ami et de son père, elle arrêta de chanter avant de dire, à bout de souffle :

— Bon, Adrien, sérieusement qu'est-ce qui t'amène ici, mon cher ? Parce que je veux pas te presser, mais nos premiers clients arrivent ce soir avec Gaspard. Puis je peux te dire que ça m'éner...

— Je veux pas entendre parler de tes clients. Je suis ici pour te dire de baisser ta musique plate. Puis en plus, il serait temps que tu fasses jouer des bons chanteurs.

— Tu sauras qu'il y a rien de meilleur que Joe ou Johnny ou Claude ! répondit Marjolaine, légèrement offusquée.

Son chien arriva aussitôt à ses côtés, convaincu d'obtenir une gâterie ou une sortie improvisée. Le vieux se releva péniblement avant de clamer, fier de sa répartie :

— Bien ton « *sans dessein* » est mort, ça fait que passe donc à autre chose !

Irritée, Marjolaine retourna dans le salon. Elle prit plaisir à pousser le bouton du volume au maximum avant de revenir devant les deux hommes, qui secouaient la tête de découragement.

— Bon, mes deux croque-morts, je peux faire autre chose pour vous ?

Depuis l'accident qu'avait subi le vieil homme durant l'hiver, la relation entre les deux soupes au lait était au beau fixe. Lorsque Marjolaine avait commencé son potager, Adrien s'était même pointé chez elle avec tout un paquet de semis déjà prêts à planter.

— Tu me donnes ça ? avait questionné Marjolaine les yeux brillants.

— Oui, comme ça, tu me voleras plus mes légumes, avait ricané le comique.

— *Pfff !*

Ils avaient passé des après-midi ensemble au cours des deux dernières semaines à bêcher et à préparer la terre pour recevoir les plants. Tomates, concombres, piments doux et forts, betteraves, carottes et choux de Bruxelles, même si Marjolaine avait grimacé à leur vue.

— Moi, tu sais, ces petites affaires-là, ça me lève le cœur. On va laisser faire…

— Toi, la jeune, tu vas planter tout ce que je te donne sinon je t'aide pas ! avait répliqué le vieux.

Expirant avec impatience, l'aîné se releva péniblement de la chaise pour pointer un index sévère en direction du tourne-disque.

— C'est pas des farces, la jeune, je suis dans mon jardin puis je m'entends pas penser avec tes chanteurs de pomme !

— Arrête donc de chialer, Adrien ! Tu connais rien à la bonne musique !

Comme d'habitude, le ton monta entre les deux.

— Bien moi, je te dis que si j'ai le goût d'écouter de la musique, je vais en mettre chez nous. Hermine puis les Vézina aussi ont leur voyage, tu sauras !

Ce dernier commentaire fit froncer les sourcils de Marjolaine, qui n'avait pas réalisé l'agacement de ses voisins d'en face. Elle s'avança vers la fenêtre du salon, d'où elle voyait la maison jaune et verte du doyen et de sa femme.

— Ils te l'ont dit ?

— Certain qu'ils me l'ont dit ! mentit le vieux sans sourciller.

— Bon… je vais la baisser un peu d'abord !

— Pas un peu, beaucoup !

— *Achale*-moi plus, Adrien, je t'ai dit que je vais baisser le son. Bon, as-tu fini là? Je voudrais te montrer quelque chose dans mon jardin...

En entendant le mot jardin, l'homme se détendit aussitôt. La vie n'était jamais aussi belle que lorsque le printemps arrivait et qu'il pouvait mettre ses mains dans la terre de l'aube à la tombée du jour. Depuis quelques années, il vendait la plupart de ses fruits et légumes au magasin des Dionne, ce qui lui faisait un petit revenu d'appoint non négligeable, en plus de sa pension de vétéran.

— ...Mmouauis... marmonna le vieux entre ses lèvres fermées pour éviter de montrer son enthousiasme. Mais vas-tu te changer avant?

— Pourquoi me changer?

Paul était déjà monté à l'étage pour constater de visu la réparation de la douche faite par son gendre. Il rigola en entendant le commentaire d'Adrien, qui comparait sa fille à l'épouvantail de son jardin. La réplique de Marjolaine ne se fit pas attendre et la porte qui se referma l'avertit que sa fille avait gagné la partie. La tête à la fenêtre de la salle de bain du deuxième étage, il sourit en voyant le drôle de bonhomme qui suivait Marjolaine dans son potager. Il le voyait maugréer, même de loin! Avant de se pencher pour montrer l'étrange tache apparue sur ses plants de betteraves, la brunette colorée lança d'un ton narquois:

— Oh, j'ai oublié de changer de disque! As-tu une préférence, mon grognon?

∽

Pour d'autres insulaires, l'arrivée du printemps sonnait le début d'une forme de désespoir. Toute la nuit, la pauvre Roseline avait reniflé, pleuré et serré son Edmond contre elle. Le lendemain, le père de famille quitterait l'île pour les six prochains mois. S'il était chanceux, il aurait peut-être droit à une permission de quelques jours afin de venir voir sa femme et ses enfants. Dans la noirceur, le couple savourait ses derniers instants ensemble. Le pauvre homme ne savait plus comment consoler sa femme, qui s'était endormie à bout de larmes vers une heure du matin, pour le réveiller quelques heures plus tard.

— Edm... Edmond... tu dors? Edmond?

— Hum...

— J'ai bien trop de peine, moi, pour dormir... ho... mon homme...

Le trapu tenta de garder ses yeux ouverts tout en appréciant la douce caresse de la main de Roseline sur son torse dénudé. Un engourdissement s'était de nouveau emparé de son corps lorsque le gémissement de sa femme l'avait contraint à devoir la réconforter.

— Bon, bon, ma toute belle, avait-il soufflé dans le noir. Tu le sais que la première semaine est la pire et qu'après, tu t'habitues, non?

— Non. Je m'habituerai jamais!

Et les sanglots avaient repris de plus belle, trempant la taie d'oreiller fleurie de la pauvre Roseline. Corps contre corps, le couple avait fini par sombrer dans un sommeil agité vers l'aube, mais l'arrivée des jumeaux dans le lit conjugal à six heures trente avait vite rappelé les parents à l'ordre.

— Papa, on aimerait mieux que tu restes sur l'île cet été. Ils sont supposés former une équipe de baseball, puis tu pourrais être l'entraîneur.

— Je sais bien, les gars, mais si vous voulez manger...

Les deux garçons réfléchirent quelques minutes avant qu'un des deux ne propose :

— Mais mettons qu'on travaille à la place de *ti-coune* Castonguay ? On te donnerait toute notre paye. Ça fait que tu serais pas obligé de t'en aller, hein ?

Le garçon, très fier de son idée, donna une claque dans la main de son jumeau. Ce fut donc avec une grande surprise que les M&M virent les larmes affluer dans les yeux bouffis de leur mère, qui éclata de nouveau en sanglots.

— No... non mais... mais sont tell... tellement fins... nos enf... enfants ! pleurnicha Roseline en les embrassant de force.

Les garçons gigotèrent pour se dégager de cette étreinte et c'est le cœur bien lourd qu'Edmond les remercia en leur expliquant que leur salaire ne couvrirait malheureusement pas les dépenses de la maisonnée. Comme d'habitude, les gamins ne mirent que quelques instants à se ranger à l'idée sage de leur paternel et de disparaître dans la cuisine. Le couple tarda avant d'aller les rejoindre, profitant de ses derniers moments d'intimité pour faire l'amour tendrement. La prochaine occasion se ferait attendre ! Quand Roseline et Edmond descendirent dans leur belle cuisine ensoleillée, la table était mise et une bonne odeur de café se répandait dans la pièce. Hélène avait le visage rempli d'espoir lorsqu'elle demanda :

— Papa, veux-tu que je te fasse des crêpes avant que tu partes ? Parce que tu dis toujours que les repas sur le bateau sont pas mangeables.

Le costaud s'approcha pour soulever sa fille dans ses bras. Il dut toutefois la déposer rapidement en avouant :

— Coudonc, ma grande, tu vas bientôt me dépasser si tu arrêtes pas de pousser de même !

— C'est normal, papa ! rigola Hélène avec fierté.

544

Sa plus grande hantise étant de ressembler à sa mère, la fillette était satisfaite de s'apercevoir qu'à presque treize ans, elle dépassait maintenant ses deux parents de quelques pouces. En plus, elle ne semblait pas destinée à devoir afficher le surplus de poids qui les encombrait. Oui, la jolie brunette était heureuse, sauf lorsqu'elle baissait les yeux sur sa poitrine inexistante. Alors, elle souhaitait de tout son cœur y voir bientôt pousser deux « bosses », comme celles de son amie Marion. Hélène avait bien remarqué que les garçons les plus vieux de l'école avaient les yeux fixés sur le chandail de son amie lorsque celle-ci ne regardait pas.

— Mon doux, avait dit Hélène, un matin du mois de mars, j'ai l'impression qu'Antonin est en amour avec toi.

— Hein ? De quoi tu parles ? Arrête de dire des niaiseries, s'était fâchée Marion sans remarquer les regards non équivoques que lui lançait le jeune Dionne. Depuis le *party* de Noël, l'adolescent espérait avoir l'occasion d'embrasser encore une fois la jeune Caron. Pourtant, cette dernière semblait l'ignorer encore plus qu'avant. Alors, il se moquait d'elle, l'agaçait et ne cessait de proférer des âneries en sa présence.

Même si Hélène ne voulait pas de l'attention d'Antonin Dionne, un sentiment d'injustice gonflait au fond de son cœur. Si elle n'avait jamais de seins, quel garçon voudrait sortir avec elle ?

⤳

Avec le printemps étaient revenues les tâches liées à la pêche à la fascine*. Paul avait réalisé que se tenir les deux pieds dans l'eau à entrelacer une palissade de piquets de bois de quinze pieds de haut avec des branchages d'aulnes ou de bouleaux tressés n'était pas son fort. Mais l'homme s'était par contre découvert une passion pour le fumage des poissons.

— Puis je te dirais, ma fille, que pour ça, je suis pas mal bon !

Alors tous les matins sans exception, il roulait sa vieille Impala jusqu'au Bout d'en-Bas. Une fois rendu, il offrait son aide à Conrad afin de transporter ses barils vers ses fumoirs, où il s'attelait à l'enfilage des poissons sur les baratins. De temps en temps, il rapportait quelques harengs ou saumons fumés, qu'il s'empressait de partager avec Philippe. Marjolaine n'était pas très friande du poisson, mais elle se forçait à l'occasion pour tenter d'apprivoiser ce goût qui plaisait à tous les insulaires. Un après-midi de juin, de retour du quai, Paul décida d'annoncer sa nouvelle à sa fille. Il avait hésité en constatant sa bonne humeur, mais il savait bien que retarder l'annonce ne représenterait en fait qu'un pas de recul pour mieux sauter à l'eau. Debout, adossée à son comptoir, Marjolaine lui adressa son plus joli sourire en le remerciant des deux beaux filets qu'il lui rapportait en gage d'introduction à une conversation qui s'annonçait pénible.

— J'ai bien hâte de voir nos nouveaux clients, papa ! Je t'ai dit, hein, que mon cahier de réservations se remplit à toute vitesse ? Si ça continue de même…

— Marjolaine ?

— Hum… quoi ?

— Il faut que je te parle.

Le ton sérieux que prit son père mit aussitôt la femme sur ses gardes. Elle se retourna pour lui faire dos et entreprit de laver sa salade achetée au magasin. Bientôt, elle n'aurait plus qu'à descendre son escalier pour aller cueillir tout ce dont elle aurait besoin. Ses yeux noisette fixaient le fleuve et elle tentait d'y trouver l'apaisement dont son cœur fébrile avait besoin.

— Marjolaine… ?

— Quoi ?

— Sophie s'en vient passer quelques semaines.

— Veux-tu de la salade, j'en ai trop ?

— Marjolaine, regarde-moi.

Lentement, la brune se retourna et fixa son père tendu.

— Je te regarde, tu me l'as dit, maintenant on peut parler d'autre chose ?

Les paroles sèches de sa fille blessèrent de nouveau Paul, dont les épaules s'affaissèrent. Malgré elle, Marjolaine s'approcha de lui pour le prendre dans ses bras.

— Papa, je le sais que tu veux que je lui pardonne. Mais je peux pas.

— Mais un jour ?

— Peut-être.

Tout en serrant contre son cœur la silhouette encore solide de son père, Marjolaine fixait le mur du corridor en se disant que jamais elle n'offrirait ce cadeau à sa sœur aînée.

⁓

Avec le départ de Marc-André, d'Edmond et des autres hommes en âge de travailler, le pauvre Philippe se retrouvait le seul homme de moins de soixante ans au Bout d'en-Haut. Il grognait un peu contre son sort, même s'il n'enviait guère ses amis qui devaient, eux, sortir de l'île pour gagner leur vie et faire vivre leur famille. Avec le gîte, le barbu espérait bien mettre assez d'argent de côté pour avoir un hiver un peu plus confortable que le premier. Paul lui avait demandé d'aller chercher leurs clients, car lui voulait donner un coup de main à Gaspard, qui devait transporter le tracteur de Lionel au garage Gadbois, de l'autre côté. Philippe chantonnait dans son camion lorsqu'il croisa l'ancien gardien du phare juste avant la descente au quai. Il salua l'homme et voulut tourner vers la rive, mais l'autre lui fit signe d'arrêter.

— Salut, Philippe.

— Salut. Qu'est-ce que tu fais à pied si loin de chez vous?

Le barbu se pencha pour chercher une voiture derrière Roch Bérubé, mais il dut se rendre à l'évidence : le grand moustachu marchait.

— Je m'en vais voir ma blonde. Mon *char* est au garage de l'autre bord. J'ai eu un *lift* du bonhomme Rousseau du Bout d'en-Bas, mais il était pressé, ça fait qu'il m'a laissé ici.

Philippe hocha la tête, compréhensif. Il fit toutefois un signe de dépit avant de répliquer :

— Bien je voudrais bien aller te reconduire, mais je m'en vais chercher mes clients. Ils viennent passer une semaine! Faudrait que tu attendes le chaland.

— Non, non. Je vais être correct. Ça va me faire du bien.

L'homme, plus grand et beaucoup plus costaud que Philippe, se frotta le ventre. Il salua le conducteur et se dirigea lentement vers l'ouest, avant de changer d'idée et de revenir rapidement vers le barbu. Pour une rare fois, l'ancien gardien du phare semblait mal à l'aise, lui qui avait toujours une blague à la bouche. Tout sérieux, il avoua à Philippe :

— Heu... je... j'avais oublié de te dire, on a décidé de se marier.

— Hein? Qui ça se marie? se moqua Philippe, qui avait entendu de la bouche de Roseline que le gardien et la maîtresse d'école à la belle devanture étaient maintenant fiancés.

Les lunettes de Roch glissèrent sur le bout de son nez à cause de la sueur qui perlait sur son visage.

— Pas tout de suite, là… mais en 1982, on va se marier, Juliette et moi.

— Eh bien, mon Roch, tu t'es fait *pogner*! ricana Philippe. Mais tu as encore le temps de changer d'idée!

Même s'il aimait beaucoup sa Juliette, l'habitant du phare déglutit avec peine. Il avait la réputation d'être un célibataire endurci et l'idée de se faire passer la corde au cou l'angoissait au plus haut point. Le visage écarlate, il fit demi-tour en levant un doigt d'honneur vers Philippe, qui se claquait les cuisses de plaisir. Il avait très hâte de raconter l'anecdote à Marjolaine. Pour une fois qu'il avait une primeur, il ne se gênerait pas pour faire durer le plaisir!

⤳

Les premières tulipes tentaient timidement une percée sur le côté de la maison rouge, tandis que les bourgeons des rosiers s'affichaient avec fierté. Tout au long de l'été 1980, alors que les rénovations du gîte avaient battu leur plein, Marjolaine avait quand même trouvé quelques instants pour planter les bulbes de ses fleurs préférées.

— Viens voir ça, mon Joe, comme ta maman a le pouce vert! s'exclama la jeune femme en courant pour toucher les pétales orangés d'une première fleur. Après le départ de son père, elle était restée longtemps assise sur son petit balcon à fixer le chenal. Elle tentait de ne pas regarder vers le chalet blanc, frustrée de savoir que sa vie serait encore chamboulée par l'arrivée de Sophie. Mais au bout de trente minutes, elle avait décidé de mettre cette nouvelle de côté et de se concentrer sur sa saison touristique. Elle coupa une série de fleurs mauves et jaunes afin de les réunir en un joli bouquet, qu'elle placerait sur la table de la cuisine lorsque le camion gris tourna dans l'entrée.

— Marjolaine? Marjolaine? On est arrivés! cria Philippe quelques minutes plus tard en ouvrant la porte de la maison. Il enleva ses espadrilles pleines de boue pour les déposer sur la galerie. Des cinquantenaires sympathiques, qui avaient rêvé de venir sur l'île depuis des années, le suivaient de près. Ce qu'ils s'empressèrent d'expliquer à Marjolaine, qui sortit pour les accueillir.

— On avait juste jamais pris le temps de s'informer... commença un gros homme grisonnant.

— ...quand on a vu votre annonce dans le journal... continua sa femme, une blonde ayant... le même tour de taille que son époux.

— ...on a décidé que c'était un signe! termina la seconde femme, une mince brune un peu plus jeune.

Les yeux de Marjolaine allaient de l'un à l'autre avec surprise pendant que son mari cachait son rire sous un toussotement. Il monta les valises des arrivants à l'étage, puis redescendit rapidement. Les invités étaient assis devant une assiette de beignets faits maison et les engloutissaient à un rythme effarant sous le regard interloqué de leur hôtesse. Elle n'avait pas réussi à placer un mot depuis leur arrivée et attendit que les bouches soient pleines pour se dépêcher d'annoncer les règles de la maison, les heures de repas et les services offerts.

— Pour le phare, si vous voulez...

— Certain qu'on veut, la coupa le gros Montréalais. Tu vas voir, la jeune, que ça paraît pas, mais on est en forme en *tabarnouche*!

— ...mon père peut donc vous y amener demain matin ou...

— ...on y va maintenant!

La femme blonde avait déposé son beigne dans son assiette avant de relever sa silhouette replète. Elle tira le bras des trois autres avec grand enthousiasme. Philippe, qui s'apprêtait à sortir rejoindre Lionel et sa pêche, se retourna vivement.

— C'est juste que mon beau-père peut pas, cet après-midi. Mais demain…

— Pas de problème ! Vous nous avez bien dit qu'on avait des *bicycles* à notre disposition ?

— Heu… oui… mais…

Marjolaine était inquiète. Le phare se trouvait tout de même à plus de cinq milles et le quatuor ne paraissait pas être particulièrement en forme. Elle chercha une manière de dire la chose diplomatiquement, lorsque le plus volubile se leva pour approuver sa femme. Il tourna sa grosse face ronde vers la brunette et dit :

— Pense pas qu'on est pas capables de faire du *bicycle*, ma belle ! On est prêts à tout voir ici ! Ça fait que si tu pouvais nous préparer un petit lunch pour nous remplumer une fois rendus, on va partir d'ici trente minutes.

Il fallait voir la joie sur le visage des quatre touristes. Le plus silencieux se tourna tout à coup vers celle qui devait être son épouse et entreprit une série de gestes avec ses mains accompagnés de sons gutturaux.

— Oh… ! ne put retenir Marjolaine.

— Bien oui, mon mari est sourd ! Mais inquiète-toi pas, la jeune, il lit très bien sur les lèvres.

Et le maigre malentendant leva le pouce vers Marjolaine avec enthousiasme. Celle-ci sourit avant de se diriger vers son comptoir pour préparer le goûter des intrépides. Elle regarda son mari par la fenêtre avant de se dépêcher de lui crier :

— Philippe, avant de partir, peux-tu sortir les quatre *bicycles* de la grange ?

Son mari hocha la tête en riant aux éclats. Il imaginait mal leurs visiteurs montréalais se rendre jusqu'au phare en pédalant. Mais qui sait? Une fois les paniers de pique-nique remplis de victuailles, les clients grimpèrent sur les vélos prêtés. De vieilles bécanes rafistolées par Philippe et Paul qui fonctionnaient assez bien pour les trajets effectués sur l'île. Comme les hôteliers le prévoyaient, les deux couples plutôt malhabiles eurent toute la misère du monde à gravir la mini-côte de l'entrée du gîte pour se rendre au chemin principal. Philippe, qui les observait avec bienveillance, courut pour donner une poussée à la grosse dame blonde. Quand tout ce beau monde fut sur le chemin de l'Île, ils filèrent, le cœur à la fête, en direction du Bout d'en-Bas pour un après-midi d'observation de baleines, de marsouins et de canards. Le barbu hésita avant de retourner annoncer la nouvelle du mariage de Roch et Juliette à sa tornade brune. D'abord bouche bée, Marjolaine éclata de rire en pensant à Roseline, qui espérait vivement que la nouvelle maîtresse quitte l'île à la fin de sa première année scolaire. En convolant en justes noces avec Roch Bérubé, la femme s'établirait au contraire de manière permanente à Notre-Dame-des-Sept-Douleurs.

— Si c'est correct avec toi, ma perle, je vais aller voir si Marie-Laure a besoin de quelque chose avant de passer au magasin.

— Pas de trouble, mon amour! Je m'occupe de mon jardin cet après-midi!

En roulant sur le chemin, Philippe se prit à rire tout seul en pensant aux quatre touristes qui devaient ahaner pour se rendre au phare.

— C'est quand même toute une *ride*! ricana-t-il avant de se dire que Marjolaine et lui les avaient bien avertis. Quand il tourna dans l'entrée de la maison jaune de son cousin, il sourit en voyant Marie-Laure courir pour attraper Jules. Pour une rare fois, la mère et le fils semblaient avoir un réel plaisir. Le petit bonhomme trottinait sur ses pattes courtaudes en riant. Éloi était au poulailler pour ramasser les œufs pendant que sa sœur était assise sur une roche, adossée à la clôture de l'enclos, en train de lire le dernier livre prêté par sa nouvelle maîtresse. Elle ignorait les demandes de son frère, qui voulait de l'aide pour compléter sa tâche. Quand Juliette Hurtubise s'était rendu compte de l'intérêt de l'adolescente pour la lecture, elle s'était fait un plaisir de lui prêter des romans pour jeunes.

— Avant, l'avait informée son élève, j'allais à la bibliothèque au « su » avec maman. Mais ça fait longtemps…

Marion ne s'était pas étendue davantage sur le sujet. Qu'aurait-elle pu lui dire, à cette maîtresse enthousiaste ? Avant, ma mère nous amenait de l'autre bord une fois par mois… Avant, ma mère aimait ça aller au centre commercial pour m'acheter un nouveau vêtement de temps en temps. Avant que mon *maudit* frère devienne fou… Son père n'était pas mieux. Lorsqu'elle lui avait demandé de réparer les pédales de son vélo qui n'arrêtaient pas de débarquer, il lui avait répondu :

— À ma prochaine visite, Marion. Là, j'ai pas le temps…

Lorsque Philippe ferma la porte du camion, Marie-Laure arrêta de courir pour sourire au cousin de son mari. Elle portait une longue jupe en *jeans*, avec une camisole rose sans soutien-gorge. Ses cheveux ébouriffés lui faisaient une tête de lionne et Philippe sentit l'envie monter en lui. Il rougit, en se secouant. Jamais, depuis sa rencontre avec Marjolaine, n'avait-il éprouvé le moindre désir pour une autre femme qu'elle. Mais en s'approchant de Marie-Laure, dont les yeux brillaient de plaisir, il reprit ses sens en s'admonestant silencieusement. N'était-ce pas plutôt la mère en elle qui lui plaisait, lui qui commençait à souhaiter la venue d'un enfant dans son couple? Malheureusement pour lui, Marjolaine avait mis la chose bien au clair dès le départ.

— Je te préviens, Philippe, je veux pas d'enfants. Je t'aime, je veux passer ma vie avec toi, mais demande-moi pas d'être une mère. Je serais mauvaise et pitoyable dans ce rôle-là.

Le jeune homme qu'il était à l'époque avait acquiescé sans trop réfléchir. Mais à présent qu'il venait d'avoir trente et un ans, il se rendait compte qu'une vie sans enfants ne serait peut-être pas aussi agréable qu'il le croyait. Alors, la vue de Marie-Laure s'amusant avec son petit bonhomme avait fait monter en lui une vague d'envie. Il se raisonna en essayant de ne pas trop fixer la camisole tentante. Il se promit de reparler à sa femme, le soir venu, si les quatre moineaux de Montréal ne l'avaient pas épuisée!

— Philippe, salua la châtaine en s'avançant vers lui pour lui faire la bise. Ce faisant, elle se pencha avec insouciance et le barbu eut une vision directe de ses seins libres et généreux.

— Salut. Je me demandais si tu avais besoin de quelque chose chez Conrad... Je m'en vais là.

— Et tu es venu jusqu'ici avant? Tu es donc bien fin! Mais non, on a fait un gros marché avant que Marc-André parte... Jules! Lâche ça tout de suite! cria Marie-Laure soudain plus irritée.

La mère se détourna de Philippe pour s'avancer vers son fils, qui avait trouvé l'égoïne de Marc-André sous le balcon arrière. Il avait maladroitement commencé à tailler les branches d'un framboisier collé sur un reste de clôture de bois. L'enfant ignora superbement sa mère, dont le visage était maintenant fermé. Sa colère suintait par les pores de sa peau et le barbu perdit toute envie d'elle. Il posa sa main sur l'avant-bras de Marie-Laure en murmurant:

— Laisse, je m'en occupe.

L'hôtelier s'avança calmement vers l'enfant et s'agenouilla à ses côtés. Il parla quelques minutes d'une voix douce sans que Marie-Laure comprenne ce qu'il disait. Puis, comme il avait commencé, le garçonnet cessa sa coupe en déposant la scie à ses pieds. Il partit en courant vers l'arrière de la cabane de bois qui abritait le tracteur de son père. Philippe prit l'outil et s'avança vers Marie-Laure.

— Comment tu as fait? lui demanda-t-elle avec une parcelle de découragement dans la voix. Moi, il m'écoute jamais.

— J'ai attendu, c'est tout. Mais tu devrais ranger ça plus loin, c'est dangereux! ajouta-t-il en pointa l'objet dont la lame rouillée trahissait l'âge.

Marie-Laure lui prit la scie des mains pour la déposer contre le mur jaune, avant de serrer Philippe dans ses bras.

— Merci. À bientôt, Philippe.

Un peu troublé d'être ainsi remercié, l'homme déglutit en rageant contre ses pensées lascives. Il observa la grande femme, pieds nus, grimper son escalier, en laissant ses deux aînés dehors. Il fallut à Philippe quelques heures pour se défaire de l'étrange sentiment qui l'avait envahi à la vue de Marie-Laure le matin. Lorsqu'il arriva au gîte, avec les bacs remplis de denrées, son silence inhabituel étonna Marjolaine, qui l'aidait à ranger les victuailles.

— Ça va, mon amour?

— Hein, oui oui! Je réfléchissais… rougit-il.

Aussitôt, une vague d'émotion l'envahit. Sa fringante Marjolaine avait enfilé sa jolie jupe lignée bleue et blanche sur un justaucorps moulant de couleur marine. Elle avait dégagé son visage en cœur avec un large bandeau rouge, qui laissait voir son front volontaire et ses grands yeux sérieux. Il se pencha pour l'embrasser en s'excusant mentalement pour sa faiblesse du matin.

— Tu es belle, ma Marjolaine!

— Merci, mon loup! Mais... tu penses à quoi?

Ne sachant comment faire dévier la conversation, Philippe plongea, en sachant fort bien que le moment n'était pas très bien choisi.

— Je me demandais, ma chérie... Tu as jamais eu envie d'avoir un bébé? Jamais?

Aussitôt le visage enjoué de la femme se referma. Elle déposa les bananes sur le comptoir avant de s'éloigner pour s'appuyer contre la table.

— Pourquoi tu me demandes ça aujourd'hui? Tu sais que ma réponse changera pas.

— Je... c'est juste qu'ici, sur l'île, il me semble que c'est la place parfaite pour élever des enfants. Mais laisse faire, j'ai rien dit.

Marjolaine croisa ses bras sur sa poitrine moulée par le justaucorps. Sa voix était grave, beaucoup plus que d'ordinaire, lorsqu'elle répliqua:

— Tu le savais. Je te l'ai jamais caché. Puis, aujourd'hui, c'est pas vraiment le moment de me faire suer avec ça! Des enfants, c'est juste du trouble! Regarde mon père avec ma sœur, pense à Marie-Laure et à Jules...

— Justement, commença Philippe en arrêtant de parler pour observer les conserves qu'il tenait à la main. Justement quoi, voulait-il dire? Marie-Laure ne lui a jamais paru aussi sexy que ce matin, alors qu'elle courait pieds nus derrière son gamin. Mais il n'élabora pas sa pensée, évidemment, préférant changer de sujet.

— Laisse faire ça, Marjolaine, je t'aime et on se suffit tous les deux !

Mais la crainte de le perdre était semée dans l'esprit de la jeune femme. C'était la première fois que son époux remettait en question leur choix de vie depuis leur rencontre. Déterminée à crever l'abcès, elle se rapprocha de lui pour l'enlacer par derrière.

— Je pourrai jamais avoir d'enfants, Philippe. Je serais une très mauvaise mère avec mes crises de nerfs, mon égoïsme… J'espère que tu me comprends.

L'époux contrarié se retourna pour faire face à sa perle avant de lever son petit minois interrogateur. Il la trouvait tellement belle, avec sa bouche pulpeuse et ses taches de rousseur, qui poussaient comme fleurs au soleil depuis le début du printemps.

— Je t'aime. Toi. Inquiète-toi pas, je veux pas d'enfants moi non plus.

À moitié rassurée, la femme se hissa sur la pointe des pieds pour plaquer un baiser langoureux sur la bouche de son mari. Baiser qui se poursuivit aussitôt par des caresses de plus en plus émoustillantes, qui les propulsèrent dans un accouplement presque sauvage, sur le sol de la cuisine. L'orage était passé.

CHAPITRE 29

Jules au *Chant des marées*

À la suite de sa dernière visite chez son cousin et l'envie qui l'avait saisi face à sa femme, Philippe avait tenté de mettre un peu de distance entre eux. Il n'avait plus eu aucune pensée « charnelle », mais la crainte de voir remonter en lui cette convoitise avait justifié cette démarche plus ou moins consciente. Marc-André n'était pas revenu sur l'île depuis son départ sur le continent et, la plupart du temps, c'était Marjolaine qui passait voir son amie pour s'assurer que tout allait bien. Quand elle revenait, souvent songeuse, elle confiait à Philippe :

— Elle est étrange, je trouve. Va donc la voir.

— Heu, tu viens d'y aller, répondait presque invariablement son mari sans la regarder.

— Oui, mais tu pourrais trouver une excuse !

— Je vais essayer d'y aller demain.

Et le lendemain, Philippe prétextait une autre raison de ne pas pouvoir se déplacer jusqu'à la maisonnette de la route du Quai d'en-Haut. Il était environ dix heures, le 12 juillet, lorsque la vieille Jeep de son cousin arriva en trombe dans l'entrée de la maison rouge. En descendit une furie châtaine, qui fit le tour en vitesse de la voiture pour ouvrir la portière et empoigner un

Jules se débattant. Philippe, qui se trouvait à la salle de bain du bas, tira le rideau pour regarder ce qui se passait dehors.

— MARJOLAINE, cria-t-il, Marie-Laure arrive!

Il entendit la course de sa douce dans l'escalier, puis les éclats de voix dans la cuisine. Lorsqu'il ouvrit la porte, la déchaînée lança son fils dans le *papasan* avant de hurler:

— Occupez-vous-en, parce que moi, je réponds plus de rien!

Avant qu'aucun des deux ne puisse réagir, Marie-Laure courut à l'extérieur, remonta dans la voiture et fit demi-tour. Marjolaine et Philippe avaient la bouche grande ouverte et le barbu reporta son attention sur le petit bonhomme de cinq ans qui fixait le plafond en faisant des mimiques avec sa bouche. Sa femme secouait sa tête avec effarement, les deux mains dans les airs:

— Je te l'avais dit qu'elle était bizarre, murmura-t-elle. Puis là, qu'est-ce qu'on fait avec lui?

— Il faut que j'aille au quai…

— …C'est vrai! Mais je vais y aller, moi, parce que tu es pas mal meilleur avec les *flos*! Moi je sais pas quoi faire avec ça!

Avant que Philippe ne puisse répondre, sa femme lui avait plaqué un bec sur le front puis avait couru à l'extérieur, laissant son mari seul avec l'enfant difficile. Pendant de longues minutes, il resta dans la cuisine à maudire Marie-Laure qui les plaçait dans une telle situation. Leurs nouveaux clients arriveraient dans l'heure avec Marjolaine. Que pourrait-il leur dire lorsqu'ils verraient ce drôle d'énergumène couché de tout son long sur le plancher de la cuisine, engagé dans un étrange dialogue avec Joe, qui bâillait sous la table ronde.

— Heu… Jules? Tu veux venir avec moi, je dois aller dans la grange pour chercher… Jules?

L'enfant ne lui avait pas jeté un regard. Il chantonnait maintenant, la main plongée dans la gueule du chien, qui se laissait faire paresseusement. Le barbu était embêté. Il devait absolument aller chercher un sac de briquettes pour démarrer son BBQ et ainsi offrir des hamburgers pour dîner à leurs invités, qui arrivaient de Trois-Rivières. Hésitant, Philippe resta sur le seuil de la maison quelques instants en se demandant s'il avait le temps de s'éclipser quelques minutes sans danger. Il évalua le temps qu'il mettrait pour la course jusqu'à la grange, le déplacement des poches de sable sous lesquelles était englouti le sac de briquettes de charbon de bois, et le retour dans la cuisine.

— Bon, Jules, bouge pas de là, je reviens dans... cinq minutes pas plus. Cinq minutes, hein ?

Se mordant les lèvres avec embarras, l'homme finit par se dire que le gamin n'était tout de même pas un bébé et qu'il pouvait bien s'autogérer pendant quelques minutes. Inspirant profondément, Philippe ouvrit grand la porte et s'éloigna à toute vitesse.

~

— C'est pas ma faute, *câlique* ! Je te jure, Marjolaine, que je suis pas parti plus que cinq minutes. Mais les *maudites* briquettes, fallait bien que j'aille les chercher, puis je pensais que le sac était dans le même coin que le sable. Ça fait que j'ai cherché un peu... puis...

— Tu as cherché assez longtemps pour qu'il donne notre viande hachée à Joe, *câline* ! grogna Marjolaine entre ses dents.

Lorsque Philippe était revenu à la maison après sa courte échappée, tout lui avait d'abord paru normal. À bout de souffle, le fumeur s'était écrasé dans le *papasan* pour s'allumer une cigarette en fixant le petit Jules, qui n'avait pas bougé. Encore sur le plancher de bois, il tendait la main vers le chien qui...

— Qu'est-ce que tu manges, Joe?

En se levant, Philippe avait aussitôt remarqué l'air piteux de son animal, qui connaissait les règles de la maison en matière de nourriture. Son bandana rouge que lui avait mis sa maîtresse autour du cou pendait à une de ses oreilles. La pauvre bête n'avait pu résister à la menotte qui lui avait tendu le paquet de viande saignante. Debout sur la galerie, Marjolaine rageait en observant le fils de Marie-Laure courir sur le terrain avec le gros chien. Joe n'était plus un chiot! Pour l'instant, la jeune propriétaire se demandait bien comment elle se débrouillerait pour concocter un dîner rapide aux touristes de Trois-Rivières. Elle se tourna vers Philippe, le regard sérieux:

— Bon, je vais vérifier si je peux faire une grosse omelette. Toi, reste ici puis surveille-le sans le quitter des yeux, compris? Une chance qu'elles ont pas l'air exigeantes, nos clientes, parce que j'aurais l'air fine!

Elle adopta une mine sévère qui fit tout de même sourire son mari.

— Oui, mon capitaine! répliqua-t-il en mettant sa main contre sa tempe et en la saluant.

— Niaiseux!

En deux temps trois mouvements, la cuisinière réussit à dénicher une douzaine d'œufs, une poignée de chanterelles, un gros poivron vert et une dizaine de saucisses de porc. Elle mit un disque, lava ses mains et s'attela à l'ouvrage en soupirant. Elle qui avait prévu monter à son atelier pendant que son mari préparerait le dîner! Marjolaine avait promis à Victoire Dionne de lui apporter des boucles d'oreilles d'ici la fin de la semaine et elle n'avait pas terminé son travail. La commerçante avait été très fière de lui dire que tous ses bijoux avaient été vendus en un mois et demi !

— Tous ? Es-tu sérieuse ? avait répondu Marjolaine en souriant à Roseline qui l'accompagnait.

Cette dernière s'était aussitôt dit qu'il lui fallait trouver une bonne idée pour fabriquer des bijoux à son tour. Elle avait fouillé à la bibliothèque de Rivière-du-Loup, un samedi après-midi, et trouvé trois livres pour l'aider à stimuler sa créativité. En cachette, la courtaude passait maintenant toutes ses soirées à peindre sur des roches polies par la mer, de plus en plus satisfaite de ses progrès. Hélène cherchait une façon d'annoncer à sa mère qu'elle n'avait AUCUN, mais alors là AUCUN talent pour éviter sa déconfiture lorsqu'elle tenterait d'obtenir de Victoire Dionne une place de choix dans son magasin, elle aussi. Marjolaine soupira en brassant son omelette. Elle n'aurait pas le temps de travailler à ses émaux aujourd'hui, avec les clientes et Jules dans ses pattes.

— C'est ça que ça fait, un enfant, marmonna-t-elle. Ça bousille une vie !

Fermant les yeux en sentant monter son anxiété, Marjolaine comprit qu'elle n'aurait pas le choix de s'occuper du petit gars bizarre du cousin de son mari. Déçue, elle essuya son front en sueur alors que son regard était immanquablement attiré vers son mari et l'enfant. Elle se sentait nerveuse depuis l'annonce de la visite de Sophie et peu encline aux surprises comme celle-ci ! Elle termina la confection du repas de ses visiteuses en soupirant de nouveau avant d'aller interpeller les trois femmes qui jasaient dans la grosse balançoire de bois.

— Le dîner est servi, mesdames !

Une fois les touristes parties en exploration au Bout d'en-Haut, les amoureux nettoyèrent la vaisselle lentement, en savourant la tranquillité de leur maison. De temps en temps, l'un d'eux jetait un regard vers Jules, qui roulait sur le sol en compagnie du chien. Dans la cuisine, les rideaux battaient légèrement au vent, permettant que la pièce ne soit jamais surchauffée, malgré la chaleur émanant du four. C'était ainsi sur l'Île Verte. Malgré les canicules, les rayons plombants du soleil de juillet, une brise permanente permettait aux insulaires de parcourir leur terre sans trop souffrir. Lorsque Philippe finit d'essuyer la dernière tasse, il prit les deux linges à vaisselle et alla les étendre dehors. Ses yeux filèrent sur le fleuve, où la barque de Lionel se faufilait entre les vaguelettes grises. Il leva la main pour saluer le vieux couple, en se disant qu'il préférerait de beaucoup se joindre à ses voisins plutôt que de gérer la crise de Jules! À regret, le barbu poussa la corde au loin et pénétra à l'intérieur.

— Marjolaine?

— Je suis ici.

Assise sous la table avec Jules, elle tentait de le convaincre de la suivre. À quatre pattes, elle ressortit la face rouge comme une tomate, la barrette de travers et la bouche pincée de dépit.

— Il veut rien savoir, maugréa-t-elle. Essaye, toi! Moi, je vais aller voir Marie-Laure pour savoir ce qu'elle veut qu'on fasse! Je dois traverser de l'autre bord avec Conrad tantôt, puis...

— Ah bon?

— Je te l'ai dit hier. Je veux aller chercher des livres à la bibliothèque du village. Il me semble que ça paraîtrait bien qu'on en laisse quelques-uns pour nos clients. Puis j'ai quelques autres commissions à faire...

Philippe fit un imperceptible mouvement de soulagement. Il resterait au gîte avec plaisir. Il appréhendait maintenant les rencontres avec Marie-Laure et préférait que sa femme y voie!

Il saisit sa casquette des Nordiques et cogna sur la porte pour attirer l'attention du bambin.

— Jules, as-tu le goût d'aller au nord, mon gars? On pourrait ramasser des roches?

Le gamin, qui se balançait d'avant en arrière, leva ses grands yeux bleus vers l'homme une fraction de seconde avant de recommencer ses mouvements.

— Jules? répéta Philippe en s'assoyant en Indien sur le sol. Des roches?

Il fallut bien patienter cinq autres minutes avant que le garçonnet ne se faufile hors de sa cachette pour aller enfiler ses sandales. Philippe eut à peine le temps de se relever qu'il était déjà sorti sur la galerie.

— Attends, jeune homme!

Le noir courut derrière l'enfant, qui s'élançait dans l'entrée sans un regard derrière lui. Heureusement que le chemin de l'Île était peu fréquenté à cette hauteur parce que Jules l'avait traversé avant même que Philippe ne soit rendu à la clôture.

∽

Marjolaine hésita en stationnant le camion dans l'entrée de la maison jaune. Les rideaux étaient fermés, la porte de la maison aussi. Au loin, près du fleuve, elle voyait Éloi et Marion, qui tentaient de faire voler un cerf-volant multicolore. Elle avait presque envie d'aller les rejoindre afin de trouver un peu de courage pour affronter Marie-Laure. Mais la porte de la maison s'ouvrit pour laisser apparaître son amie sur le seuil.

— Tiens, dis-moi pas que tu es déjà tannée! se moqua avec dérision la grande châtaine. Elle lança un regard indifférent à ses deux autres enfants avant de pencher son menton vers le bas de l'escalier où se tenait Marjolaine.

— Non, non, répondit vitement cette dernière. Je voulais juste m'assurer que tu allais bien.

— Certain que je vais bien *astheure* que je peux avoir la paix un petit bout de temps. Parce que, tu vas le garder un moment, hein?

La voix anxieuse et le regard brillant de son amie mirent la brunette mal à l'aise. Elle n'eut d'autre choix que de hocher la tête. Avec un ton qu'elle espérait optimiste, Marjolaine rajouta:

— Mais si ça te dérange pas, je lui prendrais tout de même un peu de linge. Là, il est parti au nord avec Philippe, mais il est encore en pyjama.

Un rictus mortifié apparut momentanément sur le visage de Marie-Laure. Quelle mère pitoyable elle était devenue! Elle soupira en pointant l'escalier au fond de la cuisine.

— Ça te dérange-tu d'y aller? Je veux aller chercher ma brassée. Je l'ai oubliée hier soir, puis avant que ça sente le moisi…

Marjolaine posa sa main sur l'avant-bras de son amie et lui fit un sourire réconfortant.

— Je m'en occupe. Je vais lui faire un petit sac. Comme ça, je pourrai le garder à coucher, qu'est-ce que tu en penses? Ça pourrait te donner une petite pause et demain, tu seras en meilleure forme. Puis, elle grimpa l'escalier pour entrer dans la maison.

Marie-Laure n'osa pas avouer à son amie que son fils l'empêcherait de dormir. Ainsi que ses clientes. Après tout, pensa-t-elle en ouvrant la porte du sous-sol, où se trouvait la vieille laveuse, elle avait bien le droit de se reposer elle aussi, une fois de temps en temps. À l'étage, dans la chambre de Jules, Marjolaine remarqua surtout le désordre qui régnait dans la pièce.

— Mon Dieu que ça fait dur!

Farfouillant dans la quasi-obscurité, Marjolaine trébucha sur un gros panier en osier qui traînait au milieu de la chambre.

— *Ayoye, câline !*

La femme tournait la tête de tous les côtés, les yeux et la bouche grands ouverts. Elle passa les mains dans ses boucles en se demandant comment Marie-Laure faisait pour laisser son enfant dans un tel foutoir, lorsque son regard se posa sur le lit défait. En fronçant les sourcils, Marjolaine délaissa ses orteils endoloris par le panier et s'avança.

— Voyons donc !

Elle saisit une espèce de sangle coincée sous le matelas, qui se terminait par une boucle de ceinture. S'assoyant sur le matelas pour essayer de comprendre son utilité, Marjolaine mit peu de temps à réaliser l'horreur :

— C'est pour Jules !

Marjolaine comprit. Elle comprit avec effroi que son amie ligotait son fils lorsqu'elle le couchait. Elle l'entravait, au risque de le blesser, pour s'assurer qu'il ne puisse pas se lever pendant la nuit. Dépassée par l'ampleur du drame qui secouait la famille de Marie-Laure, la jeune hôtelière plongea son visage entre ses mains. Après l'annonce du diagnostic de Jules, elle avait espéré que son amie accepte la réalité et chemine avec son fils, en respectant ses différences. En vitesse, elle déposa quelques vêtements dans un petit sac à dos et descendit rejoindre son amie. Mordillant ses lèvres, elle se plaça à ses côtés, la regardant étendre sa brassée sur la corde. Ne pouvant se résigner à quitter la maison sans parler de ce qu'elle venait de découvrir, elle fixa le cerf-volant qui venait de s'accrocher à un grand peuplier près du fleuve. Cette habitude de ne pas s'occuper des affaires des autres ne s'appliquait pas ici, elle en était certaine. Inspirant profondément, elle lança d'une voix la plus neutre possible, malgré sa consternation :

— Tu peux pas faire ça, Marie-Laure !

— Faire quoi ?

Le regard las de la grande châtaine se posa sur le minois tremblant de Marjolaine. Elle déposa le sac à dos, passa sa main moite dans ses cheveux et précisa :

— Tu peux pas attacher Jules dans son lit !

Aussitôt le comportement accablé de son amie disparut pour faire place à un air frondeur. Elle redressa le dos, repoussa sa longue tresse derrière ses épaules et cracha :

— Pourquoi pas ? Comment tu penses que je peux survivre en me faisant réveiller dix fois par nuit parce que le petit se promène et décide qu'il a le goût de jouer aux autos ? J'aimerais ça te voir avec un enfant de même. Des fois, je me dis que j'aurais jamais dû en avoir…

Le ton de Marie-Laure fit sursauter son amie autant que ses paroles.

— Voyons donc, Marie-Laure, parle pas comme ça ! Tes enfants sont ta vie. Ça va s'arranger !

— Tu penses ça, toi ? J'ai vu ce que c'était de vivre avec une personne de même, puis je souhaite pas ça à mon pire ennemi ! L'oncle de Marc-André a jamais été heureux, il a fini à l'asile. Mon gars me vire à l'envers de désespoir. Chaque fois que je le regarde, ça me déchire le cœur de penser à ce que sera sa vie. Il va lui arriver quoi, à Jules, le jour où on sera plus là, Marc-André et moi, hein ? Alors dis-moi pas que ça va s'arranger, cracha-t-elle entre ses lèvres fermées, parce que ça va juste empirer ! Puis en plus, si j'en crois le spécialiste, c'est de ma faute ! Ça fait que peut-être que je devrais te le laisser plus longtemps puis que tu me le ramènerais guéri, hein ?

Sonnée par la force du désarroi de Marie-Laure et de sa désillusion, Marjolaine reporta ses yeux noisette sur les deux jeunes au loin, qui tentaient de faire retomber leur cerf-volant de l'arbre où il s'était accroché. Elle aussi voyait bien que cet enfant ne pourrait sûrement pas être scolarisé sur l'Île Verte. Que pouvait-elle dire pour rassurer son amie? Marie-Laure retint un sanglot. La serrant contre son cœur, Marjolaine tenta de la réconforter du mieux qu'elle le put en se promettant toutefois de parler de la situation à Gaspard dès que possible. S'il le fallait, ils prendraient le jeune à tour de rôle jusqu'à ce que sa mère soit sortie de cette dépression... Parce que la brune en était certaine, son amie n'était pas dans un état normal.

꙰

Philippe avait passé une partie de l'après-midi sur le bord du fleuve avec Jules. Ils s'étaient arrêtés pour écouter chanter Adrien et Hermine. Assis sur une table à pique-nique, sur le terrain des Vézina, le duo profitait de cette belle journée d'été pour savourer leur compagnie.

— Tiens, regarde donc qui va là! avait souri Philippe en pointant les deux personnes âgées installées côte à côte.

Pour une rare fois, Jules n'avait pas bronché, les yeux fixés sur les vieux qui chantonnaient! Leur mélodie virevoltait dans le vent et l'enfant avait été le premier à les entendre. Il s'était mis à les imiter d'une voix agréable. Assis sur les crans, devant Philippe, il avait serré ses petites jambes contre son torse et se balançait de gauche à droite sans quitter le duo des yeux. Hermine était d'abord restée surprise, ne sachant comment expliquer leur complicité, mais lorsque Philippe lui avait gentiment souri – tout en réfrénant un sentiment de curiosité –, elle s'était remise à chanter avec son vieil ami. De retour au gîte, Philippe avait été accueilli par cette phrase de sa femme :

— Je pense qu'on va garder Jules une couple de jours, Philippe !

— Heu ? Ah bon ? répondit-il le regard fixé sur le garçonnet qui étalait ses nouvelles roches sur la dernière marche de l'escalier. Fasciné, le couple l'observait compter, recompter, déplacer, replacer, étaler ses trouvailles, puis recommencer son manège depuis environ une demi-heure. Parfois, il regardait autour de lui sans jamais poser ses yeux longtemps au même endroit. Au moment où lui s'amusait innocemment, Marie-Laure, chez elle, en était déjà à sa sixième bière et ne semblait pas prête à s'arrêter. Lorsqu'Éloi s'était avancé pour demander :

— Qu'est-ce qu'on mange pour souper, maman ?

Marion avait répondu sèchement en pointant la châtaine :

— Tu sais bien qu'on va s'arranger tout seuls, niaiseux !

Marie-Laure n'avait même pas réagi au commentaire acerbe de sa fille, prenant encore quelques bouteilles pour aller s'avachir devant le téléviseur. Elle était crevée. Tellement crevée. Juste à l'idée de pouvoir dormir sans être réveillée, elle avait l'impression de rêver.

⤚

Jules ne passa finalement qu'une seule nuit au gîte. Une nuit difficile, agitée, pendant laquelle il ne dormit que quelques heures, tout comme les invitées et les propriétaires. Au matin, l'une des clientes à la mine brouillée marmonna :

— Eh bien, on peut pas dire qu'il dort bien, cet enfant-là !

Marjolaine, épuisée, la tête dans son café, ne chercha même pas à répondre au commentaire. Heureusement, il avait été entendu la veille au soir que Gaspard passerait chercher le jeune rouquin après sa dernière traverse du matin, c'est-à-dire vers sept heures trente.

— C'est toujours bien pas à nous autres de le garder. On a une *business* à gérer, avait marmonné Philippe en bayant aux corneilles.

Le goût d'avoir un petit lui était passé assez vite au cours de la nuit.

— *Sacrament*, il dort pas pantoute, ce jeune-là! Veux-tu bien me dire comment il fait?

Lorsque le grand-père arriva à l'heure prévue, les clientes du gîte attendaient patiemment dans la balançoire de bois. Le maire leur sourit gentiment en les saluant, malgré sa lassitude. Le poids des années se faisait sentir sur ses épaules chaque fois qu'il posait les yeux sur son petit-fils. Gaspard, qui espérait repartir avec Jules sans que ce dernier fasse une crise, s'avança en douceur, le corps voûté vers l'avant. Son ami Paul arriva sur les entrefaites et lui fit un signe de la main. Il avait mis son chapeau rouge pour accompagner ses chaussettes, avait-il dit en riant à sa fille. Marjolaine avait secoué la tête avant de lui dire:

— Je peux pas croire que tu vas mettre des sandales brunes par-dessus des bas rouges. Franchement, papa, tu fais dur!

Mais le vieux n'en avait cure, tout à sa joie d'accueillir Sophie sur l'île à la fin du mois de juillet. Pour lui, malgré la scission entre ses filles, il n'y avait rien de plus beau que de les savoir toutes les deux à proximité, en sécurité. Car durant toutes ces années pendant lesquelles son aînée avait parcouru le Canada, Dieu qu'il avait prié, le pauvre homme! Chaque soir, chaque matin il Lui parlait, Lui demandait de la garder en sûreté, malgré son tempérament autodestructeur. Il fit mine de repartir vers le jardin, mais Gaspard l'arrêta en le retenant par le bras:

— Paul, si ça te tente, je vais aller donner un coup de main à Conrad pour tondre ses derniers moutons demain matin, offrit le maire avant de se tourner pour crier : « Jules, viens-t'en, mon gars, on s'en va voir maman ! »

— Bien certain que ça me tente ! J'ai jamais fait ça ! Conrad fait quoi avec sa laine ?

— Tu connais notre marchand, rigola Gaspard pour chasser son inquiétude en ne voyant pas arriver son petit-fils, il la vend !

— Ah bon… et elle est de bonne qualité, la laine de ses moutons ?

— En général, répondit le maire, les moutons élevés dans des conditions normales au Canada produisent une laine assez résistante, s'ils sont suffisamment nourris. Puis fie-toi sur moi, c'est leur cas ! Par contre, cette année, Conrad est très en retard dans le travail, parce qu'il a été malade au printemps. Ensuite, ça a été le tour de Victoire. Il a donc dû arrêter sa tonte. Ce qui fait que je pense pas qu'il va garder la laine des moutons qu'on va tondre demain. Il a beau avoir une bergerie un peu mieux isolée, ceux-là commencent quand même à se rouler par terre à cause de la chaleur. Leur laine fait plus dur que celle des autres. Bon, ça a l'air que je vais devoir aller le chercher, mon Jules ! indiqua le maire en s'éloignant de Paul.

Son petit-fils était agenouillé sous le pommier près de la grange. Il ne daigna pas répondre aux nouvelles invitations de Gaspard et, plutôt que de venir à la rencontre de son grand-père, il disparut derrière le bâtiment. De loin, Philippe entendit l'appel de Gaspard, lui qui réparait la porte de la grange pour une troisième fois depuis leur arrivée sur l'île.

— Me semble que je l'avais solidifiée comme du monde, le mois passé, remarqua Paul sans s'apercevoir des sourires narquois de sa fille et de Gaspard.

Le barbu délaissa son marteau quelques instants pour aller voir derrière la grange.

— Jules, mon gars, vite, grand-papa t'attend!

Il se pencha un peu plus pour voir la réaction du gamin, qui l'ignora et continua à creuser un trou dans la terre. Il le vit déposer quelque chose puis recouvrir l'objet d'une main rapide. Après, il s'adossa à une souche d'arbre, les mains levées devant les yeux. Encore une fois, Philippe se dit qu'avoir un tel enfant demandait une grande dose de courage et de patience. Il salua Gaspard, qui s'avançait d'un pas égal tout en tordant sa casquette entre ses mains. Ne jamais savoir quelle réaction aurait l'enfant minait la plupart des adultes qui le côtoyaient.

— Tu viens, mon gars? répéta le chauve en se mettant difficilement à genoux près de l'enfant. Il lui tendit la main et tous furent étonnés de voir finalement Jules y déposer sa menotte et se lever docilement. Satisfait, Gaspard fit grimper l'enfant dans sa vieille voiture verte, avant de quitter le site du gîte. Marjolaine et Philippe poussèrent un long soupir de soulagement. Un problème de réglé!

— *Pfff,* enfin! fit Marjolaine en levant le pouce vers son mari. Les deux s'affalèrent dans le vieux sofa du salon en silence. Ils pensaient à la vie difficile qui attendait la famille de Marc-André et de Marie-Laure, en se trouvant bien chanceux de ne pas être confrontés à une telle réalité.

CHAPITRE 30

Malheur pour Marjolaine

Depuis le départ de son Edmond pour Rimouski, Roseline avait adopté une série de mesures pour se remettre en forme.

— Quand votre père va revenir sur l'île, il me reconnaîtra plus! avait-elle lancé à ses enfants abasourdis, en descendant son escalier patiné par les années, vêtue d'un collant turquoise, d'un chandail bedaine blanc et d'un bandana prêté par Marjolaine pour retenir ses boucles inégales.

Assise à la table de la cuisine, le nez plongé dans une revue de sa mère, Hélène n'avait pas encore refermé sa bouche devant cet accoutrement pour le moins inélégant. Elle passait de la belle princesse Diana, qui se marierait sous peu au prince Charles, à sa maman dodue. Pour se consoler, elle se disait que même une femme merveilleuse comme la future reine aurait comme mari un homme dont les oreilles auraient pu appartenir à l'éléphant Dumbo! Ce à quoi son amie Marion avait répondu: «Au moins, il est riche!» Décidément, les deux adolescentes ne voyaient plus les choses de la même manière depuis quelque temps. Souvent, la blonde lui disait qu'elle préférait être seule ou qu'elle n'avait pas le temps de papoter. Alors Hélène passait plus de temps chez elle, à jouer avec ses sœurs, qui n'avaient aucun autre intérêt que

575

l'élastique ou le coloriage. Roseline avait glissé la cassette vidéo de Jane Fonda dans le magnétoscope sous le regard intéressé de Véronique et Valérie, qui avaient délaissé leurs cahiers et leurs crayons de couleur pour s'approcher du salon.

— Mon amie me l'a prêtée, expliqua leur mère en souriant. Elle dit qu'avec ça, je devrais retrouver la forme de mes vingt ans !

Mais la pauvre Roseline avait oublié qu'elle n'avait pas plus de forme physique à vingt ans qu'à présent. Elle souffla donc, sua, pleurnicha en tentant de suivre le rythme de Jane Fonda pendant trente minutes avant de déclarer forfait :

— Bon, je pense que je vais arrêter pour aujourd'hui. Demain, tu le feras avec moi, Hélène !

Peu convaincue, la brunette avait grimacé avant de marmonner une réponse inaudible. Le troisième matin de sa remise en forme, Roseline avait trouvé une raison parfaite pour remettre sa séance d'aérobie au lendemain.

— Il faut que je fasse mes livraisons. Hélène, surveille tes frères et tes sœurs. Je vais chez Marjolaine une petite demi-heure.

Aussitôt, elle avait reposé la cassette dans son panier de tricot en se disant que si cette dernière pouvait être engloutie par la laine, elle ne s'en plaindrait pas. Avec satisfaction, la femme avait empilé dix pâtés au poulet, dix tartes aux petits fruits et six tourtes aux légumes à l'arrière de son trois-roues avant d'attacher le tout avec un gros élastique. Puis elle avait grimpé sur son engin en savourant d'avance le vent qui fouetterait son visage. En passant devant la maison grise de son voisin d'en face, Roseline Lamothe s'étira le cou. Elle était certaine qu'Adrien Ouimet se trouvait dans son jardin. À partir du printemps, c'est tout juste s'il n'y dormait pas. La blonde avait tenté d'appeler au

Chant des marées toute la matinée et, comme la ligne était toujours occupée, elle avait décidé de se rendre chez son amie sans la prévenir. Si le couple était absent, elle pourrait toujours s'arranger avec Paul, même si l'homme la mettait un peu mal à l'aise. Lui, c'était un vrai monsieur de la ville. Parfois il utilisait des mots qu'elle ne comprenait même pas ! Devant lui, elle se tenait droite comme un militaire, ce qui lui donnait un air constipé... ce que personne n'avait encore osé lui mentionner.

— *Maudit* que je suis fine, quand même ! se félicita la courtaude à voix haute en descendant de son tout-terrain.

Fière de sa bonne idée, elle prit le sac dans lequel elle avait pris soin de réserver un pâté et une tarte pour son vieux voisin. Il appréciait toujours cette petite pensée de la cuisinière, sachant fort bien que la femme aurait aimé recevoir des confidences en retour ! Relevant la palette de sa casquette des Expos sur son front rougi par le soleil, Roseline sourit en découvrant le vieux au fond de son potager, près de son poulailler.

— Je le savais, marmonna-t-elle. Adrien, Adrien ? cria-t-elle en se dandinant sur ses jambes courtes. Les pieds engoncés dans ses vieux souliers de course Adidas à la semelle usée, elle poussa la porte de bois de la clôture pour rejoindre le vieux.

L'homme portait une camisole grise qui laissait voir ses bras maigres et ses épaules décharnées. Il avait beau être d'une grande minceur, Adrien avait tout de même une force étonnante. Depuis le matin, il rageait en tournant autour de son nouveau clapier. L'homme âgé avait décidé qu'en plus de ses poules qui se vendaient fort bien, il ferait l'élevage de lapins. Alors l'insulaire avait embarqué dans le chaland de Conrad, un matin de la semaine précédente, et était revenu avec douze lapins de toutes les couleurs.

— Je les ai payés une *peanut*, expliqua-t-il à Roseline, mais là, j'ai un problème dans mon clapier. Viens voir.

La courtaude tenta de ne pas montrer son ennui, elle qui ne s'intéressait guère à l'élevage des lapins. Elle attendit quand même que son voisin ait fini de lui expliquer son problème avant de se dépêcher de montrer son sac:

— C'est bien plate, ton affaire. Mais regarde, je t'apporte un bon pâté et une tarte. Veux-tu que je les mette dans ta cui…?

Sans avoir le temps de poursuivre, elle leva la tête en entendant une portière claquer derrière son trois-roues. Inconsciente de l'image qu'elle projetait avec ses vêtements dépareillés et son derrière rebondi, Roseline releva sa poitrine dodue. Philippe avait beau être le mari de son amie, il n'en demeurait pas moins un homme! Ce dernier venait donner un coup de main à Adrien qui, en désespoir de cause, s'était résigné à l'appeler avant l'arrivée de sa voisine. Le propriétaire du gîte venait d'aller déposer ses trois clientes au Quai d'en-Bas et il en était fort aise. Il aimait bien l'argent que lui permettaient de gagner ses visiteurs, mais parfois la tâche qui leur incombait, à Marjolaine et lui, avec ces nombreux départs et arrivées lui semblait bien pesante. Il haussa les épaules de dépit en voyant Roseline Lamothe lui faire un grand salut de son bras mou.

— J'ai un *bonyenne* de problème! lui avait mentionné Adrien au téléphone. Pas trop jasant, il avait préféré que le jeune homme vienne voir par lui-même ce qu'il en était.

Philippe jeta un regard derrière lui en cherchant une échappatoire. Mais il ne pouvait pas laisser tomber Adrien. Alors il se plaqua un beau sourire sur le visage et s'avança lentement.

— Salut, Roseline. Ça va?

— Certain, mon beau Philippe! Veux-tu bien me dire ce que tu fais ici? J'ai eu beau essayer de vous appeler depuis neuf heures ce matin, pas moyen d'avoir une réponse. Pour moi, vous avez décidé de plus répondre, ça se peut, hein ? Parce que je voulais m'annoncer pour pas arriver comme un cheveu sur la soupe, mais il va bien falloir que vous...

Roseline se tut parce que le barbu venait de passer à ses côtés sans attendre qu'elle termine sa phrase. Elle eut envie de lui dire sa façon de penser, mais décida de ne pas créer de malaise. Alors elle sourit piteusement avant de se tourner vers les deux hommes, qui regardaient avec embarras le *bonyenne* de problème ! Dans le clapier bâti par Adrien, avec l'aide de Roch Bérubé, se trouvait une chatte qui avait accouché pendant la nuit. Lorsque le vieux s'était levé, à l'aube, il avait cru avoir la berlue. Son bel habitat de bois, séparé en quatre cages distinctes avait été accaparé par la femelle déterminée.

— *Sacrament*, veux-tu bien me dire...

Il avait entrouvert le toit grillagé sous le regard las de la chatte qui léchait un de ses dix...

— Dix *coliboire* !

— Adrien !

Roseline fronça sa fine ligne de sourcils en entendant le juron. Mais le vieux n'en avait cure, bien déterminé à résoudre la situation. Il pointa un doigt vers la femme en maugréant :

— Sais-tu quoi, Roseline ? Je pourrais dire pas mal pire que ça ! Elle a pas eu un ou deux chatons, *crisse*, elle en a eu dix ! Je comprends pas pourquoi c'est là qu'elle a décidé d'accoucher ! Puis je me demande bien qui a laissé le dessus ouvert, *tabarnouche* !

Découragée devant le langage ordurier du vieux, Roseline rétorqua sèchement :

— Bon je vais y aller moi. Je te laisse tes tartes dans ton *frigidaire*. Philippe, on va pouvoir se jaser tantôt, chez vous, hein ?

Le ton rempli d'espoir fit tressaillir le barbu, qui marmonna une réponse vague. Finalement, il resterait plus longtemps que prévu chez son vieux voisin, pensa-t-il. Jusqu'à tant que le trois-roues de Roseline repasse devant la maison grise et qu'il soit sûr qu'elle ne squatterait plus sa cuisine! Plus ou moins satisfaite de sa réponse, Roseline attendit quelques secondes une précision, mais, en voyant les deux têtes se pencher vers le clapier, elle comprit que l'intervention de Philippe ne s'éclairerait pas davantage. Les hommes ne se rendirent même pas compte du départ de la pauvre femme, qui se résigna à faire gronder le moteur de son tout-terrain pour montrer son mécontentement. Philippe observa le vieil insulaire en frottant sa barbe. Il se demandait s'il valait la peine de préciser que seul lui, Adrien, venait dans sa cour. Or, n'ayant pas envie de s'engager dans une longue discussion sur les nombreux visiteurs qui déambulaient maintenant sur l'île, il préféra se taire plutôt que de mentionner au vieux qu'il avait dû oublier de fermer le dessus du clapier. Pour la chatte, malgré son état, cela avait été facile de grimper sur la grosse cabane pour se glisser dans le foin bien frais. Se penchant pour voir à travers le grillage, le jeune hôtelier entama une discussion avec l'animal sur un ton affectueux. Mais le vieux ne l'entendait pas ainsi. Il apostropha Philippe rudement:

— Qu'est-ce que tu fais là, toi? Arrête de faire ton *smatte* en la minouchant, moi je veux qu'elle sorte de là! Ça fait que tu vas m'aider à expulser ça de mon clapier parce que j'ai essayé tantôt, puis mes deux lapines se sont transformées en furie. Mais j'aimerais bien ça leur faire comprendre que je toucherai pas aux bébés… en tout cas pas tout de suite, ricana-t-il. Les mâles, eux autres, bronchent pas. Ça fait que je voudrais juste que tu trouves une solution avant que je perde un doigt!

Il tourna son bras pour montrer une large éraflure. Puis il tendit le pouce où s'étalait une morsure bien nette.

— J'ai jamais vu ça! Chaque fois que j'essaie de sortir la chatte, c'est la folie furieuse!

Avant que Philippe ne puisse rien dire, le vieux fit un geste pour ouvrir la porte du clapier. Mais l'autre l'arrêta en repoussant le panneau de bois.

— J'espère qu'ils ont pas la rage, tes lapins. Je pense que je devrais peut-être… commença le grand noir, indécis. Puis il donna un léger coup contre l'épaule osseuse de son vis-à-vis, qui le regarda avec impatience.

— Quoi? Qu'est-ce que tu attends?

— Bien, tu aurais pas une paire de gants à me prêter?

— Pour quoi faire, des gants? Coudonc, es-tu un homme, toi là? ironisa le vieux en se déplaçant maladroitement vers son vieux cabanon. Depuis sa fracture du fémur, ses déplacements étaient laborieux et douloureux. Mais jamais il n'en parlait. Il revint quelques minutes plus tard avec deux gants disparates, un en cuir foncé, l'autre en coton rayé. Les lançant à Philippe, il envoya ses longues couettes voler derrière ses oreilles en essuyant la sueur qui lui coulait sur les tempes, laissant deux grandes traînées de terre sur son visage émacié. Sa barbe n'avait pas été taillée de l'année et semblait aussi emmêlée que ses cheveux!

— Bon, embraye, moi il faut que je nourrisse mes lapins, puis que je change leur litière. J'en prends soin en *bonyenne* de ces petites bêtes-là, parce que plus leur fourrure est fournie, plus Conrad m'en donne un bon prix. J'ai choisi un type de lapin massif, bas sur pattes, comme tu vois. Ils sont larges et costauds, avec un arrière-train musclé. Ça, c'est du lapin, mon ami!

Philippe hocha la tête, mais évita de regarder trop attentivement les grandes oreilles pointées vers eux. Sans tenir le même discours que son beau-père concernant l'éthique animale, il songeait à ce que Paul lui avait déjà dit, un soir où sa femme servait un ragoût de veau.

— Une poule, on s'en fout, c'est laid comme tout! Mais un agneau ou un veau… ça me fait toujours un peu plus mal au cœur. Quand ils te regardent avec leurs beaux yeux tristes…

— Mais pas assez mal pour t'empêcher d'en reprendre, hein, papa? s'était moquée sa fille, en lui servant une deuxième assiette bien remplie.

Souriant à ce souvenir, Philippe s'avança près du clapier. Mais lorsqu'il ouvrit le panneau de bois, il se retourna à nouveau.

— C'est bien beau ça, mais je fais quoi avec les chatons puis la mère?

— Lance-moi ça dans le fleuve!

Le barbu grimaça. Il avait beau avoir déjà tué deux agneaux et quelques poules depuis son arrivée sur l'Île Verte, il se voyait mal noyer des petites bêtes innocentes parce qu'elles dérangeaient un vieux malcommode. Il secoua donc la tête en sachant bien que sa réponse ne plairait pas à Adrien.

— Non, je ferai pas ça. Tu dois bien avoir une couverture dans ta cabane?

— Une couverte? Pour quoi faire? ronchonna l'homme en prenant un air étonné. Puis son visage s'éclaira: «Ho, tu vas les étouffer? C'est vrai que…»

— Non, non, le coupa Philippe, je vais les déplacer ailleurs, c'est tout.

Adrien se redressa en marmonnant quelque chose que l'autre n'entendit pas. Probablement un commentaire sur le monde de la ville, qui chouchoutait bien trop les animaux… Il retourna quand même dans le cabanon d'un pas plus lourd pour montrer son désaccord, mais Philippe ne changea pas d'idée. Lorsque l'hôtelier réussit à extraire tous les chatons et la mère du clapier, Adrien leur jeta un regard désabusé avant de pointer l'eau noire du fleuve une centaine de pieds plus bas.

— Tu es certain que…

— Certain ! Bon, je vais y aller, à moins que tu aies besoin de quelque chose d'autre.

— Heu, tu me laisses pas ça icitte, ces bibittes-là, parce que moi, je les zigouille, c'est sûr !

— Bien… c'est parce que je sais pas trop quoi en faire, moi ! argumenta Philippe, les pouces dans les ganses de son short en jeans.

Adrien était déjà derrière le clapier en train de remplir un bol de plastique avec de la moulée. Il la mêla à des épluchures de légumes, puis se releva en grognant :

— Hé, le jeune ! Fais ce que tu veux ou bien laisse-les là, mais demande-moi pas ce que j'ai fait avec !

C'est ainsi que Philippe prit la vieille couverture grise fournie par Adrien par les quatre coins pour transporter le plus délicatement possible maman chat et ses multiples poupons ! Il déposa le précieux paquet sur le siège du passager de son véhicule en tentant d'ignorer les miaulements plaintifs qui s'en échappaient. La chatte, épuisée par son accouchement, était bien la seule à ne pas manifester son mécontentement. Lentement, le barbu recula dans le chemin de l'Île en ignorant le ricanement du vieux, qui cria :

— En tout cas, merci bien pour ton aide. Tu as fait ça comme un homme !

Pendant de longues secondes, Adrien Ouimet continua à rire, même lorsque le camion disparut de sa vue. Il s'empara ensuite de son plat de nourriture, qu'il distribua généreusement dans les quatre compartiments de son clapier. Juste à voir de quelle manière ses lapins et lapines grossissaient, il savourait d'avance les bons civets qu'il pourrait manger d'ici la fin de l'été. En plus, Victoire lui avait promis de lui acheter tous ceux qu'il désirait vendre! Avec le commerce de ses œufs, de ses légumes, de ses poules et des lapins, Adrien allait amasser un petit pécule qui lui permettrait sûrement de passer un meilleur hiver que le dernier, alors qu'il avait dû se contenter de bouillons de légumes, de patates, de lard et de chou pour une partie de la saison. Satisfait, le vieux remonta ses bretelles sur ses épaules pointues avant de clopiner vers le poulailler adossé à son vieux cabanon. Comme Adrien se penchait pour racler le bord de son plant de persil, un air de musique française flotta jusqu'à lui! Il conclut avec irritation que chaque départ de clients signifiait un après-midi de chanteurs fatigants qui accompagnaient le ménage complet des chambres et des toilettes désertées du gîte. Malgré lui, après quelques instants, le vieil homme assis sur une bûche se mit à fredonner:

Je suis venu te dire que je m'en vais...[14]

S'il avait su que les paroles qui sortaient de sa bouche avaient été écrites et chantées par un homme aux mœurs plus que légères, qui avait un fort penchant pour l'alcool, nul doute que le pauvre aurait gardé ses lèvres bien serrées! Philippe, quant à lui, hésita un peu avant de faire demi-tour devant l'école bleue. À bien y penser, la meilleure personne pour prendre soin de ces chats, c'était matante Minou, à ce qu'on lui avait dit depuis son arrivée sur l'île. Il tourna donc en vitesse et se redirigea vers la maison voisine de celle d'Adrien. Quand la vieille femme vit ce que le barbu venait déposer sur son balcon, elle soupira:

---

14 *Je suis venu te dire que je m'en vais*, paroles et musique: Serge Gainsbourg, 1973.

— Encore! Tu es le troisième cette semaine qui m'apporte une portée! Pour moi, il y a eu un matou en liberté pas mal fringant sur l'île ce printemps!

∽

Ignorant que Roseline avait prévu lui faire une petite visite, Marjolaine tentait de savourer les paroles chantées par ses interprètes préférés, assise dans le gros *papasan*, le museau de Joe dans sa paume gauche. Dans l'autre, elle tenait le petit sac en papier brun en hésitant à en sortir le contenu, un achat fait la veille. C'était un tube de plastique blanc, qui devrait la fixer sur son avenir. Depuis le départ de Philippe, elle n'avait pas bougé. Pourtant, elle savait qu'elle devait faire le test au plus vite, avant que son époux ne revienne de chez Adrien. Mais elle avait l'impression d'être paralysée par la peur devant le résultat qu'elle obtiendrait.

— Faudrait que je me dépêche, Joe... pleurait-elle. Mais en même temps, j'ai tellement la chienne... Puis je comprends pas comment ça se pourrait. J'ai... j'ai peut-être bien oublié ma pilule juste une fois, *maudit*! Une fois! Je peux pas croire que ce petit oubli-là va ruiner ma vie...

Joe l'écoutait, ses grands yeux doux posés sur le visage tremblotant de sa maîtresse. En soupirant profondément, Marjolaine glissa ses pieds menus sur le plancher de bois et avança vers la salle de bain pour uriner sur le test de grossesse. Les yeux fermés, elle laissa l'objet sur le rebord du lavabo, caché dans un mouchoir, pendant qu'elle alla marcher en rond dans sa cuisine. Chaque fois qu'elle passait devant la salle de bain, elle hésitait, regardait sa montre, puis poursuivait sa promenade.

— Ça se peut pas que je sois enceinte! J'en veux pas de bébé!

Comme si cette justification suffisait à elle seule pour que le test soit négatif! Au bout de dix minutes, la brune crispée n'y tint plus. Elle passa le seuil de la salle de bain et saisit l'objet.

+

Un seul signe: +. Un signe qui signifiait la mort pour Marjolaine, qui s'écroula sur le sol en pleurant. Elle sanglotait si puissamment qu'elle n'entendit pas les pas de Roseline, qui grimpait l'escalier d'en avant en portant ses tartes.

Toc, toc, toc.

Roseline attendit un peu, mais comme personne ne venait ouvrir, elle se dit qu'il n'y avait sûrement pas de problème à ce qu'elle dépose les aliments dans le réfrigérateur du gîte. Alors, elle s'empressa d'ouvrir et de repousser la porte de bois avec sa hanche rebondie. Ses yeux curieux firent le tour de la pièce, avant qu'elle ne s'avance pour déposer ses boîtes sur le comptoir. Ne voulant pas passer pour une fouineuse, elle avait l'intention de se dépêcher. Elle s'avança vers l'escalier de bois pour crier :

— *Youhou*, mon amie? Es-tu là?

Assise sur le plancher de la salle de bain, la tête appuyée contre la baignoire et le chandail étiré d'avoir été utilisé comme mouchoir, Marjolaine leva les yeux au plafond avec désespoir. Pas elle! Pas Roseline, qui était incapable de garder un secret! Mais sa peine était si grande qu'elle n'avait pas le goût de cacher la nouvelle à son amie. De toute manière, il faudrait bien qu'elle en parle à quelqu'un d'autre que son mari. Elle connaissait l'opinion de Philippe sur les interruptions de grossesse et ne pouvait imaginer, pour l'instant, s'engager dans une discussion sans fin sur ce sujet. Puis de toute manière, son corps lui appartenait!

— Je… je sui… suis ici… Roseline.

— Ah! Je me disais aussi que… Bien qu'est-ce que tu fais assise par terre toi? Tu es malade?

Roseline secoua ses boucles indociles avant de s'accroupir péniblement à côté de son amie. Elle lut le désespoir sur les traits de la belle et, pour une rare fois, se dit que tout n'était pas rose chez la citadine. Pourtant, elle semblait tout avoir : un mari parfait, un papa aimant, une grande maison payée, un corps de déesse, des vêtements à ne plus savoir quoi en faire. Et malgré cela, Marjolaine avait le visage rougi par les pleurs, ses grands yeux bruns bouffis et ses ongles d'habitude si parfaits rongés presque jusqu'au sang !

— Voyons, ma *pitoune*, voyons, qu'est-ce qui te fait de la peine de même ? Dis-moi pas que c'est ton papa… ou ta sœur… ? Bien non, pas ta sœur, vu que tu… Oh mon doux que je dis des niaiseries ! Sortons d'ici, veux-tu ?

La pauvre Roseline, qui détestait voir la souffrance des autres, pointa la cuisine. Sans répondre, Marjolaine se releva péniblement et se dirigea vers le *papasan*. Elle s'y affala en ramenant ses jambes fines contre elle, avant d'éclater de nouveau en profonds sanglots. Estomaquée, Roseline resta figée quelques secondes avant de marcher vers son amie, Joe à ses trousses. Le pauvre chien rechignait d'entendre les pleurs de sa maîtresse et son gros museau se posa sur le coussin fleuri près de la jeune femme. Roseline s'était assise près de son amie et l'avait coincée sous son gros bras. Elle lui frottait le visage de sa main rêche pour tenter d'endiguer le flot de larmes.

— *Chut, chut*, veux-tu me dire ce qui te fait de la peine de même, ma toute belle ? À part la mort, rien peut être si pire que ça, hein ?

Marjolaine leva ses grands yeux rougis et désespérés vers son amie avant de murmurer :

— Pire que la mort, c'est la naissance d'enfants non désirés, Roseline. Puis moi, moi, bien… je… je suis… enceinte !

Pour Roseline, qui aurait voulu encore plus d'enfants si la vie le lui avait permis, ces paroles étaient choquantes et la rendirent bouche bée un long moment. Avec raideur, elle s'extirpa du *papasan* avant de se diriger vers le réfrigérateur pour y glisser ses boîtes de tartes et de pâtés. La voix faible de Marjolaine murmura :

— Tu... tu dis rien, Roseline ?

Un soupir répondit à la brunette, qui essuya ses joues avant de s'avancer sur le bord du gros coussin. Les fenêtres grandes ouvertes laissaient entrer le son des tracteurs des voisins, qui défrichaient leur terre jusqu'au fleuve. À un autre moment, Roseline serait allée voir sur le balcon ce que faisait le couple de personnes âgées, mais pour l'instant, elle était trop en colère. Sachant qu'elle ne pouvait partir sans rien dire, elle lança, pour Marjolaine :

— Là, maintenant, je peux rien te dire. Parce que moi, je comprendrai jamais ça que tu veuilles pas d'un petit bébé. Ça fait que plutôt que de te dire des choses méchantes, j'aime mieux m'en aller. On va laisser tomber la poussière, puis on se reverra bientôt. Je te le promets.

Abasourdie par la réaction de Roseline, Marjolaine sentit ses lèvres se mettre à trembler et ses yeux se remplir d'eau à nouveau. Mais l'autre avait déjà la main sur la poignée de porte. Elle dit, sans se retourner :

— Puis inquiète-toi pas, ton secret est *safe* avec moi. Peut-être que les gens pensent que je suis une commère sans fin, mais sache que je m'amuserai jamais à colporter une nouvelle qui te peine autant. Même si je comprends pas pourquoi.

La porte claqua sur la grosse femme avant que l'autre ne puisse répondre. Sachant que son époux serait probablement de retour sous peu, Marjolaine se leva péniblement et se dirigea vers le deuxième étage. Elle laverait temporairement sa détresse sous une douche rafraîchissante. Pour la suite, elle verrait plus tard. Marjolaine savait qu'un enfant viendrait chambouler leur vie. Les derniers questionnements de Philippe lui avaient mis la puce à l'oreille : et s'il décidait que cette grossesse était une bonne nouvelle ?

— Mais moi, pleurait toujours Marjolaine, je veux pas de cet enfant-là !

À suivre...

DANS LE PROCHAIN TOME

À la fin du premier roman, Marjolaine découvre qu'elle est enceinte. Que fera-t-elle de cette grossesse non désirée, elle qui crie haut et fort depuis si longtemps qu'elle ne souhaite pas avoir d'enfant? Comment son Philippe prendra cette nouvelle lui qui s'est senti ému à plus d'une reprise en présence de Marie-Laure mère fragile et instable?

Et puis la belle Sophie, la sœur aînée, reviendra-t-elle sur l'Île Verte comme prévu? Les deux sœurs réussiront-elles à reprendre le dialogue, à s'écouter et à s'aimer comme lorsqu'elles étaient jeunes, avant la mort de leur mère Emma?

La mort de Stéphane, le frère cadet de la famille Lalonde, s'est-elle produite comme Marjolaine et son père Paul le croient? Qu'est-il vraiment arrivé le soir du 10 juillet 1975 lorsque la tragédie a de nouveau frappé la famille?

Sur l'île, les commérages vont bon train concernant les relations tendues entre les sœurs Lalonde. Roseline, Adrien, Lionel, Victoire et tous les autres insulaires assisteront-ils à un rapprochement entre les deux ou l'arrivée de Sophie générera-t-elle de nouveau une explosion de colère chez sa sœur?

Et puis de nouveaux personnages feront leur apparition sur le territoire isolé: un nouvel infirmier; deux frères qui désirent s'installer de manière permanente sur l'île et ouvrir un petit restaurant, au grand dam du comité de protection mené par un Adrien plus déterminé que jamais… Des décès, un mariage très attendu, des décisions déchirantes… la vie n'est pas toujours simple sur la petite île du fleuve Saint-Laurent. Je vous y donne donc rendez-vous pour connaître la conclusion de cette histoire.

À bientôt ☺

NOTES DE L'AUTEURE

Plusieurs informations sont issues du livre *L'Île Verte, le fleuve, une île et son phare* publié par les Éditions GID, sous la direction de Lise Cyr et Jean-Claude Tardif.

N.B. : L'Île Verte est la seule île de l'estuaire du Saint-Laurent à être habitée de façon permanente depuis la fin du 18e siècle. Dans ses années les plus populeuses, environ 350 personnes y habitaient. Aujourd'hui, ce nombre a chuté à une trentaine de personnes seulement.

P. 23 À un certain moment, il y avait trois écoles sur l'Île Verte. L'école Fraser du Bout d'en-Haut (école bleue), l'école du Milieu et l'école Michaud (Bout d'en-Bas) où étaient enseignées la première, la deuxième et la troisième secondaires entre 1975 et 1980. En 1986, ce fut la fin de l'enseignement sur l'Île Verte. Tous les enfants devaient aller vivre à l'extérieur, sur le continent, afin de poursuivre leurs études.

P. 25 La première église, construite en 1876-1877, fut rénovée en 1901, 1915 et 1925, et avait un intérieur peint en bleu marial en l'honneur de la patronne de l'île, Notre-Dame des Sept Douleurs. L'incendie qui la détruisit eut lieu lors d'une violente tempête hivernale, le 31 décembre 1974, en milieu de soirée.

P. 28 Inspiré du livre *L'Île Verte, le fleuve, une île et son phare* publié par les Éditions GID, sous la direction de Lise Cyr et Jean-Claude Tardif, p. 30.

P. 30 Le Quai d'en-Bas fut construit en 1854 et le dessus fut refait en ciment en 1980.

P. 36 Inspiré de : http ://journalinsulaire.org/circuler-a-lile-verte-en-hiver-un-patrimoine-culturel-vivant-par-michele-giresse/.

P. 38 L'école du Milieu est la première à fermer sur l'Île Verte. C'est aujourd'hui une maison privée. Elle se situe sur le côté nord du chemin de l'Île, environ au milieu de l'île.

P. 47 Le chaland est une embarcation rectangulaire en bois robuste à fond plat que les gens de l'île utilisaient déjà pour la pêche à la fascine : dans l'installation des pièges et le ramassage des poissons. C'était un bateau solide composé d'une coque faite de planches disposées à clin (qui se recouvrent comme les ardoises sur un toit) et très étanche.

P. 48 Même si la coutume voulait que la femme prenne le nom de son mari dans les années 1980, dans le cadre de cette histoire, l'auteure a décidé de lui conserver son patronyme.

P. 77 Pour en connaître plus sur les mariages avant la formation de la paroisse : voir le chapitre « La maison de la mariée » dans le livre *L'Île Verte, le fleuve, une île et son phare* publié par les Éditions GID, sous la direction de Lise Cyr et Jean-Claude Tardif, p. 52-55.

P. 85 Il s'agit ici du feuilleton télévisé des années 1950.

P. 100 Les émissions de télévision *Jamais deux sans toi* (1977-1980) et *Le Clan Beaulieu* (1978-1982) furent deux feuilletons très populaires au Québec.

P. 115 Le téléroman *Terre humaine* était diffusé à Radio-Canada le lundi et non le vendredi.

P. 117 Cette route est nommée en l'honneur de Chléophas Guichard, un ancêtre de l'île. Son surnom était Clopha.

P. 120 Terry Fox est un jeune athlète canadien atteint du cancer qui a milité pour la recherche dédiée à cette maladie. Né le 28 juillet 1958 à Winnipeg, il est devenu célèbre grâce à son marathon de l'espoir, un long périple à la course qui devait lui faire traverser le pays en entier, tout en ayant une jambe artificielle. Il fut forcé d'arrêter avant la fin et est décédé le 28 juin 1981. Il avait parcouru 5 373 km.

P. 120 Paroles prononcées par Terry Fox, le 11 juin ; sur la Route 185, Québec (2 426 km). Terryfox.org

P. 123 Pierre Elliott Trudeau fut le premier ministre du Canada à deux reprises : 1968-1979 et ensuite 1980-1984. Il était le père de l'actuel premier ministre canadien, Justin Trudeau.

P. 127 L'Île Rouge est située face à l'embouchure du Saguenay à neuf km de l'Île Verte.

P. 153 Les baratins sont de longues baguettes de bois.

P. 162 Les roches surnommées Les Couillons sont situées en fait à l'est du phare de l'île et ne sont pas visibles du Bout d'en-Haut. Un des premiers bateaux à s'y heurter se nommait *Chance!* C'était en 1783.

P. 198 Informations tirées du site Internet https ://www.olympic. org/fr/moscou-1980.

P. 204 Le musée du squelette est ouvert sur l'île depuis l'an 2000 et compte environ 400 pièces de collection, amassées par Pierre-Henry Fontaine, fondateur du musée.

P. 206 La tombe de Peter Fraser (1760-1820) a été déplacée depuis et se situe sur le continent.

P. 229 En avril 1971, alors qu'il souligne le premier anniversaire de son élection, Robert Bourassa dévoile «le projet du siècle», l'aménagement du plus grand complexe hydroélectrique au monde : la Baie James. Un chantier gigantesque dont le territoire s'étend sur 350 000 km, soit les deux tiers de la France.

P. 230 Le phare de l'Île Verte érigé en 1806 et entré en fonction en 1809 est le plus ancien de la province de Québec. Deux maisons se trouvent sur le site du phare. La Corporation des maisons du phare de l'Île Verte a été créée en 1996 afin d'en assurer la gestion. Les maisons servent maintenant de gite pour les touristes.

P. 239 L'Île Verte (l'île) est située face à L'Isle-Verte (la municipalité) sur le continent.

P. 245 Informations issues du site du patrimoine asiatique (http://www.rcinet.ca/patrimoine-asiatique-fr/le-mois-du-patrimoine-asiatique-au-canada/les-refugies-de-la-mer-la-communaute-vietnamienne/)

P. 319 En effet, la maternelle n'était pas et n'est toujours pas une année scolaire obligatoire. Toutefois, 98 % des enfants admissibles y sont inscrits.

P. 357 Le projet d'élevage d'agneaux de prés salés fut inspiré d'élevages similaires en France. Pour être considérée comme un agneau de pré salé, la bête devait brouter dans le marais environ sept heures par jour, pendant au moins 60 jours. Faute de rentabilité, cette pratique est toutefois disparue de l'Île Verte depuis quelques années.

P. 387 Robertine Barry, journaliste, écrivaine, éditrice d'une revue, conférencière, militante féministe et fonctionnaire, est née le 26 février 1863 à L'Isle-Verte, Bas-Canada. La maison Robertine-Barry n'est toutefois pas ouverte au public.

P. 441 La Révolution tranquille est une période de changements rapides vécue par le Québec dans les années 1960.

P. 442 Jean Lesage a mis en place une véritable séparation de l'État catholique et l'État. L'une des priorités de son gouvernement est de laïciser l'État québécois, c'est-à-dire de séparer officiellement le pouvoir de l'Église et celui du gouvernement.

P. 451 Chapitre sur le pont de glace (p. 100-103), livre *L'Île verte, le fleuve, une île et son phare*, les Éditions GID.

P. 521 Définitions de l'autisme et des troubles du spectre de l'autisme (TSA) ainsi que plusieurs informations sur le site Internet d'Autisme Québec.

P. 524 Voir l'évolution des services en autisme sur le site de la Fédération québécoise de l'autisme.

P. 537 Information tirée du journal *L'Insulaire*, numéro spécial, colloque, janvier 2002 («Une île pour qui?»).

P. 545 Pour plus d'information sur la pêche à la fascine: site Internet grandquebec.com et texte de Lise Cyr dans le livre *L'Île Verte, le fleuve, une île et son phare*.

LISTE DES PERSONNAGES

(L'âge des personnages ci-dessous représente leur âge
au début du chapitre 1, soit en mai 1980)

Bérubé, Roch : 40 ans, ancien gardien du phare de l'île
Caron, Éloi : 10 ans
Caron, Gaspard : 62 ans, maire de l'Île Verte et ancien dentiste
Caron, Jules : 4 ans
Caron, Marc-André : 30 ans, cousin de Philippe
Caron, Marion : 12 ans
Caron, Philippe : 29 ans, propriétaire du gîte *Au chant
des marées*
Castonguay, Justin : 17 ans
Dionne, Antonin : 14 ans
Dionne, Conrad : 60 ans, commerçant
Dionne, Victoire : 60 ans, commerçante
Fraser, Edmond : âge non précisé, pêcheur
Fraser, Hélène : 11 ans
Fraser, Maxence et Maxime (les M&M) : 10 ans
Fraser, Valérie : 7 ans
Fraser, Véronique : 8 ans
Hurtubise, Juliette : 40 ans, enseignante
Lajoie, Hermine (matante Minou) : 70 ans
Lalonde, Emma : femme de Paul et mère de Marjolaine,
Stéphane et Sophie (décédée en 1967)

Lalonde, Marjolaine : 26 ans, propriétaire du gîte *Au chant des marées*

Lalonde, Paul : 69 ans, ex-détective privé à la retraite

Lalonde, Sophie : 29 ans

Lalonde, Stéphane : (mort à 23 ans le 10 juillet 1975)

Lamothe, Roseline : 39 ans

Marchand, Marie-Laure : 30 ans

Ouimet, Adrien : 75 ans

Vézina, Anémone : âge non précisé

Vézina, Lionel : 84 ans, pêcheur

Animaux

Joe : chien de Marjolaine et Philippe

Virgule : chaton beige des enfants Caron

Grisaille : chatte d'Hélène Fraser

Bulle et Bidule : vaches de Marc-André Caron et Marie-Laure Marchand

Peanut : agneau sacrifié des Lamothe-Fraser !

REMERCIEMENTS

Je ne saurais réussir cette belle aventure sans tous ces gens de cœur et de talent!

Merci à…

Mon mari Alain pour son soutien, ses encouragements et ses si belles pages couvertures colorées. Mon fils Émile et ma fille Camille – ma première lectrice – ma famille et ma belle-famille qui lisent et commentent mes histoires avec franchise.

Merci à…

L'équipe complète de Guy Saint-Jean qui fait un travail extraordinaire. J'aime faire partie de cette équipe enjouée qui m'encourage et me fait grandir un peu plus à chaque projet. Merci, Isabelle Longpré, pour tes judicieux conseils, tes imitations de Roseline… merci Claude, Manon et Lucie de parcourir le Québec pour vendre nos idées; merci Geneviève pour tes communiqués de presse, tes prouesses pour faire des horaires de salon… merci à Marie, à Jean, à Nicole et Jacques pour votre confiance. Merci à vous tous!

Finalement, merci à ma cousine Hélène Dionne et à Marco de m'accueillir chez vous sur l'Île Verte; merci pour vos anecdotes, vos souvenirs… Merci aussi à mes cousins Gérald et François, ainsi qu'à mon oncle Gérald pour les précisions sur la pêche, les quais, les activités.

DE LA MÊME AUTEURE CHEZ LE MÊME ÉDITEUR :

La promesse des Gélinas. *Tome 1 – Adèle*, 2015
La promesse des Gélinas. *Tome 2 – Édouard*, 2015
La promesse des Gélinas. *Tome 3 – Florie*, 2016
La promesse des Gélinas. *Tome 4 – Laurent*, 2016

DE LA MÊME AUTEURE POUR LA JEUNESSE :

La démone Angélique, Bayard Canada, 2015
L'heure de lecture, 4e année, Caractère, 2014
Mon père Marco – Ma fille Flavie, Bayard Canada, 2013
Ma grand-mère Gaby – Ma petite-fille Flavie, Bayard Canada, 2011
Mon papa-poule, ERPI, 2011
Edwin le fabuleux, Caractère, 2010
Le secret d'Elliot, Caractère, 2010
Les aventures de Jules Cousteau, Caractère, 2010
Une fin de semaine mouvementée, Caractère, 2010
Angèle et ses amis, Caractère, 2009
Échange de soccer, Caractère, 2009
Léo-Bobos, ERPI, 2009
Mademoiselle Insectarium, Caractère, 2009
Mon prof Marcel – Mon élève Théo, Bayard Canada, 2009
Roméo et Romy, Caractère, 2009
Mon frère Théo – Ma sœur Flavie, Bayard Canada, 2007

« Promettez-moi de ne jamais vous marier,
de ne jamais choisir d'époux ou d'épouse
qui risque de vous abandonner ou
de vous briser le cœur, ni d'avoir d'enfants. »

Nous sommes dans les Hautes-Laurentides dans les
années 1920, Rose rend l'âme en insistant pour que
chacun des quatre enfants qu'elle a élevés seule
fasse ce serment inusité. Sauront-ils honorer
les dernières volontés de leur mère ?

Une saga à découvrir par France Lorrain,
l'auteure d'*Au chant des marées*.

DISPONIBLE EN LIBRAIRIE

VOUS AVEZ AIMÉ *AU CHANT DES MARÉES* ?
VOUS POURRIEZ AUSSI AIMER
CHEZ LE MÊME ÉDITEUR :

Carmen Belzile
Comme l'envol des oies
La maison aux lilas
Le secret des vagues

Gilles Côtes
La famille du lac. Tome 1 – Fabi
La famille du lac. Tome 2 – Yvonne et Francis
La famille du lac. Tome 3 – Héléna

Sergine Desjardins
Le châtiment de Clara
Isa. Tome 1 – L'île des exclus
Isa. Tome 2 – L'île de l'ermite
Marie Major

Evelyne Gauthier
Aux délices de miss Caprice
Le club des joyeuses divorcées

Marie Gray
Baiser. Tome 1 – Les dérapages de Cupidon
Baiser. Tome 2 – La vengeance de la veuve joyeuse
Baiser. Tome 3 – La belle et les bêtes

Hélène Hamel
La cicatrice

France Lorrain
La promesse des Gélinas. Tome 1 – Adèle
La promesse des Gélinas. Tome 2 – Édouard
La promesse des Gélinas. Tome 3 – Florie
La promesse des Gélinas. Tome 4 – Laurent

Colette Major-McGraw
Sur les berges du lac Brûlé. Tome 1 – Le vieil ours
Sur les berges du lac Brûlé. Tome 2 – Entre la ville et la campagne
Sur les berges du lac Brûlé. Tome 3 – L'héritage

Serge Marquis
Egoman

Carmen Robertson
La fugueuse
Les blessures du silence
La saison des mensonges

Louise Tremblay d'Essiambre
Une simple histoire d'amour. Tome 1 – L'incendie
Une simple histoire d'amour. Tome 2 – La déroute
L'amour au temps d'une guerre. Tome 1 – 1939-1942
L'amour au temps d'une guerre. Tome 2 – 1942-1945
L'amour au temps d'une guerre. Tome 3 – 1945-1948
Les héritiers du fleuve. Tome 1 – 1887–1893
Les héritiers du fleuve. Tome 2 – 1898–1914
Les héritiers du fleuve. Tome 3 – 1918-1929
Les héritiers du fleuve. Tome 4 – 1931-1939
Les années du silence 1 : La tourmente et *La délivrance*
Les années du silence 2 : La sérénité et *La destinée*
Les années du silence 3 : Les bourrasques et *L'oasis*
Mémoires d'un quartier. Tome 1 – Laura
Mémoires d'un quartier. Tome 2 – Antoine
Mémoires d'un quartier. Tome 3 – Évangéline
Mémoires d'un quartier. Tome 4 – Bernadette
Mémoires d'un quartier. Tome 5 – Adrien
Mémoires d'un quartier. Tome 6 – Francine
Mémoires d'un quartier. Tome 7 – Marcel
Mémoires d'un quartier. Tome 8 – Laura, la suite
Mémoires d'un quartier. Tome 9 – Antoine, la suite
Mémoires d'un quartier. Tome 10 – Évangéline, la suite
Mémoires d'un quartier. Tome 11 – Bernadette, la suite
Mémoires d'un quartier. Tome 12 – Adrien, la suite
La dernière saison. Tome 1 – Jeanne
La dernière saison. Tome 2 – Thomas
La dernière saison. Tome 3 – Les enfants de Jeanne
Les sœurs Deblois. Tome 1 – Charlotte
Les sœurs Deblois. Tome 2 – Émilie
Les sœurs Deblois. Tome 3 – Anne
Les sœurs Deblois. Tome 4 – Le demi-frère
Les demoiselles du quartier, nouvelles
De l'autre côté du mur, récit-témoignage
Au-delà des mots, roman autobiographique
Boomerang, roman en collaboration avec Loui Sansfaçon
« Queen Size »
L'infiltrateur, roman basé sur des faits vécus
La fille de Joseph
Entre l'eau douce et la mer

Martine Turenne
Hôtel Princess Azul. Tome 1 – Bordel! Mais qu'est-ce qui se passe dans cet hôtel?
Hôtel Princess Azul. Tome 2 – Piñata, dauphins et ritalins
Hôtel King Azul

Visitez notre site: **saint-jeanediteur.com**

MARQUIS

Québec, Canada

Achevé d'imprimer le 12 octobre 2017

RECYCLÉ
Papier fait à partir
de matériaux recyclés
FSC® C103567

Imprimé sur du Rolland Enviro,
contenant 100% de fibres postconsommation,
fabriqué à partir d'énergie biogaz et certifié FSC®,
ÉCOLOGO, Procédé sans chlore et Garant des forêts intactes.

PERMANENT   100%